le grand livre du
BOIS

le grand livre du
BOIS

LE MATÉRIAU • LES OUTILS • LA MENUISERIE • L'ÉBÉNISTERIE

Éditions
Place des Victoires

Direction du projet :
Jordi Vigué

Coordinateur scientifique :
Vicenç Gibert i Armengol

Rédaction :
Jordi Graell i Vilà
Joaquín Montón Lecumberri
Vicenç Gibert i Armengol
Francesc Jordana i Riba
Rodrigo Lazcano Hormaechea
Judith Ramírez i Casas

Réalisation des exercices :
Eduard Vall.llosera i Camí
Pedro Carrero Román

Photographies :
Estudi Enric Berenguer

Collaborateurs photographiques :
Arxiu fotogràfic Gorg Blanc
Arxiu fotogràfic Universitat Politècnica de Catalunya
Jordi Vigué
Francisco Po Egea
Chassan
Stock Photos

Maquette :
Estudi gràfic Gorg Blanc
Paloma Nestares
Noemí Blanco

Illustrations :
Jordi Segú

Collaborateurs artistiques :
Miquel Ferrón
Myriam Ferrón i Viñas
Vicenç B. Ballestar

Illustrations techniques :
Salvador Obiols i Comas
David Garrés i Cervantes

Remerciements :
Pere Roig
Balius, Centres comercials de ferretería i bricolatge
Carpintería de Josep Soria Ramírez
Aismalibar, S.A.
Castorama
Akí

Édition française :
Traduction : Martine Richebé
Suivi éditorial : Anne Terral
Mise en page : Chesteroc

ISBN : 2-84459-046-2
Dépôt légal : septembre 2002

Avertissement

Toutes les instructions données dans cet ouvrage ont été soigneusement établies et véri-fiées. Cependant, les auteurs et les éditeurs déclinent toute responsabilité en cas de dommages ou blessures subis, directement ou indirectement, par suite de l'utilisation des informations contenues dans cet ouvrage.

sommaire

Le matériau 11

Les outils 73

La menuiserie 103

L'ébénisterie 239

Ceux qui ont déjà eu l'opportunité de façonner un matériau aussi noble que le bois savent qu'il s'agit d'un matériau vivant, où circule la sève, et qu'il possède un « cœur », selon le nom donné à la partie centrale du tronc de l'arbre. J'emploie à dessein cette terminologie pour souligner à quel point j'apprécie le bois, que j'ai longuement étudié et appris à connaître, car j'estime qu'il est nécessaire, pour bien le travailler, non seulement de faire preuve d'une grande habileté, mais d'établir avec lui une relation étroite.

Depuis l'aube des temps, l'homme est entouré de divers objets et outils en bois ; on comprend donc qu'il éprouve un attrait particulier pour ce matériau qui lui apporte tant de satisfactions et qui, sans aucun doute, conservera toujours une place privilégiée dans son environnement quotidien.

La conception de cet ouvrage s'inspire de la formation même de l'arbre, dont le bois se développe sous l'écorce au fil du temps, depuis les cernes les plus tendres de l'aubier jusqu'à ceux, plus denses, du duramen.

Dans cet esprit, nous avons jugé intéressant d'associer une approche novatrice de la mise en œuvre du bois – axée sur la pratique du métier et enrichie de l'expérience d'artisans qualifiés soucieux de transmettre leur savoir-faire – à une vision plus générale du sujet, afin que les lecteurs puissent aborder les techniques présentées indépendamment de l'étendue de leurs connaissances et de leur degré de compétence.

Toutes les données réunies dans ce livre se rapportent au bois, un matériau dont les caractéristiques varient suivant les espèces d'arbres dont il est issu, y compris celles qui connaissent un même processus de croissance. Il est essentiel d'apprendre à connaître les diverses essences de bois, qui se distinguent, non seulement par leur teinte, leur dureté et leur texture, mais aussi, des propriétés spécifiques, afin de choisir celle qui convient le mieux au travail envisagé.

Le travail du bois a donné lieu, au fil du temps, à la conception de divers outils et accessoires. Pour vous familiariser avec leur emploi, vous trouverez dans un premier temps une présentation détaillée des travaux de menuiserie de base, qu'il est essentiel de connaître pour mener à bien l'exécution de certains ouvrages.

Enfin, le chapitre consacré à l'ébénisterie montre que l'ébéniste est plus qu'un menuisier, qu'il lui faut maîtriser d'autres techniques, comme le tournage, la sculpture sur bois, la marqueterie ou encore la restauration.

L'ensemble de cet ouvrage a été conçu de façon que le lecteur souhaitant se familiariser avec le travail du bois, ou se perfectionner dans ce domaine, trouve dans les exercices présentés les solutions à tous les problèmes qu'il est susceptible de rencontrer.

Je souhaite adresser mes sincères remerciements à tous les professionnels qui ont participé à l'élaboration de ce livre, et sans lesquels ce projet n'aurait pu aboutir. Ils m'ont non seulement fait bénéficier du précieux apport de leurs connaissances, mais ont également fait preuve d'un dévouement, d'un enthousiasme et d'un esprit de collaboration qui ont permis de réaliser un ouvrage très complet sur le sujet.

Il est rare d'éprouver une joie aussi grande que celle liée à l'achèvement d'une œuvre dont on est particulièrement satisfait, ce qui est le cas de ce livre. Je souhaite que ce plaisir soit partagé par tous ceux qui, en s'y référant, pourront transformer de leurs mains un morceau de bois quelconque en un objet comportant une part d'eux-mêmes.

Vicenç Gibert i Armengol

LE MATÉRIAU

É tant donné la place qu'il occupe dans notre environnement naturel et le rôle essentiel qu'il joue, depuis les temps les plus reculés, dans notre vie quotidienne, le bois ne pourra jamais être considéré comme un matériau ordinaire.

Aucun autre matériau ne semble avoir une telle présence et éveiller en nous de si profondes résonances. Ce respect qu'imposent le bois et la noblesse dont il est empreint sont sans doute liés, dans notre esprit, à la lutte incessante qu'a dû mener l'arbre dont il est issu contre la multitude d'épreuves qui ont ponctué son existence.

Ce chapitre s'ouvre sur une présentation du bois : son origine, sa composition, ses propriétés, mais aussi les caractéristiques propres à chaque espèce, les essences de bois les plus couramment utilisées, et les différentes altérations qui peuvent l'affecter. Il aborde également son exploitation commerciale, le traitement et les soins qui lui sont apportés pour prévenir sa détérioration par divers agents destructeurs, et pour finir, les produits dérivés issus de sa transformation, qui offrent un large éventail de prestations et sont particulièrement adaptés aux besoins actuels.

L'objet essentiel de cet ouvrage étant le travail du bois, il nous a paru important de vous apprendre à mieux connaître ce matériau que vous vous proposez de façonner, afin que vous puissiez établir avec lui, au cours du processus de travail, un dialogue permanent, dont l'empreinte restera gravée dans l'objet que vous aurez élaboré de vos mains.

Le bois

Le bois est la matière ligneuse des arbres. Chaque espèce d'arbre possède des caractéristiques spécifiques de dureté, densité, couleur, résistance mécanique, etc. Ces propriétés ont déterminé de manière décisive les multiples destinations qui ont été attribuées au fil des siècles à ce matériau unique et tant apprécié. L'expérience nous enseigne que les bois ne sont pas tous identiques, qu'aucun d'entre eux n'a le même comportement et ne convient au même emploi.

Depuis les temps les plus lointains, le bois a servi à la construction de murs, planchers, toitures et autres éléments structuraux des habitations ; mais aussi à la fabrication de meubles de rangement, de confort, ou remplissant d'autres fonctions, d'éléments participant à la décoration de l'habitat, qu'ils soient intégrés à l'architecture ou qu'il s'agisse d'objets indépendants purement décoratifs, comme les sculptures ; à la confection d'objets utilitaires de la vie quotidienne (récipients, outils, ustensiles divers) et à bien d'autres emplois (fabrication d'instruments de musique, de jouets, construction navale, etc.).

Selon la destination que l'on souhaite donner au bois, il existe aussi différentes manières de le travailler, du simple dégrossissage pour les poutres à la finition la plus soigneuse et raffinée des meubles d'ébénisterie de luxe, en passant par toute une gamme de traitements de finition intermédiaires.

Le bois n'est pas une matière première banale. Il évoque à lui seul tout un univers, si l'on considère les différentes étapes de sa transformation depuis l'abattage de l'arbre jusqu'à l'objet fini. Dans ces premières pages, nous nous proposons de vous faire pénétrer dans l'univers du bois en vous faisant découvrir de quoi il est fait, mais aussi comment il est exploité dans les forêts, puis transformé en divers types de pièces – brutes, avivées, rabotées, et produits dérivés.

Les origines du bois

Le bois est issu de l'arbre, dont il constitue la masse ligneuse ; et comme c'est dans les forêts que se trouvent la grande majorité des arbres, ces dernières doivent être considérées comme leur véritable milieu originel. C'est pourquoi, avant d'aborder le travail du bois proprement dit, principal objet de cet ouvrage, il nous a semblé intéressant de faire le tour d'horizon de l'évolution des ressources offertes par l'ensemble des forêts de la planète, et d'étudier le mode de formation et de développement du bois dans l'arbre.

État des ressources forestières

La superficie des forêts dans le monde, incluant les forêts naturelles et les plantations forestières, créées de la main de l'homme, a été estimée à 3 482 millions d'hectares en 1997, soit environ un quart de la superficie du globe. Environ 55 % de cette couverture forestière se trouve dans les pays dits en voie de développement, 45 % dans les pays développés.

Les forêts se répartissent en deux grandes catégories : les forêts tropicales et subtropicales d'une part et les forêts tempérées et boréales d'autre part, qui occupent des superficies à peu près égales. Les plantations forestières constituent environ 3 % de l'ensemble des forêts, le reste étant formé de forêts naturelles ou semi-naturelles.

> Pour leur grand intérêt, nous citons textuellement dans ce chapitre certains passages de la première partie (*État de conservation et de développement des forêts*) du rapport de la FAO (Food and Agriculture Organisation of the United Nations) sur l'*État des forêts dans le monde en 1997*.

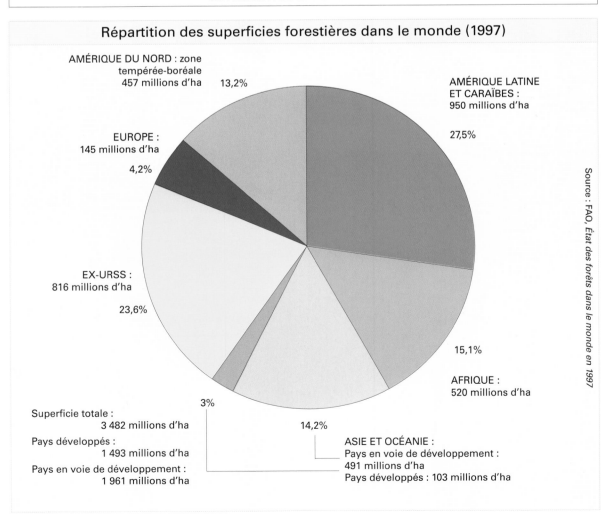

Répartition des superficies forestières dans le monde (1997)

AMÉRIQUE DU NORD : zone tempérée-boréale
457 millions d'ha — 13,2%

AMÉRIQUE LATINE ET CARAÏBES :
950 millions d'ha — 27,5%

EUROPE :
145 millions d'ha — 4,2%

EX-URSS :
816 millions d'ha — 23,6%

AFRIQUE :
520 millions d'ha — 15,1%

ASIE ET OCÉANIE :
Pays en voie de développement :
491 millions d'ha
Pays développés : 103 millions d'ha — 14,2% / 3%

Superficie totale : 3 482 millions d'ha
Pays développés : 1 493 millions d'ha
Pays en voie de développement : 1 961 millions d'ha

Source : FAO, *État des forêts dans le monde en 1997*

12

Les arbres ne sont pas tous exploités à des fins identiques, car chaque essence présente des propriétés bien spécifiques qui la rendent apte à des emplois déterminés.

Un arbre, outre le fait qu'il possède une entité propre et occupe une place importante dans la nature, est aussi une source abondante de bois, matière première servant à fabriquer tant d'objets aux destinations les plus diverses.

13

Même un groupe d'arbres de taille assez réduite, bosquet naturel ou plantation artificielle, constitue une réserve appréciable de bois, matière première indispensable à la construction de divers éléments utiles à l'être humain.

Variation de la couverture forestière mondiale entre 1980 et 1995

| DIMINUTION | AUGMENTATION |

-13 -12 -11 -10 -9 -8 -7 -6 -5 -4 -3 -2 -1 0 1 2 3 4 5 6

Europe — 4,1

Zone tempérée-boréale d'Amérique du Nord — 2,6

Australie, Japon et Nouvelle-Zélande — 1,0

Pays développés — 2,7

Asie et Océanie (pays en voie de développement) — -6,4

Afrique — -10,5

Amérique latine et Caraïbes — -9,7

Pays développés — -9,1

Les données concernant l'ex-URSS ne sont pas incluses dans ce graphique.

Source : FAO, *État des forêts dans le monde en 1997*

14

Variations de la couverture forestière mondiale

Suivant les données publiées dans le rapport de la FAO sur l'*État des forêts dans le monde en 1997*, la masse forestière a tendance à régresser : entre 1980 et 1995, la superficie totale des forêts a diminué d'environ 180 millions d'hectares. Alors que dans les pays développés, on enregistre une augmentation nette de la couverture forestière de l'ordre de 20 millions d'hectares, dans les pays en voie de développement, on relève une diminution nette de 200 millions d'hectares.

Si l'on tient compte des estimations, la couverture forestière mondiale a subi, entre 1990 et 1995, une diminution nette de 56,3 millions d'hectares, à savoir : réduction de 65,1 millions d'hectares dans les pays en voie de développement, et augmentation de 8,8 millions d'hectares dans les pays développés. En dépit de l'importance de la régression des forêts à l'échelle mondiale, il est probable que le taux de déforestation diminue à l'avenir.

D'après l'évaluation des variations de la superficie des forêts naturelles dans les pays en voie de développement entre 1990 et 1995, la diminution a atteint 13,7 millions d'hectares par an, contre 15,5 millions d'hectares par an durant le décennie 1980-1990. Quoi qu'il en soit, on ne peut encore savoir si cette tendance s'est maintenue depuis, tant que nous ne connaissons pas les données du rapport sur l'*État des ressources forestières en 2000*, qui nous permettront d'apprécier la situation au niveau mondial.

On peut attribuer ces variations de la couverture forestière, notamment en ce qui concerne les forêts tropicales, aux facteurs suivants : expansion de l'agriculture de subsistance en Afrique et en Asie, et programmes de développement économique de grande envergure menés en Amérique latine et en Asie, ayant impliqué une redistribution de la population et affecté en conséquence l'agriculture et l'infrastructure.

L'augmentation nette de la couverture forestière dans les pays développés est due en grande partie aux phénomènes de reboisement ou repeuplement forestier, incluant une régénération naturelle dans les régions où l'activité agricole a été réduite ou abandonnée. Dans certaines zones forestières de divers pays développés, cette expansion a avantageusement compensé l'abattage des arbres.

Ces dernières années, du fait de l'expansion de l'agriculture, de la mise en place de programmes de développement économique à grande échelle, de la spéculation et d'un manque de conscience écologique, la couverture forestière de la planète a connu une régression alarmante, certaines espèces étant menacées de disparition.

La formation du bois

Pour avoir une bonne connaissance du bois, il convient de se familiariser tout d'abord avec certains aspects caractéristiques du développement de l'arbre dont il est issu. Tant les plantes herbacées que les arbustes ou les plus grands arbres commencent à croître à partir de jeunes pousses issues de la germination de graines. Si les conditions offertes par le milieu sont favorables, un arbre peut atteindre des dimensions que ne peut égaler aucune autre espèce vivante.

Cela s'explique en grande partie par un certain nombre de particularités biologiques qui les distinguent des autres espèces : un important développement vertical, la formation d'une écorce protectrice épaisse et résistante, et une espérance de vie supérieure à celle de la plupart des organismes vivants.

Les arbres se trouvent répartis sur la majeure partie de la superficie du globe, où ils ont évolué en s'adaptant à des milieux très différents. La variété des conditions climatiques, et des

sols, associée à bien d'autres facteurs, a donné lieu à un si large éventail de genres et d'espèces que l'on trouve aussi bien des arbres d'à peine 2 mètres de haut que des individus s'élevant à plus de 100 mètres.

Les arbres peuvent vivre très longtemps ; ceux qui poussent dans les zones de haute montagne sont d'une exceptionnelle longévité, car le froid, la neige et le gel ralentissent leur processus de croissance – certains exemplaires sont plus que millénaires.

Anatomie de croissance

Le bois est la substance fibreuse complexe dont sont constitués le tronc et les branches de l'arbre. Son élément fondamental est la cellule. Les cellules juxtaposées forment, selon leur type, différentes sortes de tissus, et l'ensemble de ces tissus forme la masse ligneuse.

Les fibres ligneuses sont formées de vaisseaux accolés, composés de cellules allongées communiquant entre elles, et constituant les faisceaux ligneux et les tissus. En vieillissant, les cellules subissent un certain nombre de transformations ; elles se *lignifient*, en s'incrustant de lignine, et s'enrichissent de minéraux et substances antiseptiques ou protectrices ; ainsi, elles durcissent et meurent, formant le *duramen* ou *bois parfait*, qui confère à l'arbre sa rigidité.

Les arbres qui poussent dans les zones de haute montagne sont ceux qui ont la plus grande durée de vie, car le froid, la neige et le gel ralentissent énormément leur processus de croissance, qui n'est perceptible qu'au bout de nombreuses années.

Représentation schématique d'une cellule du bois et de ses principaux éléments constitutifs. Ce dessin est très simplifié car, en réalité, les cellules des arbres, bien que composées en gros des mêmes éléments, présentent des structures spécifiques.

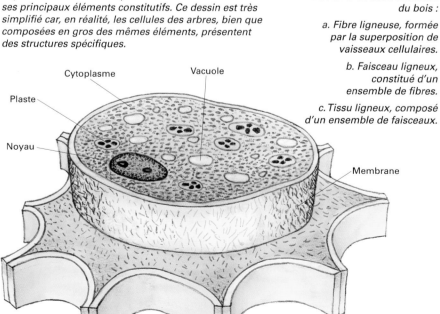

Cytoplasme

Vacuole

Plaste

Noyau

Membrane

Éléments du tissu cellulaire du bois :

a. Fibre ligneuse, formée par la superposition de vaisseaux cellulaires.

b. Faisceau ligneux, constitué d'un ensemble de fibres.

c. Tissu ligneux, composé d'un ensemble de faisceaux.

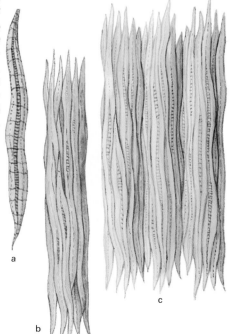

a

b

c

Masse ligneuse, formée de fibres plus ou moins longues suivant l'arbre, qui déterminent l'aspect de la veinure du bois.

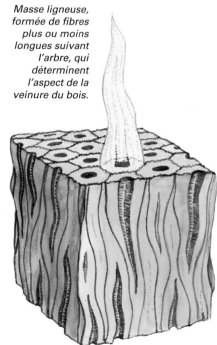

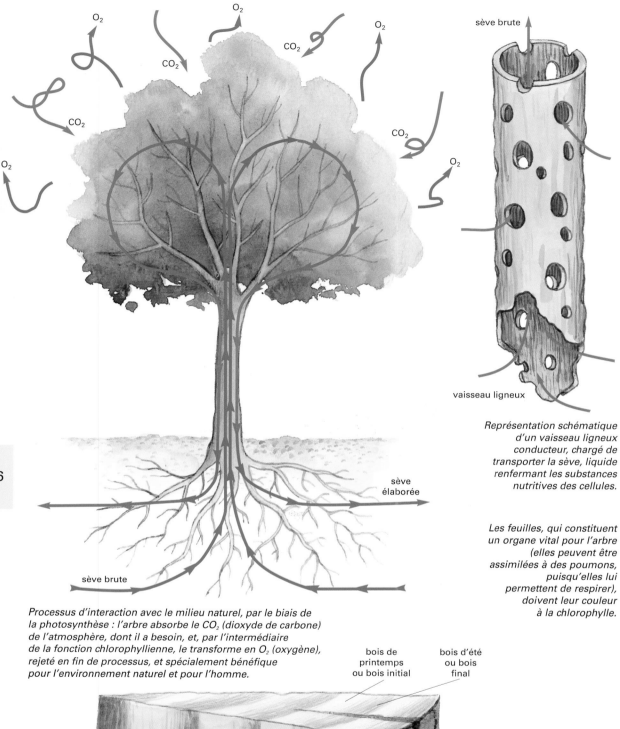

Processus d'interaction avec le milieu naturel, par le biais de la photosynthèse : l'arbre absorbe le CO_2 (dioxyde de carbone) de l'atmosphère, dont il a besoin, et, par l'intermédiaire de la fonction chlorophyllienne, le transforme en O_2 (oxygène), rejeté en fin de processus, et spécialement bénéfique pour l'environnement naturel et pour l'homme.

sève brute

vaisseau ligneux

Représentation schématique d'un vaisseau ligneux conducteur, chargé de transporter la sève, liquide renfermant les substances nutritives des cellules.

Les feuilles, qui constituent un organe vital pour l'arbre (elles peuvent être assimilées à des poumons, puisqu'elles lui permettent de respirer), doivent leur couleur à la chlorophylle.

bois de printemps ou bois initial

bois d'été ou bois final

rayons ligneux ou médullaires

cœur
cerne 1ère année
cerne 2e année
cerne 3e année
cerne 4e année

Schéma de croissance des cernes ; on distingue les zones d'accroissement de bois de printemps (cernes tendres, plus poreux et plus clairs) et de bois d'été (cernes plus durs, à texture plus serrée, et plus foncés), composant les cernes annuels.

Suivant l'espèce, les fibres peuvent être plus ou moins longues, ce qui détermine l'aspect de la *veinure* du bois.

Les principaux tissus d'un arbre sont les suivants :
• tissu tégumentaire ou protecteur ;
• tissu de soutien ;
• tissu conducteur, formé de vaisseaux.

Le tissu conducteur joue un rôle essentiel, car il est chargé de l'acheminement d'une substance composée d'eau, de minéraux et d'autres éléments, que les racines de l'arbre puisent dans le sol, la *sève brute* ou *sève ascendante,* et qui monte vers les feuilles dans les vaisseaux ligneux, distincts suivant l'espèce, où elle se transforme, par photosynthèse, en *sève élaborée* ou *sève descendante*. Cette dernière descend ensuite par les vaisseaux libériens et se répartit dans l'ensemble de l'arbre, formant de nouveaux tissus de croissance et des matériaux de réserve. La sève donne à l'arbre son énergie vitale, gouvernant le développement et la formation des branches, feuilles et fruits.

Filtrant le gaz carbonique de l'air, les feuilles constituent un organe important de l'arbre, qui ne pourrait vivre sans elles. Pour établir un parallèle avec l'homme, on peut dire que les feuilles sont les poumons de la plante, les racines l'entrée de son appareil digestif, et la sève, son sang.

Il convient de mentionner l'importance, dans ce système vital, de la chlorophylle, substance verte qui donne aux feuilles leur couleur caractéristique et qui permet la combinaison entre le dioxyde de

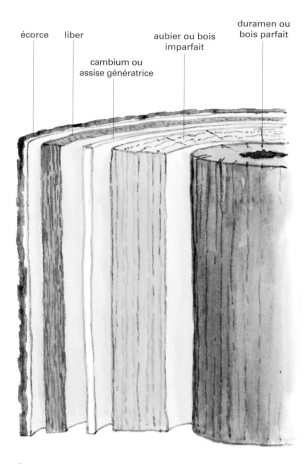

écorce liber cambium ou assise génératrice aubier ou bois imparfait duramen ou bois parfait

Structure concentrique de la coupe transversale d'un tronc, déterminée par sa croissance annulaire

La nature du terrain sur lequel poussent les arbres, et notamment le fait qu'il soit humide ou sec, influe de façon décisive sur la texture, la dureté et la résistance de leur bois à l'attaque de divers agents de détérioration.

carbone de l'air, le rayonnement solaire et l'eau puisée par les racines dans le sol, pour former des substances nutritives essentielles à la croissance de l'arbre.

Mode de croissance

La structure anatomique du bois est abordée ultérieurement, mais il nous a semblé néanmoins nécessaire de fournir dans ce chapitre un minimum d'informations permettant de mieux comprendre son mode de croissance.

Si l'on observe la coupe transversale d'un tronc, on note une succession de couches annulaires concentriques, à savoir :

• L'*écorce*, enveloppe externe protectrice imperméable de l'arbre, recouvrant le liber.

• Sous l'écorce, le *liber*, mince couche de tissu végétal constitué de vaisseaux où circule la sève élaborée.

• Le *cambium*, ou assise génératrice. Durant les périodes de végétation active, la division de ses cellules engendre une mince couche de liber sur sa face externe et une couche plus épaisse de bois sur sa face interne ; il assure la croissance en épaisseur de l'arbre, par superposition d'une couche de nouveau bois sur le bois existant.

• L'*aubier* ou *bois imparfait*, zone tendre et claire se formant chaque année entre le bois dur et le liber, où circule la sève brute et où sont stockées les substances nutritives. C'est le bois vivant de l'arbre, physiologiquement actif.

Tous les éléments constitutifs de l'arbre sont présentés plus loin en détail.

Au printemps, les arbres redeviennent actifs et produisent un bois tendre et poreux de teinte claire, le bois initial.

En été et en automne, avant la période de repos végétatif, le bois produit par les arbres est plus compact et plus coloré, c'est le bois final.

Structure de la coupe transversale d'un tronc selon son mode de croissance

Lente

Structure propre aux arbres de haute montagne, qui doivent supporter de grands froids, la neige et le gel, ce qui ralentit leur croissance ; ce sont ceux qui vivent le plus longtemps.

Rapide

Cette structure est caractéristique des arbres de pays à climat tempéré. Leur bois est moins dense et, par conséquent, moins résistant et plus vulnérable à tous types de dangers ; la vie de ces arbres est beaucoup plus brève..

À cœur excentré

Structure des arbres qui ont subi d'un seul côté une trop forte insolation ou un froid excessif, ou ont été exposés à un vent dominant, etc. Cette anomalie touche tant les arbres de haute montagne que ceux des régions à climat plus tempéré.

Aspect des cernes de croissance

L'aspect des cernes de croissance du tronc et des branches, ainsi que celui des nœuds renfermés par le bois sont révélateurs des vicissitudes qui ont ponctué la vie de l'arbre.

Leur observation permet donc, non seulement de bien comprendre le mode de croissance de l'arbre, mais aussi de cerner les divers événements qui en ont éventuellement perturbé le développement. En examinant les cernes sur la section transversale du tronc, de préférence près de la souche, on peut discerner :

• Le bois de printemps ou bois initial. Il est constitué essentiellement de vaisseaux larges, qui conduisent la sève brute jusqu'aux feuilles ; il est reconnaissable à sa teinte claire. Il s'agit d'un bois tendre, à pores dilatés.

• Le bois d'été ou bois final, formant la seconde zone d'accroissement du cerne annuel, est consti-

tué principalement de fibres et vaisseaux conducteurs plus fins et plus serrés que ceux du bois de printemps, et d'une teinte plus sombre.

Le bois clair et tendre du printemps et le bois plus dense et sombre se formant avant l'hiver composent à eux deux la zone d'accroissement annuel.

Le milieu environnant de l'arbre et les variations climatiques saisonnières marquent son développement. Tous les facteurs ayant affecté la croissance de l'arbre au cours de sa vie sont déchiffrables à l'aspect que présentent leurs cernes – épaisseur, teinte, etc.

Les arbres qui poussent en terrain fertile ont des cernes plus larges que ceux qui se développent sur un sol pauvre. On peut également juger du rythme de croissance d'un arbre d'après la densité des cernes. Les arbres à croissance lente présentent des cernes étroits et serrés, les arbres à croissance rapide, des cernes plus larges.

Il arrive aussi, parfois, que les cernes présentent une épaisseur inégale en divers points du pourtour du tronc ; ainsi, un arbre qui a subi un fort vent dominant présente une section transversale ovale, avec des cernes plus serrés du côté où il a subi les assauts du vent.

Les conditions climatiques affectent la croissance de l'arbre et sont reflétées par l'amplitude des cernes. Une sécheresse prolongée peut entraîner un arrêt de croissance, et la formation de faux cernes. Les attaques d'insectes et les ravages causés par le feu y laissent aussi leurs marques.

Dans les régions tempérées, la croissance est plus rapide au printemps, saison où se forment des cellules à large vacuole ou cavité centrale. L'été, le diamètre de ces vacuoles diminue. L'hiver, en période de repos végétatif, la croissance est interrompue jusqu'au printemps suivant.

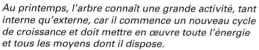

Au printemps, l'arbre connaît une grande activité, tant interne qu'externe, car il commence un nouveau cycle de croissance et doit mettre en œuvre toute l'énergie et tous les moyens dont il dispose.

Les changements saisonniers affectent d'une manière décisive la croissance des arbres ; en hiver, l'arbre, bien que vivant, est dans un état de repos végétatif et l'activité vitale qu'il développe est minime, car il s'agit alors pour lui d'économiser son énergie.

Développement des branches

Les événements qui se sont produits tout au long de la vie de l'arbre ne restent pas seulement gravés dans les cernes du tronc. On peut aussi juger des avatars de croissance des branches en observant les nœuds du bois.

Les nœuds correspondent au point d'attache des branches sur le tronc. Quand une branche est vivante et produit des feuilles, ses tissus sont intimement liés aux tissus environnants du tronc. Quand une branche meurt, qu'elle reste ou non attachée au tronc, ses tissus morts se dessèchent tout en continuant à être enveloppés par les nouveaux tissus du tronc. Les *nœuds vivants*, sains, adhérant au bois environnant, sont issus de branches vivantes au moment de l'abattage de l'arbre. Les *nœuds morts* proviennent de la chute naturelle de branches mortes ou d'anciens élagages, et ont l'aspect de pastilles noires et dures dont les tissus manquent d'adhérence avec le bois environnant. On peut les faire sauter aisément.

La présence de nœuds dans le bois est inévitable, car un arbre ne peut se développer sans branches. Toutefois, en élaguant l'arbre de façon appropriée, on peut limiter le nombre et la taille des nœuds.

Exploitation et débit du bois

La constitution de l'arbre, l'époque à laquelle on procède à son abattage et la brièveté de son séjour sur le lieu de coupe après abattage jouent un rôle déterminant dans la qualité du bois obtenu. Après savoir coupé l'arbre sur pied, on en élimine les branches et, selon l'essence concernée, on procède ou non à son écorçage. Le tronc ainsi préparé est désigné sous le nom de *grume*. Les grumes sont ensuite triées en différentes catégories et empilées en vue de leur transport hors du lieu de coupe.

Les arbres doivent être abattus quand ils atteignent un degré adéquat de maturité et de développement. Si l'arbre est trop jeune, son bois encore tendre est vulnérable aux attaques des insectes et champignons, il se fend et se déforme au séchage. S'il est trop vieux, son cœur est souvent altéré ou pourri.

Abattage des arbres

L'abattage est une opération réalisée par des ouvriers spécialisés, les bûcherons. Il peut être effectué de façon traditionnelle, au moyen d'une hache ou d'une scie, ou à l'aide de tronçonneuses ou scies à chaînes, fonctionnant à l'aide de groupes électrogènes ou à l'essence, ou de véhicules équipés pour effectuer la coupe mécaniquement.

Une fois l'arbre abattu, il faut en éliminer les branches, à la hache ou à la tronçonneuse. Ensuite, suivant le cas, il peut être nécessaire d'écorcer le tronc. En général, les grumes sont ensuite transportées jusqu'au chemin forestier par traction animale ou mécanique, opération appelée débardage, puis acheminées aux scieries par route, chemin de fer, ou par flottage, assujetties en forme de radeaux ou trains de bois pour suivre le fil des cours d'eau. Dans certaines grandes exploitations, on emploie des machines polyvalentes qui abattent les arbres, ébranchent et écorcent les troncs, débitent les grumes à la longueur voulue, et les trient automatiquement en vue de leur empilage et de leur enlèvement.

Dans cette première phase, pour les essences tendres, il convient de procéder à l'écorçage avant

L'arbre abattu est transformé en grume après élimination de ses branches et, éventuellement, de son écorce, selon les essences.

Les grumes sont regroupées en différentes piles, selon leur diamètre et leur longueur, en vue de leur débardage, puis de leur transport jusqu'aux scieries.

Les grumes doivent être évacuées le plus rapidement possible du lieu de coupe, car le bois frais, au taux d'humidité encore élevé, est très vulnérable à l'action des champignons et des insectes et autres agents destructeurs qui peuvent lui faire subir de graves altérations.

19

entrepôts de séchage, car le bois humide est vulnérable aux attaques de champignons ou d'insectes xylophages. Elles y séjournent durant les mois d'hiver pour pouvoir être travaillées au printemps et en été.

Âge d'abattage des arbres

L'âge d'abattage des arbres varie suivant l'espèce et la zone climatique où elle se trouve. Le tableau figurant en bas de page indique l'âge d'abattage des espèces les plus courantes. Ces chiffres peuvent varier et ne sont donnés qu'à titre indicatif.

Les grandes entreprises d'exploitation forestière tirent parti des cours d'eau pour acheminer à moindre coût d'importantes quantités de grumes jusqu'aux installations industrielles où le bois sera séché, puis débité et subira les préparations nécessaires à sa transformation.

le séchage, pour favoriser l'évaporation de l'eau qu'elles renferment ; en revanche, il est préférable de ne pas écorcer les essences dures, qui sont très souvent destinées à la production de placages, afin d'éviter un dessèchement excessif du bois et sa fissuration.

Époque d'abattage

La meilleure époque pour procéder à l'abattage des arbres est la fin de l'hiver, avant la montée de sève du printemps. Ils se trouvent alors en période de repos végétatif et, comme ils ne produisent alors pas de sève ou de bois neuf, l'écorce se détache facilement de l'aubier. La faible teneur en sève des cellules diminue en outre le risque d'altération du bois par les insectes ou les champignons.
Il est fortement déconseillé d'abattre les arbres en été, époque où leur aubier est imprégné de sève, et donc de substances nutritives augmentent le risque de dégradation du bois par des agents biologiques.
Les grumes fraîchement coupées doivent être rapidement acheminées du lieu de coupe aux

Âge d'abattage d'espèces courantes

ESPÈCE	ANNÉES
Acacia	20-60
Peuplier noir	30
Bouleau, peuplier blanc, alisier	40
Érable, cèdre, cerisier, sycomore	50
Mélèze, ébène, orme, pin sylvestre	70-80
Sapin, frêne, noyer, tilleul	100
Hêtre	100
Châtaignier, cyprès, chêne vert, chêne rouvre	80-250

Sylviculture et planification des coupes

Pendant longtemps, bois et forêts ont été exploités de manière incontrôlée, et continuent à l'être aujourd'hui encore à certains endroits, en raison de cette idée reçue que les ressources naturelles sont inépuisables et que la capacité de régénération des forêts ne peut être surpassée par la capacité dévastatrice de l'homme. Cet état d'esprit évolue peu à peu. Aujourd'hui, on sait que les ressources peuvent s'épuiser si l'on ne prend pas les précautions qui s'imposent. Le concept de régénération continue est fondamental dans l'exploitation des forêts. La demande en bois des scieries, fabriques de pâte à papier ou autres industries ne cesse de croître. S'il est nécessaire de satisfaire la demande actuelle et future, cela ne peut se faire néanmoins que dans les limites du cycle naturel de production du bois ; ce qui signifie que, si les arbres ont besoin de 50 ans pour atteindre leur pleine maturité, on ne peut abattre chaque année qu'un cinquantième de la forêt, et assurer son renouvellement dans la même proportion.
La sylviculture, ou arboriculture forestière, s'attache, au moyen de techniques scientifiques, à obtenir la régénération la plus rapide de la forêt au moindre coût.
L'expérience montre que le plus rentable est de planter un nombre d'arbres supérieur à celui nécessaire, pour tenir compte du fait qu'une partie d'entre eux ne survivent pas à l'attaque des rongeurs, des insectes xylophages ou de différentes maladies, et de pratiquer des éclaircies en arrachant les sujets les plus faibles pour offrir de meilleures conditions de développement aux sujets les plus forts. Les jeunes sujets arrachés lors des éclaircies sont transformés en bois pour la construction de clôtures, en poteaux pour les galeries de mines, ou débités en bois de chauffage.
Parmi les méthodes d'exploitation planifiée, on distingue la coupe rotative, la coupe avec régénération par arbres semeurs ou reproducteurs et la coupe sélective.

Coupe rotative

La forêt est divisée en parcelles qui sont coupées chacune à leur tour, de manière rotative, afin d'assurer un rendement continu. L'exploitation ne peut débuter qu'au bout d'un certain nombre d'années, qui peut être de 50 ans ou plus, suivant l'espèce plantée.
Cette méthode permet l'introduction de nouvelles essences, et les parcelles voisines de celle qui est coupée contribuent à la conservation du sol et des habitats. La parcelle sur laquelle les arbres sont abattus se repeuple naturellement ou est replantée d'autres essences et, pendant qu'elle se régénère, on en exploite une autre.

Coupe régénérée par arbres semeurs

Cette méthode s'emploie surtout avec les espèces d'arbres dont les graines se reproduisent facilement et dont le développement ne demande pas de soins particuliers. On peut abattre la quasi-totalité des arbres de la parcelle, en ne conservant que quelques individus épars servant de sujets reproducteurs ou « semenciers ». Le principal inconvénient de cette méthode est la densité excessive que peut atteindre ce repeuplement naturel, qui n'est pas planifié, et peut nécessiter un travail important d'éclaircissage pour favoriser le développement des arbres.

Coupe sélective

Cette méthode permet de constituer une forêt d'espèces mélangées, tout en maintenant la diversité de l'écosystème, car elle respecte les sols, ainsi que le milieu animal et végétal. Elle est surtout adoptée dans des zones d'intérêt écologique ou touristique, car elle ne s'accompagne pas de dévastations extensives et ne défigure pas le paysage.
On coupe certains arbres de manière sélective, en laissant ceux qui se sont moins développés pour

Coupe rotative

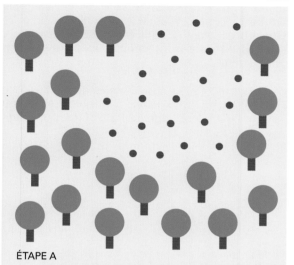

ÉTAPE A

On exploite une zone déterminée de la forêt, en laissant intactes les zones adjacentes, pour préserver la forêt et ne pas nuire à l'équilibre du milieu.

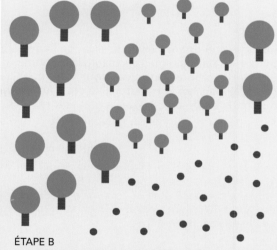

ÉTAPE B

La zone de coupe est repeuplée naturellement ou artificiellement. Entre-temps, on abat les arbres d'une zone adjacente.

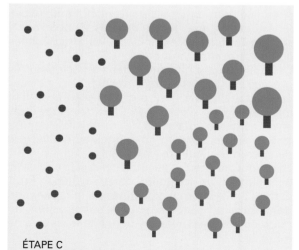

ÉTAPE C

Les arbres continuent à se développer sur la zone de coupe initiale, et la zone exploitée à l'étape B est repeuplée ; entre-temps, on exploite une zone adjacente aux deux premières.

Coupe régénérée par arbres semeurs

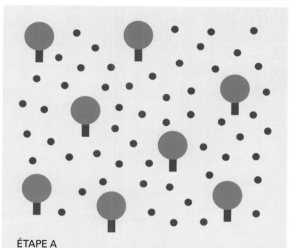

ÉTAPE A

On délimite une zone dans laquelle on abat une grande quantité d'arbres, en ne conservant que quelques arbres adultes devant servir de sujets reproducteurs et assurer la régénération de la forêt.

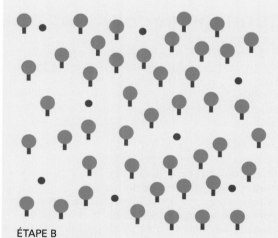

ÉTAPE B

Quand les arbres issus de la germination des graines des sujets reproducteurs sont bien enracinés et en pleine croissance, on abat les arbres adultes pour favoriser leur développement.

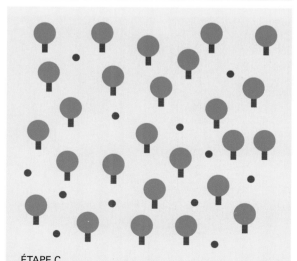

ÉTAPE C

On procède à plusieurs éclaircies, pour éliminer les sujets les moins sains et les moins robustes et favoriser la croissance des meilleurs sujets en vue de leur abattage.

Coupe sélective

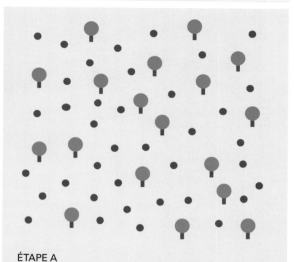

ÉTAPE A

Sur une zone déterminée, on abat les sujets adultes les plus vigoureux en conservant les plus forts des jeunes sujets pour qu'ils se développent.

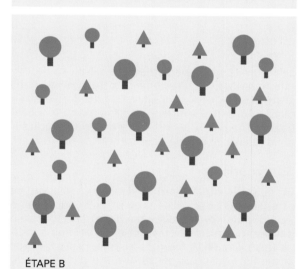

ÉTAPE B

Tandis que les arbres qui n'ont pas été coupés continuent à croître, la forêt est repeuplée de nouvelles espèces, qui vont à leur tour se développer.

ÉTAPE C

Quand les arbres plantés à l'étape B pour repeupler la forêt sont bien enracinés et en pleine croissance, on coupe ceux qui ont été épargnés à l'étape A, et sont devenus assez vigoureux.

21

les laisser croître en vue de leur abattage ultérieur, tandis que la forêt est repeuplée. Quand le repeuplement est achevé, on abat les sujets devenus adultes.

Les arbres abattus sont transportés jusqu'aux scieries où ils seront débités aux dimensions adéquates.

Le débit longitudinal des grumes ou des billes est toujours effectué dans le souci de tirer le meilleur parti de leur bois et de réduire au minimum les chutes et, d'une façon générale, tous types de pertes.

Tronçonnage et débit des grumes

Les grumes sont tronçonnées en éléments de longueur variable appelés *billes*. Le tronçonnage des grumes en billes et le débitage de ces dernières en pièces équarries s'effectue en fonction de la destination finale du bois. Le premier débit longitudinal réalisé en scierie tient compte de la structure de l'arbre, des défauts qu'il est susceptible de renfermer, et des phénomènes de retrait et de gauchissement pouvant se manifester en cours de séchage.

Ce débit, qui consiste à diviser la pièce suivant des plans parallèles à son axe longitudinal, est toujours effectué de manière à tirer le meilleur parti du bois, en réduisant les pertes au minimum. Selon la méthode adoptée pour découper la grume, le bois est commercialisé sous forme de bois ronds ou de bois équarris bruts ou rabotés.

Bois ronds

On désigne sous le nom de *bois ronds* les grumes écorcées qui sont utilisées en billes entières selon leur longueur et leur diamètre, ou qui ne sont soumises qu'à un simple tronçonnage destiné à fournir des billes de différentes longueurs. La bille est dite entière quand on conserve toute la longueur du fût.

Suivant leur emplacement dans la grume, on distingue :
– les billes de pied, ou billes débitées à partir de la base ou culée de la grume jusqu'au premier nœud, donc dépourvues de nœuds ;
– les surbilles, qui proviennent de la partie supérieure de la grume et comportent des nœuds.

Les billes sont classées en différentes catégories suivant leur longueur et leur diamètre :
• grosses billes : pièces de plus de 30 cm de diamètre et d'une longueur comprise entre 10 et 15 m ;
• billes de taille moyenne : pièces de 25-30 cm de diamètre sur 8 à 10 m de long ;
• billons : pièces d'un diamètre de 15-25 cm et d'une longueur pouvant atteindre 6 m ;
• poteaux : petites billes ou rondins d'un diamètre inférieur à 10-15 cm ; employés en soutènement dans les galeries de mines.

Bois équarris bruts ou rabotés

L'équarrissage consiste à découper les billes dans le sens de la longueur, de façon à leur donner quatre faces planes perpendiculaires entre elles. Les billes équarries peuvent être employées telles quelles, sous forme de grosses poutres de section carrée ou rectangulaire, ou être débitées en plateaux, planches, etc.

Ces opérations s'effectuent dans les scieries. Les grumes sont tout d'abord déshabillées de leur écorce, si elles ne l'ont pas déjà été sur le lieu de coupe. Rien n'est perdu : l'écorce retirée est ensuite triturée pour servir de combustible dans la scierie même, ou comme engrais ou couverture de sols en horticulture.

La grume est ensuite découpée à la scie circulaire en billes d'une longueur adaptée à leur futur emploi : billes longues destinées à la fabrication de poutres ou plateaux pour la construction, ou plus courtes, destinées à être débitées en bois de menuiserie.

Aspect des grumes à la sortie de l'écorceuse

Les grumes de fort diamètre, constituées de bois exotique ou autres essences destinées à être transformées en bois de placage, sont écorcées à la toupie ou manuellement au racloir, pour ne pas trop endommager le tronc afin qu'il puisse être tranché ou déroulé en feuilles. Elles peuvent aussi être ensuite redécoupées à la scie circulaire en tronçons de longueurs adéquates. Les grumes de moyen diamètre sont équarries longitudinalement à la scie à ruban, dans le sens du fil. Les grumes de plus faible diamètre sont équarries à l'aide de scies à ruban de plus petite taille.

Les pièces équarries fournissent la matière première des divers bois sciés utilisés par les charpentiers, menuisiers et ébénistes. Elles sont divisées à l'aide de scies circulaires en 2, 3, 4 tronçons ou plus, suivant la commande reçue et la planification du débit.

La longueur de la pièce sciée, sa section, qu'il s'agisse d'un plateau, d'une planche, d'une poutre, etc., sont déterminées par la structure initiale de l'arbre – il peut s'agir, par exemple, d'un très grand arbre, mais à fût conique (le diamètre du tronc diminuant progressivement dans sa partie supérieure), dont le débit fournisse une grande quantité de pièces de faible longueur.

Les pièces équarries ou avivées (aux arêtes vives) peuvent présenter deux degrés de finition. Elles sont commercialisées soit sous forme de *bois avivés bruts de sciage,* dont les faces et les chants rugueux portent encore les traces de la scie, soit de *bois avivés rabotés,* dont les faces et les chants sont dressés, et présentent un aspect plus net.

À la fin de ces opérations, les pièces sont classées par longueurs et sections et regroupées en ensembles homogènes avant d'être acheminées par un convoyeur à bande devant une scie circulaire qui égalise les longueurs des pièces appartenant à chaque catégorie.

Différents modes de débit des grumes

Les différentes méthodes de débit des grumes ou des billes, dont les principales sont présentées ci-contre de façon détaillée, ont toutes pour finalité de tirer le meilleur profit du bois qu'elles renferment et de produire la plus grande quantité possible de pièces utiles en limitant les pertes au minimum. Elles sont également destinées à réduire au minimum les déformations des pièces au cours de leur séchage ultérieur.

Séchage du bois

Les pièces de longueurs, largeurs et sections diverses qui ont été débitées dans les grumes ou billes doivent être ensuite séchées, car le bois fraîchement coupé renferme une grande quantité d'humidité dans ses vaisseaux et ses fibres ; en outre, la sève qu'il contient encore pourrait favoriser l'attaque de divers agents biologiques et faire subir d'importants dommages au bois. Par contre, le bois subit en séchant un retrait qui peut créer dans les pièces des tensions internes occasionnant des déformations.

Le séchage a pour but d'amener le taux d'humidité du bois à un niveau d'équilibre avec celui du

Modes de débit les plus courants

Débit d'une pièce massive

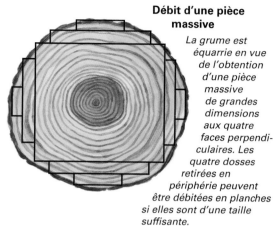

La grume est équarrie en vue de l'obtention d'une pièce massive de grandes dimensions aux quatre faces perpendiculaires. Les quatre dosses retirées en périphérie peuvent être débitées en planches si elles sont d'une taille suffisante.

Débit en plots

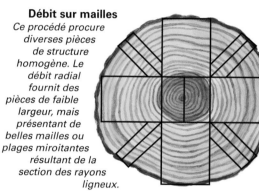

Ce type de débit permet d'obtenir des plateaux de toutes largeurs, avec flaches, mais présente les inconvénients suivants : la pièce centrale renferme le cœur du tronc et manque d'homogénéité, et les autres ont tendance à se cintrer au séchage.

Débit radial

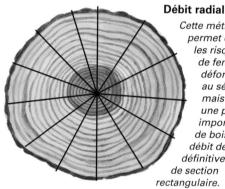

Cette méthode permet de réduire les risques de fentes et déformations au séchage, mais entraîne une perte importante de bois lors du débit des pièces définitives de section rectangulaire.

Débit sur mailles

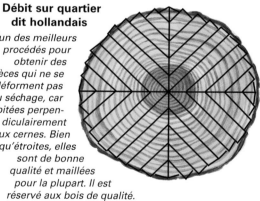

Ce procédé procure diverses pièces de structure homogène. Le débit radial fournit des pièces de faible largeur, mais présentant de belles mailles ou plages miroitantes résultant de la section des rayons ligneux.

Débit Cantibey

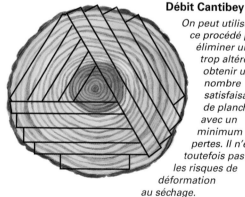

On peut utiliser ce procédé pour éliminer un cœur trop altéré et obtenir un nombre satisfaisant de planches avec un minimum de pertes. Il n'exclut toutefois pas les risques de déformation au séchage.

Débit sur quartier dit hollandais

L'un des meilleurs procédés pour obtenir des pièces qui ne se déforment pas au séchage, car débitées perpendiculairement aux cernes. Bien qu'étroites, elles sont de bonne qualité et maillées pour la plupart. Il est réservé aux bois de qualité.

Débit sur faux quartier dit Moreau

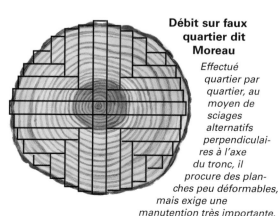

Effectué quartier par quartier, au moyen de sciages alternatifs perpendiculaires à l'axe du tronc, il procure des planches peu déformables, mais exige une manutention très importante.

Débit colonial

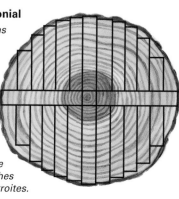

Utilisé pour certains bois exotiques. Les planches sciées perpendiculairement aux cernes ont moins tendance à se déformer. Comme il élimine la zone renfermant le cœur, ce débit donne toutefois des planches plus étroites.

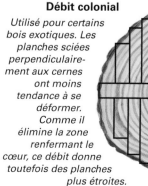

23

Stock de grumes de différentes tailles, dont certaines ont déjà été soumises à l'écorçage

Réserve de grosses billes, de plus de 30 cm de diamètre et d'une longueur comprise entre 10 et 15 m

milieu ambiant de son lieu de destination finale. Il sert à :
- Stabiliser le bois, ou du moins faire en sorte qu'il « travaille » ensuite le moins possible.
- Éviter l'apparition de champignons de pourriture, qui ont besoin de plus de 20 % d'humidité pour se développer.
- Réduire le poids des pièces, avantage important pour leur transport.
- Augmenter les propriétés de résistance du bois. Le tronc d'un arbre récemment coupé peut contenir plus du double de son poids en eau. Le taux d'humidité du bois est défini par un pourcentage exprimant le rapport entre la masse d'eau qu'il renferme et sa masse anhydre (obtenue par un étuvage à 100 °C permettant d'éliminer entièrement l'eau qu'il renferme). Par exemple, si une pièce de bois pèse 150 g et contient 100 g de bois et 50 g d'eau, son taux d'humidité sera donc de 50 %.

Vous trouverez dans le tableau ci-dessous quelques exemples de taux d'humidité tolérés selon les emplois du bois.

Grumes acheminées par la bande transporteuse vers la scie qui va les tronçonner, après calibrage, en billes de la longueur souhaitée

Procédés de séchage

- **Séchage naturel** : les pièces de bois sont empilées à l'air libre, en général horizontalement, espacées par des baguettes permettant la circulation de l'air et facilitant le séchage au cœur de la pile. Le procédé est simple et donne de bons résultats, bien qu'il présente l'inconvénient d'exiger beaucoup de place, de ne pas détruire les larves des insectes xylophages et de ne pas sécher suffisamment le bois destiné à des locaux chauffés. Cependant, il présente l'avantage de ne pas modifier la couleur du bois.

La durée du séchage varie en fonction des conditions climatiques et du type de bois : elle est en moyenne de deux ans pour les essences tendres et peut atteindre six ans pour les essences dures, la durée moyenne de séchage étant de quatre ans.

L'empilage des bois tendres, qui sèchent facilement, s'effectue à la fin du printemps ou au début de l'été. Celui des bois durs, qui mettent plus longtemps à sécher, doit se faire l'hiver, pour que le démarrage du processus soit plus lent, ce qui évite au bois de se fendre ou de se déformer.

Au bout de quelques mois, il convient de transférer le bois sous des hangars suffisamment ventilés, où ils soient à l'abri du soleil et des vents locaux dominants. Ces hangars doivent être orientés de manière à favoriser la circulation des vents secs.

Quand les pièces de bois ont atteint un certain degré de séchage, les bois les plus lourds peuvent être empilés à plat les uns sur les autres, sans baguettes intermédiaires pour les séparer, ou entre des plateaux.

Le séchage naturel est considéré comme satisfaisant quand le taux d'humidité du bois est descendu entre 13 et 20 % (respectivement en saison sèche et en saison humide).

- **Séchage artificiel** : l'une des conditions essentielles du séchage artificiel est qu'il doit être effectué aussi rapidement que possible après le débit du bois, de telle sorte que son dessévage (élimination de la sève) puisse faire l'objet d'un processus contrôlé.

Le séchage artificiel présente l'avantage de réduire considérablement la durée de séchage, d'offrir du bois sec en toutes saisons et d'obtenir des bois de qualité (élimination des champignons et insectes), avec un taux d'humidité normal, de l'ordre de 10 à 15 %, en général inférieur à celui des bois séchés naturellement.

Taux d'humidité tolérés

EMPLOIS DU BOIS	LIMITE EN %
Ouvrages hydrauliques	30
Milieux très humides	25-30
Ouvrages exposés à l'humidité, non couverts	18-25
Ouvrages en local couvert non clos	16-20
Ouvrages en local clos et couvert non chauffé	13-17
Ouvrages en local clos et chauffé	12-14
Ouvrages en local clos et très chauffé	10-12

Avantages du séchage artificiel

- Détruit les insectes xylophages et leurs larves.
- Élimine le risque de pourriture par les champignons.
- N'est pas tributaire des conditions climatologiques.
- Permet d'obtenir en peu de temps du bois sec à faible coût, si les déchets de bois sont utilisés comme combustible.
- Assure un meilleur contrôle de la circulation de l'air, du taux d'humidité, de la température.
- Garantit un séchage continu.
- Les séchoirs artificiels occupent moins d'espace que les séchoirs naturels.
- En contrôlant bien le processus, on peut éviter les déformations du bois.

Inconvénients du séchage artificiel

- Nécessite des installations coûteuses.
- Peut entraîner le durcissement des couches externes du bois.
- En cas de défaillance technique ou humaine, risque de détérioration irrémédiable du bois.

Les procédés de séchage artificiel sont des procédés rapides, qui permettent de disposer en peu de temps de bois d'une teneur en humidité comprise entre 10 et 15 %, soit inférieure à celui du bois séché naturellement, et d'alimenter directement la grande industrie sans avoir à stocker le bois.

Types de séchoirs

On peut les classer en deux grandes catégories : les séchoirs à case ou séchoirs-cellules, et les séchoirs-tunnels, où le bois installé sur des wagonnets avance par saccades, entrant à une extrémité du séchoir et ressortant à l'autre extrémité, passant par une zone de préchauffage, une zone de séchage et une zone de refroidissement.
Dans les deux cas, l'air circule à une température et un taux d'humidité contrôlés entre les pièces de bois soigneusement empilées. Il existe diverses méthodes de séchage : par pompe à chaleur, par air chaud, par air chaud conditionné (avec injec-

On aperçoit ici une scie à ruban en train de découper une grume en billes qui, selon leur emplacement dans le tronc et leur longueur, seront destinées à divers emplois et débitées en conséquence.

tion de vapeur), et le séchage sous vide. Le plus courant est le séchage par air chaud conditionné ou climatisé.

Séchage par air chaud conditionné

Le séchage par air chaud conditionné est en quelque sorte une variante du séchage naturel. On introduit le bois dans un séchoir à marche discontinue (séchoir à case ou séchoir-cellule) ou continue (séchoir-tunnel) où l'air chaud, dont la circulation est assurée par un ventilateur, est humidifié. Ce procédé, bien que simple en théorie, reste assez complexe à maîtriser, car si le bois sèche trop rapidement, il risque de se gercer ou de se fissurer. Il est donc nécessaire que l'équilibre entre le taux d'humidité du bois et celui de l'air environnant soit parfaitement contrôlé. Il existe deux façons de procéder pour y parvenir :
- Faire circuler de l'air chaud à température

Après avoir séché quelques mois à l'air libre, le bois est empilé à l'abri du soleil dans des hangars ou autres enceintes couvertes orientées de façon à favoriser l'action des vents secs.

constante, en initiant le processus avec un fort taux d'humidité, par injections de vapeur d'eau, qui sont ensuite progressivement diminuées. Cela permet d'éviter des variations trop brusques du taux d'humidité du bois.
- Travailler avec une température et un taux d'humidité variables, en mettant tout d'abord le matériau en contact avec de l'air humide à température peu élevée, puis en augmentant progressivement la température et en diminuant le taux d'humidité, en vue de réduire les risques de déformation du bois ou l'apparition de fentes de dessiccation ou gerces. Ce processus, s'il n'est pas bien maîtrisé, peut aboutir à des résultats catastrophiques.
Il existe de nombreuses variantes de ce procédé, qui permettent d'améliorer l'un des critères précédemment énoncés : la rapidité, le rendement, l'efficacité des procédures de contrôle, etc.

25

Séchoir à case à air chaud conditionné

Séchage du bois par air chaud dans une cellule de plus grande capacité

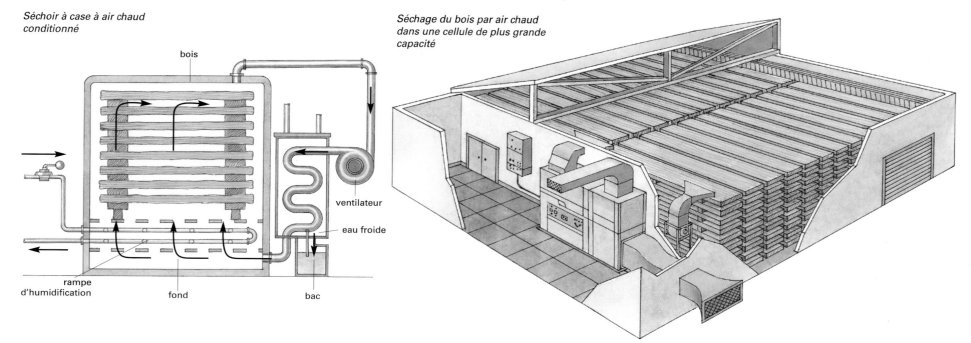

Caractéristiques et propriétés du bois

Composition et structure du bois

L e bois est un matériau complexe, dont les diverses propriétés et caractéristiques ne dépendent pas seulement de sa composition, mais aussi de sa structure. C'est l'agencement (la situation et l'orientation) de ses différents éléments constitutifs qui détermine son comportement, parfois peu logique en apparence.

Il ne faut pas oublier, en effet, que le bois n'est pas un produit manufacturé, fabriqué à dessein par l'homme, mais un matériau extrait du tronc et des branches des arbres, dont la finalité initiale est de permettre à cet organisme végétal de se développer et de subsister.

Le bois n'est pas un matériau homogène, mais il est constitué de divers types de cellules spécialisées qui forment ses différents tissus. Ces tissus assurent des fonctions essentielles au développement de l'arbre : acheminement de la sève, transformation et stockage des éléments nutritifs, et constitution de sa structure de soutien.

Nous allons étudier ici de plus près les principaux aspects de la composition du bois, sa microstructure et, surtout, sa macrostructure.

Le bois est une matière fibreuse, organisée, en grande partie hétérogène, produite par un organisme vivant, l'arbre. Ses propriétés techniques et ses emplois sont, en définitive, déterminés par les types de cellules qui le constituent, leur organisation et leur composition chimique.

Le fait que le bois soit d'origine végétale lui confère des propriétés spécifiques qui le différencient clairement des matériaux d'origine minérale.

Composants organiques du bois

Cellulose : 40-50 %
Lignine : 25-30 %
Hémicellulose : 20-25 % (hydrates de carbone)
Résine, tanin, matières grasses : % restant

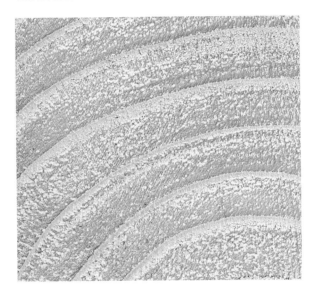

Vue détaillée de la coupe transversale du tronc d'un résineux, où l'on distingue bien le bois de printemps et le bois d'été des cernes annuels.

Section transversale d'un tronc où l'aubier, bois poreux et clair, et le duramen, plus dense et plus foncé, sont bien différenciés.

Bois de platane se distinguant par la densité de ses rayons ligneux

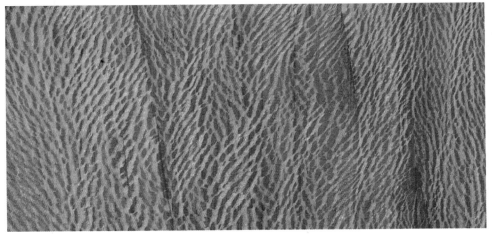

Bois de chêne vert aux rayons ligneux plus espacés

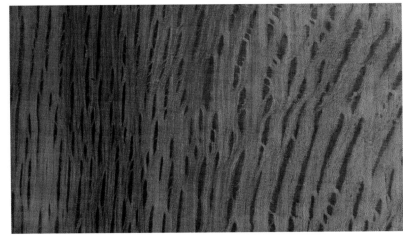

STRUCTURE DE LA SECTION TRANSVERSALE D'UN TRONC

Cernes de croissance
Zones d'accroissement annuelles concentriques, composées d'une couche de bois clair et d'une couche de bois foncé. Elles correspondent aux couches générées par le cambium au printemps (bois poreux et pâle) et en été (bois dense et sombre). Le bois de printemps est constitué de cellules de fort diamètre à parois minces, le bois d'été de cellules de plus faible diamètre à parois épaisses La largeur des cernes varie en fonction de l'état de santé de l'arbre et des conditions climatiques auxquelles il est soumis. Ces cernes fournissent des renseignements très intéressants sur l'âge de l'arbre et sur les événements qui ont ponctué sa vie.

Cambium
Fine couche de tissu vivant se trouvant entre l'écorce et l'aubier. C'est l'assise génératrice qui, par division de cellules, engendre une mince couche de liber sur sa face externe et une couche plus épaisse d'aubier sur sa face interne.

Aubier
L'aubier est le bois vivant, physiologiquement actif. La sève brute y circule et les matières nutritives, et il contient des réserves de substances nutritives, comme l'amidon. Son taux d'humidité est très élevé. Il est très vulnérable aux attaques d'insectes et micro-organismes entraînant sa décomposition. Il est à déconseiller pour des travaux nécessitant un bois stable et durable.

Duramen
C'est bois le plus ancien, qui constitue la colonne vertébrale de l'arbre, désigné également sous le nom de bois parfait. Il est plus sec, plus dur et plus sombre que l'aubier. Il est formé de cellules mortes. Au fil des années, les cellules qui transportaient la sève se sont incrustées de diverses substances, dont la lignine. C'est le bois le plus apprécié, car le plus dense et le plus durable.

Moelle
Axe central du tronc, d'où partent les rayons médullaires, la moelle est plus dure et plus dense que le duramen, mais se fend facilement et est très vulnérable à la pourriture ; elle est souvent éliminée lors du débit des grumes.

Rayons médullaires ou ligneux
Ensembles de cellules réparties radialement, perpendiculairement aux cernes, servant au stockage de différents éléments nutritifs.

Liber
Situé sous l'écorce. Ses vaisseaux permettent la circulation de la sève élaborée ou descendante. Il est généré par le cambium.

Écorce
Couche protectrice de l'arbre, formée de cellules mortes produites à l'origine par le cambium.

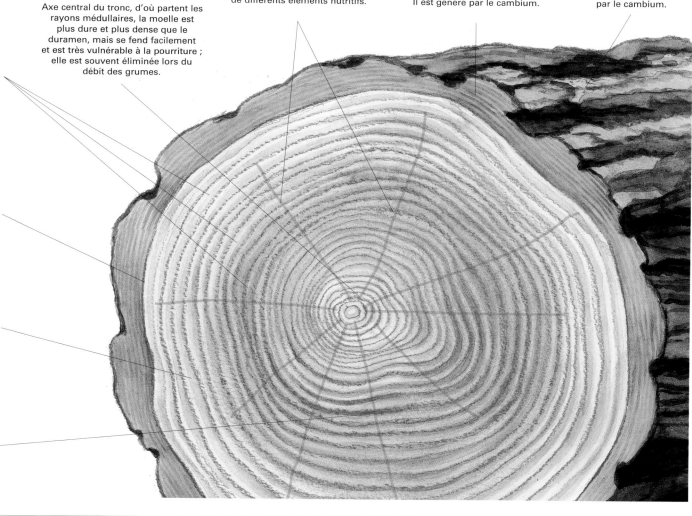

Propriétés physiques

Anisotropie

Étant constitué de fibres orientées dans une même direction, le bois est un matériau anisotrope, c'est-à-dire qu'il ne présente pas des caractéristiques physiques et mécaniques identiques dans toutes les directions.
Trois directions de base sont prises comme référence pour l'évaluation du comportement du bois :
• **Direction axiale** : elle correspond à celle des fibres, et donc de l'axe de l'arbre. C'est dans cette direction générale des fibres, que le bois dit « de fil » présente les meilleures qualités techniques.
• **Direction radiale** : c'est celle des rayons ligneux, perpendiculaire à la direction axiale. Quand on coupe le bois sur le plan transversal (bois de bout), les cernes de croissance apparaissent sous la forme d'anneaux concentriques.
• **Direction tangentielle** : elle est tangente (on dit quelquefois parallèle) aux cernes de croissance et perpendiculaire aux rayons ligneux.

Humidité

L'humidité du bois est sa caractéristique physique la plus importante, car elle conditionne ses autres propriétés physiques, mais aussi mécaniques, sa stabilité dimensionnelle et sa résistance aux agents biologiques.
Outre le fait que les arbres utilisent l'eau pour véhiculer leurs éléments nutritifs, le bois est hygroscopique – susceptible de perdre ou de reprendre de l'humidité en fonction de l'humidité ambiante. Il renferme donc une certaine quantité d'eau qu'il est nécessaire de connaître avant de l'employer, étant donné l'influence qu'elle a sur les propriétés physiques et mécaniques du bois.

Taux d'humidité

On désigne par *taux d'humidité* ou simplement *humidité* d'un bois (H) la teneur du bois en eau par rapport à son poids à l'état anhydre (dont toute l'eau a été éliminée par passage en étuve à 100 °C). Le taux d'humidité se calcule de la manière suivante :

$$H\,(\%) = \frac{Ph - Po}{Po} \times 100$$

Ph représentant le poids réel du bois à l'état humide et Po son poids à l'état anhydre ; on multiplie par 100 pour obtenir la valeur en pourcentage de la teneur en eau du bois.
Le taux d'humidité n'est pas constant dans toute l'épaisseur de la pièce de bois : il est moindre à l'intérieur, et l'aubier est plus humide que le duramen. Le bois contient plus d'eau en été qu'en hiver.

Section transversale d'un bois résineux

Section radiale d'un bois résineux

Section tangentielle d'un bois résineux

Section transversale d'un bois feuillu

Section radiale d'un bois feuillu

Section tangentielle d'un bois feuillu

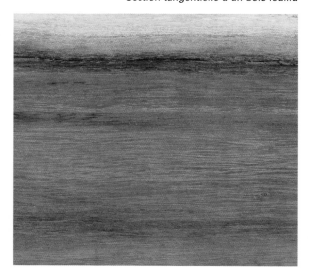

Nature de l'eau présente dans le bois

Eau de constitution ou eau liée	Eau entrant dans la composition chimique du bois. Elle fait partie intégrante de la matière ligneuse et ne peut être éliminée que par destruction du bois (en le brûlant, par exemple).
Eau d'imprégnation ou de saturation	Eau imprégnant les espaces vides des membranes cellulaires et qui, selon qu'elle diminue ou augmente en quantité, est à l'origine des mouvements de retrait ou de dilatation du bois. Elle peut être éliminée par étuvage du bois à une température de 100 °C.
Eau libre	Elle remplit les vides ou vacuoles internes des cellules (des trachéides, vaisseaux, etc.). Elle est absorbée par capillarité.

• Le bois ne peut récupérer son eau libre à partir de l'humidité atmosphérique une fois qu'il l'a perdue. Il ne peut le faire que s'il est immergé dans l'eau. L'occupation des vides cellulaires par cette eau libre est de nature purement physique et, par conséquent, n'influe pas sur le retrait et le gonflement du bois ni sur la plupart de ses propriétés mécaniques.

• C'est l'association de l'eau d'imprégnation et de l'eau de constitution qui détermine l'humidité du bois. Cette humidité, qui correspond à la quantité d'eau qu'il renferme, s'exprime en % de son poids à l'état anhydre.

État du bois selon son taux d'humidité

Bois gorgé d'eau	Jusqu'à environ 150 % (immergé dans l'eau).
Bois vert	Jusqu'à 70 % (bois sur pied ou fraîchement coupé).
Bois saturé	30 % (sans eau libre, taux coïncidant au PSF).
Bois mi-sec ou ressuyé	Entre 23 et 30 % (bois scié, en début de séchage)
Bois commercialement sec	Entre 18 et 23 % (bois entreposé à l'air libre, non couvert).
Bois sec à l'air	Entre 13 et 18 % (bois entreposé à l'abri de la pluie).
Bois desséché (très sec)	Moins de 13 % (séchage naturel en climat chaud).
Bois anhydre	0 % (bois chauffé en étuve à 100 °C. État instable).

28

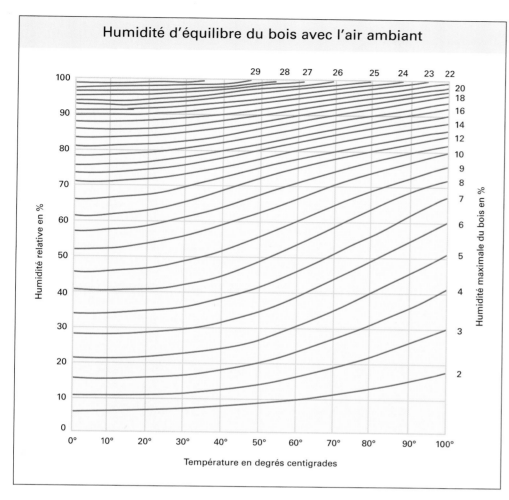

Humidité d'équilibre du bois avec l'air ambiant

Humidité tolérée selon les emplois du bois

Ouvrages hydrauliques	30 % (en contact avec l'eau)
Ouvrages dans tunnels et galeries	25 à 30 % (milieux très humides)
Échafaudages, coffrages, cintres	18 à 15 % (exposés à l'humidité)
Ouvrages en local couvert non clos	16 à 20 %
Ouvrages en local couvert et clos non chauffé	13 à 17 %
En local clos et chauffé	12 à 14 %
En local clos et chauffé en permanence	10 à 12 %

Rétractibilité et dilatabilité

Le bois possède la propriété de diminuer ou d'augmenter de volume et de dimensions en fonction des variations de sa teneur en eau.
Lorsque son degré d'humidité s'abaisse au-dessous de son point de saturation (PSF), il diminue de volume et se rétracte. On parle du *jeu* ou du *travail* du bois.

C'est un matériau hygroscopique, qui absorbe ou perd de l'humidité, son taux d'humidité se stabilisant lorsque les conditions de température et d'humidité de l'air ambiant sont constantes. Si ces conditions varient, son taux d'humidité varie en conséquence. Il a tendance à s'équilibrer avec celui de l'air ambiant.

En séchant, le bois perd d'abord son eau libre, c'est-à-dire celle qui remplit les vides des tissus lorsque les membranes cellulaires sont saturées d'eau ; la disparition de l'eau libre n'entraîne pratiquement aucune modification des caractéristiques physico-mécaniques du bois (elle n'affecte que sa densité apparente). Seule subsiste alors dans le bois l'eau d'imprégnation, contenue dans les membranes des cellules, dont l'élimination partielle par évaporation ou séchage modifie les propriétés physico-mécaniques du bois (augmentant sa dureté et la plupart de ses résistances mécaniques) et entraîne une diminution de son volume, résultant de la diminution du volume des parois de chacune de ses cellules.

Le taux d'humidité du bois se stabilise sous l'influence de la température et de l'humidité relative de l'air. Après sa stabilisation, il est dans un état d'équilibre hygroscopique avec l'air, il a atteint son *taux d'équilibre hygroscopique* ou son *humidité d'équilibre*, qui peut varier entre 0 et 30 % (point de saturation des fibres, avec de légères variations selon les essences). Le point de saturation des fibres (PSF), ou plus exactement le point de saturation des membranes cellulaires, correspond à la teneur maximale en humidité du bois après élimination de l'eau libre.

En dessous de ce point de saturation, le bois ne se rechargera plus en eau libre, à moins d'être immergé.

Ce PSF est d'une grande importance, car il définit une limite pour les variations dimensionnelles, les propriétés mécaniques de résistance du bois, etc. Sa valeur avoisine les 30 %, avec de légères variations d'une essence à l'autre.

Les bois à PSF peu élevé ont des propriétés mécaniques qui restent stables quand ils sont employés en atmosphère humide. En revanche, employés dans des atmosphères à faible degré hygrométrique, ils se déforment lorsque ce degré hygrométrique varie (bois nerveux).

Les bois à PSF élevé sont en général utilisés dans des milieux au degré hygrométrique très inférieur à la valeur de leur PSF, exception faite des cas où ils sont immergés. S'ils travaillent sous l'influence des variations d'humidité, ils sont en général peu nerveux.

Pour déterminer un taux d'humidité de référence, on a tendance actuellement à utiliser l'humidité d'équilibre, qui s'obtient en plaçant le bois dans une atmosphère où la température est de 20 °C et l'humidité relative de l'air, de 65 %.

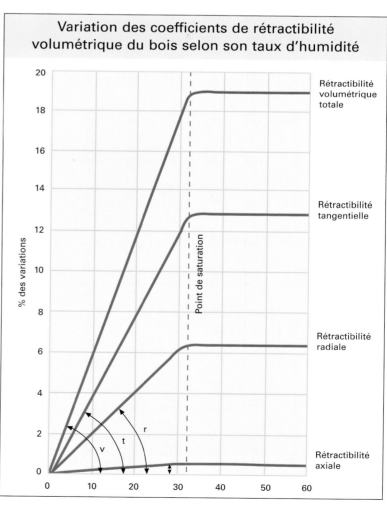

Variation des coefficients de rétractibilité volumétrique du bois selon son taux d'humidité

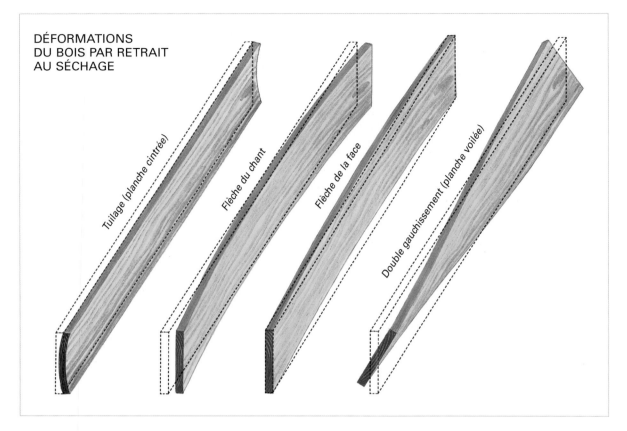

DÉFORMATIONS
DU BOIS PAR RETRAIT
AU SÉCHAGE

Tuilage (planche cintrée)

Flèche du chant

Flèche de la face

Double gauchissement (planche voilée)

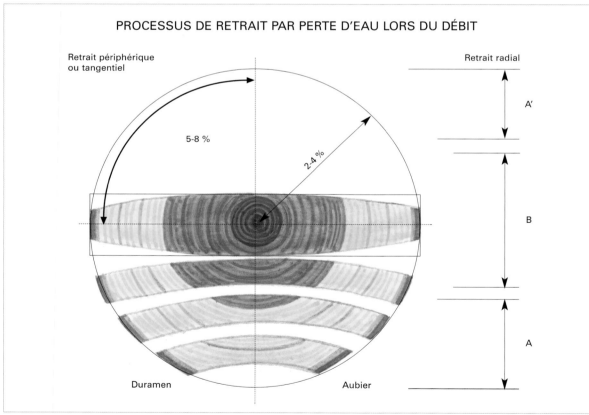

PROCESSUS DE RETRAIT PAR PERTE D'EAU LORS DU DÉBIT

Retrait périphérique
ou tangentiel

Retrait radial

5-8 %

2-4 %

A'

B

A

Duramen

Aubier

dans le sens radial, il peut varier entre 4,5 et 8 %. Dans le sens tangentiel (aux cernes annuels), le retrait est en général de 1,5 à 2 fois plus important que dans le sens radial. Ces inégalités entre le retrait radial et le retrait tangentiel est l'une des causes des déformations et fentes qui se produisent dans le bois durant le processus de séchage. Certaines essences de bois ont un retrait radial et un retrait tangentiel à peu près similaires. Ces bois, même s'ils connaissent un retrait important, ne se déforment pas. Ce sont les bois d'ébénisterie par excellence (l'acajou, par exemple).

Les déformations d'une planche peuvent être, suivant la manière dont elle a été débitée : le cintrage ou tuilage, la flèche du chant, la flèche de la face, le double gauchissement ou voilage (dû aux écarts entre le retrait radial et tangentiel). Le bois scié en périphérie du tronc travaille plus que le bois de cœur, c'est pourquoi les pièces, suivant la façon dont elles sont débitées, ont tendance à se cintrer transversalement ou « tirer à cœur ».

Densité

La densité d'une substance est le quotient de la masse de cette substance par le volume qu'elle occupe, soit :

$$\text{Densité} = \frac{\text{Masse}}{\text{Volume}}$$

Le bois étant poreux, on peut ou non tenir compte des vides cellulaires pour calculer sa densité. Comme son poids et son volume varient en fonction de son humidité, la densité doit être définie dans des conditions précises d'humidité.

Si l'on tient compte des vides cellulaires, on considère alors le volume apparent et l'on obtient la densité apparente. Si l'on ne prend en considération que la masse ligneuse (volume des vides cellulaires déduit), on obtient la densité réelle.

Le poids spécifique (la densité réelle) de la paroi cellulaire (poids spécifique réel, vides cellulaires exclus) est pratiquement constant pour toutes les espèces, de l'ordre de 1,55 g/cm³. C'est la limite maximale théorique que peut atteindre un bois dont les vides cellulaires ont été réduits à zéro. Les différences de densité entre les bois sont donc déterminées par la plus ou moins grande proportion qu'occupent ces vides cellulaires dans le bois.

Il est essentiel de connaître la densité apparente (vides cellulaires inclus), car elle donne une idée approximative du comportement physico-mécanique du bois.

Plus elle est élevée, plus le bois contient de matière solide ; on peut donc établir une relation entre densité apparente et résistance du bois :

$$D_{ap} = \frac{M}{V_{ap}}$$

L'équilibre hygroscopique est obtenu quand le bois atteint une humidité d'environ 12 %.
En revanche, lorsqu'il absorbe de l'humidité et augmente de volume, on dit qu'il gonfle.
L'augmentation de volume par absorption d'humidité est quasiment proportionnelle à la quantité d'eau absorbée. Au-delà d'un taux d'humidité d'environ 25 %, le bois continue à augmenter de volume, mais dans une moindre proportion, jusqu'à atteindre le point de saturation des fibres (PSF), à partir duquel le volume ne varie pratiquement plus (déformation maximale).
En raison de l'anisotropie du bois, cette rétractibilité se manifeste de façon très différente dans les directions axiale, tangentielle et radiale.
Dans le sens longitudinal (axial) du bois ou sens du fil, le retrait est très limité, et considéré dans la pratique comme quasiment nul (0,1 %), tandis que

Classification des bois selon leur densité (en kg/dm³)

QUALIFICATION	RÉSINEUX	FEUILLUS
Très légers	0,4	0,5
Légers	0,4 à 0,5	0,5 à 0,65
Mi-lourds	0,5 à 0,6	0,65 à 0,8
Lourds	0,6 à 0,7	0,8 à 1
Très lourds	> 0,7	>1

Section transversale d'un bois très homogène, le buis

Homogénéité

Un bois est considéré comme homogène quand sa structure et la composition de ses fibres sont uniformes (poirier, pommier, tilleul, buis, érable, etc.).
Sont peu homogènes :
• Les bois à rayons médullaires très développés (chêne vert, frêne, platane).
• Les bois à cernes de croissance où bois de printemps et bois d'été sont très différenciés (sapin, etc.).
L'homogénéité est une propriété très variable, car elle dépend d'un grand nombre de facteurs : l'environnement, l'essence de bois, les conditions d'abattage, le mode de débit, le mode de séchage, les altérations dues à l'humidité ou à la sécheresse, le contact avec le sol (enterré dans des sols argileux ou du sable humide, le bois se conserve longtemps, mais dans des terrains siliceux et calcaires secs, sa durabilité est limitée), l'eau (immergé dans de l'eau douce, il se conserve longtemps), son traitement avant emploi, sa protection après mise en œuvre (peinture, etc.).
Plus le bois est dense, plus il est durable.
Exemples de bois durables : le chêne vert, le chêne rouvre, l'acajou, le hêtre, etc.

Section transversale d'un bois hétérogène, le chêne vert

Inflammabilité et combustibilité

En fonction du comportement qu'il a face au feu, ou de son aptitude à s'enflammer plus ou moins rapidement, le bois est classé dans la catégorie M3, M4 ou M5 (M0, M1, M2, M3, M4,

Inflammabilité des bois

Très inflammables	Pin, sapin, saule, peuplier, alisier, etc., presque tous les bois résineux.
Moyennement inflammables	Hêtre, acajou, châtaignier, thuya, etc.
Moins inflammables	Chêne vert, ébène, buis, mélèze, etc.

Combustibilité des bois

Le bois sec		le bois humide
Le bois avec écorce et branches	brûle(nt) mieux que	le bois écorcé et raboté
Les pièces de petite taille		les pièces de grande taille
Les pièces verticales		les pièces horizontales

ou M5 ; classification par ordre croissant du degré de combustibilité de l'ensemble des matériaux).

Avec la combustion, les réactions qui se produisent dans le bois sont les suivantes : la cellulose du bois, constituant essentiel des parois des cellules du bois, se combine en brûlant à l'oxygène de l'air, laissant un petit résidu de cendres, produites par la lignine et les sels minéraux ; quand l'oxygène est abondant et la température suffisante, la destruction du bois est quasi totale, mais, si la combustion est incomplète, lorsque ces conditions ne sont pas réunies, la cellulose subit une déshydratation et le bois est alors transformé en charbon végétal, dépourvu de résistance.

Le bois sec s'enflamme quand la température à laquelle il est soumise atteint environ 270 °C.

Les bois feuillus durs brûlent superficiellement, avec lenteur et des flammes courtes ; en revanche, les bois feuillus tendres et les bois résineux brûlent en profondeur, avec des flammes longues ; ces différences sont moins sensibles dans le cas de pièces de faible épaisseur.

Propriétés mécaniques

Élasticité-déformabilité

Soumis à de faibles charges, le bois se déforme conformément à la loi de Hooke, ses déformations étant proportionnelles aux tensions. Au-delà du seuil de proportionnalité, il se comporte comme un corps plastique et sa déformation devient permanente. Si l'on augmente la charge, il s'ensuit une rupture.

On évalue cette déformabilité au travers du module d'élasticité, selon la formule :

$$E = \frac{\sigma}{\varepsilon}$$

Ce module d'élasticité varie selon l'essence du bois, sa teneur en humidité, le type et la nature des contraintes exercées, le sens de la contrainte et sa durée. La valeur du module d'élasticité E sera, à contre-fil, de 4 000 à 5 000 kg/cm².

La valeur du module d'élasticité E sera, dans le sens du fil, de 80 000 à 180 000 kg/cm².

Flexibilité

Certains bois peuvent être courbés ou cintrés dans le sens longitudinal sans rompre. S'ils sont élastiques, ils récupèrent leur forme initiale dès qu'ils ne subissent plus de contrainte. Le bois présente une aptitude particulière à dépasser son seuil d'élasticité par flexion, sans rupture immédiate, qui s'avère utile pour le cintrage (meubles, roues, cerces, instruments de musiques, etc.).

Le bois vert, jeune, humide ou chauffé, est plus flexible que le bois sec ou vieux et possède un seuil de déformation plus élevé.

On peut rendre le bois plus flexible en chauffant la face interne de la pièce (ce qui provoque un retrait des fibres de la partie interne) et en humidifiant avec de l'eau la face externe (ce qui provoque un allongement des fibres de la partie externe). Cette opération doit être conduite avec lenteur.

On peut aussi, pour en améliorer la flexibilité, le soumettre à des traitements à la vapeur.

Dureté

Propriété liée à la cohésion et à l'agencement des fibres, la dureté varie selon les essences, l'endroit où le bois se trouve dans le tronc, et son âge. Elle se manifeste par sa résistance à l'enfoncement des pointes, vis, etc. ou à la pénétration des outils (rabot, scie, gouge, ciseau à bois).

Exemples de bois flexibles et non flexibles

Bois flexibles	Frêne, orme, sapin, pin.
Bois non flexibles	Chêne vert, érable.

Exemple de flexibilité que peut atteindre un bois.

Indications essentielles concernant la dureté du bois

- Les bois les plus durs sont aussi les plus lourds.
- Le duramen est plus dur que l'aubier.
- Le bois vert est plus tendre que le bois sec.
- Plus un bois est fibreux, plus il est dur.
- Plus un bois renferme de vaisseaux, plus il est tendre.
- Les bois les plus durs se polissent mieux.

Classification des bois selon leur dureté

Très durs	Ébène, buis, chêne vert.
Durs	Teck, poirier, if.
Mi-durs	Hêtre, noyer, châtaignier, cerisier, platane, acacia, acajou, cèdre, frêne, érable, bouleau.
Tendres	Sapin, alisier, pin, okoumé.
Très tendres	Peuplier, tilleur, saule, balsa.

Résistance au cisaillement

C'est la résistance qu'offre le bois à une force exercée dans le sens de ses fibres, en vue de les séparer ou les décoller, ou dans le sens perpendiculaire aux fibres, en vue de les trancher ou les sectionner.
Le bois résiste mal au cisaillement longitudinal ou axial, la force à exercer étant en ce cas minime. En revanche, il oppose une plus grande résistance au cisaillement transversal, et la force à exercer pour trancher les fibres doit être maximale.

Résistance au fendage ou fissilité

C'est l'aptitude du bois à se diviser sous l'action d'une force exercée dans le sens longitudinal, parallèle à la direction générale de ses fibres.
Le bois se fend aisément – un coin y pénètre sans difficulté, en décollant les fibres (il ne les tranche pas). Cette propriété est aisément observable lors du fendage de bûches : elles se séparent en deux dans le sens des fibres. La fissilité du bois est fonction de la structure de ce dernier, mais aussi et de son état. Certains bois sont particulièrement fissiles ; ce sont les bois dits de fente, comme le chêne. Un bois qui n'a pas été séché correctement ou un bois altéré se fend plus facilement.
Lorsqu'on envisage de réaliser d'assembler des pièces de bois avec des pointes ou des vis, il est recommandé d'utiliser un bois qui résiste bien aux efforts de fendage.

Exemples de fissilité des bois

Très fissiles	Châtaignier, épicéa, mélèze.
Fissiles	Chêne, sapin, pin sylvestre.
Peu fissiles	Hêtre, frêne, noyer, érable, bouleau, peuplier.

Résistance à l'usure

Les bois soumis au frottement ou à l'érosion subissent une perte de matière, que l'on nomme usure.
La résistance à l'usure est importante sur les sections transversales, perpendiculaires au sens des fibres, elle est moindre sur les sections tangentielles, et très faible sur les sections radiales.

Résistance au choc ou résilience

C'est l'aptitude des bois à résister à un impact donné. Cette résistance est plus importante si l'impact est subi dans le sens axial des fibres, et moindre s'il est subi dans le sens transversal ou radial.

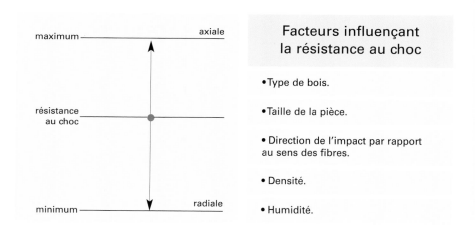

Facteurs influençant la résistance au choc

- Type de bois.
- Taille de la pièce.
- Direction de l'impact par rapport au sens des fibres.
- Densité.
- Humidité.

Pendule de Charpy permettant de déterminer la résistance du bois aux chocs

Résistance à la traction ou ténacité

Le bois est un matériau qui résiste très bien à la traction axiale (dans le sens du fil), qui tend à renforcer l'adhérence des fibres. S'il y a rupture, elle se produit toujours au niveau des assemblages ; il convient donc de les exécuter avec soin et de renforcer ceux qui travaillent à la traction.
Lorsqu'on fait subir au bois un effort de traction dans le sens du fil, l'amplitude de la déformation qui en résulte est de 2 à 3 fois inférieure à celle produite par un effort de compression axiale, surtout dans le cas des déformations plastiques.

Facteurs affectant la résistance du bois à la traction

Humidité	La résistance à la traction dans le sens du fil augmente de façon plus ou moins linéaire à partir du point de saturation des fibres et jusqu'à 10 % au-dessus, avec une augmentation de 3 % pour 1 % d'humidité en plus. Entre 8 et 10 % d'augmentation d'humidité, elle atteint un maximum à partir duquel elle diminue légèrement.
Température	La température a moins d'influence sur la résistance à la traction axiale que sur d'autres types de contraintes.
Nœuds	Les nœuds affectent énormément la résistance du bois à la traction, en raison de la déviation des fibres qu'ils provoquent. Ainsi, de petits nœuds qui réduisent la résistance à la compression de 10 % réduisent la résistance à la traction de 50 %. Les nœuds entraînent, en outre, une répartition inégale des tensions.
Inclinaison des fibres	On peut dire que, à inclinaison de fibres égale, la résistance à la traction est beaucoup plus affectée que la résistance à la compression. Un angle d'inclinaison des fibres de 15° réduit la résistance à la traction de moitié ; si l'angle est de 30°, la résistance est 5 fois inférieure à ce qu'elle serait si la direction de l'effort était parallèle aux fibres.

La rupture du bois par traction axiale peut être considérée comme rare, car les molécules de cellulose qui entrent dans la constitution des parois cellulaires lui confèrent une résistance très élevée à ce type de sollicitation.

Les défauts du bois, comme les nœuds, l'inclinaison des fibres, etc., mais aussi les rainures, perforations pratiquées au niveau des assemblages diminuent cependant sa résistance dans une proportion beaucoup plus élevée que dans le cadre d'efforts de compression.

Les fibres du bois résistent très bien à la traction transversale, mais ce n'est pas le cas des matières qui les unissent, et le degré d'adhérence de ces éléments varie selon les bois. Certains bois durs, à forte densité, arrivent à des résistances transversales élevées.

Résistance à la compression

Le bois n'est pas seulement employé à des fins ornementales, mais joue aussi un rôle important dans la construction, et sa résistance à la compression est alors fondamentale. Sa résistance à la compression axiale est inférieure à sa résistance à la traction, dans un rapport de 0,50 en moyenne, quoique pouvant varier de 0,25 à 0,75 suivant les espèces. La contrainte de rupture C en kgf/cm^2 est donnée par la formule : $C = N/S$, dans laquelle N est la compression en kg, s, la surface en cm^2, perpendiculaire à la direction de l'effort N.

Facteurs influençant la résistance à la compression

Inclinaison des fibres	A un effet réducteur moindre sur la résistance à la compression qu'à la traction.
Densité	Leur relation est linéaire. On peut considérer que plus un bois est dense, plus il résiste à la compression.
Humidité	L'influence est pratiquement nulle au-delà du point de saturation des fibres et augmente à partir de ce point. Entre 8 et 18 % d'humidité, on considère que la variation est linéaire. La chute de résistance est de 4 % pour 1% d'humidité en plus.
Nœuds	Leur influence est moins importante que dans la résistance à la traction.

Classification des bois suivant leur résistance à la compression axiale

VALEUR	RÉSINEUX	FEUILLUS
Faible	Moins de 350	Moins de 450
Moyenne	De 350 à 450	De 450 à 750
Forte	Plus de 450	Plus de 750

En fonction de la contrainte de rupture C exprimée en kgf/cm^2.

Classification des bois suivant les valeurs obtenues à l'essai de traction à un taux d'humidité de 12 %

Faible résistance	Inférieure à 250 kgf/cm^2
Résistance moyenne	Comprise entre 250 et 450 kgf/cm^2
Forte résistance	Supérieure à 450 kgf/cm^2

Résistance à la flexion statique

Une pièce en appui sur ses deux extrémités et chargée progressivement en son centre s'incurve de plus en plus jusqu'à son point de rupture. Dans ce type d'effort, les fibres de la partie concave travaillent en compression, celles de la partie convexe travaillent en traction (elles sont tendues et s'allongent). On sait que le bois résiste moins à la compression qu'à la flexion, et plus à la traction qu'à la compression. Entre les fibres comprimées et les fibres tendues, on trouve des fibres neutres, qui ne subissent pas de variation de longueur. Situées théoriquement dans l'axe de la pièce, elles se rapprochent de plus en plus des fibres tendues sous une charge croissante, augmentant les tensions, jusqu'à ce que se produise finalement la rupture, par traction, de la pièce.

Facteurs influençant la résistance à la flexion

Inclinaison des fibres	Influence très similaire à celle qu'elle a dans la résistance à la traction. La diminution de la résistance à la flexion et à la traction est appréciable à partir d'une inclinaison de 1/25, tandis qu'en compression, elle l'est à partir d'une inclinaison de 1/10, indépendamment du type de débit.
Poids spécifique	Il existe une relation linéaire entre la résistance à la flexion et la densité, sauf dans les bois à teneur élevée en résine.
Teneur en humidité	La résistance à la flexion est maximale pour un taux d'humidité de 5 %, puis diminue jusqu'au point de saturation des fibres. Entre 8 et 15 %, la variation peut être considérée comme linéaire.
Température	La résistance à la flexion diminue avec l'augmentation de la température. Cette chute est encore plus importante quand le taux d'humidité augmente.
Nœuds et fentes	L'influence des nœuds varie selon leur situation ; elle augmente avec l'importance de la flexion, et ce d'autant plus que les nœuds se trouvent dans la zone de traction plutôt que dans la zone de compression. En résumé, les nœuds abaissent d'autant plus la résistance du bois que la zone où ils se trouvent est soumise à une contrainte importante ; et comme les contraintes de traction sont plus intenses que les contraintes de compression, leur influence est plus grande dans les contraintes de traction.

Diversité des essences

Il est évident que les arbres qui peuplent bois et forêts dans le monde appartiennent à une immense variété d'espèces et présentent différentes caractéristiques. Bien que les facteurs influençant de façon décisive leur développement et leurs qualités soient multiples, les trois suivants jouent un rôle essentiel :

• **Température** : aucun arbre ou plante ne peut croître à des températures inférieures à 0 °C, ou supérieures à 55 °C.

• **Humidité** : l'eau est un élément indispensable à la croissance de l'arbre ; la quantité et le type d'eau du sous-sol et le régime des pluies sont déterminants.

• **Vents** : selon leur force, l'humidité atmosphérique et la hauteur de l'arbre, ils conditionnent sa vie ou sa survie.

Pour qu'un arbre puisse se développer et vivre normalement, il est nécessaire qu'il bénéficie d'une quantité suffisante d'eau de pluie, que sa croissance ne soit pas interrompue pas une température excessivement basse, ou qu'il ne souffre pas de déshydratation du fait d'une chaleur trop intense. L'influence de ces différents facteurs détermine les qualités propres à chaque arbre.

Bois résineux ou feuillus

Résineux ou gymnospermes

Ils présentent les caractéristiques suivantes :

• 80-90 % d'entre eux sont composés presque exclusivement d'un même type de cellules, les trachéides, et sont pourvus de canaux ou cellules résinifères.
• Ils offrent presque toujours le même aspect : ramure dense au sommet d'un fût dénudé, droit et élancé.
• Les bois résineux sont des bois homogènes très appréciés pour leur aspect esthétique.
• Leur bois imprégné de résine est d'une bonne durabilité. Il résiste assez bien aux attaques des insectes et champignons.
• Leur bois est en général assez léger, tendre, facile à travailler.
• Sur le bois de bout, en section transversale, on distingue les zones annulaires larges et foncées du bois d'été, alternant avec celles plus étroites et plus claires du bois de printemps.
• Si l'on observe la section radiale d'un tronc de résineux, en bois de fil, elle présente des veines parallèles assez larges et rectilignes, dans la mesure où leur régularité n'est pas perturbée par la présence de nœuds.
• La section tangentielle présente une veinure en forme d'arcs élancés plus ou moins concentriques, lui donnant un bel aspect flammé.
• Les résineux n'ont pas de période de repos végétatif l'hiver, et conservent en permanence leurs aiguilles.
• On en a répertorié environ 650 espèces, réparties en 50 genres, ces derniers regroupés, à leur tour, en 8 familles.
• Ils poussent en général en colonies importantes couvrant de vastes superficies sans être mélangés à d'autres espèces.

Feuillus ou angiospermes

Leurs caractéristiques sont les suivantes :

• Si l'on observe la section transversale du tronc, on note que les cernes d'accroissement, parcourus par les rayons médullaires, qui leur sont perpendiculaires, comportent une assez large proportion de bois de printemps aux vaisseaux ou pores larges, souvent visibles à l'œil nu.
• Sur la section radiale, les rayons médullaires apparaissent sous forme de plages miroitantes de forme plus ou moins allongée, désignées sous le nom de mailles.
• La section tangentielle est celle qui présente le moins d'intérêt.
• Leur structure, la densité de leurs nœuds, leur éclat et leur veinure déterminent leurs qualités décoratives.
• La complexité de leur structure influe aussi sur leurs propriétés physico-mécaniques, qui sont très liées à leur densité.
• Leur feuillage est caduc, car ils connaissent une période de repos végétatif durant l'hiver.
• Si l'on compte les monocotylédones et les dicotylédones, les plus importants du point de vue commercial, on dénombre environ 1 400 essences de feuillus.

Le pin pignon (Pinus pinea) *adopte la forme d'un parasol et atteint 30 m de haut. Il est typique de la région méditerranéenne, où il pousse à faible altitude sur des terrains sablonneux.*

Parmi les angiospermes, le peuplier est l'un des bois les plus employés commercialement.

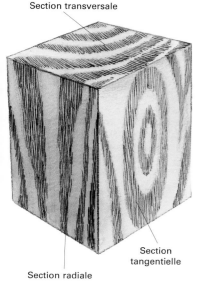

Bois résineux

Section transversale

Section radiale

Section tangentielle

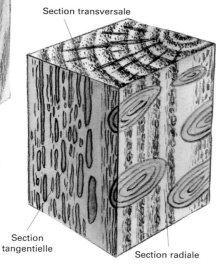

Bois feuillus

Section transversale

Section tangentielle

Section radiale

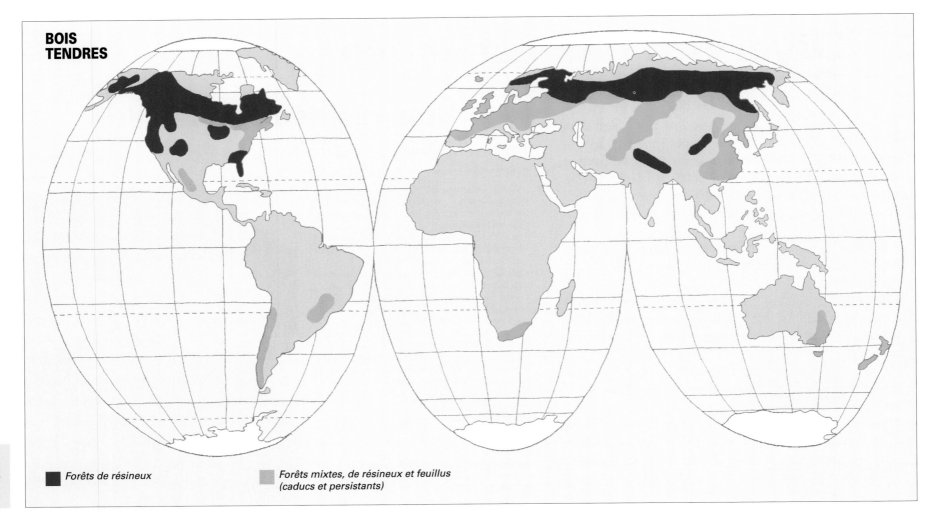

BOIS TENDRES

■ Forêts de résineux   ▨ Forêts mixtes, de résineux et feuillus
                                 (caducs et persistants)

Bois tendres

Les bois tendres sont des bois de faible densité ou poids spécifique. Ce sont en général les bois des résineux, ou gymnospermes (à graines nues). S'ils ne sont pas tous similaires, ces arbres sont en général hauts, au tronc dégagé et de forme pyramidale étroite. Quand on les débite en plateaux ou planches, leur bois est généralement de couleur claire, allant du jaune pâle au brun orangé, et présente une texture particulière, résultant du contraste entre les anneaux clairs du bois de printemps et les anneaux plus foncés du bois d'été.

Les essences tendres poussent surtout dans les régions tempérées froides de l'hémisphère Nord, c'est-à-dire les régions arctiques et subarctiques d'Europe et d'Amérique du Nord, et jusqu'au sud-est des États-Unis, où ils sont largement exploités à l'échelle industrielle pour répondre à la forte demande.

Les résineux ont une croissance assez rapide, et leurs troncs élancés et rectilignes facilitent leur exploitation. Plus économiques que les bois durs, les bois tendres sont largement employés comme bois de construction, de menuiserie, pour la fabrication de pâte à papier et de produits dérivés du bois.

Bois durs

Ce sont les bois de forte densité. Ils proviennent de feuillus appartenant au groupe des angiospermes (à graines enfermées dans des fruits).

La plupart de ces arbres poussent dans des zones chaudes et sont caducs, perdant leurs feuilles en hiver.

Le bois dur présente en général une meilleure durabilité que le bois tendre et une plus grande variété de teintes, textures et veinures. Il est aussi beaucoup plus cher ; bon nombre d'entre eux, notamment les bois exotiques les plus rares, atteignent des prix très élevés et sont transformés en bois de placage très appréciés pour leur intérêt décoratif.

Les espèces à feuillage caduc sont issues des régions tempérées de l'hémisphère Nord et les espèces à feuillage persistant poussent dans les régions tropicales et dans l'hémisphère Sud.

Une grande partie des espèces à bois dur poussant dans le monde sont exploitées commercialement.

Les bois durs sont généralement issus d'espèces à croissance lente et, malgré les programmes de reforestation, les jeunes individus égalent difficilement en qualité les sujets plus âgés.

Le bois tendre des sapins constitue une ressource économique très importante pour de nombreux pays où cet arbre forme de vastes forêts.

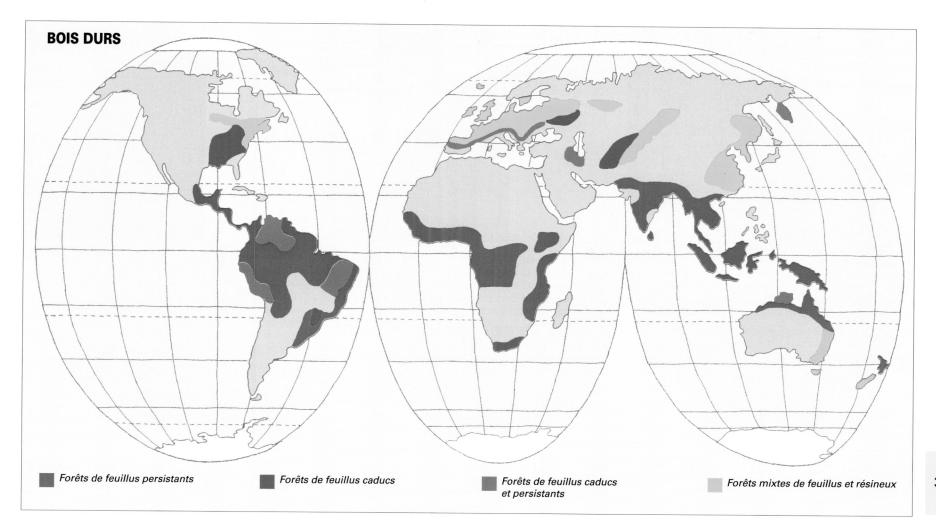

BOIS DURS

- ■ *Forêts de feuillus persistants*
- ■ *Forêts de feuillus caducs*
- ■ *Forêts de feuillus caducs et persistants*
- ■ *Forêts mixtes de feuillus et résineux*

Caractéristiques des différentes essences de bois

Bois	Densité kg/m³ Sec	Densité kg/m³ Vert	Hauteur en m	Diamètre en cm
EUROPE				
Châtaignier	580	720	40	80
Chêne rouvre	630	1085	40	110
Érable	570	630	–	60
Frêne	630	950	40	60
Hêtre	700	900	30	70
Noyer	670	810	20	200
Olivier	780	1100	10	60
Orme	690	950	40	80
Peuplier	500	900	40	10
Pin maritime	540	750	25	60
Pin du Nord	500	900	40	75
Platane	580	1085	25	80
Poirier	730	830	10	40
Sapin	450	635	45	140
ASIE ET OCÉANIE				
Buis	912	1016	8	10
Ébène	936	1010	8	30
Eucalyptus	–	–	80	90
Frêne du Japon	–	570	–	–
Laurier	900	950	30	100
Palissandre des Indes	850	1000	–	–
Rewa	770	800	30	50
Sen	600	650	25	100
Teck	1000	1100	10	40

Bois	Densité kg/m³ Sec	Densité kg/m³ Vert	Hauteur en m	Diamètre en cm
AMÉRIQUE DU NORD				
Bouleau	700	840	20	60
Érable	750	875	30	80
Pitchpin	850	1030	30	40
Pin d'Orégon	480	670	80	100
Séquoia	430	–	110	800
Tépa	440	–	8	–
Thuya	500	650	18	50
AMÉRIQUE CENTRALE ET LATINE				
Acajou	720	900	30	70
Amarante	920	1020	30	100
Bois de fer	1100	1250	10	70
Cannelier	900	1000	–	–
Cédro	380	720	–	–
Courbaril	850	–	–	–
Jacaranda	850	900	19	100
Palissandre de Rio	850	1000	–	–
Pin de Paraná	560	850	40	–
AFRIQUE				
Abebay	750	850	40	140
Bubinga	950	1100	30	–
Dibétou	750	900	40	120
Makoré	850	950	80	200
Noyer d'Afrique	900	1150	20	250
Okoumé	486	500	40	–
Sapelli	750	900	30	100
Sipo	650	700	60	200

Le bois du chêne compte parmi les bois durs les plus utilisés.

ABARCO

Mi-dur

Origine
Amérique
centrale du Sud,
notamment
Colombie,
Venezuela
et Brésil.

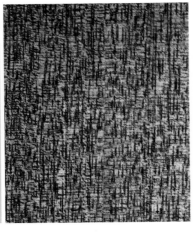

➤ **Caractéristiques** : duramen brun rouge à rouge sombre, avec des nuances violacées, à éclat lustré. Mi-lourd, grain moyen, fil droit parfois enchevêtré. Veinure très marquée. Sa haute teneur en silice désaffûte les outils et le rend difficile à couper. Se travaille bien. Clouage et collage faciles.

➤ **Emplois** : menuiserie de bâtiment, construction navale, contreplaqués. Ébénisterie, placages, revêtements décoratifs. Sculptures, pianos et placages.

➤ **Finitions** : susceptible de beaux finis.

ABEBAY

Mi-dur

Origine
Afrique
équatoriale,
notamment
Guinée.

➤ **Caractéristiques** : bois similaire, en dureté, à l'acajou, mais de teinte rouge sombre. Grain fin. Fil droit avec contre-fil donnant un aspect rubané, parfois moiré, comme le sapelli, avec irisations et reflets changeants dans la zone proche du cœur. Facile à scier et à travailler.

➤ **Emplois** : ébénisterie de luxe, revêtements décoratifs, placages, en raison de la grande beauté de sa veinure.

➤ **Finitions** : son vernissage donne d'excellents résultats.

ACAJOU

Mi-dur

Origine
Amérique
centrale, entre
le Honduras
et le Mexique,
Caraïbes, Sud-Est
asiatique,
Afrique
occidentale
et Brésil.

➤ **Caractéristiques** : dépendent de sa provenance. Le plus dur et le plus lourd vient de Cuba, le plus tendre du Nigeria et autres pays d'Afrique occidentale. Aubier rosé et duramen brun rose à rouge. Les tonalités varient entre les acajous d'Afrique, plus sombres, et les acajous d'Amérique, mais la gamme dominante va du brun doré ou brun-rouge clair. Grain mi-fin. Fil droit, ou madré. Très résistant, à l'humidité comme aux parasites, ou encore à la déformation.

➤ **Emplois** : les grands ébénistes européens des XVIIe et XVIIIe siècles employaient essentiellement l'acajou massif. Aujourd'hui, l'acajou s'utilise en ébénisterie et menuiserie de luxe, et dans la fabrication d'instruments de musique.

➤ **Finitions** : elles doivent être aussi peu teintées que possible, pour mettre en valeur sa couleur naturelle. Cire, huile, vernis au tampon.

AMARANTE

Dur

Origine
Amérique du
Sud, notamment
Brésil et Guyanes
(française et
anglaise), régions
d'Amérique
centrale et
Mexique.

➤ **Caractéristiques** : duramen brun jaunâtre au débitage qui, exposé à l'air et au soleil, prend une couleur violacée ; ce qui explique qu'il soit également connu sous le nom de *bois violet*. Grain fin, fil généralement droit. Bois lourd, résistant, tenace et élastique. L'aubier, très vulnérable aux attaques d'insectes xylophages, doit être entièrement éliminé. Bois lourd à séchage lent mais aisé. Stable après séchage. Travail relativement facile. Clouage et vissage assez difficiles (avant-trous).

➤ **Emplois** : ouvrages exigeant durabilité et robustesse (quais, ponts, pilastres). Ébénisterie de luxe, placages décoratifs, tournage de luxe. Son écorce est utilisée depuis très longtemps pour le tannage des peaux.

➤ **Finitions** : se prête bien au polissage. Se cire ou se vernit pour maintenir sa couleur violette.

AMBOINE

Tendre

Origine
Zone tropicale
et équatoriale
allant de l'Inde
aux Philippines
et à l'Indonésie,
surtout les îles
Moluques.

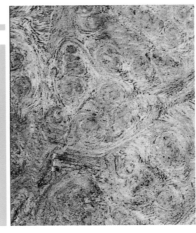

➤ **Caractéristiques** : son aubier est blanc jaunâtre et son duramen, ocre jaune rosé à rouge. Appartient au même genre que le padouk (*Pterocarpus*) et dégage une odeur de vanille. L'arbre est de faible hauteur. Sa souche procure des loupes d'une grande beauté au dessin d'une grande finesse et d'une teinte douce qui rappelle celle de la peau. Facile à travailler.

➤ **Emplois** : ses loupes sont recherchées en ébénisterie, pour la fabrication d'objets décoratifs et d'instruments de musique.

➤ **Finitions** : se prête bien à tous types de finitions.

AVODIRÉ

Tendre

Origine
Afrique
occidentale,
essentiellement
Côte-d'Ivoire et
Ghana.

➤ **Caractéristiques** : bois d'un jaune très pâle, sans aubier distinct. C'est un bois brillant et lustré, à grain fin, avec léger contre-fil lui donnant un aspect moiré sur certains débits. Bois assez léger. Séchage facile et assez rapide, mais risque de fentes et déformations. Vulnérable aux parasites. Facile à travailler. Légère tendance à se fendre au clouage ou vissage.

➤ **Emplois** : ébénisterie, menuiserie fine, moulures, instruments de musique et bois de placage.

➤ **Finitions** : procure de beaux finis.

BALSA

Très tendre

Origine
Amérique centrale et tropicale.

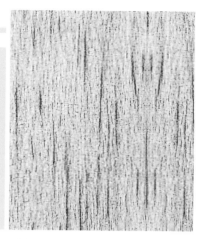

➤ **Caractéristiques** : aubier blanc légèrement rosé, duramen brun pâle. Grain grossier, aspect lustré, fil droit. Arbre à croissance rapide. Très élastique, léger et peu durable, il est considéré comme le moins robuste des bois que l'on puisse trouver dans le commerce. Difficile à travailler, réfractaire au sciage. À déconseiller pour la sculpture.

➤ **Emplois** : excellent isolant thermique et phonique. Employé industriellement pour la fabrication de chambres froides, le transport de gaz liquides, mais aussi pour les décors de théâtre, ceintures de sauvetage, bouées, maquettes (notamment en aéromodélisme), emballages.

➤ **Finitions** : procure de beaux finis.

BÉTÉ

Mi-dur

Origine
Afrique tropicale, notamment Côte d'Ivoire, Nigeria, Cameroun et Ghana.

➤ **Caractéristiques** : aubier blanc jaunâtre étroit et duramen brun jaunâtre ou brun gris, veinure peu marquée. Pâlit à la lumière. Bois à grain uniforme, fin à moyen, à pores non visibles. Fil droit, parfois rubané sur quartier (coupe radiale). S'emploie parfois à la place du noyer. Bois mi-lourd. Sèche rapidement. Duramen durable. Difficile à travailler. Fissile. Se polit bien, mais dégage une poussière irritante pour la peau, les yeux, les muqueuses du nez et de la gorge.

➤ **Emplois** : ébénisterie fine et de luxe, en bois massif ou placages, contreplaqués. Crosses de fusils. Parquets. Moulures.

➤ **Finitions** : facile à vernir.

BOIS DE FER

Très dur

Origine
Forêts littorales du Brésil exclusivement.

➤ **Caractéristiques** : sans doute le bois le plus dense que l'on connaisse. Aubier jaune pâle à brun très clair contrastant avec le duramen brun rouge à brun foncé aux reflets pourpres d'une grande beauté. Texture serrée, lisse et uniforme, fil droit. Lourd et compact, sa découpe nécessite l'emploi d'outils spéciaux.

➤ **Emplois** : ouvrages extérieurs, construction navale, ponts. Instruments de musique, archets de violon. Cannes et manches de parapluies. Ébénisterie d'extérieur et placages.

➤ **Finitions** : susceptible de prendre de beaux polis lustrés. Se prête très bien au vernissage.

39

BOULEAU

Mi-dur

Origine
Hémisphère Nord, Europe et Amérique – Canada et nord des États-Unis –, Europe centrale et boréale.

➤ **Caractéristiques** : bois blanchâtre ou jaunâtre, à pâles reflets bruns ou rosés, avec duramen peu différencié de l'aubier. Grain fin, fil droit, parfois présence de contre-fil qui donne une veinure appréciée en placages. Peut être aussi lourd que le chêne, et aussi dur que le frêne, mais plus résistant. Peu fissile. Ne se corrode pas, mais est vulnérable aux attaques de champignons en milieu humide.

➤ **Emplois** : plus utilisé comme bois de placage que comme bois massif en raison de ses excellentes propriétés mécaniques et de sa teinte claire. Contreplaqués, menuiserie, ébénisterie, crosses de hockey, jouets, ustensiles ménagers.

➤ **Finitions** : se prête à toute finition naturelle. Son grain serré limite le nombre de couches de finition.

BUIS

Très dur

Origine
Europe du Sud, Asie Mineure et Asie occidentale.

➤ **Caractéristiques** : c'est en Turquie, Russie et Asie que l'on trouve les espèces de plus grande taille. Bois ivoire à jaune clair. Cernes peu distincts. Arbuste de croissance lente et de faible hauteur. Bois homogène à grain très fin, fil droit ou irrégulier, veines quasi imperceptibles. C'est le plus lourd et le plus dur des bois indigènes. Assez difficile à travailler, du fait de sa dureté. Travaille à la chaleur ; son séchage doit être soigné.

➤ **Emplois** : gravure, marqueterie, tournage, flûtes, manches d'outils, coutellerie, règles. Convient très bien à la sculpture de petites pièces aux détails très fins.

➤ **Finitions** : permet des finitions d'une grande finesse, prend un bel aspect lustré.

BUBINGA

Dur

Origine
Espèce menacée, se trouvant dans la zone équatoriale de l'Afrique occidentale, notamment au Cameroun, au Gabon et au Zaïre.

➤ **Caractéristiques** : duramen brun rosé ou rougeâtre, finement veiné de rouge violacé ou de noir. Aubier différencié blanchâtre. Fonce à la lumière avec le temps. Bois dur, résistant aux parasites. Fil rarement droit, assez souvent ondé, contre-fil fréquent. Peu facile à travailler. Dégage, quand on le taille, une odeur légèrement fétide qui irrite les muqueuses. C'est l'un des bois les plus appréciés au Japon pour la beauté de son aspect.

➤ **Emplois** : très recherché comme bois de placage en ébénisterie et pour la décoration. En bois massif, on l'emploie pour le tournage d'objets de qualité, en brosserie, coutellerie, moulurage, et à la fabrication de poutres.

➤ **Finitions** : prend un très beau poli, se vernit bien.

CANNELIER

Dur

Origine
Bassin de
l'Amazone
jusqu'à
l'Amérique
centrale, et une
partie de la
péninsule
du Yucatán.

➤ **Caractéristiques** : son aubier n'est pas utilisable, car vulnérable aux attaques des insectes xylophages. Le duramen est brun jaunâtre, à veinure brun noirâtre. Bois lourd et dense, se travaille assez bien.

➤ **Emplois** : parties externes de constructions, industrie navale et fabrication de meubles, notamment ceux qui doivent être résistants et durables.

➤ **Finitions** : son vernissage peut présenter des difficultés.

CÉDRO

Tendre

Origine
Toute l'Amérique
centrale,
du Mexique
au Brésil.
Également
appelé cédrela.

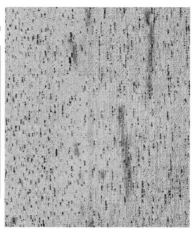

➤ **Caractéristiques** : l'aubier est blanc rosé et le duramen brun rosé à reflets violets et pourpres. L'un des bois les plus exploités au Brésil, exporté vers toute l'Europe. Appartient à la famille des méliaciées ; ne doit pas être confondu avec le cèdre, qui appartient à la famille des pinacées. La texture du cédro est plus grossière, il est moins lourd et, dans certains cas, résineux. Sèche rapidement et, une fois sec, se montre très stable, résistant et pas très lourd. Se travaille facilement.

➤ **Emplois** : constructions légères et ébénisterie, meubles et ustensiles ménagers. Contreplaqués, canots, boîtes à cigares.

➤ **Finitions** : susceptible de beaux finis.

CÈDRE ROUGE

Tendre

Origine
Côte est des
États-Unis et
du Canada.

➤ **Caractéristiques** : duramen allant du jaune pâle au rouge brun quand il est frais, qui devient brun en séchant, aubier jaunâtre. Accroissements serrés, fil droit. Bois léger, à grain assez grossier. Forte odeur poivrée ou camphrée, agréable. Très durable, repousse les attaques des insectes, résiste à l'humidité et aux intempéries. Fissile, et tend à corroder les métaux ferreux. Loupe à dessin évoquant une peau de léopard. Exception faite du bois de souche, il est facile à travailler.

➤ **Emplois** : placage de meubles de luxe. Loupe très recherchée en ébénisterie et sculpture. Bardeaux de couverture, revêtements extérieurs, chalets, abris de jardin, mais aussi crayons, boîtes à cigares, instruments de musique.

➤ **Finitions** : susceptible de beaux finis, vernissage difficile.

CERISIER

Mi-dur

Origine
Europe,
États-Unis,
Asie Mineure
et région
du Caucase.

➤ **Caractéristiques** : aubier jaune grisâtre, à peine distinct du duramen brun rosé. Fonce avec l'âge. Veinure fine et régulière, brun sombre. Assez dur, résistant aux parasites. Amélioré par un séchage à la vapeur bien contrôlé, car il a tendance à gauchir. Très stable une fois sec. Résiste bien aux intempéries. Se prête bien au collage et au cintrage et se polit bien. Facile à travailler.

➤ **Emplois** : ébénisterie fine. Plongé dans un bain d'eau de chaux ou d'acide pendant 24 heures, il devient rouge. Instruments à cordes, agencement intérieur de bateaux, sièges, fume-cigares, pipes, petites sculptures.

➤ **Finitions** : naturelles. Cires, huiles, vernis au tampon.

CHÂTAIGNIER

Mi-dur

Origine
Abondant dans
toute la région
méditerranéenne
et aussi dans
certains régions
du centre et du
nord de l'Europe
(Suisse,
Allemagne,
Autriche, etc.)
et dans le sud
de l'Angleterre.

➤ **Caractéristiques** : duramen jaune fauve à brun clair, aubier plus clair, d'un blanc grisâtre. Fil droit, grain assez grossier, proche de celui du chêne, bien que ne présentant pas de mailles comme ce dernier. En raison de sa teneur en acides, il se noircit au contact des métaux ferreux et les corrode. Fissile et résistant à l'eau. Résiste bien aux attaques des insectes. Plus facile à travailler que le chêne, bien que difficile à raboter. Se prête au cintrage. Très stable une fois sec.

➤ **Emplois** : comme substitut du chêne dans les travaux de menuiserie intérieure, escaliers, parquets, tournage, manches d'outils. Fabrication de meubles (tables, armoires, sièges, etc.), surtout pour l'extérieur et menuiseries extérieures. Tonnellerie, pieux, clôtures, cercueils.

➤ **Finitions** : susceptible de beaux finis.

CHÊNE ROUVRE

Mi-dur à dur

Origine
Toute l'Europe.
Mais aussi Asie,
Afrique du Nord
et Amérique du
Nord. Les bois
de qualité
supérieure
proviennent des
Alpes Dinariques
croates,
d'Allemagne et
des États-Unis.

➤ **Caractéristiques** : d'une longévité exceptionnelle, peut atteindre 500 ans. Les espèces européennes ont un duramen brun clair à jaune brun très durable, à fil généralement droit, parfois enchevêtré, et présente des mailles brillantes très prononcées sur quartier. Les essences américaines sont pâles ou rosées, à fil droit, maillure moins marquée, et duramen moins durable. Lourd, grain grossier. Excellentes résistances mécaniques, rigide. A tendance à noircir en contact avec les métaux ferreux. Facile à travailler.

➤ **Emplois** : sous forme de bois massif ou de placages en ébénisterie fine. Menuiserie intérieure et extérieure. Parquets, lambris. Bois de construction, de charpente. Construction navale, tonnellerie. Sculpture.

➤ **Finitions** : bien mis en valeur par la cire, ou les vernis, mats ou satinés.

CHÊNE VERT

Très dur

Origine
Europe et
Amérique
du Nord.

➤ **Caractéristiques** : plus dur et lourd que le chêne rouvre. Ocre ou brun clair, à très belle fibre argentée et mailles jaunes dues à la section de rayons médullaires larges et épais. Pores jaunes, grain fin et uniforme. Aspect flammé en section tangentielle, dû à la section des cernes de croissance. Séchage délicat : a tendance à se fendre en bout et à se déformer.

➤ **Emplois** : ouvrages de construction ordinaire (poteaux, clôtures), outils de jardinage, rabots, roues et tonneaux. Revêtements de sol.

➤ **Finitions** : il est difficile de lui donner un fini lisse.

CITRONNIER

Dur

Origine
Inde orientale
et Ceylan.

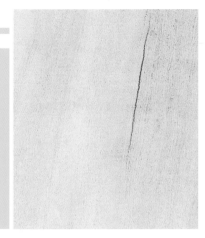

➤ **Caractéristiques** : bois jaune pâle ou doré, lustré, à duramen et aubier peu différenciés, qui a tendance à foncer avec le temps. Veinure dorée. Grain fin, fil à contre-fil marqué, avec de fines ondulations et dessin finement rubané, souvent moiré. Très durable. Assez difficile à travailler, désaffûte les outils, et produit une poussière qui irrite les muqueuses et contre lesquelles il est nécessaire de se protéger. Prend un beau poli.

➤ **Emplois** : excellent pour le tournage, la sculpture. Employé essentiellement sous forme de placages en ébénisterie de luxe, marqueterie, décoration intérieure.

COURBARIL

Dur

Origine
Amérique
tropicale,
Mexique,
Antilles,
Guyanes, Brésil.

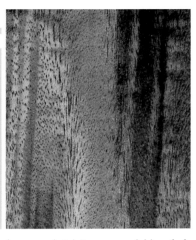

➤ **Caractéristiques** : duramen de teinte assez variable, généralement brun rouge, finement veiné de brun plus foncé, parfois de noir violacé, et aubier blanchâtre à jaunâtre. Grain fin, fil droit. Bois lourd, dense, assez flexible et élastique. À faire sécher lentement pour éviter les déformations. Difficile à couper, exige l'emploi d'un matériel approprié. Facile à sculpter, mais difficile à poncer et polir, pelucheux.

➤ **Emplois** : charpente, construction navale, ébénisterie, bien que difficile à débiter en placages. Sculptures, moulures.

➤ **Finitions** : se prête bien au vernissage.

41

DIBÉTOU

Tendre

Origine
Toute l'Afrique
tropicale
occidentale,
notamment
Sierra Leone
et Nigeria.
Se trouve aussi
aux Philippines.

➤ **Caractéristiques** : aubier grisâtre, duramen brun gris à reflets dorés. Bois peu fibreux. Grain moyen à fin. Fil régulier et parfois contre-fil. Souvent d'aspect rubané en section radiale. Fonce à la lumière. Bois résistant, y compris aux intempéries. Dans certains pays, on l'utilise comme substitut du noyer. Très vulnérable aux termites. Clouage, vissage, collage se font aisément. Assez facile à travailler. Prend un aspect pelucheux au ponçage, car l'extrémité des fibres se soulève.

➤ **Emplois** : on en tire un bois de placage particulièrement apprécié. Employé en menuiserie intérieure, ébénisterie (meubles massifs et plaqués), fabrication de moulures et sculpture.

➤ **Finitions** : admet un vernissage régulier.

ÉBÈNE

Très dur

Origine
Îles Célèbes,
Madagascar,
île Maurice,
Cameroun,
Mozambique,
Nigeria, Gabon,
Inde, Ceylan.

➤ **Caractéristiques** : aubier blanchâtre ou grisâtre et duramen très sombre, brun noirâtre à veinure noire. C'est le bois le plus sombre que l'on connaisse, avec le wengé. Très apprécié en raison de sa rareté. Bois à grain fin, dense, lourd, odorant et incorruptible. Texture fine et lisse et fil droit, ou légèrement ondulé. Cassant, à travailler avec beaucoup de précaution. Séchage délicat à mener très lentement. Difficile à scier une fois sec. Difficile à travailler, mais se prête bien au polissage et aux traitements de finition.

➤ **Emplois** : placages pour meubles et décoration de luxe, pièces d'instruments de musique (touches de piano), coutellerie, tabletterie, marqueterie, poignées de porte, queues de billard.

➤ **Finitions** : assez difficile à vernir, mais susceptible de beaux finis.

ÉRABLE

Mi-dur

Origine
Canada et
certaines régions
des États-Unis
(nord-est et
Orégon). Dans
une moindre
mesure, en
Europe et Asie
occidentale.

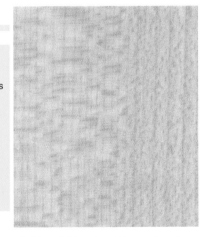

➤ **Caractéristiques** : bois blanc à blanc jaunâtre, rosé ou brun clair, à aubier peu différencié. Grain fin, éclat lustré. Fil généralement droit, parfois ondulé. Très durable à l'intérieur si on le protège des parasites ; à l'extérieur, doit être traité. Résistance moyenne à la traction ou au choc. De forte densité et plus léger que le hêtre, répond assez bien au cintrage. Facile à clouer, car peu fissile. Se teint et se polit bien.

➤ **Emplois** : parqueterie, pistes de danse, caisses et tables de résonance des instruments à cordes, placages pour ébénisterie (loupes), marqueterie, tournage, manches d'outils, queues de billard, talons de chaussures.

➤ **Finitions** : son grain serré rend inutile l'emploi d'un bouche-pores et procure de beaux finis. Se teint et se vernit bien. Il est conseillé de le traiter contre les insectes et les champignons.

EUCALYPTUS

Mi-dur

Origine
Australie, Tasmanie, Nouvelle-Galles du Sud et différentes régions d'Océanie.

➤ **Caractéristiques** : débité tangentiellement aux cernes sur dosse, il présente l'aspect du chêne, mais en coupe radiale (sur quartier), il ne présente pas ses mailles argentées. Arbre de croissance rapide, à écorce très fine (2-3 mm) pour certaines variétés. Bois mi-lourd, séchant rapidement, avec une tendance au retrait des couches superficielles. Compact, il se scie et se travaille aisément. Vulnérable à l'humidité, il doit être traité s'il est employé à l'extérieur. Bonne flexibilité.

➤ **Emplois** : menuiserie générale, fabrication de meubles. Placages et contreplaqués, panneaux d'aggloméré, articles de sport, caisserie, tournage. Fabrication de pâte à papier.

➤ **Finitions** : susceptible de beaux finis, mais ne convient pas à des travaux de grande qualité.

FRÊNE

Mi-dur

Origine
Forêts d'altitude moyenne dans toute l'Europe, en association avec le chêne, également aux États-Unis et au Japon.

➤ **Caractéristiques** : aubier d'un blanc crémeux peu distinct du duramen, à tonalités rosées, grisâtres ou brun grisâtre. Grain assez grossier. Fil droit, parfois enchevêtré, cernes de croissance marqués. Bois dense et robuste, élastique, résistant au choc et aux vibrations, séchant vite et assez stable. Facile à scier et à travailler ; mais s'écharde parfois au rabotage. Se prête bien au cintrage. Peu durable, à traiter à l'extérieur.

➤ **Emplois** : meubles ou objets cintrés (en raison de son élasticité et de sa ténacité) ; articles de sport (arcs, raquettes, skis, battes de base-ball, crosses de hockey, etc.) ou appareils de gymnastique (barres parallèles, etc.), manches d'outils (haches, pics ou marteaux) – pour sa dureté et sa résilience.

➤ **Finitions** : ponçage, polissage et vernissage procurent de beaux finis.

FRÊNE DU JAPON

Tendre

Origine
Toute l'Asie du Sud-Est, Japon, Corée et Mandchourie.

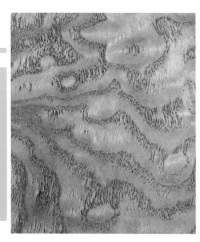

➤ **Caractéristiques** : aubier blanc et duramen rouge clair, ne présentant pas une grande différence de texture. Bois de teinte plus foncée que le frêne d'Europe, à veinure plus marquée et tonalité générale plus intense. Se travaille facilement. Présente de bonnes propriétés mécaniques.

➤ **Emplois** : recherché pour le bel aspect de sa veinure en ébénisterie et pour la fabrication de meubles de grande qualité. Placages décoratifs.

➤ **Finitions** : susceptible de beaux finis.

42

HÊTRE

Mi-dur

Origine
Zone tempérée de l'hémisphère nord de l'Europe, en association avec le chêne. Amérique du Nord et Japon.

➤ **Caractéristiques** : duramen peu distinct de l'aubier, jaune crème à brun rosé très pâle qui, étuvé, devient rougeâtre. Grain fin, fil droit. Maillure sur quartier. Sèche vite, mais tend à se déformer ; peu stable une fois sec. Résistant à la chaleur, il se prête bien au cintrage. Noircit et pourrit facilement au contact de l'eau ; ne pas l'exposer aux intempéries. Se rabote bien et se raie difficilement, ce qui le rend idéal pour la sculpture. Bois fissile. Avant-trous pour vissage et clouage.

➤ **Emplois** : meubles à pièces tournées ou cintrées. Placages et parquets, ustensiles ménagers, manches d'outils, ossatures de sièges, jouets, caisserie.

➤ **Finitions** : naturelles, n'en masquant ni la teinte ni la veinure : cires, huiles, ou vernis incolores. Les teintures à solvants peuvent le brûler.

HICKORY

Dur

Origine
Amérique du Nord, notamment la partie orientale du continent nord-américain, du Canada, au Mexique.

➤ **Caractéristiques** : aubier, blanc ou brun pâle, et duramen brun rougeâtre, bien différenciés. Veinure peu marquée, grise, avec légères mailles sur quartier. Bois très résistant. Grain grossier, fil généralement droit, parfois irrégulier ou ondulé. Difficile à travailler parce que très dur.

➤ **Emplois** : d'une extraordinaire résistance, il est employé en carrosserie, pour fabriquer manches d'outils, articles de sport (skis, clubs de golf, etc.) sièges et meubles cintrés. Placages décoratifs.

➤ **Finitions** : difficile à polir et à vernir, mais présente un beau fini.

IMBUIA

Mi-dur

Origine
Amérique du Sud, notamment Brésil.

➤ **Caractéristiques** : aubier et duramen très différenciés, jaune – brun foncé pour le premier et brun jaunâtre à olivâtre pour le second. Très résistant aux parasites. Facile à travailler.

➤ **Emplois** : très utilisé pour fabriquer des meubles, surtout au Brésil. Placages et contreplaqués.

➤ **Finitions** : se prête bien à tous travaux de finition.

IROKO

Mi-dur

Origine
Afrique occidentale, notamment Guinée-Équatoriale.

➤ **Caractéristiques** : aubier jaune clair bien différencié du duramen jaune verdâtre à brun pâle, passant au brun havane avec le temps. Bois peu nerveux, de retrait faible, à grain moyen à grossier et fil souvent irrégulier, enchevêtré, avec contrefil, et souvent rubané sur quartier. Résistant à l'eau et aux parasites. Très stable, il convient à tous les ouvrages soumis à de fortes variations de température. Se scie assez bien et se travaille facilement.

➤ **Emplois** : menuiserie intérieure ou extérieure, construction navale, fabrication de meubles massifs, souvent en remplacement du teck d'Asie, bien qu'étant plus léger et moins odorant. Poutres. Placages, portes et parquets.

➤ **Finitions** : susceptible de beaux finis.

JACARANDA

Dur

Origine
Brésil et Cuba, certaines espèces se trouvent aussi en Inde.

➤ **Caractéristiques** : duramen d'un brun marmoréen. Ses cernes de croissance présentent un aspect très agréable, car les veines brunâtres sont souvent excentriques. Bois aromatique et très combustible en raison de la résine lustrée de ses vaisseaux capillaires.

➤ **Emplois** : ébénisterie de luxe et tournage.

➤ **Finitions** : admet bien la cire, les vernis et laques.

JAGUA

Dur

Origine
Toute la zone tropicale de l'Amérique centrale et Amérique du Sud.

➤ **Caractéristiques** : aubier et duramen différenciés, ce dernier d'un brun grisâtre, et d'une tonalité dominante rosée. Bois dense à grain fin, à veinure assez uniforme.

➤ **Emplois** : sert à la fabrication d'éléments cintrés, comme le hêtre et le frêne. Articles de sport, tournage.

➤ **Finitions** : son polissage et son vernissage ne présentent pas de grandes difficultés.

43

LAURIER

Très dur

Origine
Inde, Birmanie et Sri Lanka.

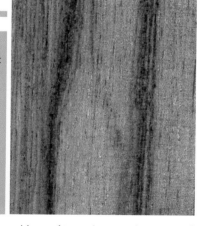

➤ **Caractéristiques** : aubier rosâtre et duramen brun orangé très différenciés. Présente une certaine similitude avec les variétés de noyer en provenance d'Espagne et d'Italie. Très décoratif, comportant peu de veines, à texture grossière, fil parfois droit, parfois irrégulier. Dense et lourd, il sèche difficilement, surtout si la pièce est de grandes dimensions. Il a tendance à se voiler, se casser et se fendre. Difficile à scier et à travailler car très dur. Peu résistant à l'humidité et aux termites.

➤ **Emplois** : sous forme de placage ou de bois massif, en menuiserie fine, pour la fabrication d'escaliers, de portes et de lambris.

➤ **Finitions** : son vernissage est difficile, car c'est un bois gras, mais lui donne un bel aspect.

LIMBA

Tendre

Origine
Dans toute la zone occidentale de l'Afrique tropicale, notamment en Guinée et Sierra Leone.

➤ **Caractéristiques** : bois jaune pâle à aubier et duramen indifférenciés dont la teinte fonce à la lumière. Veinage peu marqué, légèrement plus sombre. Grain moyen et fil droit. Facile à travailler. Moyennement durable, il ne doit pas être exposé aux intempéries et ne convient pas aux ouvrages extérieurs. Sensible aux parasites. Assez fissile. A tendance à se fendre au clouage et au vissage.

➤ **Emplois** : très utilisé en contreplaqués et placages. Menuiserie intérieure, moulures.

➤ **Finitions** : susceptible de beaux finis, très décoratifs.

LIQUIDAMBAR

Dur

Origine
Sud des États-Unis, Mexique et Amérique centrale.

➤ **Caractéristiques** : aubier blanchâtre et duramen brun rougeâtre. Veinure marquée. Doit être soumis à un séchage lent, au risque de se déformer.

➤ **Emplois** : industrie du meuble, sous forme de bois de placage, et fabrication de contreplaqué.

➤ **Finitions** : se polit bien et se vernit bien.

MAKORÉ

Mi-dur

Origine
Afrique tropicale, notamment Guinée, Ghana, Nigeria et Côte d'Ivoire.

➤ **Caractéristiques** : aubier clair légèrement rosé et duramen brun rosé, ou pourpre à rouge foncé suivant l'âge de l'arbre, souvent parcouru de veines plus sombres. Bois dense, stable et très durable. Grain fin. Fil le plus souvent droit, parfois ondulé ou rubané. Se travaille bien, mais est abrasif et produit une poussière irritante pour les muqueuses. Risques de fentes au clouage, avant-trous nécessaires pour le vissage.

➤ **Emplois** : placages replaçant l'acajou dans la fabrication de meubles. Ébénisterie fine, menuiserie extérieure, escaliers et décoration intérieure. Fabrication de contreplaqués marine. Bon bois pour le tournage, la sculpture.

➤ **Finitions** : se prête bien au polissage, à la teinture et au vernissage.

MERANTI

Tendre à mi-dur

Origine
Philippines, Indonésie, Malaisie.

➤ **Caractéristiques** : les mérantis sont classés en plusieurs groupes selon la teinte de leur bois : blanc à brun pâle (White Merantis), jaune clair à brun (Yellow Merantis), rouge clair à rouge brun (Light Red Merantis) rouge foncé (Dark Red Merantis). Bois tendre à mi-dur, plus tendre pour les essences à bois clair. Durabilité moyenne, plus faible pour les bois clairs. Ils se travaillent facilement, car ils ne sont jamais très durs. Certaines espèces sont assez abrasives.

➤ **Emplois** : très employé en menuiserie intérieure et en menuiserie industrielle (fenêtres et portes). Placages décoratifs, contreplaqués et parquets.

NOYER

Mi-dur

Origine
Originaire du Proche-Orient, c'est un arbre caractéristique des zones tempérées et chaudes de l'hémisphère nord, poussant en Europe et en Amérique du Nord.

➤ **Caractéristiques** : d'un brun grisé à veines irrégulières, parfois noirâtres. Duramen clair quand il est jeune, fonçant avec le temps. Aubier brun grisâtre à gris pâle. Fil souvent irrégulier, légèrement ondulé ou formant d'autres dessins. Grain moyen. Mi-lourd, à séchage lent. Assez peu durable, vulnérable aux champignons. Peu fissile et peu cassant. Se travaille sans difficulté. Souple, se prête au cintrage.

➤ **Emplois** : c'est l'un des bois indigènes les plus appréciés avec le chêne. Employé en ébénisterie de luxe (massif ou en placages – loupes d'une grande beauté), marqueterie. Tournage. Sculpture. Parquets.

➤ **Finitions** : prend un beau poli, se cire et se vernit très bien, les traitements à l'huile lui donnent un aspect mat ou légèrement satiné.

44

NOYER D'AFRIQUE

Dur

Origine
Afrique occidentale, de la Côte d'Ivoire au Gabon.

➤ **Caractéristiques** : rappelle le noyer par sa teinte, sa veinure et son fil même si, en dépit de son appellation, il est apparenté à l'acajou d'Afrique, dont il a la texture et le poids. Fil généralement droit. Dépourvu de nœuds. Séchage facile et rapide. Très stable une fois sec. Facile à couper et à travailler. Fil parfois enchevêtré, exigeant certaines précautions pour ne pas déchirer les fibres. Assez résistant à l'humidité et aux champignons, mais vulnérable aux termites.

➤ **Emplois** : comme bois massif, pour fabriquer des meubles. En placages, pour le revêtement de grandes surfaces. Divers éléments ou objets tournés.

➤ **Finitions** : susceptible de beaux finis, surtout s'il est ciré ou verni.

OKOUMÉ

Tendre

Origine
Abondant dans de nombreuses régions de l'Afrique tropicale et occidentale : Gabon, Guinée-Équatoriale, Cameroun et Congo.

➤ **Caractéristiques** : duramen rose saumon plus ou moins foncé, aubier peu différencier, grisâtre. Veines peu marquées. Grain assez fin. Fil droit parfois ondulé, à contrefil irrégulier sur quartier. Tendre et léger. Résistant à l'eau. Bois pelucheux, se prêtant mal au sciage, au ponçage et au vernissage. D'une haute teneur en silice, il est très abrasif et désaffûte les scies ou autres outils de coupe.

➤ **Emplois** : principalement utilisé pour le contreplaqué, rarement sous forme massive (menuiserie légère, moulures). Placages de meubles et portes. Caisserie de moindre qualité.

➤ **Finitions** : ses placages sont susceptibles d'excellents finis.

OLIVIER

Très dur

Origine
Europe méditerranéenne, sud de la France, Corse, Afrique du Nord.

➤ **Caractéristiques** : de teinte chamois verdâtre, avec bandes brunâtres et marbrures, à aubier peu distinct du duramen. Grain fin, fil irrégulier, parfois enchevêtré. Soyeux au toucher. Faible odeur rance. Dense et robuste. Sèche lentement, a tendance à se fendre. Assez vulnérable aux champignons. La loupe d'olivier, issue de la souche, présente de très beaux dessins. Facile à scier et à travailler. Ne se fend pas au clouage.

➤ **Emplois** : recherché en ébénisterie, marqueterie, sculpture, tournage. Placage d'intérieurs de meubles, moulures, panneaux de portes, planchers et caisses.

➤ **Finitions** : peut présenter des difficultés de vernissage.

ORME

Dur

Origine
Europe, Amérique du Nord et Japon. L'orme des montagnes, l'orme champêtre et l'orme de Hollande sont des espèces indigènes. L'orme rouge est originaire d'Amérique du Nord.

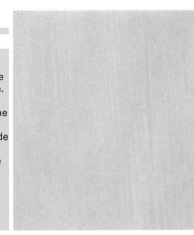

➤ **Caractéristiques :** duramen brun à brun clair, parfois rosé. Aubier distinct, grisâtre ou crème. Grain assez grossier, fil irrégulier, souvent enchevêtré. Bois mi-lourd, mi-dur à dur suivant l'espèce. Très élastique et peu fissile. L'orme rouge d'Amérique se travaille et se cintre très bien. Durable, résistant à l'humidité et aux champignons. Se colle, se cloue sans difficulté.

➤ **Emplois :** charronnage, carrosserie, ouvrages hydrauliques, construction navale. Recherché surtout aujourd'hui en menuiserie et ébénisterie (bois massif ou placages).

➤ **Finitions :** difficile à raboter, poncer et vernir en raison de son grain grossier et irrégulier, mais absorbe bien la colle, car très poreux.

PALISSANDRE DES INDES

Dur

Origine
Inde orientale, Thaïlande, Indonésie, Sri Lanka et Java.

➤ **Caractéristiques :** aubier blanc jaunâtre, légèrement rosé. Duramen de couleur intense, du brun pourpre virant au noir pourpre, avec des nuances orangées. Veines noires violacées. Teinte passant à la lumière. Grain fin à moyen. Contrefil plus ou moins marqué, ramagé sur dosse, en section tangentielle. Dégage une agréable odeur de rose. Séchage à mener lentement. Difficile à travailler. Poussières irritantes. Finitions peu aisées avec certains produits.

➤ **Emplois :** ébénisterie et décoration de luxe. Instruments de musique. Construction navale. Coutellerie. Placages, tournage, moulures, sculpture. Planchers.

➤ **Finitions :** susceptible d'élégants finis.

PALISSANDRE DE RIO

Dur

Origine
Brésil et Argentine essentiellement.

➤ **Caractéristiques :** aubier jaune pâle et duramen richement nuancé, variant du brun havane au rouge brun ou brun pourpre, à veines foncées, parfois noires, bleutées ou violacées. Dégage une odeur douce et pénétrante. Bois lourd à très lourd, à grain fin et fil droit ou légèrement ondulé, très ramagé sur dosse (section tangentielle). Séchage à mener lentement. Se travaille difficilement en raison de sa dureté. Poussières irritantes.

➤ **Emplois :** rare en bois massif, s'emploie surtout en placage en ébénisterie et décoration de luxe, dans la finition des instruments de musique, dont les pianos. Objets décoratifs.

➤ **Finitions :** prend un beau poli ; la cire, d'emploi traditionnel, est la finition la plus appropriée.

PAUMARFIM

Dur

Origine
Amérique du Sud, notamment Brésil, Paraguay, Venezuela.

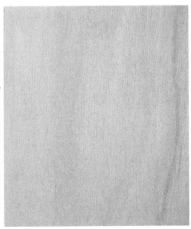

➤ **Caractéristiques :** duramen de couleur jaune à jaune citron et aubier d'un blanc jaunâtre. Sa veinure, fine et grisée, est quasiment imperceptible. Bois lourd, à grain fin et uniforme. Facile à travailler avec tous types de machines. Son collage n'offre aucune difficulté.

➤ **Emplois :** placages de bonne qualité. Décoration intérieure, ameublement et objets tournés.

➤ **Finitions :** se prête bien à la teinture et au laquage.

PEUPLIER BLANC

Tendre

Origine
Europe, et bassin de la Baltique.

➤ **Caractéristiques :** bois blanc à grisâtre, parfois rosâtre. Fil généralement droit, grain fin et régulier. Souvent pelucheux ou chanvreux. Très tendre et léger. A tendance à se fendre et à se voiler au séchage. D'une durabilité médiocre, vulnérable à l'humidité et aux attaques de parasites. Facile à travailler, se cloue sans se fendre. Arbre de croissance rapide.

➤ **Emplois :** ameublement (meubles en « bois blanc »), panneautage, intérieurs de meubles, contreplaqués, caisserie et allumettes.

➤ **Finitions :** donne de bons résultats, tout en conservant un aspect naturel.

PIN DE PARANA

Tendre

Origine
Littoral nord de l'Argentine, Brésil du sud (l'État de Parana en est couvert), Paraguay.

➤ **Caractéristiques :** duramen blanc jaunâtre à ocre jaune parfois veiné de rouge au centre de la grume, aubier plus clair. Grain fin et uniforme, fil droit, cernes de croissance peu perceptibles. Dépourvu de nœuds. Bois léger, à séchage rapide mais délicat, qui doit faire l'objet de grandes précautions, car il a tendance à se fendre et à se déformer. D'une résistance analogue à celle du pin sylvestre, mais moins rigide. Se travaille bien, tant à la main qu'à la machine.

➤ **Emplois :** disponibles en grandes longueurs sans nœuds ni défauts, convenant bien aux ouvrages de menuiserie intérieure, comme les escaliers. Fabrication de meubles d'une certaine qualité.

➤ **Finitions :** se finit bien.

PIN DE CAROLINE

Dur

Origine
Côte atlantique des États-Unis, jusqu'à 200 km à l'intérieur des terres.

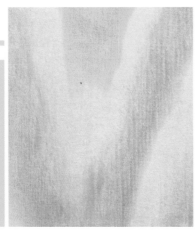

➤ **Caractéristiques** : l'un des résineux les plus importants sur les marchés mondiaux, de teinte jaune rosé avec des veines jaune orangé. Très résineux. Bois lourd, peu élastique. Durable, peu vulnérable aux parasites grâce à sa forte teneur en résine. Ne se travaille pas facilement.

➤ **Emplois** : menuiserie intérieure. Fait partie des espèces servant à l'élaboration de l'essence de térébenthine.

➤ **Finitions** : susceptibles de beaux finis.

PIN D'OREGON OU DOUGLAS

Tendre

Origine
Amérique du Nord, côte pacifique nord des États-Unis et du Canada.

➤ **Caractéristiques** : l'un des résineux les plus appréciés. N'appartient pas à la famille des pinacées *(Pseudotsuga douglasii)* en dépit de son appellation courante. Duramen jaune rosé ou brun rougeâtre et aubier distinct, pâle. Fonce avec le temps. Grain grossier. Bois léger, très hétérogène, résineux. Sèche vite. Bonnes résistances mécaniques. Durable, résiste bien à l'eau et aux intempéries, ainsi qu'aux attaques des insectes. Procure des pièces de grandes dimensions, dépourvues de nœuds. Se travaille bien.

➤ **Emplois** : principal bois de construction d'Amérique du Nord. Menuiserie intérieure et extérieure. Charpentes, travaux hydrauliques, construction navale. Très employé sous forme de contreplaqué.

➤ **Finitions** : susceptible de finis assez satisfaisants.

PIN SYLVESTRE

Mi-dur

Origine
Europe du Nord et nord de l'Asie.

➤ **Caractéristiques** : est considéré comme le bois résineux par excellence. Duramen brun rougeâtre, jaunissant avec le temps, aubier blanc jaunâtre clair, légèrement rosé, différencié, assez large. Veines claires dans le bois jeune, devenant rouges dans le bois adulte. Bois peu résineux, hétérogène, grain variable. Bonnes résistances mécaniques, résilient. Assez fissile. Se travaille bien, mais difficile à coller et à vernir en raison de sa forte teneur en résine.

➤ **Emplois** : meubles de qualité. Ébénisterie. Ouvrages destinés à la construction, fabrication de portes, fenêtres, etc. Placages décoratif, fabrication de lamellé-collé.

➤ **Finitions** : susceptible de finis d'un bel aspect.

46

PITCHPIN

Mi-dur

Origine
Toute l'Amérique du Nord, surtout sud-est des États-Unis.

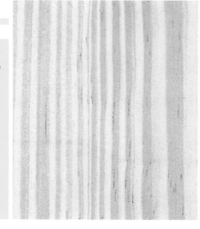

➤ **Caractéristiques** : arbre à écorce brun rougeâtre, peu branchu, à tronc dépourvu de nœuds. Brun jaune à brun rouge, fonçant avec le temps sous l'action de la lumière. Aubier différencié, jaunâtre, abondant. Cernes de croissance larges et bien marqués. Grain variable, fil assez droit. Bois très résineux, ce qui rend son séchage délicat. Stable une fois sec. Duramen très durable, résistant à l'humidité et aux parasites. Assez fissile. Se scie plus difficilement que le pin sylvestre (la résine encrasse les lames).

➤ **Emplois** : toutes constructions intérieures et extérieures, travaux hydrauliques, construction navale, ponts, charpentes, escaliers, parquets, etc.

➤ **Finitions** : susceptible de beaux finis, se prête bien au vernissage.

PLATANE COMMUN

Mi-dur

Origine
Europe, à l'exclusion de la zone septentrionale.

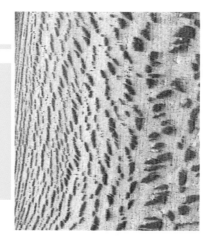

➤ **Caractéristiques** : duramen brun pâle, aubier grisâtre très distinct. Maillure caractéristique, plus sombre et bien visible, lorsque le bois est débité sur quartier. Grain relativement fin et uniforme, fil généralement droit. Ne gauchit pas au séchage. Résistant à l'eau, mais vulnérable aux insectes et aux champignons. Similaire au sycomore, mais plus sombre, ou encore au hêtre.

➤ **Emplois** : moulures, charronnage, et d'une façon générale, analogues à ceux du hêtre. Jouets, planchers, cercueils. Placages employées en contre-placage en menuiserie et ébénisterie.

➤ **Finitions** : finis satisfaisant et variés, prend un beau poli, se teint bien et se vernit bien.

POIRIER

Dur

Origine
Centre et sud de l'Europe. Asie.

➤ **Caractéristiques** : bois rose brunâtre homogène, à veines légèrement plus sombres, aubier quasiment indistinct, légèrement plus pâle. D'un grain très fin, son fil est généralement droit, voire légèrement ondulé. Vulnérable aux attaques d'insectes xylophages. Séchage lent. A tendance à se déformer. Sciage quelquefois difficile à cause de sa dureté. Difficile à clouer, mais se visse et se colle bien.

➤ **Emplois** : placages pour ébénisterie fine. Instruments de musique (lutherie, mécaniques de piano), de dessin (règles, équerres, etc.). Tournage, coutellerie, manches de parapluies, de cannes. Sculpture.

➤ **Finitions** : prend un beau poli et se vernit bien.

RAMIN

Mi-dur

Origine
Sud-est asiatique. Nord-ouest de Bornéo, Java, Philippines.

➤ **Caractéristiques** : duramen jaune paille clair et aubier blanc jaunâtre peu différenciés. La teinte du bois a tendance à foncer avec le temps. Grain assez fin, aspect uniforme. Fil droit, avec léger contrefil. Bois mi-lourd. Séchage rapide, mais délicat, tend à se fendiller en surface. Vulnérable aux attaques d'insectes et de champignons, doit être traité par imprégnation. Se travaille sans difficulté.

➤ **Emplois** : menuiserie intérieure, moulures. Tournage, sculpture, fabrication de jouets. Planchers et placages.

➤ **Finitions** : susceptibles de beaux finis.

REWA

Dur

Origine
Nouvelle-Zélande et zone septentrionale de l'Australie.

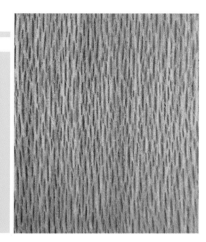

➤ **Caractéristiques** : duramen jaune d'or à rose foncé. Débité radialement, sur quartier, présente un aspect maillé similaire à celui du hêtre, mais plus prononcé. D'une grande résistance et durabilité. Facile à travailler.

➤ **Emplois** : s'utilise comme bois décoratif à diverses fins, dont la fabrication de meubles, ou de revêtements intérieurs.

SAPELLI

Mi-dur

Origine
Afrique tropicale, notamment Côte-d'Ivoire, Ghana, Cameroun, et régions orientales du Zaïre et de l'Ouganda.

➤ **Caractéristiques** : duramen brun rouge à reflets dorés et aubier jaune rosé, bien distincts. Fonce avec le temps, prenant une couleur tabac. Grain assez fin, contre-fil prononcé donnant un aspect rubané, parfois moiré ou ondé. Résistant et assez durable. Similaire à l'acajou d'Afrique par sa densité, sa teinte et son grain, et très employé en Europe. Odeur de cèdre. Bois mi-lourd, peu stable une fois sec, le contre-fil influant sur son séchage et altérant ses résistances mécaniques. Facile à travailler. Rabotage difficile si contre-fil trop prononcé.

➤ **Emplois** : menuiserie fine, intérieure ou extérieure. Ébénisterie (massif, comme il se sculpte aisément, ou en placages décoratifs). Construction navale.

➤ **Finitions** : se ponce bien, se vernit bien ; finis en général parfaits.

47

SAPIN

Tendre

Origine
Centre et sud de l'Europe, des Pyrénées à la Russie, surtout dans les zones montagneuses, différentes régions d'Amérique du Nord et d'Asie orientale et centrale.

➤ **Caractéristiques** : bois de couleur crème, ou rosé clair, ou légèrement brun roussâtre. Bois très homogène, à aubier poreux peu distinct du duramen. Veines fines et serrées, jaunâtres ou brunâtres. Léger, poreux. Durable à l'air libre, mais les variations brusques d'humidité le rendent vulnérable aux attaques de champignons. Sèche rapidement. Un peu fissile au clouage. Sciage facile, mais a tendance à arracher les fibres.

➤ **Emplois** : travaux de charpenterie et menuiserie intérieure, ossatures de meubles. Recherché comme bois de résonance pour instruments de musique. Caisserie, pâte à papier. Poteaux et, de moins en moins, mâts de voiliers.

➤ **Finitions** : se prête bien au vernissage.

SEN

Tendre

Origine
Essentiellement Japon, mais aussi Sri Lanka, Corée et certaines régions de Chine.

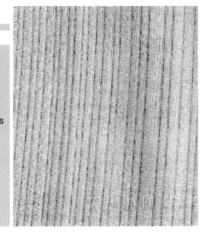

➤ **Caractéristiques** : duramen brun jaunâtre clair, aubier blanchâtre. Veines rectilignes légèrement plus sombres. Présente une structure semblable à celle du frêne, avec bois de printemps très poreux et léger, mais n'en a pas la rigidité. S'il croît lentement, il peut se montrer cassant et mieux vaut ne pas le clouer ou l'employer à l'extérieur. Peu stable. Connaît un retrait au séchage, mais ne se fend pas. Léger, agréable à travailler.

➤ **Emplois** : décoration intérieure. Construction navale. Objets tournés. Ameublement, revêtements décoratifs, manches et poignées de divers objets et outils. Placages et contreplaqués.

➤ **Finitions** : susceptible de beaux finis, se teint bien.

SÉQUOIA

Tendre

Origine
Amérique du Nord, surtout ouest des États-Unis.

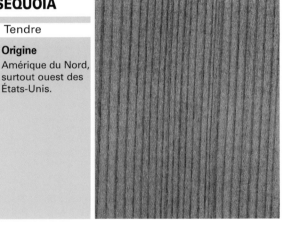

➤ **Caractéristiques** : duramen brun rougeâtre et aubier jaune clair étroit, peu différenciés. De croissance lente, comme en attestent ses cernes de croissance bien marqués, avec un contraste prononcé entre bois de printemps et d'été. Non résineux. Ressemble à un bois de sapin rosé, brun clair, fonçant à la lumière. Grain fin et uniforme, fil droit. Bois léger, séchant bien, stable. Duramen très durable, résistant à l'humidité. Espèce protégée. Se travaille bien, mais a tendance à s'arracher un peu sous l'outil.

➤ **Emplois** : menuiserie intérieure et extérieure (bardeaux de couverture). Ébénisterie. Ossatures de meubles. Serres, mobilier d'extérieur. Construction navale. Cercueils. Poteaux, contreplaqués.

➤ **Finitions** : susceptible de beaux finis.

SIPO

Mi-dur

Origine
Afrique tropicale, notamment Zaïre, Côte-d'Ivoire, Gabon, Cameroun et Guinée.

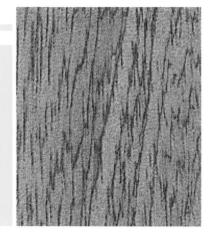

➤ **Caractéristiques** : du brun rosé au brun rougeâtre, fonçant à la lumière. Grain fin, fil parfois ondulé, léger contre-fil. Le fil enchevêtré donne lieu à une veinure noirâtre au dessin caractéristique en section radiale. Bois dense à grain moyen, aux propriétés similaires à celles de l'acajou et de qualité supérieure à celle du sapelli, par sa stabilité et sa résistance. Il est l'un des bois africains les plus appréciés. Espèce menacée. Facile à travailler.

➤ **Emplois** : comme substitut de l'acajou. Très utilisé en placage dans l'industrie du meuble, en menuiserie fine, tant intérieure qu'extérieure, en ébénisterie. Parquets, contreplaqués. Construction navale. Sculpture.

➤ **Finitions** : prend un beau poli, se teint bien et se vernit bien.

SUCUPIRA OU CŒUR DEHORS

Très dur

Origine
Tout le bassin de l'Amazone, depuis le Venezuela, surtout Brésil.

➤ **Caractéristiques** : duramen brun rosé, finement veiné de blanc, aubier blanchâtre distinct, étroit. Fil généralement droit, pas de contre-fil. Grain assez grossier. L'un des bois les plus lourds et les plus denses que l'on connaisse. Duramen durable, très résistant aux parasites. Bonnes résistances mécaniques. Difficile à travailler en raison de sa dureté élevée. Clouage difficile, avant-trous nécessaires.

➤ **Emplois** : placages (ameublement et décoration). En raison de sa dureté et de sa résistance est employé pour les parquets et ouvrages extérieurs.

➤ **Finitions** : sa finition présente certaines difficultés en raison de sa teneur en matières colorantes et en résines.

TECK

Dur

Origine
Pousse spontanément en Birmanie, Thaïlande et en Inde, mais se trouve aussi en Malaisie, Indonésie et Zambie.

➤ **Caractéristiques** : l'un des bois les plus recherchés. Gamme de teintes allant du jaune doré au brun sombre, avec aubier blanc à jaune brun pâle et duramen rouge brun à brun foncé à veinure foncée. Devient grisâtre au contact de l'air, mais retrouve ses couleurs par ponçage. Grain grossier, fil droit, parfois irrégulier. Bois très gras, d'une résistance optimale à l'humidité et aux acides. Résiste bien aux parasites. Une fois sec, stable et très durable. Bonnes propriétés mécaniques.

➤ **Emplois** : idéal pour tous ouvrages exposés à l'humidité. Mobilier de jardin, menuiserie extérieure, construction navale. Ébénisterie fine. Placages décoratifs.

➤ **Finitions** : traditionnellement, plusieurs couches d'huile de lin. Aujourd'hui, huile de teck ou de bois de Chine.

48

TÉPA

Tendre

Origine
Cordillère sud du Chili et Argentine.

➤ **Caractéristiques** : aubier et duramen peu différenciés, d'un ivoire jaunâtre fonçant à la lumière. Grain uniforme, à veinure régulière peu perceptible, grisâtre par endroits. Dépourvu de mailles. Se travaille bien à la main comme à la machine.

➤ **Emplois** : emballages, caisserie et placage de grandes superficies, huisseries de portes et de fenêtres.

➤ **Finitions** : susceptible de bons finis et se vernit bien.

WACAPOU

Dur

Origine
Régions tropicales de l'Amérique du Sud. Guyanes, Brésil.

➤ **Caractéristiques** : duramen allant du brun olivâtre au brun chocolat et aubier différencié grisâtre. Fil droit, généralement ondulé, pas de contre-fil. Grain assez fin. Bois très gras et lourd, résistant à l'eau. Résistances mécaniques élevées. Clouage difficile en raison de la dureté, avant-trous nécessaires. Difficile à travailler en raison de sa dureté. La finition peut être gênée par des exsudations de résine.

➤ **Emplois** : excellent pour la construction navale et les ouvrages hydrauliques. Menuiserie d'intérieur et d'extérieur. Parquets. Coutellerie. Placages pour son aspect décoratif.

➤ **Finitions** : se vernit assez bien.

WENGÉ

Très dur

Origine
Différentes régions d'Afrique tropicale, notamment le Cameroun et le Zaïre.

➤ **Caractéristiques** : aubier blanchâtre, duramen formé de couches alternatives brun clair à brun très sombre, parcouru de fines veines noirâtres. Jaune quand il est fraîchement scié. S'oxyde rapidement au contact de l'air, prenant une teinte brunâtre ou grisâtre. Grain assez grossier. Fil droit, avec léger contre-fil. Aspect ramagé sur dosse. Bois dense et lourd, très résistant, tant en pression qu'en traction ou aux chocs. Stable une fois sec. Très durable, très résistant aux parasites et à l'humidité. Facile et agréable à travailler. Difficile à polir et à vernir. Collage assez délicat.

➤ **Emplois** : ébénisterie (massif et placages), décoration, parquets. Tournage, coutellerie, manches d'outils.

➤ **Finitions** : le vernissage le met bien en valeur.

Commercialisation du bois

Le bois massif obtenu par débit des billes est commercialisé sous forme de bois équarri ou avivé, c'est-à-dire de pièces aux arêtes vives, de section carrée ou rectangulaire, ou à profil plus complexe, comme certaines moulures. On trouve aussi sur le marché d'autres types de produits, comme on le verra plus loin.

Les surfaces délimitant une pièce de bois sont ainsi désignées :
• Face : surface la plus importante de la pièce de bois, parfois appelée plat, par opposition au chant.
• Chant ou rive : face latérale d'une pièce de bois, quand elle est moins large que la face principale.
• Bout : section transversale, perpendiculaire à l'axe de la pièce, dont la largeur et l'épaisseur définissent la section.

En ce qui concerne leurs dimensions :
• Largeur : dimension la plus grande de la section transversale.
• Épaisseur : largeur du chant ou de la tranche du bois de bout.
• Largeur : dimension la plus grande de la section transversale.
La nomenclature des bois commercialisés varie selon les pays, parfois les régions, et les essences de bois.
Le classement dimensionnel des pièces est fondé en général sur leur section, produit de leur épaisseur par leur largeur, exprimées en millimètres.

Sections de pièces rabotées en pin et en sapin
(dimensions commerciales en Suisse et en Finlande)

Épaisseur (mm)	Largeur (mm)								
	22	34	45	70	95	120	145	170	195	220
9				X	X					
13				X	X	X	X			
16	X	X	X	X	X	X	X			
19				X	X	X	X	X		
22			X	X	X	X	X	X	X	X
28			X	X	X	X	X	X		
34		X	X	X	X	X	X	X		
45			X	X	X	X	X	X		
70				X	X	X	X	X	X	X

Classement des bois commercialisés

Latte : pièce avivée, mince et étroite, de 3 à 12 mm d'épaisseur sur 26 à 35 mm de largeur.
Liteau : pièce non rabotée de section carrée, de 25 à 38 mm de côté.
Tasseau : pièce rabotée de section rectangulaire, de largeur variable, d'épaisseur comprise entre 9 et 28 mm.
Carrelet : pièce de section carrée, de côté compris entre 10 et 70 mm.
Lame, latte ou frise de plancher : pièce longue et étroite à rainure et languette, de 50 à 150 mm de large sur 15 à 30 mm d'épaisseur.
Volige : pièce non rabotée, de largeur variable sur

Sections de pièces rabotées en pin et en sapin
(dimensions commerciales en Suisse et en Finlande)

Épaisseur (mm)	Largeur (mm)								
	25	38	50	75	100	125	150	175	200	225
12				X	X					
18				X	X	X	X			
19	X	X	X	X	X	X	X			
22	X	X	X	X	X	X	X		X	X
25	X	X	X	X	X	X	XX	X	XX	X
32			X	X	X	X	X	X	XX	X
38		X	X	X	X	X	X	X	XX	X
44				X	X	X				
47				X	X	X	X	X	X	X
50			X	X	X	X	XX	X	XX	XX
63				X	X	X	X	X	XX	XX
75				X	X	X	X	X	XX	XX
100					X		X		X	

13 à 30 mm d'épaisseur et 2, 3 ou 4 m de long, généralement de piètre qualité, servant de supports aux tuiles ou ardoises.
Bois de chambranle : ancienne appellation de pièces de bois de section rectangulaire, de 14 x 10 cm employées en menuiserie, pour les huisseries de portes.
Feuille de placage : mince feuille de bois d'une épaisseur de 0,2 à 5 mm et de largeurs variables.
Feuillet : pièce de bois plane aux arêtes vives, plus longue que large, de 8 à 12 mm d'épaisseur.
Planche : pièce de bois plane, plus longue que large, peu épaisse, aux arêtes vives, de 20 à 54 mm

d'épaisseur, de largeurs variables, dont le rapport des côtés est supérieur à 4.
Plateau. : pièce de bois non rabotée, plate et épaisse de 54 à 110 mm et de largeur variable, d'une longueur comprise entre 2 et 4 m.
Poutre : pièce de section carrée de 4 à 10 m de long, de 120 à 400 mm de côté.
Chevron : pièce de section carrée faisant entre 40 et 120 mm de côté ; ou de section rectangulaire, de 55 à 75 mm d'épaisseur et de 55 à 105 mm de large. Pièces de bois sur lesquelles sont fixées les lattes ou voliges d'un toit.
Madrier : pièce de bois de section rectangulaire, de 80 mm d'épaisseur sur 200, 220, 230 mm de largeur. On donne le nom de bastaing à un madrier épais de 125, 150, 175 mm et peu large.
Chevêtre : pièce de bois encastrée le long des murs pour soutenir les extrémités des solives d'un plancher, de diamètre inférieur à 180 mm et de longueur supérieure à 3,60 m.
Solive ou lambourde : pièce de 40 à 60 mm d'épaisseur et de largeur variable servant à soutenir un parquet ou un plancher.
Pièces en bois traité par imprégnation : généralement destinées à la fabrication de caisses, cagettes, cageots et tonneaux.
Poteaux : bois écorcé et sec, à teneur maximale en humidité de 15 %, destiné de préférence au support de lignes électriques, téléphoniques et télégraphiques. D'un diamètre de 10 cm à la pointe, moins large, varie entre 10 et 18 cm, suivant les longueurs. On trouve aussi des pièces de plus petit diamètre, destinées aux piquets de clôture ou à d'autres emplois.
Traverses de chemin de fer : larges de 250 à 290 mm, longues de 2,60 m et épaisses de 150 mm, les traverses de chemin de fer se trouvent de plus en plus sur le marché, car elles sont remplacées dans certains pays par d'autres matériaux, comme l'acier ou le béton.
Imprégnées de créosote, et donc très durables, elles peuvent être utilisées dans l'aménagement des jardins, pour retenir des talus, délimiter des plates-bandes, constituer des marches, etc. Il est recommandé de n'employer les bois imprégnés de créosote qu'à l'extérieur.

Nouveaux produits

En dehors des bois d'œuvre traditionnels, souvent simplement équarris ou avivés, mais bruts de sciage, on trouve aujourd'hui facilement dans les magasins de bricolage tout un assortiment d'articles prêts à l'emploi, aux surfaces lisses, rabotées, ayant parfois subi un traitement de finition, comme les moulures, plinthes, lambris, parquets, etc.

Bois non raboté ou raboté

Les bois équarris présentent un aspect rugueux, quand ils sont bruts de sciage, ou une surface lisse, quand ils sont rabotés. Ce sont dans les deux cas des bois dit avivés, aux arêtes vives, mais présentant un degré de finition différent. Acheter un bois raboté fait gagner du temps si ses emplois exigent qu'il ait un aspect net.

Pièces de bois non rabotées

Les mêmes produits présentent des dimensions variables chez les fournisseurs, selon qu'ils sont ou non rabotés.

Bois rabotés de diverses sections

Dimensions de pièces rabotées			
SECTION (en mm)	LONGUEUR (en cm)		
	réf. 180	réf. 240	réf. 270
20 x 20	155	305	360
20 x 115	650	1 300	1 555
20 x 145	810	1 625	1 895
25 x 25	220	435	510

Dimensions de pièces non rabotées			
SECTION (en mm)	LONGUEUR (en cm)		
	réf. 180	ref. 240	réf. 270
19 x 32	205	275	355
25 x 30	220	300	330
25 x 48	280	360	400
50 x 50	490	650	730

Moulures

Il existe de nombreux types de moulures : pour l'exécution de corniches, cimaises, cantonnières, chambranles, baguettes d'angle, plinthes, certaines permettant le passage des fils électriques, etc.

Actuellement, les moulures en bois souffrent de la concurrence des articles en mousse de polyuréthane, qui imitent parfaitement le bois.

Pièce avec différentes moulures en bois

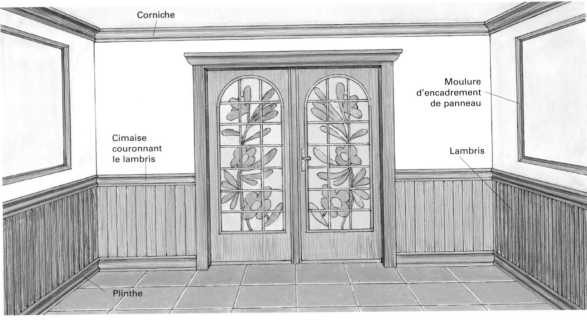

Corniche

Moulure d'encadrement de panneau

Cimaise couronnant le lambris

Lambris

Plinthe

Différentes moulures en bois

Fausses poutres

On trouve aujourd'hui des poutres et éléments complémentaires en polyuréthane qui, lorsqu'ils imitent bien le bois naturel et sont posés avec soin, font parfaitement illusion, sauf si on les voit de près et si on peut les toucher. Ces articles imitent en général des poutres anciennes, avec leurs caractéristiques naturelles (fentes, fil irrégulier, nœuds, trous de vrillette). Elles peuvent être pleines ou creuses. Dans ce dernier cas, elles sont idéales pour le passage des fils électriques et ont l'avantage d'être légères.

Fausses poutres

Traitements préventifs et curatifs

L e bois est un matériau très vulnérable, sur lequel l'eau et l'humidité, les champignons lignivores, les insectes xylophages ont une action destructrice, qu'il faut s'efforcer de combattre.

Au fil du temps, divers traitements ont été mis au point, préventifs ou curatifs, afin de conserver au bois toutes ses qualités. Si l'on n'a toujours pas trouvé de produit polyvalent idéal, permettant à lui seul d'éliminer tous les risques de détérioration du bois, on dispose aujourd'hui d'un large assortiment de produits permettant de traiter les différents aspects du problème de façon spécifique.

Quand on se propose d'élaborer un ouvrage quelconque en bois, qu'il s'agisse d'un meuble ou de tout autre élément ou objet, il est important de déterminer les risques auxquels sera exposé le bois selon la destination de l'ouvrage et d'adapter en conséquence sa préservation et son traitement de finition.

Un bois, aussi dur et résistant qu'il soit, ne pourra jamais lutter seul contre les agents qui sont le plus susceptibles de l'attaquer. Il est donc indispensable de lui offrir une protection appropriée et, comme il n'existe pas de traitement universel, de choisir celui qui convient le mieux à chaque cas particulier.

Comme le meilleur moyen se savoir quel est le traitement le plus adapté est de le connaître, nous vous proposons dans ce chapitre une étude détaillée des processus de traitement les plus couramment employés et les plus efficaces dans chaque cas. Nous passons en revue leurs avantages et leurs inconvénients respectifs. Bien que beaucoup d'entre eux soient des procédés utilisés à une échelle industrielle, il n'en reste pas moins nécessaire de les connaître parfaitement afin d'être en mesure de choisir, en fonction de chaque besoin spécifique, le bois qui sera le plus susceptible de se conserver dans les meilleures conditions.

Produits de traitement

Historique

Depuis les temps les plus anciens, la préservation du bois a toujours été un sujet de préoccupation. Déjà à l'époque préhistorique, le bois était durci à la flamme, comme en attestent les pointes de lance et de flèche retrouvées aux côtés de squelettes d'animaux, datées de plus de 200 000 ans.

Dans le livre de la Genèse de la Bible, on peut lire les instructions données par Dieu à Noé pour la construction de l'Arche : « Le Seigneur dit à Noé... Tu construiras une arche en bois résineux et la calfateras à l'intérieur comme à l'extérieur » (calfater : colmater avec de l'étoupe imprégnée de bitume les interstices de la coque des navires pour que l'eau n'y pénètre pas. Le bitume était connu par les peuples de la Mésopotamie 4 000 ans av. J.-C.).

Pline l'Ancien, au Ier siècle de notre ère, mentionne dans son *Histoire naturelle,* les techniques d'obtention de substances oléagineuses et bitumineuses et fait état des bons résultats donnés par leur application sur le bois pour le protéger des attaques des champignons et des insectes.

Sous la Renaissance, on commença à employer des composés chimiques à base de chlorures ou autres sels de mercure, d'arsenic, etc. Léonard de Vinci a recommandé ces traitements pour protéger les sculptures en bois, qu'il s'agisse de reliefs ou de rondes-bosses, ou encore les structures en bois des maisons ou autres édifices.

Au XVIIe siècle, l'élaboration d'huiles et goudrons obtenus par distillation du bois a constitué le point de départ de la modernisation des procédés de préservation du bois. C'est au XIXe siècle que furent conduits les premiers travaux vraiment scientifiques dans ce domaine. En 1813,

Déjà au Ier siècle de notre ère, Pline l'Ancien expose dans ses écrits les techniques de préservation du bois contre les champignons et les insectes à base de substances oléagineuses et bitumineuses.
Miniature illustrant un manuscrit médiéval de l'Histoire naturelle de Pline l'Ancien, conservé à la Bibliothèque des Médicis, à Florence.

Sous la Renaissance, l'éclectique Léonard de Vinci (Vinci, Toscane, 1452-Le Clos-Lucé, Amboise, 1519) indiquait que pour protéger le bois contre les attaques des insectes xylophages, tant les ouvrages de construction que les sculptures, on recommandait l'emploi de traitements chimiques à base de chlorures et autres sels de mercure, d'arsenic, etc. Autoportrait de Léonard de Vinci, conservé à la Bibliothèque royale de Turin.

51

l'Anglais Kyan réalisa les premiers travaux à grande échelle, brevetant en 1832 la méthode de préservation du bois par trempage dans une solution corrosive sublimée (bichlorure de mercure), connue sous le nom de kyanisation. Cette même année, l'ingénieur français Bréant expérimenta le procédé d'imprégnation sous pression en autoclave.

Le grand développement de l'industrie navale à cette époque stimula la recherche de méthodes et procédés destinés à augmenter la durabilité des bois soumis à des conditions peu favorables et en 1938, Bethell breveta l'emploi de la créosote pour les traitements en autoclave. Cette invention marqua le point de départ de la préservation du bois à l'échelle industrielle ; les sociétés de chemins de fer, d'exploitation minière et entreprises de construction navale furent les principaux clients de cette industrie.

Mais ces procédés n'étaient pas valables pour les bois destinés à la construction et à la décoration, car les produits utilisés tachaient le bois et dégageaient une odeur désagréable et tenace. On utilisait donc pour les protéger des vernis à base d'huiles végétales (de lin, etc.) de durabilité limitée sur les bois extérieurs.

Vers 1920, l'ingénieur danois Sigurd Dyrup entreprit des recherches en vue de mettre au point un traitement pour le bois de construction qui ne sente pas mauvais et qui n'assombrisse et ne graisse pas le bois, comme les créosotes, et qui ne forme pas non plus un film à la surface du bois, comme les vernis classiques, qui se dégradent avec le temps et laissent des résidus. Les recherches de Dyrup (S. Dyrup & Co.) ont été orientées sur l'obtention des pigments, résines, fongicides et insecticides les plus appropriés (protégeant respectivement le bois contre le soleil, l'eau, les champignons et les insectes). En les mélangeant à l'aide d'un solvant organique qui serve de véhicule de pénétration dans le bois, il créa le protecteur de bois que l'on connaît actuellement sous le nom de lasure, qui présente l'avantage de ne pas former de pellicule à la surface du bois et de le protéger de façon polyvalente contre les divers types d'agression auxquels il peut être soumis.

Propriétés des produits de traitement

D'après ce qui vient d'être dit dans les paragraphes précédents, il est évident que pour une bonne préservation du bois, il convient d'utiliser un produit présentant un certain nombre de propriétés qui font de lui le produit de traitement le mieux adapté.

Les propriétés idéales des produits de protection du bois sont récapitulées ci-contre.

Il est intéressant de noter qu'aucun produit existant ne réunit toutes les qualités énumé-

Les habitations, notamment de style rustique, renferment une grande quantité de bois qui, tant par son exposition à l'air libre, comme peut l'être la toiture, directement exposée à l'humidité ou à la sécheresse, ainsi qu'aux insectes xylophages ou autres agents nocifs, se trouve constamment menacé. Il est indispensable de le soumettre à un traitement de protection approprié.

Qualités exigées des produits de protection du bois

- Être toxiques pour les champignons et les insectes (insecticides et fongicides), mais non pour l'homme ou les animaux à sang chaud.
- Posséder un fort pouvoir résiduel et être résistants au lessivage, à l'évaporation ou à la sublimation.
- Rester chimiquement stables sur une période de temps suffisamment longue.
- Être largement distribués et faciles à trouver sur le marché.
- Ne pas être dangereux à manipuler.
- Être faciles à appliquer.
- Ne pas corroder les métaux.
- Avoir une bonne pénétration dans le bois.
- Ne pas augmenter l'inflammabilité du bois.
- Ne pas empêcher l'application ultérieure sur le bois de peinture, vernis ou produit de finition similaire.
- Ne pas dégager d'odeur désagréable.
- Être incolores, quand on désire que le bois traité conserve sa teinte.
- Respecter le milieu ambiant, ne pas le contaminer et permettre le recyclage des matériaux qu'ils ont servis à traiter (condition difficile à satisfaire).

Classement des risques biologiques

Le risque que court un bois d'être attaqué par les insectes ou les champignons dépend des conditions dans lesquelles il est employé et de son degré de résistance, qu'il soit naturel ou acquis par le biais de traitements.

On peut affirmer qu'en règle générale, un bois dont la teneur en humidité est inférieure à 20 % est à l'abri des risques de dégradation dus aux champignons.

Cependant, en ce qui concerne les insectes xylophages, la teneur en humidité du bois n'est pas un facteur déterminant, car ils attaquent indifféremment le bois humide ou le bois sec, exception faite des termites, qui, pour se développer convenablement, ont besoin de conditions similaires à celles des champignons.

Bien que tous les bois ne soient pas destinés à la construction, il est intéressant de connaître la classification des risques de détérioration du bois mis en œuvre, qui peut être applicable à des bois affectés à d'autres emplois

rées. On peut donc en déduire qu'il s'agit de choisir le produit dont les propriétés se rapprochent le plus de ce qu'on attend de lui.

Classement des risques de détérioration du bois mis en œuvre

Humidité

Le bois conserve le taux d'humidité qu'il a au moment de son installation, qui doit toujours être inférieur à 20 %. Sauf exceptions, il ne risque pas d'être attaqué par les champignons ou les termites, mais peut l'être par les insectes xylophages à cycle larvaire.

Exemples : parquets, escaliers, planchers, portes d'intérieur, charpente, revêtements muraux intérieurs, cloisons en bois, etc.

Humidité accidentelle

Le bois peut s'humidifier accidentellement par condensation ou fuite d'eau, qui engendre un risque potentiel d'attaques de champignons ou de termites, en cas de ventilation insuffisante. Le risque d'attaque d'insectes xylophages de cycle larvaire existe toujours.

Exemples : à proximité de points d'eau, ou d'une installation de plomberie défectueuse (fuites d'eau), charpentes, voliges, etc.

Humidité intermittente

Le bois est exposé à des variations d'humidité en deçà et au-delà de 20 %, ce qui le rend vulnérable aux attaques de champignons et d'insectes xylophages.

Exemples : menuiserie extérieure, revêtements, bâtis de fenêtres, volets, portes, portails, etc.

Humidité permanente

Le bois se trouve dans les conditions les plus défavorables à sa bonne conservation, avec un taux d'humidité toujours supérieur à 20 %, ce qui implique un risque permanent d'attaques de champignons et de termites.

Exemples : piliers, clôtures, palissades, piquets, caves, constructions rurales, piscines, saunas, etc.

Les bois situés à l'extérieur, qu'il s'agisse de poutres ou de portes, fenêtres, volets, etc., sont très vulnérables à l'action de l'humidité et aux variations climatiques. Étant donné le risque que cela implique pour leur conservation, il est impensable de ne pas les soumettre à un traitement de protection.

À l'intérieur des habitations, la cuisine et la salle de bains sont les deux pièces où la conservation du bois pose le plus de problèmes. Le taux d'humidité élevé de l'air ambiant y exerce en permanence sur le bois une action destructrice. Les meubles et autres éléments en bois de ces pièces doivent donc obligatoirement être traités contre l'humidité.

Produits hydrosolubles

Ce sont des mélanges de sels minéraux en solution aqueuse à une concentration déterminée. Cette concentration varie en fonction du degré de protection recherché, du procédé de traitement mis en œuvre et des caractéristiques du bois à protéger.
Ils sont composés essentiellement de trois éléments :
• Principes actifs : sels issus de différents métaux (fluor, bore, arsenic, cuivre, zinc, etc.) agissant comme insecticides ou fongicides.
• Agents de fixation : sels aux propriétés fixatives dont le rôle est d'assurer la fixation des principes actifs dans le bois, et d'empêcher leur élimination, notamment par délavage.
• Solvant : l'eau.
Suivant leur formulation, les produits de protection hydrosolubles peuvent être :
• Fongicides, insecticides, ou les deux à la fois.
Il convient aussi de distinguer, suivant leur pouvoir de fixation :
– les produits à fixation rapide et difficilement délavables. À appliquer à l'aide d'un procédé qui en assure la bonne pénétration dans le bois ; le procédé de traitement le plus adéquat est le procédé à cellules pleines, présenté plus loin. Les plus courants sont ceux du type cuivre-chrome-arsenic ;

– les produits à fixation lente, à moindre pouvoir de fixation. Ils sont à associer de préférence avec un traitement en autoclave du bois sec ou un traitement par diffusion du bois humide. Les plus employés sont ceux de type chrome-fluor et chrome-bore-fluor ;
– les produits délavables ou dépourvus d'agents de fixation. Ils s'appliquent en général sur bois humide, de préférence par diffusion, quand on souhaite obtenir une protection en profondeur, ou par trempage court ou aspersion, pour un traitement de surface.
Les traitements à base de sels en solution aqueuse sont les plus indiqués pour les bois en contact avec le sol ou avec des murs constamment humides, ou exposés en permanence à l'humidité (clôtures agricoles, bois d'aménagement des espaces verts, charpentes exposées aux intempéries, bardages, etc.).
Avantages : formulation efficace permettant d'employer un solvant peu coûteux comme l'eau. Le traitement à l'aide de produits hydrosolubles colore légèrement le bois, mais ne le tache pas, il présente un aspect propre une fois sec ; ces produits ne sont pas corrosifs pour les matières plastiques et admettent un traitement de finition. Le traitement à base de produits difficilement délavables est indiqué pour les ouvrages agricoles. Ils présentent l'avantage de

ne pas tacher les matériaux avec lesquels ils entrent en contact et de ne pas en modifier l'inflammabilité.
Inconvénients : comme ces produits de traitement s'appliquent sur bois humide, ou humidifient le bois quand il est sec, ils peuvent provoquer des mouvements de dilatation et contraction entraînant la formation de fentes, déformations, retraits, suivant le type de bois traité.

Produits hydrodispersables

Ils sont composés de principes actifs non solubles dans l'eau, auxquels on ajoute un émulsifiant pour obtenir une bonne dispersion dans l'eau. Commercialement, ils sont connus sous le nom d'émulsions.
Ce sont des produits d'une catégorie intermédiaire entre les produits hydrosolubles et les produits à solvant organique, qui ont en commun avec les premiers le véhicule assurant leur pénétration dans le bois et avec les seconds, les principes actifs.
Ils peuvent être fongicides, insecticides, ou les deux à la fois.

Type de traitement selon le taux de pénétration dans le bois

Traitement de surface	Le taux moyen de pénétration du produit de traitement est de 3 mm, avec un minimum de 1 mm en tout endroit de la surface traitée.
Traitement intermédiaire	Le taux moyen de pénétration du produit est supérieur à 3 mm, sans atteindre 75 % de la masse imprégnable.
Traitement en profondeur	Le taux moyen de pénétration du produit est égal ou supérieur à 75 % de la masse imprégnable.

Mode de traitement selon la classe de risque biologique

PRODUITS	TRAITEMENT	PROCÉDÉS	RISQUE*
Hydrosolubles	Préventif	Diffusion Autoclave (vide sous pression)	1, 2, 3, 4
Hydrodispersables	Préventif	Aspersion Application au pinceau	1, 2
À solvant organique	Préventif	Aspersion Application au pinceau Trempage Autoclave	1, 2
	Curatif	Aspersion Application au pinceau Injection	1, 2, 3
Organiques naturels	Préventif	Autoclave	1, 2, 3, 4

* Classes de risque : 1. Humidité, 2 Humidité accidentelle, 3 Humidité intermittente, 4 Humidité permanente.

Même dans une maison convenablement entretenue, il est très difficile d'éviter que le bois ne soit altéré par des insectes xylophages. Pour prévenir l'attaque de ces agents destructeurs, il est important de le soumettre à des traitements appropriés.

55

Disponibles sous forme de concentrés liquides, ils s'appliquent par trempage court ou aspersion, sur bois sec ou humide, selon son emploi.
Avantages : le traitement du bois à l'aide de produits hydrodispersables n'en modifie en général pas la couleur, permet un traitement de finition ultérieur, est compatible avec les colles, n'est pas corrosif pour les métaux ou les matières plastiques, n'augmente pas l'inflammabilité du bois, et ne tache pas les matériaux en contact avec le bois.
Inconvénients : en raison de l'humidité engendrée par le traitement, le véhicule étant l'eau, le séchage du bois après traitement s'avère indispensable, et peut engendrer la formation de fentes, de fissures, de déformations et retraits suivant l'essence de bois traitée.

Produits à solvant organique

Ce sont des produits prêts à l'emploi, de formulations complexes, dont les trois principaux composants sont les suivants :
• Principes actifs : ce sont des composés organiques de synthèse appartenant, entre autres, aux groupes organochlorés (phénols chlorés, naphtalènes chlorés, etc.), organométalliques (sels de cuivre et de zinc) et organophosphorés. Certains de ces principes actifs, en raison de leur toxicité pour les animaux à sang chaud, notamment les organochlorés, ont été remplacés par d'autres produits de faible toxicité et moindre persistance, comme la dichlofluanide ou le TBTN (naphténate de tributylétain).
• Adjuvants : composés assurant la stabilité du produit et la fixation des principes actifs dans le bois.
• Solvant ou diluant organique : issu en général de sous-produits de la distillation du pétrole.
Ils peuvent être fongicides, insecticides, ou les deux.
Ces produits sont commercialisés sous forme liquide.
On peut les employer pour un traitement de surface (application au pinceau, aspersion ou trempage court) ou un traitement en profondeur, par un procédé à double vide ou associant vide et pression, toujours sur bois sec, y compris après sa mise en œuvre, car ils n'humidifient pas le bois et ne lui font donc pas subir de modifications.
Suivant l'emploi qu'on en fait et l'état du bois sur lequel on les applique, les produits de protection à solvant organique peuvent être classés en deux catégories :
– préventifs : produits d'impression, produits hydrofuges, fongicides et insecticides, produits de finition ;
– curatifs : fongicides et insecticides.

Produits organiques naturels

Ce sont des produits issus de la distillation de goudron de houille (créosotes) ou du bois, ou encore de la pyrolyse du pétrole. Le plus connu est la créosote. Ce sont des huiles de composition chimique complexe, se caractérisant par leur densité, viscosité, courbe de distillation et teneur en naphtalènes, anthracènes et produits phénoliques qui déterminent leur efficacité. Étant donné leur nature, ils ne peuvent être appliqués que sur bois sec.
Leurs caractéristiques font que les procédés de traitement les plus appropriés sont le trempage chaud et froid et le traitement sous pression en autoclave.
Avantages : très efficaces contre les agents xylophages en raison de leur forte toxicité, se fixent bien dans le bois (leur effet dure donc longtemps) et ne corrodent pas les métaux.
Inconvénients : dégagent une odeur désagréable et persistante ; graissent et tachent le bois en surface et sèchent très lentement, le bois traité ne pouvant donc recevoir de traitement de finition aussitôt après ; peuvent tacher les matériaux poreux avec lesquels ils sont en contact ; ont une action destructrice sur les végétaux avec lesquels ils entrent en contact, et leur application en autoclave est difficile et coûteuse.

La cuisine est une pièce à vivre dans laquelle les meubles doivent, plus que tout, être préservés de l'humidité. Les bois destinés à la fabrication de meubles de cuisine doivent être traités de manière adéquate contre les problèmes que peut entraîner l'humidité.

Types de traitement du bois

Traitements de protection			
	Bois humides		Traitement par remplacement de sève
			Traitement par diffusion
			Traitement en autoclave
Traitements préventifs	Bois secs	Sans autoclave	Badigeon et aspersion
			Tunnel d'aspersion
			Aspersion libre
			Trempage long
			Trempage chaud et froid
		En autoclave sous pression	Procédé à cellules vides
			Procédé Rüping
			Procédé Lowry
			Procédé à cellules pleines
			Procédé Bethell
		En autoclave sans pression	Procédé à cellules pleines
			Procédé à double vide ou vac-vac
Traitements curatifs			

Traitements de protection

On entend par traitement l'application d'un produit de traitement sur le bois au moyen d'un procédé adéquat, soit pour empêcher le développement d'agents de dégradation biologiques pour empêcher qu'il soit attaqué par des agents de dégradation, ou assainir un bois déjà infesté.

Les méthodes de traitement varient selon la nature des produits employés et le degré de protection recherché (protection de surface, moyenne, en profondeur) et la phase du processus où on l'applique.

Les traitements protecteurs peuvent être appliqués sur le bois avant ou après sa mise en œuvre. Ils sont deux types :
• préventifs : appliqués sur le bois sain, avant ou après sa mise en œuvre, pour le protéger des attaques éventuelles d'agents destructeurs ;
• curatifs : appliqués sur un bois mis en œuvre attaqué par des agents d'altération biologiques, insectes ou champignons.

Traitements préventifs

Le mode d'application du produit de traitement varie d'une part, selon qu'il s'agit de protéger le bois avant ou après sa mise en œuvre, et, d'autre part, selon que la méthode employée est industrielle ou artisanale.

Les traitements préventifs peuvent être de deux types :
• Ceux que l'on applique sur bois humide.

• Ceux que l'on applique sur bois sec, pour ne pas altérer son taux d'humidité. Ce point est d'une grande importance, car le premier traitement que subit le bois d'œuvre (après le traitement antibleuissement) résulte de son séchage naturel.

Le séchage naturel est un phénomène lent s'accompagnant d'un processus de maturation du bois engendré par les oxydations et réductions de ses composants chimiques. Les éléments constitutifs des parois cellulaires et des cellules perdent une grande partie de leur valeur nutritive, ce qui rend le bois moins vulnérable aux organismes xylophages.

Procédés de traitement des bois humides

Traitement par remplacement de la sève

On remplace la sève des grumes fraîchement abattues par une solution de produit de traitement. Le procédé Boucherie est le plus connu. La grume est placée sur un support qui la maintient inclinée ; sa partie la plus effilée, orientée vers le

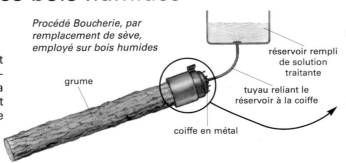

Procédé Boucherie, par remplacement de sève, employé sur bois humides

grume — coiffe en métal — réservoir rempli de solution traitante — tuyau reliant le réservoir à la coiffe

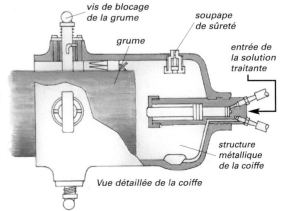

vis de blocage de la grume — soupape de sûreté — grume — entrée de la solution traitante — structure métallique de la coiffe

Vue détaillée de la coiffe

haut, est couverte d'une coiffe en métal reliée par un tuyau à un réservoir rempli de solution traitante, situé 7 à 8 m plus haut. La coiffe métallique est solidement fixée à l'extrémité de la pièce de bois. Le produit s'infiltre progressivement dans le bois en chassant la sève qui s'écoule à l'autre extrémité de la grume, située à une hauteur inférieure. Le traitement est terminé quand ce n'est plus la sève, mais la solution traitante qui ressort à l'autre extrémité de la grume.

Ce système a connu un certain nombre d'améliorations qui ont entraîné une réduction du temps de traitement, notamment le rajout d'un compresseur pour augmenter la pression, de têtes de succion et l'emploi d'injecteurs qui permettent d'atteindre des pressions de 14 kg/cm^2.

Traitement par diffusion

Consiste à appliquer sur le bois des produits de traitement en solutions aqueuses fortement concentrées, avec pénétration en surface du principe actif. Le produit se dilue ensuite dans l'eau des cellules du bois, imprégnant graduellement la totalité de la masse du bois.

Ce procédé repose sur le mélange de deux solutions du même produit à différentes concentrations, en vue de l'obtention au bout d'un certain temps d'une concentration homogène. C'est l'eau même du bois humide qui véhicule le produit de traitement de la surface à l'intérieur du bois.

Il comporte diverses étapes ou phases :
– séchage partiel du bois (en maintenant son taux d'humidité au-dessus du point de saturation des fibres ou PSF) ;
– imprégnation superficielle, diffusion proprement dite, et séchage final.

Les facteurs conditionnant les processus de diffusion sont les suivants :
• caractéristiques du bois (texture, humidité, etc.) ;
• concentration de la solution du produit de traitement ;
• température de traitement.

Le produit est tout d'abord absorbé superficiellement par le bois avant le processus de diffusion proprement dite.

On peut aussi traiter un bois au taux d'humidité supérieur au PSF en employant des produits de traitement hydrosolubles, disponibles en solution ou en poudre. Leurs principes actifs sont des fluorures et des borates. Le premier à avoir été employé a été l'octoborate disodique (1949), et le procédé employé porte le nom de trempage diffusion.

Avantages :
– pénétration totale du produit de traitement ;
– coût de traitement peu élevé ;
– délai d'obtention du degré de protection recherché inférieur à celui d'autres procédés.

Inconvénients :
– on ne peut employer de produits qui ont tendance à réagir entre eux chimiquement et à former des composés qui n'ont plus la solubilité voulue pour permettre la diffusion du principe actif dans le bois ;
– si l'on emploie des produits hydrosolubles qui conservent toujours cette propriété, on ne peut appliquer ce procédé de traitement qu'à des bois situés dans des locaux secs ;
– le temps de traitement reste toujours plus élevé que celui des procédés de traitement en autoclave.

Il existe de nombreuses variantes de ce procédé : procédé de diffusion par osmose, avec forage de puits, de double diffusion, procédé Cobra, etc.

Traitement en autoclave

Il ne s'emploie que sur des bois à taux d'humidité élevé, et qu'il est nécessaire de sécher avant de les traiter par imprégnation.
La finalité de ce procédé est d'utiliser l'autoclave à la fois pour sécher le bois et le traiter.
Le traitement en autoclave associe aspersion, vide et imprégnation selon le processus suivant :
Le bois humide introduit dans l'autoclave est soumis pendant plusieurs heures à un processus d'aspersion à 1-2 kg/cm^2 de pression, à une température d'environ 120 °C. Puis on diminue la pression pour passer à la pression atmosphérique. On crée ensuite un vide pour évacuer un maximum d'air des cellules du bois. Ces opérations aboutissent au séchage du bois, par expulsion de l'eau qu'il renferme, et qui se trouve à une température élevée (du fait de l'aspersion initiale) et dans des conditions de vide faisant que son point d'ébullition est inférieur à la normale.
Une fois que le bois est sec, on peut le soumettre à divers procédés d'imprégnation en autoclave. Si le procédé employé repose sur la création d'un vide initial, on peut se servir du vide réalisé dans le processus antérieur, ce qui permet de réaliser à la fois une économie de temps et d'énergie.

Toute construction extérieure en bois est soumise en permanence à des risques de détérioration du fait de son exposition au soleil et aux intempéries, qui non seulement entraînent un vieillissement rapide du bois, mais le rendent vulnérable aux attaques d'insectes et de champignons. Il importe donc d'employer un bois convenant à ce type d'emploi, et de l'entretenir à l'aide de traitements préventifs assez fréquents.

Procédés de traitement des bois secs

Sans autoclave

• Application au pinceau ou pulvérisation
L'application au pinceau d'une solution de protection sur le bois est le plus simple des procédés de traitement. Il s'agit d'un traitement de surface, étant donné que la faible quantité de solution qui pénètre dans le bois par capillarité ne crée qu'une mince couche toxique superficielle, tant en raison de la résistance qu'oppose le bois à la pénétration du produit qu'à la faible quantité pouvant être appliquée au pinceau. C'est en bois de fil, dans le sens des fibres, qu'on note le meilleur taux de pénétration, avec des valeurs oscillant entre 1 et 5 mm selon le degré de perméabilité du bois.
Il convient de parvenir à une absorption de produit de l'ordre de 250 à 300 g/cm^2 de bois, ce qui peut s'obtenir par application de trois couches successives, en respectant un temps de séchage entre chaque couche.
Ces trois applications équivalent à une pulvérisation.
Les principaux avantages de cette méthode sont sa grande facilité de mise en œuvre et son coût peu élevé, son principal inconvénient étant le faible degré de protection du bois.

• Tunnel d'aspersion
Ce procédé assure un meilleur degré de protection du bois que le précédent. Le bois est entraîné dans l'axe du tunnel sous une rampe de buses de pulvérisation, chaque pièce subissant l'aspersion au fur et à mesure de son défilement. Les buses sont orientées de telle sorte que toutes les faces des pièces, y compris le bois de bout, sont imprégnées uniformément de produit de traitement. Il n'y a pas de dispersion du produit dans l'atmosphère et on peut récupérer le produit en excédent qui s'écoule du bois et le réutiliser après l'avoir filtré. On obtient avec ce procédé des taux de pénétration et de rétention du produit supérieurs à ceux du procédé antérieur.

• Trempage court
Le procédé consiste à immerger le bois dans un bac contenant la solution de traitement à température ambiante et durant une période de temps pouvant varier, selon l'essence de bois et les dimensions de la pièce, de quelques secondes à 10 minutes.
Il procure une protection superficielle, et l'on considère que les immersions de 10 secondes et de 10 minutes équivalent respectivement à l'application de une et trois couches de produit au pinceau.
Il importe que le bois soit sec, et on peut employer avec ce procédé tous les types de produits de traitement.
Par rapport aux procédés antérieurs, il présente l'avantage d'assurer un meilleur degré de protection, même si elle reste superficielle. Il comporte cependant certains inconvénients, comme son coût plus élevé, une consommation plus importante de produit, et le fait qu'il ne soit pas adapté au traitement de petits lots de bois.

• Trempage long
Procédé similaire à celui du trempage court, la charge de bois étant immergée plus longtemps dans la solution de traitement, durant 4 à 8 heures en moyenne, parfois des semaines ou des mois. C'est un procédé simple qui permet d'obtenir un degré de protection élevé du bois, mais dont l'inconvénient majeur est la durée de l'immersion, qui le rend souvent inapproprié, surtout aujourd'hui, face aux procédés industriels rapides et efficaces.

• Trempage chaud et froid
Constitue une amélioration du procédé antérieur, car il raccourcit le temps de traitement, tout en assurant une meilleure pénétration et rétention du produit. Il consiste à tremper le bois successivement dans un bain de solution de traitement chaud, puis froid. L'immersion chaude a tendance à faire sortir l'air du bois, sous forme de bulles, bien qu'il n'en soit pas totalement chassé. Dans l'immersion froide, réalisée aussitôt après, le reste de l'air se trouvant dans le bois se comprime, augmentant le vide déjà existant, ce qui favorise encore plus la pénétration et l'absorption du produit de traitement, qui tend à s'infiltrer dans les espaces occupés auparavant par l'air. Dans une variante de ce procédé, le bois à traiter est chauffé à la vapeur pendant 1 h 30 à 80 °C minimum, avant d'être plongé dans une solution de traitement à 20 °C.
Avantage :
– on obtient une pénétration du produit dans l'ensemble de l'aubier en un délai assez court (24 heures).
Inconvénients :
– dans certains cas seulement, on peut employer des produits de traitement organiques ;
– nécessite la mise en place d'installations fixes assez coûteuses.

En autoclave, sous pression

Les procédés de traitement en autoclave sont de deux types :
• ceux faisant appel à la pression pour faire pénétrer le produit dans le bois ;
• ceux ne faisant pas appel à la pression.
Les premiers se répartissent à leur tour en deux catégories :

Procédé de trempage court employé pour les bois secs non traités en autoclave

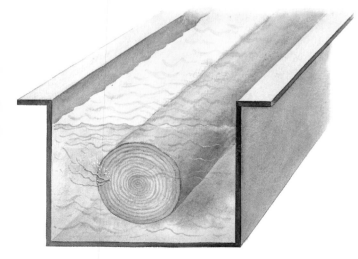

• les procédés à cellules vides ;
• les procédés à cellules pleines.

• Procédé à cellules vides
La solution de traitement est introduite sous pression dans le réseau capillaire du bois, emprisonnant l'air à l'intérieur sous forme de microbulles. On relâche ensuite la pression et l'air comprimé à l'intérieur du bois a tendance à se dilater, expulsant en partie le produit de traitement et laissant les cavités cellulaires quasi vides, tandis que leurs parois sont entièrement imprégnées.
Avantages :
– en n'utilisant que la quantité nécessaire de produit, le traitement n'augmente pas exagérément le poids du bois et évite une consommation excessive de produit ;
– taux de pénétration élevé du produit de traitement, et une rétention limitée de ce dernier.

• Procédé Rüping
Ce procédé ancien, breveté en 1902 aux États-Unis, comprend les étapes suivantes :
– introduction du bois sec dans l'autoclave d'imprégnation. Si le bois est trop humide, on lui fait subir un préconditionnement pour le sécher, par vaporisation à chaud et création de vide ;
– injection d'air sous pression à l'intérieur de l'autoclave. La pression dépend de la perméabilité du bois et du degré de protection recherché. Elle est en moyenne de 4-5 kg/cm² ;
– introduction du produit de traitement dans l'enceinte avec maintien de la pression ;
– augmentation de la pression jusqu'à atteindre la pression d'injection à refus. La quantité de pression nécessaire dépend du type de bois et du taux de rétention du produit de traitement que l'on souhaite obtenir. Elle varie en moyenne entre 10 et 15 kg/cm². Il faut la doser avec précaution, car les bois résineux et feuillus de faible poids risquent de s'effondrer sous de trop fortes pressions, encore plus si le produit est employé à des températures élevées, car dans ce dernier cas, la pression ne doit pas dépasser 9 kg/cm² ;
– la pression d'injection à refus est maintenue un certain temps, variable en fonction des facteurs cités précédemment ;
– rétablissement de la pression atmosphérique. Le taux de refoulement du produit de traitement du fait de la dilatation de l'air peut alors être important ;
– évacuation de l'autoclave du produit non absorbé par le bois ;
– création du vide final à l'intérieur de l'enceinte, pour nettoyer les surfaces du bois ;
– rétablissement de la pression atmosphérique ;
– évacuation du produit expulsé du bois par le vide final ;
– extraction du bois traité de l'autoclave.
Ce qui caractérise ce procédé, et le distingue des autres, c'est l'injection d'air sous pression en début de processus, effectuée à l'aide d'un compresseur, en présence du bois, mais avant introduction du produit de traitement.
Avantages :
– fort taux de pénétration et faible taux de rétention du produit de traitement dans le bois.
Inconvénients :
– nécessite la superposition, sur l'enceinte de traitement, d'un autre cylindre dans lequel le produit

de traitement se trouve à une pression au moins égale à celle de l'enceinte d'imprégnation ;
– quand on emploie des solutions de traitement à une température assez élevée, leur projection sous pression dans l'enceinte d'imprégnation comporte des risques d'explosion ou d'incendie.

• Procédé Lowry
Il est similaire au procédé Rüping, mais n'inclut pas l'injection initiale d'air sous pression avant introduction du produit de traitement dans l'autoclave.
L'introduction de la solution de traitement dans l'enceinte s'accompagne d'une élévation de la pression à l'intérieur de l'enceinte, entraînant la compression de l'air contenu dans le bois, puis sa dilatation au rétablissement de la pression atmosphérique, permettant la récupération d'une certaine quantité de produit de traitement, encore augmentée lors de la création du vide final.
On utilise en général avec ce procédé des produits de traitement huileux (créosotes ou autres produits organiques), chauffés à une certaine température.
Les taux de pression employés, entre 9 et 15 kg/cm², et leur durée d'application varient en fonction de l'essence de bois à traiter, de son humidité et des dimensions des pièces.
Avantages :
– ne nécessite pas l'installation d'un deuxième cylindre superposé à l'autoclave, comme dans le procédé Rüping ;
– élimination des risques d'explosion ou d'incendie, puisqu'il n'est pas nécessaire d'injecter le produit de traitement sous pression et à chaud dans l'enceinte ;
– taux de pénétration et de rétention supérieurs à ceux obtenus avec le procédé Rüping. Pour des taux de rétention similaires, on obtient de meilleurs taux de pénétration.
Inconvénient :
– pour un même degré de protection, on consomme plus de produit qu'avec le procédé Rüping.

• Procédé à cellules pleines
Le taux de rétention du produit de traitement par le bois est élevé avec ce genre de procédé, et l'on récupère, dans des conditions identiques, une moindre quantité de produit que dans les procédés à cellules vides. Afin d'obtenir la pénétration dans le bois de la plus grande quantité possible de produit de traitement, on crée un vide dans l'enceinte avant l'introduction du produit de protection, afin que ce dernier remplisse au maximum les cellules du bois.

• Procédé Bethell
Il s'emploie avec tout type de produit de traitement et comporte les phases suivantes :
– introduction du bois sec dans l'autoclave ;
– application d'un vide initial d'intensité et de durée variables suivant le type de bois à traiter et le degré de protection recherché ;
– introduction du produit de protection dans l'autoclave, le vide étant maintenu ;
– élévation de la pression entre 8 et 15 kg/cm², pour accroître la pénétration du produit ;
– maintien de la pression durant un certain temps, jusqu'à 6 heures pour les bois les plus réfractaires au traitement ;

– rétablissement de la pression atmosphérique. Avec ce procédé, grâce au vide initial, il ne reste que très peu d'air à l'intérieur du bois, et sa dilatation lors du rétablissement de la pression atmosphérique influence peu l'expulsion de l'excédent de produit hors du bois ;
– évacuation du produit non absorbé par le bois ;
– application d'un vide final d'intensité et de durée variables, normalement supérieures à celles du vide initial et dont l'objectif est la récupération d'une partie du produit introduit dans le bois, ainsi que le nettoyage de la surface de ce dernier ;
– rétablissement de la pression atmosphérique ;
– évacuation de l'enceinte de l'excédent de produit extrait du bois grâce au vide final.
Le vide initial évacue un maximum d'air des cellules du bois et favorise la pénétration du produit de traitement dans le bois, action renforcée par l'augmentation de la pression, qui peut conduire, dans certains cas, à saturer le bois de produit. Le vide final rétablit l'équilibre entre pression interne et atmosphérique, évitant ainsi d'éventuelles exsudations ultérieures du produit.

En autoclave, sans pression

Ce sont tous les procédés qui, utilisant l'autoclave, n'emploient pas la pression pour faire pénétrer le produit dans le bois.

• Procédé à cellules pleines
Parmi les procédés de traitement en autoclave sans pression, les plus utilisés sont les procédés à cellules pleines, notamment ceux à double vide ou vac-vac.

• Double vide ou vac-vac
C'est le procédé le plus répandu dans le monde, servant presque exclusivement au traitement des bois de construction, de menuiserie extérieure, comme du bois d'intérieur (parquets, charpentes, etc.), et qui compte le plus grand nombre d'installations dans certains pays de la Communauté européenne.
Il comporte les étapes suivantes :
– introduction du bois sec dans l'enceinte d'imprégnation ;
– application d'un vide initial, d'intensité et de durée variables, selon l'essence de bois et le degré de protection recherché ;
– introduction du produit d'imprégnation dans l'enceinte jusqu'à immersion complète du bois, puis élimination du vide, avec rétablissement de la pression atmosphérique ;
– maintien de l'immersion du bois dans le produit de traitement durant un certain temps, variable en fonction de l'espèce et du degré de protection voulu ;
– évacuation de l'excédent de produit non absorbé par le bois ;
– création d'un vide final, toujours supérieur en intensité et en durée au vide initial, maintenu jusqu'à l'obtention du taux de rétention du produit recherché ;

Autoclave employé pour le traitement du bois sous pression selon le procédé à cellules vides Lowry

– rétablissement de la pression atmosphérique ;
– évacuation du produit de traitement extrait du bois par le vide final ;
– extraction du bois de l'enceinte d'imprégnation.
Avec le procédé à double vide, on emploie des produits de protection organiques, composés d'insecticides, de fongicides, de cires et résines hydrofuges.

Le bois à imprégner doit être suffisamment sec ; il faut le laisser sécher quelques jours à l'air libre après son traitement, pour permettre l'évaporation du solvant du produit de traitement et améliorer la fixation du principe actif.
Inconvénient : après avoir été traité, le bois doit séjourner un certain temps à l'air libre en vue de l'élimination du solvant entrant dans la composition du produit de traitement.

Traitements curatifs

Ce sont ceux appliqués à un bois mis en œuvre infesté d'agents destructeurs. Ils ont pour rôle de stopper la progression des dommages en éliminant l'agent destructeur et en assurant une protection du bois contre de futures attaques. Les produits de traitement employés sont les mêmes que pour les traitements préventifs, seul leur dosage peut varier. L'application s'effectue au pinceau sur les petites pièces de bois, et au pinceau et par injection sur les pièces de bois de plus grandes dimensions. L'injection s'effectue dans des trous préalablement forés en quinconce dans le bois.
Si le bois à traiter est attaqué par des termites, le traitement curatif de l'ouvrage en question doit être complété par le traitement de l'ensemble du bâtiment contre cet agent destructeur. Il faut créer une barrière contre les termites autour du bâtiment, que ce soit dans le sol ou à la base des murs. Cela en raison du fait que, contrairement aux insectes xylophages, dont les larves ne peuvent se déplacer et restent à l'intérieur du bois, et sont donc détruites quand elles sont atteintes par les solutions de traitement injectées dans le bois, les termites vivent dans leurs termitières, qui sont en général situées à une certaine distance des constructions qu'elles attaquent, et qu'elles rejoignent en creusant des galeries dans le sol ou dans les murs. Quand une colonie de termites est isolée de son nid principal, elle crée un nid secondaire à l'intérieur de l'édifice et, s'il n'est pas entièrement éliminé, l'attaque se poursuit.
Pour réaliser la barrière chimique anti-termites, on creuse des trous espacés de 25-35 cm tout autour de la propriété, tant à l'extérieur qu'à l'intérieur des limites, ainsi que dans les murs principaux. Ces trous doivent être assez profonds pour que le produit anti-termites puisse être diffusé jusqu'à 50-60 cm au-dessous du niveau du sol, car les termites ne peuvent descendre plus bas, la pression étant trop forte pour eux en dessous de ce niveau. S'il s'agit d'un bâtiment mitoyen avec d'autres, pour que le traitement soit efficace, il faut traiter tout le pâté de maisons. Sinon, les termites peuvent s'infiltrer dans l'édifice par un autre endroit ou attaquer l'édifice voisin.

Défauts et parasites du bois

Anomalies de croissance

En tant qu'organisme vivant, le bois est exposé tout au long de son existence à de multiples vicissitudes. S'il parvient à surmonter sans difficulté certaines épreuves, d'autres le marquent si profondément qu'elles y génèrent des anomalies ou vices qui peuvent constituer une sérieuse entrave à sa mise en œuvre, qu'il soit destiné à la construction d'un ouvrage de menuiserie ou d'ébénisterie ou à la sculpture.

Pour qu'un bois puisse être considéré comme sain et être travaillé convenablement, il faut que le tronc présente, quand on le sectionne transversalement, un cœur qui ne soit pas excentré, et que chacun des cernes de croissance soit d'épaisseur égale sur tout le pourtour. On peut alors en déduire que l'arbre n'a pas subi d'avatars ou de désordres extraordinaires ; si c'était le cas, ses cernes en porteraient l'empreinte. Si l'arbre fraîchement abattu présente un aubier très tendre, il convient de l'en débarrasser rapidement si l'on veut éviter que le bois ne soit attaqué en peu de temps par les parasites, tant les champignons que les insectes.

Il importe d'observer avec soin l'état du bois de la section transversale du tronc, pour s'assurer qu'il ne comporte pas de défauts. Ces défauts modifient les propriétés du bois et en restreignent les emplois, car ils rendent son façonnage difficile.

Nous vous présentons ci-contre les anomalies du bois les plus courantes.

Cœur excentré

C'est un défaut dont souffrent 75 % des arbres des zones tropicales et 50 % de ceux des régions les plus tempérées.

Il s'observe en général lorsque le tronc subit l'action de forts vents dominants ou une intense radiation solaire d'un seul côté.

L'arbre se défend en fabriquant, de part et d'autre de son cœur, du bois dit de compression du côté où il est agressé, aux cernes étroits et denses, et du bois de tension à l'opposé, plus développé, aux cernes plus larges, avec un cœur excentré. Le bois qui en résulte est peu homogène et présente des propriétés physico-mécaniques irrégulières. Cette anomalie est encore pire si l'arbre développe un double tronc, avec deux cœurs.

Toutefois, si l'excentricité du cœur n'est pas très prononcée, et si le tronc n'a pas subi de déformation trop importante, ce défaut n'est pas trop grave.

Double aubier ou lunure

Lorsqu'un arbre subit l'action de froids intenses et prolongés, il peut produire du bois mort, car son aubier ne se lignifie pas entre les cernes de croissance déjà formés et ceux de l'aubier qui sont en cours de formation, formant dans le duramen un anneau d'aubier blanchâtre, qui vire au rouge avec le temps, et dégage une odeur désagréable caractéristique, due à la putréfaction des fibres.

Les parties de l'arbre affectées par ce problème doivent être supprimées car, en dehors du fait que les propriétés mécaniques de ce bois mort sont nulles, il implique un risque de décomposition de l'ensemble du bois. Si la zone affectée est très étendue, mieux vaut rejeter la totalité de l'arbre pour éviter des difficultés ultérieures de mise en œuvre du bois.

Lunures multiples

Défaut similaire au double aubier, avec alternance, dans ce cas, d'anneaux ou zones concentriques de bois mort et de bois vivant. Cette anomalie est provoquée par une succession de périodes de grand froid ayant entièrement stoppé le rythme vital de l'arbre, avec une stagnation de la sève dans les vaisseaux conducteurs. Ces arrêts successifs du cycle végétatif ont engendré des anneaux de bois défectueux, manquant de dureté, donnant lieu à un bois de structure hétérogène au fil irrégulier. Le bois présentant cette anomalie doit être rejeté, car il ne peut être travaillé.

Cernes irréguliers

Ce problème peut être dû à différents facteurs : variations climatiques, grandes périodes de sécheresse, manque ou excès de soleil, transplantations multiples, action du feu (incendies de forêt), attaque de parasites, ou tout autre facteur susceptible de provoquer une interruption brusque du cycle végétatif. Les cernes restent distribués concentriquement, mais sont d'épaisseur variable, avec une alternance de cernes minces correspondant aux périodes d'agression, et des cernes plus larges correspondant aux périodes de croissance normale. Cette irrégularité d'épaisseur des couches annuelles crée un bois qui peut être très hétérogène, avec des variations de densité et de dureté très marquées, rendant le bois difficile à travailler et sujet à gauchir et à se fendre.

Cœur vide

On observe ce phénomène, connu sous le nom de *pourriture rouge,* quand la moelle ou le cœur de l'arbre, ainsi que les cernes de croissance adjacents, sont attaqués par un champignon lignicole qui les détruit entièrement. Il en résulte une modification de la consistance et de la coloration du bois. La résistance et la cohésion de l'ensemble de l'arbre en sont gravement affectées, les fibres des rayons médullaires perdant leur pouvoir de liaison avec les fibres situées dans le sens de l'axe du tronc. Seules les couches les plus externes du bois sont exploitables, dans la mesure ou les fentes radiales ne sont pas trop étendues.

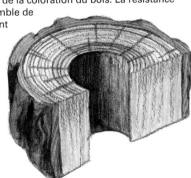

Gélivure

La gélivure est une fente ou gerce radiale pénétrant dans le tronc jusqu'à une certaine profondeur. Elle est causée par un brusque abaissement de la température ou une longue période de sécheresse, avec des contractions et dilatations du bois donnant lieu à la formation de fentes au niveau de l'écorce. Ces fentes s'étendent à l'intérieur du tronc, dans le sens radial, perpendiculairement aux cernes de croissance. Le duramen, plus dense, freine en général leur progression, car si elles pénètrent trop profondément dans le tronc, elles provoquent la mort de l'arbre. Les bois gélivés ne sont pas utilisés lorsque les fentes ou gerces s'étendent au-delà de la moitié de l'épaisseur du tronc.

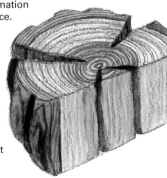

Cadranure ou cœur étoilé

Fentes rayonnantes partant de la moelle et se dirigeant vers l'extérieur sans traverser l'écorce. La cadranure affecte les arbres âgés. La partie centrale affectée est désignée sous le nom de *cœur étoilé*. Cette anomalie rend l'arbre sur pied vulnérable à la pourriture. Un séchage trop rapide du bois peut aussi provoquer la formation de gerces radiales ou fentes de dessiccation.

Roulure

La roulure est provoquée par un manque d'adhérence entre deux couches concentriques formant les cernes de croissance annuels, occasionné par le brusque dégel de la sève de l'arbre. Ce manque d'adhérence peut donner lieu au décollement partiel ou total des deux couches et à l'apparition d'espaces vides qui constituent des refuges très appréciés des insectes et des larves. Cette anomalie affecte surtout les arbres riches en tanins, comme le châtaignier et le hêtre. Les bois roulés ne sont pas utilisables.

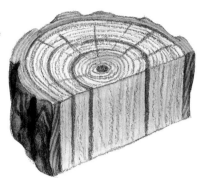

Dégâts causés par les insectes xylophages

Nombreux sont les insectes qui pondent leurs œufs dans le bois, car ses composants constituent une excellente nourriture pour leurs larves. En général, le bois coupé et laissé sur place est celui qui offre les conditions idéales à leur installation : ils le perforent, et s'en nourrissent en y creusant des galeries. Le bois attaqué par les insectes xylophages présente des trous de faible diamètre à sa superficie et un réseau de galeries intérieures qui résulte tant de l'action des larves que de celle des insectes adultes, car les larves se développent dans le bois et se transforment en insectes adultes qui parfois sortent du bois pour aller pondre ailleurs.

Comme chaque insecte a un habitus et un comportement spécifique, certains détails permettent d'identifier le parasite responsable des dégâts : l'aspect du trou superficiel et des galeries, la présence ou l'absence de sciure, la couleur et l'aspect de la déjection.

Les coléoptères xylophages et, dans les régions chaudes, les termites, sont les parasites qui font le plus de dégâts dans les charpentes et autres ouvrages structuraux des habitations. Les larves des termites sont les plus voraces et donc celles dont l'action est la plus dévastatrice : elles creusent des galeries dans l'aubier et se nourrissent de son amidon. Il existe deux moyens de lutter contre les insectes xylophages : la fumigation et le traitement chimique.

Nous vous présentons ici les insectes xylophages les plus courants et les plus destructeurs.

Capricorne des maisons
(Hylotrupes bajulus)

Ce coléoptère s'attaque surtout à l'aubier des résineux, notamment ceux qui ont peu de duramen (sapins et épicéas) et arrive à les détruire entièrement ; les résineux qui ont plus de duramen (pins et cèdres) résistent mieux.
Le cycle larvaire varie entre 3 et 11 ans et l'insecte adulte mesure de 8 à 20 mm de long. Il est noir ou brun, long et aplati, avec de longues élytres cachant les ailes, et deux grandes antennes. La larve est un gros ver blanc de 13 à 30 mm de long et environ 6 mm de diamètre. Les trous d'envol des insectes sont ovales et font 5 à 7 mm de diamètre. Galeries obstruées de farine de bois claire et très compacte.
L'insecte adulte peut voler et la femelle dépose de 40 à 100 œufs dans les fentes superficielles du bois. Les larves apparaissent au bout de 1 à 3 semaines et vivent à l'intérieur du bois jusqu'à sa transformation en insecte.

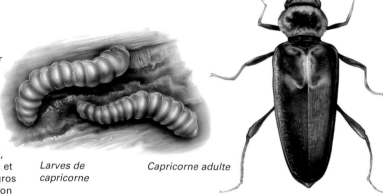

Larves de capricorne

Capricorne adulte

Aspect du bois attaqué par les capricornes

Lyctus (Lyctus brunneus)

Cet insecte s'attaque à l'aubier de certaines essences feuillues quand il présente des conditions favorables : vaisseaux assez gros, d'un diamètre égal ou supérieur à 0,07 mm, teneur en amidon suffisante, humidité comprise entre 6 et 32 %.
À chaque ponte, la femelle dépose de 20 à 40 œufs dans les vaisseaux de l'aubier. Les larves apparaissent au bout de quelques jours (8 à 14) et font 4 à 6 mm de long.
L'insecte adulte, au corps allongé de forme cylindrique, brun roux, mesure 3 à 6 mm de long. Poils Implantés irrégulièrement sur les élytres, antennes terminées par une petite massue.
Les larves, très voraces, construisent des galeries longues et étroites dans le sens des fibres du bois, où elles accumulent une sciure très fine semblable à de la farine, peu tassée. Trous de sortie en général circulaires, parfois ovalisés, de 1 à 2 mm de diamètre. La durée du cycle évolutif est en général d'un an, mais peut être de 3 à 4 mois suivant les conditions de température.
Cet insecte attaque généralement les bois secs à mi-secs dans les 6 mois suivant leur abattage et les bois présentant des vaisseaux assez larges pour que la femelle puisse y déposer ses œufs.

Lyctus adulte

Aspect du bois attaqué par les lyctus

Petite vrillette
(Anobium punctatum)

Ce coléoptère s'attaque surtout à l'aubier des résineux et des feuillus, parfois aussi au duramen, notamment s'il est attaqué par des champignons.
Insecte brun plus ou moins foncé, de 2,5 à 5 mm de long, à courtes antennes terminées par une massue et élytres régulièrement striés. La larve mesure de 5 à 7 mm de long.
La femelle dépose 20 à 30 œufs dans les fentes ou rugosités de la surface du bois ou dans les anciennes galeries. Les larves creusent dans le bois des galeries de 1 à 3 mm de diamètre, dans le sens du fil du bois, où elles laissent un mélange de sciure et de déjections finement granuleuses. La sciure accumulée dans les galeries sort par les anciens trous, formant de petits monticules.
Le cycle évolutif est de 1 à 4 ans ; les trous de sortie des adultes, de 1 à 3 mm de diamètre, sont circulaires.
Comme les larves ont besoin d'un certain taux d'humidité pour se développer, les atmosphères sèches et froides constituent donc un bon remède préventif.

Larve de vrillette

Vrillette adulte

Termite souterrain *(Reticulitermes lucifugus)*

Cet insecte vit en colonies socialement organisés, avec une reine pondant environ 4 000 œufs par jour. Les nymphes qui en sortent deviennent des termites ailés, ouvriers, soldats ou reproducteurs. Les termites se développent dans un sol humide, à température modérée et constante. Leur aliment principal est la cellulose. Ils creusent ou bâtissent des galeries pour atteindre les matériaux qui en sont riches (bois, papier, textile), appréciant tant l'aubier que le duramen des bois feuillus et résineux, avec une préférence pour ces derniers.
Le termite ailé, de couleur noire, mesure 6 à 8 mm de long.
Le termite ouvrier, de 4 à 6 mm de long, est blanc ; armé de fortes mandibules, il creuse des galeries libres de sciure dans le sens du fil du bois.
Il construit aussi des galeries avec un mélange de terre, de particules de bois, d'excréments et de salive à la surface des matériaux trop durs pour être forés, comme le béton ou la pierre.
Malheureusement, on ne détecte en général leur présence que lorsqu'ils ont fait déjà beaucoup de dégâts.

Termite ouvrier

Sirex *(Urocerus gigas – Sirex juvencus – Sirex noctilio)*

Insecte hyménoptère qui ressemble à une guêpe. L'abdomen de la femelle est bleu métallique, jaune pour le mâle chez le *Sirex juvencus* ou *noctilio*, et rayé jaune et noir chez le *Sirex gigas*. Insecte de 10 à 50 mm de long, aux antennes filiformes. La femelle est qualifiée de « mouche à scie », car pourvue d'une tarière pour forer le bois. La larve, de 20 à 30 mm de long, creuse des galeries encombrées de sciure grossière. Trous de sortie circulaires de 3 à 6 mm de diamètre.

Larve de sirex

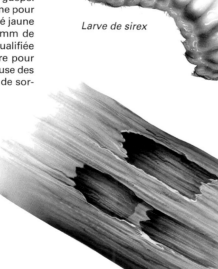

Aspect du bois attaqué par les termites

Champignons

Les bois humides deviennent la proie des champignons lorsque certaines conditions sont réunies pour favoriser leur développement : taux d'humidité approprié, température adéquate et présence d'oxygène. Si certains champignons se contentent de colorer le bois sans porter atteinte à son intégrité, les champignons lignivores, dits de pourriture, ont sur lui une action destructrice en se nourrissant de ses principaux constituants.

Champignons lignivores

Présents dans l'atmosphère sous forme de spores qui, au contact du bois humide, germent et développent des filaments qui pénètrent dans le bois et envahissent tous les éléments de la masse ligneuse, émettant, pour assurer leur nutrition, des substances chimiques capables de dissoudre les constituants de la paroi cellulaire (lignine, cellulose, hémicellulose). Ils affectionnent les milieux acides. Ils altèrent non seulement l'aspect du bois (changement de couleur), mais aussi sa structure, sa texture, le rendant plus poreux et plus léger, sa conductibilité électrique et thermique et ses résistances physico-mécaniques. La phase ultime de dégradation des bois par les champignons lignivores est la pourriture, qui peut ruiner un ouvrage en le rendant inutilisable (meuble, édifice, pont, etc.).

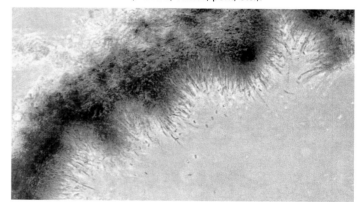

Champignon lignivore vu au microscope. Le pouvoir de pénétration dans le bois de cet agent destructeur est ici bien visible.

Champignons chromogènes

Ces champignons ne se nourrissent que des substances de réserve du bois et n'en modifient la teinte que par la présence dans sa masse de leurs filaments colorés. Les plus nocifs sont ceux qui causent le bleuissement du bois. Ils créent de petites perforations dans les parois cellulaires, qui augmentent la perméabilité du bois, qui s'imprègne d'eau à saturation, et altèrent ses propriétés physico-mécaniques. Les bois sont colorés de façon définitive et donc impropres à certains emplois. Ces champignons résistent bien à de basses températures, ce qui peut rendre leur élimination difficile.

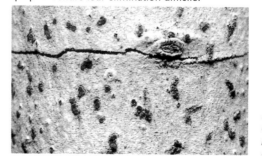

Bois affecté par des champignons provoquant son bleuissement

Produits dérivés du bois

Les produits dérivés du bois semblent apporter une solution aux limitations et problèmes d'emploi, ou à la pénurie du bois massif, et commencent timidement à être considérés comme un moyen de recycler de matériaux déjà utilisés.

Ils ont été conçus dans le but :

• d'une meilleure stabilité dimensionnelle, en évitant les problèmes liés aux mouvements de dilatation ou contraction du bois massif ;

• d'éliminer ou, du moins, limiter les défauts d'aspect du bois ;

• d'exploiter au maximum la masse ligneuse : panneaux de fibres et de particules ;

• de tirer le meilleur parti de la qualité du bois : placages ;

• d'obtenir des pièces parfaitement planes ou de grandes dimensions, difficiles à obtenir à partir de bois massif ;

• d'utiliser des troncs de moindre diamètre, soit en exploitant des arbres jeunes, soit en tirant parti des jeunes sujets abattus dans le cadre de l'éclaircissage des forêts ;

• de recycler des matériaux déjà utilisés.

Lattés et lamellés-collés

Les panneaux lattés sont constitués de lattes de bois massif posées chant contre chant dans le sens longitudinal. Ces lattes peuvent être de même longueur ou de longueurs différentes, et sont assemblées par le bout, soit simplement aboutées, soient unies à l'aide d'entures multiples. Les lattés sont toujours plaqués sur les deux faces, alors que les lattes restent parfois apparentes dans les panneaux lamellés-collés, qui, selon la colle employée pour les assembler, peuvent être utilisés à l'intérieur ou à l'extérieur. Ils sont tout indiqués pour la confection d'ouvrages soumis à de fortes contraintes : meubles, étagères, plans de travail, portes, coffrages pour béton.

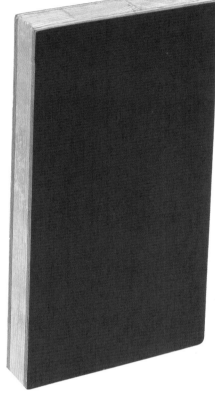

Panneau latté

63

Contreplaqués

Ce sont des panneaux constitués de feuilles de bois superposées de telle façon que les fibres d'une feuille soient perpendiculaires aux fibres de la feuille précédente. Ces feuilles sont collées et pressées à chaud. Chaque feuille est appelée « pli », à l'exception de celle du milieu (âme) et des feuilles extérieures (faces). Le panneau de contreplaqué comporte un nombre impair de plis (3, 5, 7, et plus). Cette disposition croisée des plis annule presque entièrement les mouvements de dilatation et de contraction. Pour assurer l'équilibre des tensions qui entraînent habituellement la déformation du bois, l'épaisseur totale des couches orientées dans un sens est équivalente à l'épaisseur totale des couches orientées dans l'autre sens. Selon les qualités, tous les plis sont de même épaisseur, ou les plis transversaux plus épais.

Contrairement au bois massif qui se forme et se développe en toute liberté dans la nature, et renferme nœuds, fentes, poches de résine, ou autres défauts pouvant nuire à sa mise en œuvre, outre qu'il est susceptible de gauchir et de se fendre avec les variations de température et d'humidité, le panneau de contreplaqué, de conception étudiée, est un matériau équilibré, remarquablement stable, doté d'une grande résistance mécanique, et donc d'une fiabilité bien supérieure.

Contreplaqué courant

Contreplaqué courant

Panneau formé d'un nombre impair de plis posés à fil croisé. Dans sa configuration la plus simple, à trois plis, l'âme est prise en sandwich entre les faces externes. Les autres panneaux comportent de part et d'autre de l'âme des plis transversaux, dont le nombre varie en fonction de l'épaisseur des feuilles et des faces.

Suivant le type de colle utilisé dans sa

fabrication, le contreplaqué entre dans diverses catégories d'emploi : contreplaqué d'intérieur, d'extérieur, marine, etc. Ses aspects de surface (poncé, non poncé, placage d'essence décorative, etc.) le destinent aussi à divers usages.

Ses emplois sont très divers : fabrication de meubles, lambris, cloisons, sols, doublage interne de caisses de camions, travaux de charpente, etc.

Les bois utilisés pour fabriquer ces panneaux vont du peuplier au bouleau, en passant par diverses espèces de pin et certains bois tropicaux. Les plis sont en général débités par déroulage, la bille écorcée étant débitée en un large ruban sans fin qui est ensuite coupé aux dimensions requises. Les feuilles employées en finition sont obtenues par tranchage.

Contreplaqué de forte épaisseur

Ce type de contreplaqué ne se différencie du contreplaqué courant que par sa forte épaisseur qui, dans certains cas, est supérieure à 40 mm. Cette épaisseur lui confère des propriétés mécaniques très élevées, ce qui explique qu'il ne soit en général employé qu'à la construction d'ouvrages soumis à de fortes contraintes : marches d'escalier de grande portée entre appuis latéraux, par exemple. Parfois utilisé pour fabriquer des meubles, en jouant sur son aspect massif assez spectaculaire. Son prix élevé constitue cependant un frein à son emploi.

Contreplaqué de forte épaisseur

Contreplaqué à film de résine phénolique

Panneau dont les deux faces sont revêtues d'un film de résine phénolique, pour les protéger de l'eau. La quantité de résine appliquée peut dépasser 300 g/cm^2. L'un des emplois les plus fréquents de ce type de contreplaqué est la confection de coffrages pour le béton. Mais étant donné ses qualités, on peut l'utiliser à la confection de tout autre type d'ouvrage dont la durabilité risque d'être compromise par l'eau.

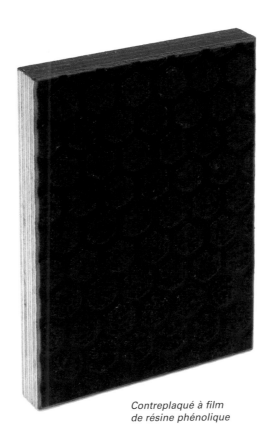

Contreplaqué à film de résine phénolique

Contreplaqué antidérapant

Panneau disponible en différentes épaisseurs et essences de bois, en fonction des emplois auquel on le destine, recouvert sur sa face supérieure d'une couche de résine phénolique, antidérapante.

On l'utilise en général pour les revêtements de sol dans les bâtiments industriels, pour les passerelles et échafaudages, gradins de stades, et, d'une façon générale, en tous autres lieux où il peut être très risqué de glisser et de faire une chute.

Le revêtement antidérapant de ce type de contreplaqué peut présenter un large éventail d'aspects adaptés à chaque besoin.

Contreplaqué antivibrations

Panneau de contreplaqué dont l'âme est constituée d'une plaque de caoutchouc qui absorbe les vibrations. Il convient donc bien à l'élaboration de planchers ou au doublage de caisses de camions, d'autobus, etc., ainsi qu'à tous autres travaux visant à réduire bruits et vibrations, comme le doublage de portes ou de cloisons pour se protéger d'ambiances très sonores.

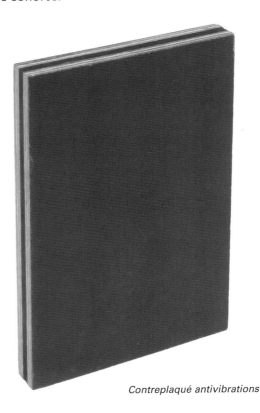

Contreplaqué antivibrations

Contreplaqué antidérapant

Contreplaqué de haute densité imprégné de résine

Panneau en bois de hêtre imprégné de résine et pressé, ce qui lui confère des caractéristiques surprenantes : densité supérieure à 1 kg/dm^3, propriétés mécaniques très élevées, insensibilité quasi totale à l'eau, car la résine qui imprègne le bois empêche la pénétration de l'eau ainsi que toutes altérations causées par les variations d'humidité.
Ce type de contreplaqué a été utilisé à l'origine pour les planchers des caves et les revêtements de sol des zones de travail des navires marchands, étant donné sa grande résistance mécanique et son insensibilité à l'humidité. Il s'emploie aujourd'hui à des fins très différentes, avec plus ou moins de bonheur, selon les cas : planchers d'autobus, revêtements de sol de locaux publics, revêtements de façades, etc.
Il présente des difficultés de mise en œuvre, notamment en ce qui concerne le clouage et le vissage, et la réalisation des assemblages.

Contreplaqué de haute densité imprégné de résine pour revêtements de façades

Ce contreplaqué n'était pas du tout destiné à l'origine au revêtement des façades, car il ne possédait aucun type de protection contre le rayonnement solaire. De cet emploi incorrect, il reste quelques exemples de façades dont le bois a perdu sa teinte initiale et a entamé son processus de dégradation. Actuellement, les fabricants fournissent des panneaux dûment traités pour être employés à l'extérieur et dont le comportement s'avère, du moins jusqu'ici, satisfaisant.

Contreplaqué de haute densité imprégné de résine pour revêtements ignifuges

Les normes de protection contre l'incendie, très strictes pour certains types de locaux, ont contraint les fabricants à mettre au point des panneaux résistant au feu pouvant être employés quasiment en tous lieux. Le produit est homologué comme non inflammable (M1). Le panneau présenté ci-dessous en est un exemple. Les perforations qui en couvrent la surface lui confèrent en outre de bonnes qualités sur le plan acoustique.

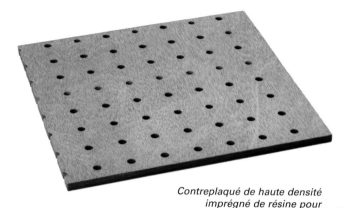

Contreplaqué de haute densité imprégné de résine pour revêtements ignifuges

Contreplaqué de haute densité imprégné de résine pour revêtements de façades

65

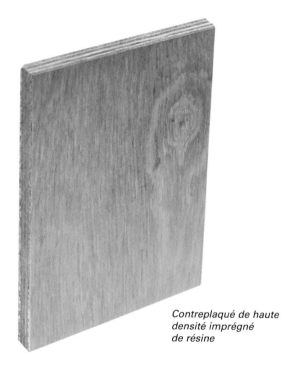

Contreplaqué de haute densité imprégné de résine

Contreplaqué pare-balles de haute densité imprégné de résine

Ce contreplaqué s'apparente aux précédents, mais sa finalité est très différente, puisqu'il est conçu pour arrêter les balles. Il est également composé de plis posés à fil croisé, mais de moindre épaisseur, et dont le nombre total est donc plus important. La densité de ce type de panneau est supérieure à 1,3 kg/dm^3, et a surpassé les résultats obtenus jusqu'alors avec des essais de tir au fusil de chasse, au pistolet 9 mm et au magnum 44.
Son usage est homologué par les compagnies bancaires.

Contreplaqué de haute densité imprégné de résine pour sols antidérapants

Il s'agit du même type de contreplaqué que le précédent, mais lors du procédé de pressage, pour le rendre antidérapant, on imprime à sa surface un motif losangé en relief. Dans certains cas, la couche superficielle dans laquelle on imprime le relief est en caoutchouc, qui rend le revêtement de sol encore moins glissant et amortit le bruit des pas.
Ce type de contreplaqué sert habituellement à confectionner les planchers des autobus. Pour la singularité de son aspect de surface, il a aussi été utilisé comme revêtement décoratif dans les locaux publics ou pour fabriquer du mobilier.

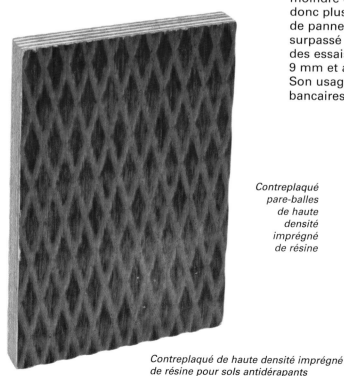

Contreplaqué pare-balles de haute densité imprégné de résine

Contreplaqué de haute densité imprégné de résine pour sols antidérapants

Panneaux de fibres et de particules

Ces panneaux, fabriqués à l'aide de particules ou fibres de bois pressées et liées en présence ou non de résines synthétiques, permettent de rentabiliser au maximum le bois et sont d'un grand intérêt, tant pour la faiblesse de leur coût que pour la variété de leurs utilisations. Depuis 1950, où ils ont commencé à être fabriqués industriellement, leur emploi s'est considérablement étendu, en raison des multiples avantages qu'ils offrent : fabrication de meubles, emplois divers dans la construction, etc. Ce sont des matériaux homogènes, renfermant 90 % de bois, dont le comportement et les prestations sont parfois semblables et très souvent supérieurs à ceux du bois massif. Bien des difficultés de mise en œuvre du bois massif disparaissent quand on travaille ces panneaux, car les fibres ou particules qui les composent sont enchevêtrées en tous sens, tant en surface qu'en profondeur.

En réponse aux nouvelles demandes du marché et dans un esprit de constante recherche et évolution, les fabricants proposent constamment de nouveaux types de panneaux présentant des caractéristiques correspondant à des emplois spécifiques.

Les panneaux de fibres ou de particules présentent, entre autres, les avantages suivants :
• une grande stabilité, supérieure même à celle des contreplaqués, en raison de l'orientation multidirectionnelle de leurs fibres ;
• l'absence de joints, nœuds ou autres défauts, de déformations, de traces de colle ;
• une assez bonne résistance à l'humidité, variant selon la nature des liants employés et leurs propriétés imperméabilisantes ;
• une grande résistance aux variations de température ;
• sont disponibles en panneaux de grande dimension, jusqu'à 2 m de large sur 8 m de long.
• peuvent offrir une densité homogène d'une valeur moyenne de 500 à 750 kg/m³.
• résistent aux attaques d'insectes xylophages et de champignons, étant donné que leurs particules, enrobées de résine, sont amorphes.
• sont faciles à stocker : ils peuvent être empilés sans problème.

Panneaux de fibres de moyenne densité (MDF ou médium)

En dépit de leur appellation commerciale d'origine, panneau MDF (Medium density Fiberboard) on les désigne couramment sous le nom de *médium*. Panneaux fabriqués à partir de fibres de bois liées avec une résine thermodurcissable et pressées à chaud.

On en trouve de différentes qualités selon les besoins : panneaux hydrofuges, résistant à l'humidité, en général teints en vert (médium H) ; ignifugés, de couleur rouge (médium M1) ; à faible taux de dégagement de formol ; traités contre les agents biologiques ; écologiques.

Ils sont parfois classés selon le type de résine employée : urée-formol, urée-mélamine-formol et phénol-formaldéhyde.

De texture fine et serrée, ils sont parfaitement homogènes et lisses sur les deux faces et permettent de belles finitions – reliefs, moulures, évidements, etc. Faciles à travailler, ils remplacent souvent le bois massif.
Excellents supports de placage.

Panneaux de fibres dures

Ces panneaux, connus sous le nom d'Isorel, sont composés de fibres de bois agglomérées à haute température et sous forte pression. Lorsque le processus est réalisé à sec, on ajoute des résines synthétiques en guise de liants, sinon, les fibres humidifiées sont amalgamées par les résines naturelles du bois. En général, l'Isorel ne fait pas plus de 5 mm d'épaisseur. Sa densité est supérieure à 0,8 kg/dm³.

Il est employé pour les panneaux arrière des meubles de rangement, fonds de caisses, parois de portes planes, cloisons sur ossature, etc.

Panneaux de particules ou d'aggloméré

Désignés couramment sous le nom de *panneaux d'aggloméré*, ils sont constitués de copeaux plus ou moins gros, liés avec une résine synthétique (urée-formol, urée-mélamine formol ou phénol-formaldéhyde) dont la polymérisation se fait à chaud et sous pression.

Ce produit permet de rentabiliser au maximum les déchets de sciage, d'utiliser des troncs de faible diamètre et de recycler des bois déjà utilisés.

En dehors de l'aggloméré standard, on trouve des panneaux hydrofuges, c'est-à-dire traités pour résister à l'humidité, généralement teints en vert ; des panneaux ignifugés, de couleur rouge ; à faible teneur en formaldéhyde, traités contre les agents biologiques ; écologiques, etc. Certains panneaux d'agglomérés sont mélaminés, plaqués de bois naturel ou enduits de résine phénolique pour les coffrages.

Panneau de fibres dures (Isorel)

Panneau de médium (MDF)

Panneau d'aggloméré hydrofuge

Panneau d'aggloméré ignifugé

Panneau d'aggloméré extrudé

Normalement, le panneau de particules est pressé à plat perpendiculairement à la face principale. Les panneaux dits extrudés sont pressés dans une direction parallèle à leurs faces. Si dans les panneaux traditionnels, l'orientation générale des particules est parallèle aux faces principales du panneau, dans les panneaux extrudés, elle leur est perpendiculaire.

En général, avant de presser le panneau, on introduit dans le moule des tubes métalliques qui sont retirés une fois le panneau consolidé, créant des évidements internes.

Ce type de panneau est utilisé pour fabriquer des cloisons légères.

Panneau d'aggloméré cimenté

Les particules de bois sont agglomérées à l'aide de ciment. Ces panneaux ne ressemblent en rien à du bois, mais présentent l'aspect lisse et gris du ciment. C'est un matériau dur, pesant, d'une densité de 1,25 kg/dm³, qui n'est pas attaqué par les insectes, résiste bien aux intempéries, absorbe peu d'eau et est d'une grande stabilité dimensionnelle face aux variations d'humidité ; il est classé M1, c'est-à-dire non inflammable.

En raison de sa haute densité, on peut l'employer quand les panneaux normaux n'assurent pas une isolation acoustique suffisante.

Il est assez difficile à travailler, à clouer, à visser et à assembler.

Panneaux de lamelles de bois orientées

Conçus dans l'intention de remplacer les panneaux de contreplaqué pour des ouvrages structuraux. Pour obtenir les feuilles servant à fabriquer les contreplaqués, on a besoin de troncs de gros diamètre. Les panneaux de lamelles de bois orientées, en revanche, sont élaborés à partir de troncs de faible diamètre d'espèces de croissance rapide, notamment le pin de Caroline. Leurs propriétés mécaniques sont un peu inférieures à celles des contreplaqués, mais cet inconvénient est compensé par leur faible coût.

• Panneau à lamelles orientées ou OSB (*Oriented Strand Board*), dans lequel les lamelles peuvent mesurer jusqu'à 80 mm de long et 1 mm de large, et sont orientées dans le sens longitudinal du panneau, ce qui lui confère une bonne résistance à la flexion, proche de celle des contreplaqués, mais meilleure que celle des panneaux de particules.

• Le panneau *Waferboard* est composé de lamelles de plus petite taille, d'environ 30 mm de long, et orientées en tous sens.

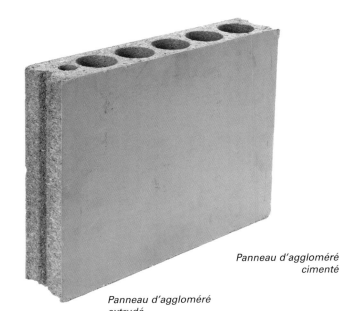

Panneau d'aggloméré extrudé

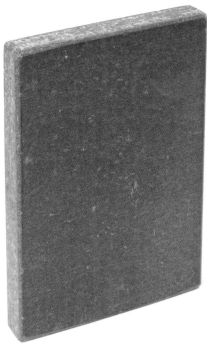

Panneau d'aggloméré cimenté

Panneau à lamelles orientées (OSB)

Panneau de lamelles Waferboard

Panneau d'aggloméré extrudé pour isolation phonique

Similaires aux précédents, mais de moindre épaisseur, on les utilise pour améliorer l'acoustique de certains locaux. Ce sont des panneaux plaqués de bois naturel. Ils sont fabriqués de la même façon que les panneaux antérieurs, mais les évidements sont ouverts par des traits de scie parallèles, pour favoriser l'absorption des sons. On les utilise dans les locaux bruyants (salons de restaurants, salles de sport, etc.) Dans le cas des salles de sport, les panneaux sont assez résistants pour supporter l'impact des ballons ou des joueurs. Les fabricants proposent des panneaux à divers degrés d'absorption : avec tous les évidements ouverts, ou seulement un sur deux, un sur trois, leur efficacité diminuant d'autant.

Panneau d'aggloméré extrudé pour isolation phonique

Ce type de panneau fait concurrence au contreplaqué pour les ouvrages structuraux – comme support de couverture de toiture, en habillage de murs intérieurs, sur une ossature de bois, en planchers, mais aussi en habillage extérieur, usage auquel il n'est pas particulièrement adapté. Il continue à investir d'autres parts de marché en raison de son faible coût. Pour l'originalité de sa texture, on l'emploie aussi pour fabriquer des meubles.

Autres types de panneaux

Les divers produits présentés ci-après ne sont pas nouveaux en eux-mêmes, mais sont le fruit de la combinaison ou du mélange des caractéristiques des panneaux que nous vous avons décrits antérieurement dans ce même chapitre, ou résultent d'un traitement auquel ces panneaux ont été soumis et qui en modifie de façon substantielle les prestations.

Parallam ©. Parallel Strand Lumber (PSL)

Ce produit, de conception récente, se fabrique par découpage dans le sens longitudinal de feuilles de bois de 2 mm d'épaisseur de lamelles de 2 cm de large. Un système optique écarte les lamelles qui ont des défauts, les autres étant agglomérées avec un liant et pressées en continu, donnant des pièces dont la longueur, en général de 20 m, n'est limitée qu'en fonction des conditions ultérieures de transport.

Ce matériau est commercialisé sous formes de poutres dont la section peut atteindre 178 x 457 mm et de piliers de section inférieure ou égale à 178 x 178 mm. On peut obtenir des pièces de plus grande section en associant des pièces de section existante.

Il permet de confectionner des poutres, piliers et cintres similaires à des pièces en bois massif, dans des longueurs en général difficiles à trouver sur le marché. On peut le scier, le clouer, le visser comme un bois massif.

Ses propriétés mécaniques en sont également très proches, et il présente, de plus, l'avantage de ne pas comporter de défauts, comme les nœuds, fentes, etc. ; les valeurs de résistance indiquées par le fournisseur sont donc très fiables, ce qui simplifie grandement les calculs.

Panneaux cintrables

Il s'agit à la base d'un panneau de fibres de moyenne densité (MDF ou médium) de 6 à 9,5 mm d'épaisseur. Au cours du processus de fabrication, des entailles parallèles, espacées d'environ 6 mm, sont pratiquées dans le sens transversal de l'une des faces du panneau. Ces entailles peu espacées permettent de recourber sans difficulté le panneau sans qu'apparaissent les marques caractéristiques qui se produisent quand on les pratique manuellement à des écartements bien supérieurs.

Le processus de préparation des panneaux cintrables est le suivant :
• On encolle la surface des rainures.
• On met en contact les surfaces rainurées et encollées de deux panneaux et on les met sous presse tout en leur donnant la courbure recherchée.
• Le pressage doit être maintenu durant le temps de prise de la colle.
• Quand la colle a pris, le panneau cintré peut être mis en œuvre.

Pour obtenir de bons résultats, il est recommandé d'employer, pour la mise sous presse, des cales découpées au profil exact de la courbure que l'on souhaite donner au panneau.

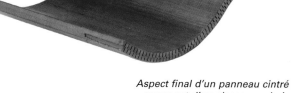

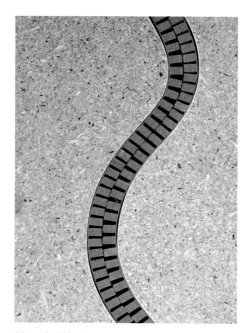

Aspect final d'un panneau cintré recouvert d'un placage en bois naturel ; la perfection de la surface courbe est évidente.

Vue détaillée des panneaux mis sous presse après encollage, comprimés entre deux cales au profil étudié pour fournir la courbure recherchée.

Panneaux composites

Il s'agit de produits associant divers types de panneaux de façon à offrir un compromis tant sur le plan des prestations offertes que du coût.
• On trouve ainsi des panneaux dont l'âme en aggloméré est recouverte sur ses deux faces de panneaux de contreplaqué. Si les prestations offertes par ce type de produit sont inférieures à celles du contreplaqué de forte épaisseur, son prix est également moins élevé. Il peut se substituer sans problème au contreplaqué dans de nombreux emplois, car le contreplaqué recouvrant ses faces est assez épais et susceptible de résister à des contraintes élevées.
• On trouve aussi des panneaux constitués d'un fin contreplaqué pris en sandwich entre deux couches plus épaisses de médium (MDF). Le contreplaqué assure la stabilité dimensionnelle du panneau et le médium offre des surfaces fines et lisses qui peuvent être cirées, vernies ou peintes sans problème, le matériau présentant ainsi un aspect fini très acceptable.

Parallam ©. Parallel Strand Lumber (PSL)

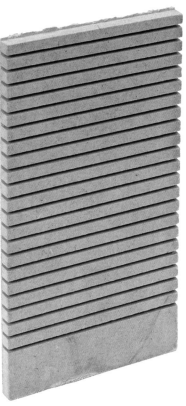

Panneau cintrable rainuré sur l'une de ses faces

Panneau constitué d'une âme en aggloméré revêtue d'un contreplaqué sur ses deux faces

Fin contreplaqué pris en sandwich entre deux panneaux de fibres de moyenne densité (MDF ou médium)

Panneaux de revêtement de façades

On trouve aujourd'hui une gamme assez étendue de produits destinés au revêtement des façades, dont l'aspect rappelle celui des lattes de recouvrement en bois massif, peintes ou vernies, traditionnellement employées.

Ces panneaux offrent l'avantage d'être plus économiques à l'achat que le bois massif, et moins coûteux à entretenir, ne nécessitant pas l'application d'une peinture, d'un vernis ou de tout autre produit de finition qu'il est indispensable de renouveler périodiquement.

Il s'agit en réalité de panneaux de fibres dures (Isorel), de fibres de moyenne densité (MDF ou médium) ou de panneaux de lamelles qui, après avoir été soumis à un pressage qui leur confère l'aspect du bois naturel, sont rabotés et recouverts d'un revêtement synthétique qui les protège des intempéries et leur confère une durabilité de 10 ans.

Panneaux pour revêtements intérieurs

Ce sont des produits semblables aux précédents, mais qui imitent les lambris en bois massif. Il peut s'agir de panneaux de fibres dures, de médium (MDF) ou de panneaux de lamelles, revêtus d'une mince feuille de bois de qualité et parfois plaqués sur leurs deux faces, le placage de la face non apparente étant alors en bois plus ordinaire. Ce sont en général des panneaux à rainure et languette, faciles à poser.

Lambris

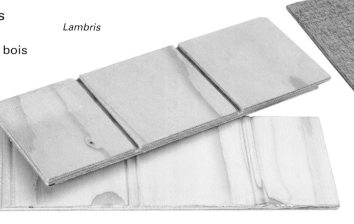

Revêtement de façade

Parquets et planchers

Le choix en produits dérivés du bois ou transformés en vue de la confection de parquets ou planchers est très vaste, des simples lattes de parquet à structure homogène aux articles multicouches plus sophistiqués. L'échantillonnage présenté ici ne prétend pas récapituler de façon exhaustive tous les produits disponibles sur le marché, mais seulement ceux qui sont les plus couramment utilisés. Dans la plupart des cas, pour minimiser les mouvements du bois, ces panneaux sont rainurés sur leur face intérieure ou formés de plusieurs couches superposées, les fibres de chaque couche étant orientées perpendiculairement à celles de la couche précédente.

Ces produits présentent l'avantage de limiter la consommation d'essences de choix, qui ne sont employées qu'en feuille de placage pour le revêtement de la face supérieure, le reste étant constitué de bois moins coûteux ou de produits dérivés du bois, comme divers types d'agglomérés, les panneaux de médium ou MDF ou de contreplaqués.

Parquet mosaïque

Les parquets mosaïques se présentent sous forme d'éléments de faible épaisseur que l'on dispose chant contre chant et que l'on colle sur une chape de ciment. On peut les assembler de façon à composer divers motifs géométriques. Comme on peut le constater ci-contre, les éléments sont rainurés sur leur face intérieure, afin de réduire le travail du bois sous l'effet des variations d'humidité.

face supérieure

face inférieure

coupe transversale

Lames de plancher en bois massif

face supérieure

face inférieure

Ces lames de plancher en bois massif sont en cerisier et font 20 mm d'épaisseur. Elles comportent une rainure d'un côté et une languette de l'autre qui permet de les assembler, et sont rainurées sur leur face inférieure pour limiter leurs déformations.

face supérieure

face inférieure

coupe transversale

Lames de plancher similaires aux précédentes, mais en bois plus dur, s'emboîtant les unes dans les autres par rainure et languette. On y aperçoit les rainures qui y ont été pratiquées sur la face inférieure pour réduire le risque de gauchissement.

face supérieure

face inférieure

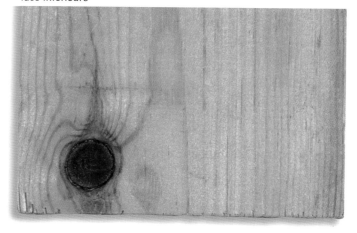

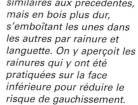

Lame de plancher en pin traité par imprégnation avec des sels de cuivre pour augmenter sa durabilité quand on l'emploie à l'extérieur. Ce traitement lui donne un ton verdâtre caractéristique. On l'emploie en général pour les balcons, passages, ou ouvrages exposés aux intempéries.

coupe transversale

70

Lames de parquets flottants en bois massif

Les produits présentés sur cette page ont été conçus pour des parquets flottants. Chaque élément est constitué de lames réunies par deux dans le sens de la longueur et l'assemblage des éléments se fait par rainure et languette. On peut aussi les employer comme revêtements de sol dans les salles de sport (fixation à l'aide de clips métalliques).

face supérieure

face supérieure

Lame de parquet flottant en hêtre massif de 22 mm d'épaisseur, protégé de plusieurs couches de vernis au polyuréthane.

face inférieure

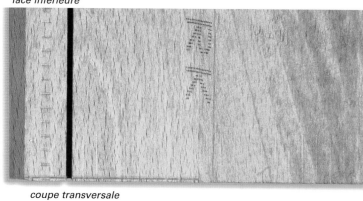

Lame en chêne massif recouvert de vernis au polyuréthane et dont la face inférieure est revêtue d'un film de polyéthylène agissant comme barrière contre la vapeur.

face inférieure

coupe transversale

coupe transversale

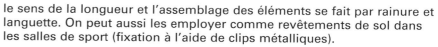

face supérieure

Lame en hêtre massif recouvert d'un vernis destiné à le rendre antidérapant.

face supérieure

face inférieure

Ici, la feuillure de chaque lame est garnie d'un joint élastomère de couleur noire donnant au plancher l'aspect d'un pont de bateau.

face inférieure

coupe transversale

coupe transversale

Lames multicouches pour parquets flottants

face supérieure

Lame de parquet formée de trois couches, d'une épaisseur totale de 12 mm. La couche inférieure est une feuille en pin de 1,5 mm d'épaisseur, plaquée sur l'âme formée de lattes de 25 mm de large sur 7,5 mm d'épaisseur, légèrement espacées les uns des autres, et dont le sens des fibres est perpendiculaire à celui des fibres des couches inférieure et supérieure, pour réduire au minimum les tensions et déformations. La couche supérieure est une feuille de placage d'iroko de 3 mm d'épaisseur, vernie en usine.

face inférieure

face supérieure

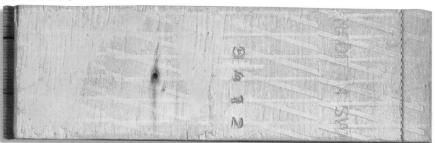

coupe transversale

face inférieure

72

face supérieure

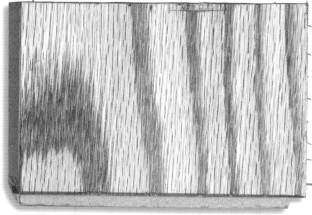

coupe transversale

Lame constituée de trois couches. La couche inférieure, en granulés de néoprène, est fixée à l'aide d'un filet de fibres à l'âme en médium de 10 mm d'épaisseur, elle-même recouverte d'un placage en hêtre de 3 mm d'épaisseur, protégé d'un vernis au polyuréthane. Il s'agit d'un produit exclusivement réservé à la pose de parquets flottants.

(Ci-dessus et ci-dessous) Type de parquet similaire à celui présenté en haut à gauche, mais de plus forte épaisseur : 15 mm. La couche supérieure est constituée d'un placage en chêne de 3,5 mm d'épaisseur et l'âme est formée de lattes de 10 mm d'épaisseur. Ils sont généralement destinés tous deux à la pose de parquets flottants.

face supérieure

face inférieure

face inférieure

coupe transversale

coupe transversale

LES OUTI

Quelle que soit l'activité manuelle que l'on exerce – dont le travail du bois –, l'expérience et le savoir-faire sont sans nul doute indispensables à l'obtention de bons résultats. Mais il est évident que l'on ne peut élaborer un ouvrage de ses seules mains, aussi habiles soient-elles. Tout au long du processus de travail, on est amené à effectuer un certain nombre d'opérations (mesurer, marquer, découper, poncer, etc.) dont l'exécution serait impossible, ou du moins extrêmement difficile, sans l'aide d'outils appropriés qui remplissent à chaque étape du travail une fonction déterminée.

Depuis des temps immémoriaux, l'homme a été amené à créer, en fonction de ses besoins, un large éventail d'outils, adaptés, par leur forme et leur structure, à des tâches spécifiques. La plupart des outils à main que l'on utilise aujourd'hui sont pratiquement les mêmes que ceux qui étaient déjà employés il y a déjà plusieurs siècles, même s'ils ont connu, entre-temps, certaines améliorations. Les récents progrès de la technique et de la recherche ont engendré l'apparition de nouveaux outils qui ont la même utilité que les outils manuels mais facilitent le travail et permettent de d'économiser beaucoup de temps et d'énergie.

Étant donné l'envergure et la finalité de cet ouvrage, il serait incongru d'énumérer ici de manière exhaustive l'ensemble des outils qui se rapportent au travail du bois. Nous avons choisi de vous présenter les outils essentiels, qui devraient tous, sans exception, figurer dans la panoplie de base de celui qui se propose de travailler le bois.

Outils manuels

Instruments de mesure et de traçage

Il est évident que pour mener à bien l'exécution de travaux de menuiserie, d'ébénisterie, de tournage ou de sculpture, il faut qu'un certain nombre de conditions soient réunies, toutes nécessaires à l'obtention de résultats satisfaisants.

L'expérience et le savoir-faire sont sans doute des facteurs essentiels de réussite, comme de disposer d'un lieu de travail assez spacieux et bien aménagé, et d'un matériau approprié, c'est-à-dire d'un bois sélectionné avec soin en fonction des besoins.

Il n'en reste pas moins indispensable de pouvoir travailler avec un matériel adéquat, c'est-à-dire un bon assortiment d'outils, instruments et machines permettant de surmonter sans difficulté les différentes étapes de la transformation du bois en objet ou meuble. Chaque phase de ce processus de mise en œuvre du bois exige l'emploi d'un matériel particulier. Tout au long de son histoire, l'homme a inventé des outils aux fonctions spécifiques, adaptés à chacune des étapes du travail. Nous vous présentons dans ce chapitre ceux qui sont les plus couramment employés, dans l'ordre où ils interviennent logiquement dans la succession des opérations.

La prise de mesures constitue la première étape de tout travail de menuiserie et le soin apporté au relevé des dimensions, à leur vérification ou à leur report influe sur la qualité finale de l'ouvrage. Il convient donc de disposer d'un bon assortiment d'instruments servant à mesurer, mais aussi à tracer et marquer, même s'il arrive que l'on ait recours à des outils moins conventionnels, notamment pour le report de mesures.

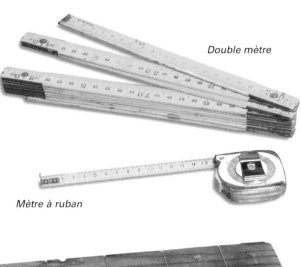

Double mètre

Mètre à ruban

Réglets en bois

Équerres droites

On se sert des équerres pour tracer ou vérifier des angles droits. Tout morceau de bois rectangulaire ou carré peut servir d'équerre si ses angles sont bien droits.
Différents types d'équerres sont employées en menuiserie : les équerres en bois formées de branches d'égale épaisseur consolidées par une traverse oblique et les équerres à épaulement, composées de deux pièces d'épaisseurs différentes, le talon ou chapeau, et la lame, plus mince, graduée en millimètres.
Elles peuvent être en bois, à talon en bois et lame métallique, ou entièrement en métal.

Différents types d'équerres droites

Mètres

Le mètre est sans doute l'instrument le plus employé pour mesurer, tracer et marquer.
Il en existe différents modèles ; les plus utilisés sont :
• le double mètre, ou *mètre de menuisier,* formé de branches rigides repliables. Il peut être en bois, mais aussi en matière plastique ou en aluminium, et porte une graduation estampée en creux.
• le mètre à ruban rétractable, pourvu d'un ruban en métal ou en matière plastique semi-rigide, ou encore en toile plastifiée, s'enroulant dans un boîtier. Ce dernier est parfois muni d'une fenêtre de lecture des mesures intérieures et d'un système de blocage. On trouve des mètres à ruban de différentes longueurs.

Réglets en bois

Les réglets de menuisier sont en général fabriqués dans des bois durs de premier choix, dépourvus de nœuds et stables, peu susceptibles de retrait ou autres déformations. Ils doivent être assez larges et épais pour permettre la rectification périodique de leurs chants et de leurs arêtes qui s'usent et se détériorent inévitablement, afin de disposer en permanence d'un instrument en bon état pour mesurer ou tracer.
Ils sont de trois types : les réglets de 2,50 m de long, dont la face est graduée tous les 5 cm à l'aide de rainures transversales, et qui servent aux opérations n'exigeant pas une grande précision, comme le marquage de plateaux ; et les réglets de 200 cm et de 100 cm, pour des mesures plus fines.
Ces réglets servent non seulement à tracer des lignes, mais aussi, associés à d'autres instruments, à contrôler la planéité d'une surface.

Réglets métalliques

Constitués d'une lame en métal assez épaisse dont l'un des côtés est biseauté et gradué en centimètres ou millimètres. Ils servent non seulement à relever des mesures, mais aussi de guides pour effectuer des coupes nettes au cutter. Comme ils sont assez lourds, on peut les employer pour maintenir les feuilles de placage en vue de leur découpe. Ils sont disponibles en différentes longueurs.

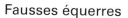

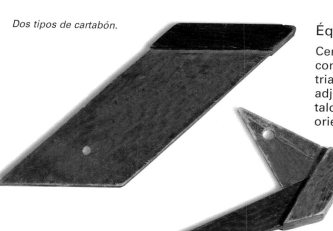

Dos tipos de cartabón.

Équerres d'onglet

Certaines équerres d'onglet sont constituées d'un talon et de deux lames triangulaires formant des angles adjacents, d'autres sont formées d'un talon et d'une lame de même largeur, orientée à 45°. Elles permettent toutes deux le traçage d'angles de 45° et la vérification des coupes d'onglet, et sont en général en bois.

Calibres à coulisse

Fausses équerres

Les fausses équerres servent à tracer n'importe quel angle, aigu ou obtus. Contrairement aux équerres précédentes, elles sont pourvues d'une lame articulée. Les fausses équerres dites *sauterelles* sont munies d'un bras mobile s'encastrant dans la rainure de l'autre bras. Les fausses équerres dites *équerres à coulisse* sont pourvues d'un bras articulé coulissant, que l'on fixe dans la position voulue à l'aide d'une vis de blocage.

Fausse équerre à coulisse et fausse équerre dite sauterelle

Calibres à coulisse

Également connus sous le nom de *pieds à coulisse,* ils sont composés d'une règle graduée sur laquelle coulisse un curseur pourvu d'un vernier également gradué. Ces deux éléments sont munis d'un bec plat sur l'un de leurs chants. En enserrant les pièces entre ces deux becs plats, on en mesure très précisément l'épaisseur ; deux autres pièces situées sur le chant opposé, également perpendiculaires à l'axe, permettent de calibrer les cotes intérieures. Une tige située à la base de l'instrument sert à mesurer les profondeurs. Toutes les mesures sont lues sur le vernier. Les calibres à coulisse sont généralement en acier, ce qui garantit leur résistance à l'usure et leur précision. On les utilise en menuiserie pour vérifier le calibre des vis, clous, etc.

75

Outils de marquage

Le marquage s'effectue en général en même temps que la prise de mesures. Il sert de référence pour la découpe du bois ou la détermination de l'emplacement exact des pièces à ajuster, la qualité du travail reposant sur la précision du marquage.

Traçage d'une ligne droite sans règle

Crayons

En principe, n'importe quel crayon peut servir à marquer. Les crayons portent une numérotation gravée ou estampée indiquant le degré de dureté de la mine de graphite qu'ils renferment. Les crayons numérotés 1, 2 ou 3 s'usent rapidement et vous perdrez beaucoup de temps à les affûter. Mieux vaut utiliser les crayons spéciaux de dureté intermédiaire qu'emploient les menuisiers, de section ovale et beaucoup plus gros que les crayons à dessin courants. Les crayons à mine graphite s'utilisent sur des superficies bien lisses. Les crayons de couleur s'emploient pour hachurer les plans.

Comment tracer une ligne droite sans règle

On tient le crayon en biais entre l'index et le pouce, le médium et l'annulaire prenant appui sur le chant de la pièce, et on déplace la main dans cette position le long du chant pour tracer une ligne à la distance requise de l'arête. Le chant doit être parfaitement droit.

Exemple de marquage au crayon

Poinçon ou pointe à tracer

Outil constitué d'une tige en acier de section cylindrique et de faible diamètre à pointe très acérée insérée dans un manche en bois. Il sert à définir l'emplacement des trous de clous ou de vis ou à tracer des lignes dans le bois en le marquant en profondeur.

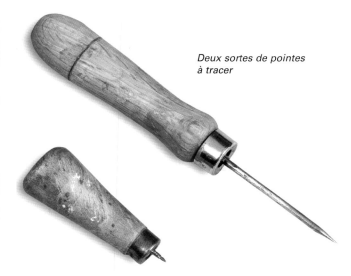

Deux sortes de pointes à tracer

Trusquin

Quand on souhaite tracer des lignes parallèles à l'arête d'une pièce, le trusquin est l'outil qui permet d'obtenir les résultats les plus fiables.

Il est composé d'une planchette rectangulaire d'environ 20 cm de long, 8 cm de large et 2 cm d'épaisseur, la *platine*. Cette platine est percée de deux orifices dans lesquels coulissent une ou deux tiges carrées qui lui sont perpendiculaires, munies à leur extrémité de deux pointes acérées qui permettent de marquer le bois. Une ou deux clés, insérées dans des entailles pratiquées dans le chant de la platine, permettent d'immobiliser les tiges à la longueur voulue – elles font environ 12 cm de long, 3 cm de large à une extrémité, 1,5 cm de large à l'autre extrémité, et 0,5 cm d'épaisseur.

Il suffit de faire coulisser la platine du trusquin contre le chant de la pièce, après avoir immobilisé les tiges portant les pointes à tracer à la longueur voulue, pour marquer dans le bois des lignes rigoureusement parallèles à son arête.

Deux types de trusquin : à gauche, trusquin pour travaux minutieux ; à droite, trusquin de construction sommaire

Pour résister à l'usure par frottement engendrée par un emploi fréquent, le trusquin est généralement fabriqué dans un bois très dur, comme le chêne vert.

Il existe différents types de trusquins : trusquins à tiges fixes, pour marquage de courbes, à pointe de crayon, etc.

Comment tracer sans trusquin des lignes parallèles à un chant

Quand le travail ne réclame pas une précision absolue, on peut se guider en calant le bout de l'index contre le chant de la pièce pour tracer au crayon une ligne parallèle à l'arête.

Si l'écartement est trop important, on peut tracer la ligne en prenant appui avec un poinçon contre l'extrémité d'une règle que l'on fait coulisser perpendiculairement au chant.

On soutient la règle du doigt comme s'il s'agissait de la platine d'un trusquin. Il faut néanmoins que le bois de la pièce soit suffisamment dur pour que le tracé ne soit pas dévié par les veines.

Pour calibrer le trusquin, on enfonce les clés en les percutant de légers coups de marteau afin de bloquer les tiges portant les pointes à tracer à la longueur voulue.

Le marquage longitudinal au trusquin demande plus d'adresse, étant donné qu'il faut faire coulisser l'outil sur une plus grande longueur.

Le marquage au trusquin nécessite l'emploi des deux mains : l'une pour tenir la pièce à marquer, l'autre pour faire coulisser la pointe du trusquin en exerçant une pression suffisante pour qu'elle pénètre dans le bois.

Compas

Le traçage de courbes, circonférences ou arcs de cercle aux rayons différents exige l'emploi de compas d'une taille appropriée à celle de l'ouvrage, qui peuvent aussi servir à relever et à reporter des mesures. Il peut s'agir de compas droits ordinaires avec pointe sèche et mine de graphite, ou à deux pointes sèches, pourvus éventuellement d'un système de blocage de l'écartement des branches, mais on peut se servir tout simplement d'un crayon auquel on a attaché une ficelle. Certains compas servent exclusivement au relevé de cotes : le compas d'épaisseur, à branches courbes, sert à relever les cotes extérieures, ou l'épaisseur, d'une pièce ; le compas d'extérieur, aux pointes coudées vers l'extérieur, sert à relever les cotes intérieures d'une pièce creuse.

Différents types de compas

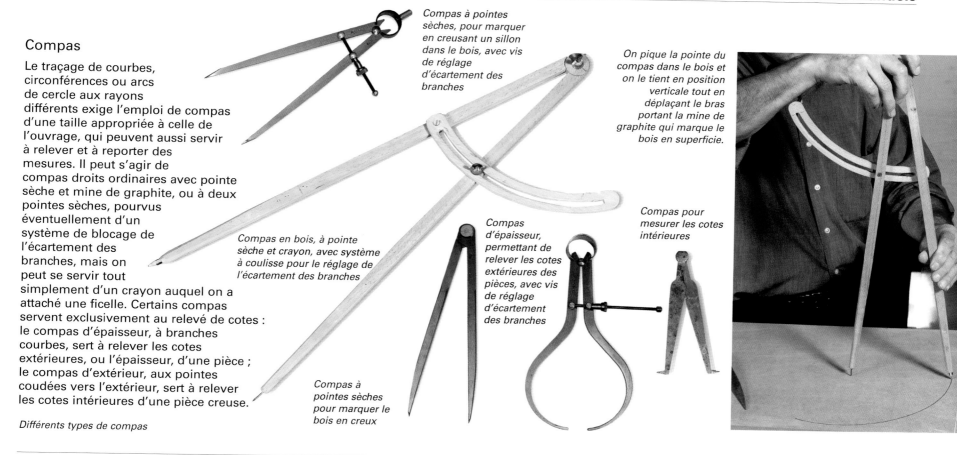

Compas à pointes sèches, pour marquer en creusant un sillon dans le bois, avec vis de réglage d'écartement des branches

On pique la pointe du compas dans le bois et on le tient en position verticale tout en déplaçant le bras portant la mine de graphite qui marque le bois en superficie.

Compas en bois, à pointe sèche et crayon, avec système à coulisse pour le réglage de l'écartement des branches

Compas d'épaisseur, permettant de relever les cotes extérieures des pièces, avec vis de réglage d'écartement des branches

Compas pour mesurer les cotes intérieures

Compas à pointes sèches pour marquer le bois en creux

Outils de coupe

La coupe du bois compte en général parmi les premières étapes de sa mise en œuvre, notamment quand on travaille à partir de planches ou plateaux. Divers outils de coupe manuels ont été inventés et perfectionnés tout au long des siècles pour répondre aux besoins, chacun assurant une fonction spécifique. Bien que l'apparition de la mécanisation et celle d'un mode de production industriel aient entraîné la mise au rebut d'un grand nombre de ces outils traditionnels, au point que certains d'entre eux soient aujourd'hui considérés comme des pièces de musée, d'autres ne sont pas pour autant devenus obsolètes. C'est notamment le cas des scies, qui continuent à être employées dans les ateliers de menuiserie artisanale et d'ébénisterie, soit pour sectionner des planches ou plateaux à la dimension requise, soit à d'autres fins.

Scies

Les scies, dont l'élément essentiel est la lame dentée, servent à couper le bois à la dimension voulue, ou selon un profil déterminé. Leur lame en acier trempé est bordée de dents de forme triangulaire, soit droites, soit inclinées vers l'avant. Pour scier, il faut imprimer à la scie un mouvement de va-et-vient, en poussant la lame vers l'avant en exerçant une légère pression, puis en la tirant vers l'arrière en allégeant la pression. Une scie se définit par sa longueur, soit la longueur de sa lame (sans tenir compte de la monture ou de la poignée), par la longueur de ses dents et leur espacement ou pas de *denture,* exprimés en millimètres. Les dents peuvent être inclinées selon différents angles dans le sens longitudinal et sont écartées latéralement, alternativement à droite et à gauche. Cette torsion alternée des dents, que l'on nomme *voie* de la scie, définit la largeur du trait de scie, qui est supérieur à l'épaisseur de la lame. La voie facilite la découpe en réduisant le frottement de la lame. Elle ne doit pas cependant être trop importante, car l'effort de coupe est alors plus intense et la coupe engendre une grande quantité de sciure.

La trempe de la lame est calculée de manière à faciliter son affûtage au tiers-point (lime de section triangulaire servant à aiguiser les scies) sans pour autant nuire à sa résistance.

Les lames sont fixées sur une monture ou sur un manche, selon le cas, pour faciliter la manipulation de la scie.

Il ne faut jamais forcer quand on se sert d'une scie ; le mouvement de va-et-vient doit être fluide et la pression doit rester légère.

À gauche, lame de scie vue du dessus ; la torsion alternée des dents est ici bien visible.

À droite, lame de scie vue de profil

Scies à monture

Scies à monture

Ce type de scie existait déjà au Moyen Âge. Sa lame dentée d'une longueur comprise entre 60 et 80 cm et de largeur variable, en général de 3 et 4 cm, plus étroite sur la scie à chantourner, est montée sur un cadre en bois formé de deux montants latéraux ou bras, d'un montant central ou sommier, et d'une clé ou clavette perpendiculaire à ce dernier, servant à tendre la corde. Les extrémités effilées de la lame sont maintenues par des goupilles ou chaperons qui permettent d'en modifier l'inclinaison. Les extrémités supérieures des montants latéraux sont reliées par une corde de tension à clé en bois qui assure à la lame une grande rigidité et assure la précision de la coupe. L'inconvénient de la scie à monture est qu'elle ne permet pas de débiter des pièces d'une épaisseur supérieure à la distance séparant la lame du sommier.

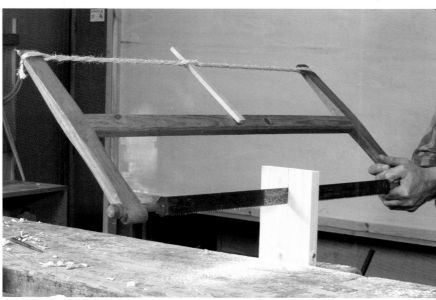

La coupe peut s'effectuer en tenant la lame en position verticale des deux mains, l'une guidant la lame et exerçant la pression nécessaire, l'autre l'accompagnant. Il existe cependant d'autres manières de se servir de ce type de scie.

La scie à chantourner permet d'effectuer des découpes curvilignes.

Quand on utilise une scie à monture à deux, les gestes doivent être bien coordonnés. Celui qui se trouve à droite dirige et guide la coupe, l'autre accompagne son geste.

L'ouvrier habile peut réaliser la découpe en tenant la scie des deux mains.

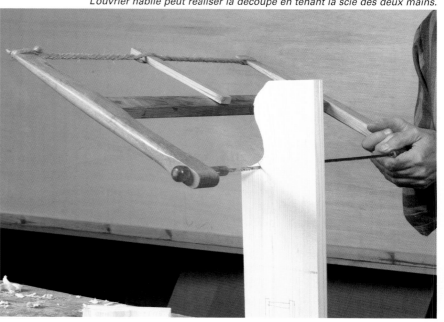

Scie à coupe d'onglet

Scie égoïne

Elle se différencie des autres scies par la forme de sa lame, plus large à l'arrière qu'à l'avant. La partie la plus large de la lame est fixée à une poignée qui peut être en bois ou en matière plastique. C'est un outil d'une grande utilité et d'emploi courant. Son principal avantage est de permettre d'effectuer des découpes longitudinales ou transversales de toutes dimensions, dans la mesure où elles sont rectilignes. Elle convient pour scier sommairement des planches en bois massif, ou des panneaux dérivés du bois, mais elle ne donne pas des résultats d'une grande précision et d'une grande finesse, car sa lame n'est pas aussi rigide que celle d'une scie à dos et sa denture est plus grossière.

Scie égoïne

Facile à manier, la scie égoïne est un outil universel. Sa coupe est néanmoins peu précise.

Scie à coupe d'onglet

Cette scie est entièrement métallique et comprend un support permettant d'immobiliser le bois à couper et des guides pivotants qui déterminent l'angle de coupe. Elle permet d'effectuer des coupes d'un angle compris entre 45 et 90°. Sa manipulation est entièrement manuelle, et bien que sa lame soit assez large, elle est pourvue d'une fine denture qui permet de travailler avec une grande précision et une grande netteté.

Scie à dos

Cette scie, également appelée scie sterling, est généralement réservée aux coupes fines et précises dans les pièces de bois de faible épaisseur. La lame de forme rectangulaire, insérée dans une poignée en bois, est munie d'une denture plus fine que celle de la scie égoïne. Son arête supérieure est doublée d'un renfort métallique ou dosseret qui assure une meilleure rigidité à la lame et une coupe plus précise.
On s'en sert pour découper des tenons dans les pièces immobilisées dans la presse d'établi, mais aussi pour couper des baguettes en association avec une boîte à onglets qui guide la lame de la scie à un angle de 90° ou 45°.

La scie à dos assure une coupe plus nette et plus précise que la scie égoïne. Pour amorcer la coupe, il est conseillé de caler la lame contre l'index de la main qui tient la pièce.

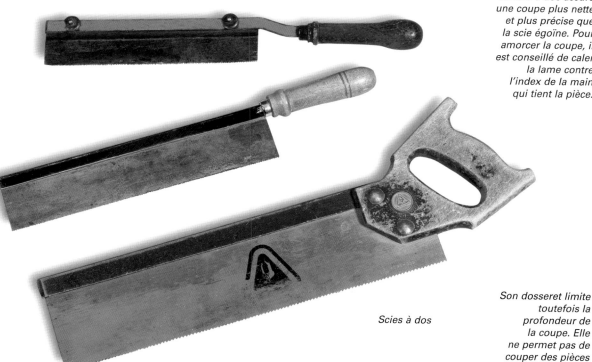

Scies à dos

Son dosseret limite toutefois la profondeur de la coupe. Elle ne permet pas de couper des pièces plus épaisses que la largeur de sa lame.

Scie à archet

Cette scie, souvent désignée sous le nom de « Bocfil », est constituée d'un cadre métallique en forme de U. La lame est fixée entre les deux extrémités de l'archet par des écrous papillon qui en assurent la tension. La scie est munie d'une poignée en bois perpendiculaire à l'archet. La lame est parfois si fine qu'elle ressemble à un fil denté. Les dents de ces scies ne peuvent être affûtées ; les lames usées sont jetées et remplacées.
Excellent outil complémentaire pour des travaux de bricolage ou d'artisanat, ce type de scie est très utile pour effectuer des découpes profondes, courbes, ou autres découpes à profil complexe.

Scie à guichet

Cette scie également appelée scie passe-partout se distingue par l'étroitesse de sa lame effilée (1-2 cm), dont l'extrémité la plus large est insérée dans une poignée en bois.
Elle permet de petites découpes au milieu d'une pièce, dans la mesure où elles ne présentent pas de courbes très fermées. Ces travaux

nécessitent le perçage préalable d'un avant-trou assez large pour pouvoir y insérer la pointe de la lame à la perceuse équipée d'une mèche à bois d'un diamètre adéquat. La lame doit être assez robuste pour ne pas rompre en cas de pliure.

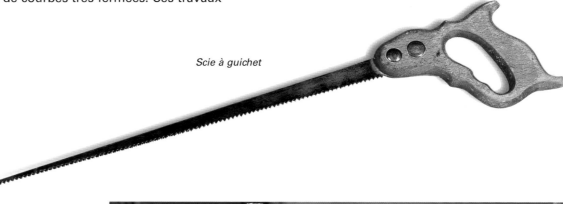

Scie à guichet

80

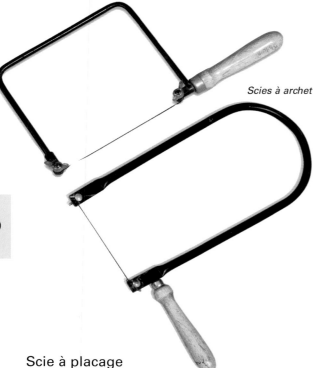

Scies à archet

La scie à guichet sert à effectuer des découpes arrondies à l'intérieur d'une pièce, à condition que la courbe ne soit pas trop serrée. Ce genre de découpe nécessite le perçage d'un avant-trou où l'on puisse insérer la pointe de la scie.

Scie à placage

Comme les feuilles de placage sont très fines (d'une épaisseur moyenne de 0,8 mm), il est nécessaire d'utiliser une scie à placage pour pouvoir y effectuer des découpes précises et nettes. Cet outil se compose d'une lame d'acier de forme plus ou moins rectangulaire, avec deux chants aux profils légèrement courbes à denture très fine et un renfort central prolongé d'une poignée. À la différence des autres scies, les dents n'ont pas de voie et leur tranchant doit être bien affûté.
L'inclinaison du manche par rapport à la lame permet de donner à l'outil la position adéquate pour travailler.

Scie à lames interchangeables

On trouve aussi des jeux de lames adaptables sur une même poignée, qui permettent de composer une scie égoïne, une scie à dos ou une scie à guichet. Les lames, aux formes

distinctes, sont destinées à des emplois spécifiques. Elles comportent à leur base une rainure dans laquelle on insère la poignée avant de la fixer à l'aide d'une vis de blocage.

Scie à lames interchangeables assurant diverses fonctions

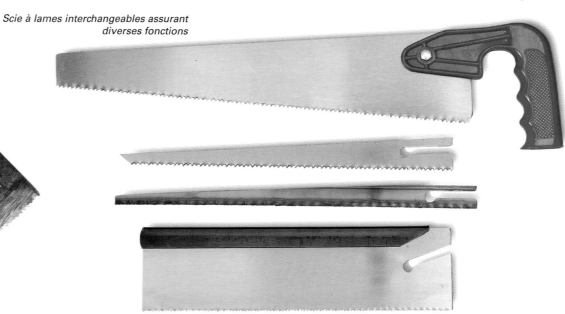

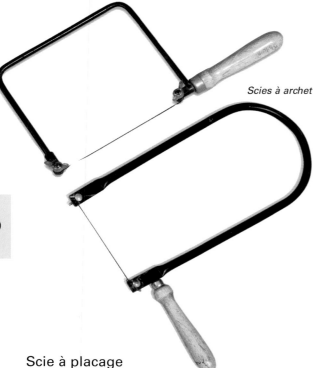

Scie à placage

Outils à dresser ou à entailler

Une fois la pièce coupée à la bonne dimension, il convient d'aborder la phase suivante du travail (corroyage, dressage, exécution de feuillures, moulures, etc.). Ces diverses opérations, qui visent à aplanir la pièce ou à la façonner en vue de son assemblage ou à d'autres fins, s'effec-tuent avec différents outils pourvus d'une lame à fil tranchant, classés en deux catégories : les outils à fût et les outils de taille.

Rabots

Leur lame plate, en acier trempé, est appelée *fer* et se termine par un biseau tranchant, dont les angles sont très légèrement arrondis pour éviter de creuser des sillons dans le bois. Pour raboter les surfaces sans rebrousser les fibres ou faire éclater le bois, ce fer est doublé d'un contre-fer. Fer et contre-fer s'insèrent dans un bloc en bois dur appelé *fût,* généralement en hêtre, où ils sont maintenus en place à l'aide d'un coin en bois. L'évidement dans lequel est placé le fer, la *trémie,* détermine son inclinaison. Il est évasé, assez large sur le dessus du fût, pour finir en forme de fente transversale assez étroite au niveau de la semelle, appelée *lumière,* par laquelle passent les copeaux. Les outils à fût sont de deux catégories : les rabots à corroyer et à dresser et les rabots à feuillures ou moulures.

Rabots à corroyer et à dresser

Ces rabots servent à dégrossir, aplanir ou dresser les faces et chants des pièces de bois en vue de leur donner la largeur, l'épaisseur, et le fini requis. Ils peuvent être en bois ou entièrement métalliques. On classe dans cette catégorie : le riflard, outil de dégrossissage servant à éliminer les plus grosses imperfections ; la varlope, servant à dresser de grandes surfaces ; le rabot droit ordinaire, servant à dresser et à affiner les surfaces ; le rabot cintré, employé pour raboter les surfaces concaves, et le rabot à dents, utilisé pour strier les surfaces à encoller.

Riflard

Rabot à poignée de 40 à 50 cm de long, au fer légèrement arrondi non doublé d'un contre-fer, servant à corroyer ou à dégrossir les pièces de bois, c'est-à-dire à en faire disparaître les plus grosses inégalités.

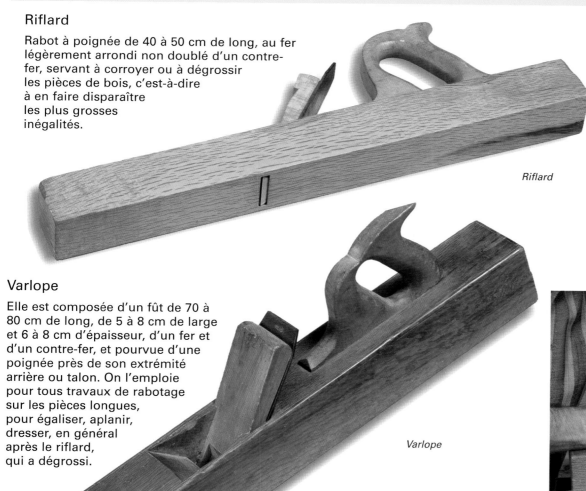

Riflard

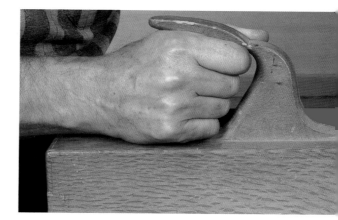

La main tenant la poignée pousse l'outil, l'autre sert à le guider.

Varlope

Elle est composée d'un fût de 70 à 80 cm de long, de 5 à 8 cm de large et 6 à 8 cm d'épaisseur, d'un fer et d'un contre-fer, et pourvue d'une poignée près de son extrémité arrière ou talon. On l'emploie pour tous travaux de rabotage sur les pièces longues, pour égaliser, aplanir, dresser, en général après le riflard, qui a dégrossi.

Varlope

Rabot droit ordinaire

Plus court que la varlope et le riflard, dépourvu de poignée, et plus maniable, il sert au dressage et à la finition de petites surfaces. C'est l'un des outils les plus utilisés en menuiserie. Il se compose d'un fût en bois de forme parallélépipédique à trémie inclinée dans laquelle le fer est fixé à l'aide d'un coin. Il existe deux types de rabots : ceux qui n'ont qu'un fer, employés pour dégrossir, et ceux à fer et contre-fer, servant à affiner les surfaces.

Rabot droit ordinaire

Pour affiner une surface, il suffit dans la plupart des cas de caler la pièce de bois à raboter contre la griffe de l'établi pour contrecarrer la poussée exercée. La pression doit être régulière et continue. On place une main sur le talon du rabot pour le pousser dans le sens du fil, et l'autre main sur son nez pour le guider, en veillant à ne pas gêner l'évacuation des copeaux.

Pour égaliser des surfaces convexes, il faut éviter de passer le rabot à contre-fil. La position du rabot doit être tangente à la courbe de la surface, et le rabotage effectué du haut vers le bas, pour éviter de détacher des éclats de bois.

Pour casser une arête ou la chanfreiner, il faut incliner le rabot à 45°. On travaille par coups secs successifs, en soulevant légèrement le talon du rabot avant chaque passage.

Le rabotage de grandes superficies a pour but l'obtention d'une surface uniforme, plane et lisse ; la superficie est tout d'abord régularisée en passant le rabot en diagonale par rapport au sens du fil, puis affinée dans le sens du fil.

Le dressage d'une pièce en bout s'effectue en passant le rabot en biais par rapport à l'axe du bois. Pour ne pas faire éclater le bois sur les bords des chants, on attaque la pièce en deux fois en partant d'un bord et en s'arrêtant au centre, puis en procédant de même dans le sens opposé.

Quand on envisage d'assembler deux pièces par collage, on en strie tout d'abord les surfaces de contact avec un rabot à dents pour assurer une meilleure adhérence de la colle et éviter les glissements qui se produisent lorsqu'elles sont trop lisses.

Rabot cintré

Il est similaire à un rabot ordinaire, en dehors du fait que sa semelle est cintrée. On s'en sert pour affiner les surfaces concaves, dans la mesure où leur courbe n'est pas plus accentuée que celle de sa semelle. Comme chaque rabot cintré ne peut façonner qu'une seule courbure, il est bon d'en posséder un assortiment.

Rabot à semelle cintrée pour surfaces courbes

Le rabot cintré permet de donner une courbure concave à une pièce de bois. Cette courbure sera toujours identique à celle de sa semelle. Pour affiner des surfaces concaves, il est nécessaire de disposer d'un assortiment de rabots cintrés s'adaptant à chaque courbure.

Rabots métalliques

Ils sont composés d'une semelle plate ou courbe en fonte, émaillée ou non, d'un fer et d'un contre-fer maintenu par une vis de serrage, d'une molette de réglage de la profondeur de coupe permettant de lever et de baisser le fer, même en cours de travail. Certains sont munis d'une poignée avant et d'une poignée arrière facilitant leur manipulation.

Rabot à dents

Ce rabot est muni d'un fer denté en position quasi verticale dans la trémie. On s'en sert pour rainurer des surfaces que l'on se propose d'assembler par collage, afin que la colle adhère mieux et que les pièces ne glissent pas l'une sur l'autre.

Vue détaillée du fer denté et du coin servant à le bloquer dans le rabot

Rabots métalliques

Rabot à dents

Une fois que le bois a été dégrossi, dressé et affiné, on peut procéder à l'exécution de feuillures ou rainures d'assemblage, ou de moulures ornementales aux profils variés. On dispose pour cela d'un large éventail de rabots

Rabots à feuillures et moulures

– guillaumes, feuillerets, congés, bouvets – qui se distinguent des précédents par l'étroitesse de leur fer et l'absence de contre-fer.

Sur certains rabots, le coin de blocage du fer obture entièrement la partie supérieure de la trémie, et le fût est percé d'un évidement latéral appelé entonnoir assurant l'évacuation des copeaux.

Guillaume

Son fer mesure environ 25 cm de long sur 1 cm de large et 2-3 mm d'épaisseur. Il occupe toute la largeur de la semelle, et comme il est dégagé sur les côtés, il reste bien visible, ce qui facilite le travail. Les copeaux sont rejetés sur le côté par l'entonnoir. On s'en sert pour creuser des feuillures d'assemblage dans le chant des pièces.

Deux sortes de feuillerets

Guillaume

Feuilleret

De plus grande taille que le guillaume, son fût est doublé à la base d'une règle ajustable qui sert de guide pour déterminer avec précision la hauteur et la profondeur de la feuillure. Il est donc plus facile d'emploi que le guillaume.

Comme son nom l'indique, le feuilleret sert à creuser des feuillures sur le chant des pièces.

Le guillaume est utile pour affiner la coupe effectuée par le feuilleret. On le tient à l'horizontale pour dresser la face verticale de la feuillure.

Puis on l'utilise en position verticale pour dresser la face horizontale de la feuillure.

Congé

Ce rabot à fer étroit et dégagé, similaire au guillaume, n'a toutefois pas la même fonction. Le profil du fer et celui de la semelle sont adaptés à l'exécution de moulures en quart de cercle, ou quarts-de-rond.

Congé

84

Rabot à moulurer

Comme dans le cas du rabot précédent, sa base porte le contre-profil de la moulure à réaliser. À chaque type de moulure correspond un rabot au contre-profil adéquat, portant en général le nom de la moulure qu'il permet d'exécuter – rabot à doucine, à talon renversé, etc.

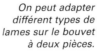

Rabot à moulurer

Le rabot à moulurer fonctionne comme n'importe quel autre rabot. Le profil de sa lame et de la semelle permet d'obtenir une moulure convexe, concave, ou plus complexe. Sa lame n'est pas interchangeable. Il faut employer un rabot spécifique pour chaque type de moulure.

Bouvet à deux pièces

Rabot à fers interchangeables, servant à creuser des gorges ou rainures dans le bois ou à dégager sommairement les entailles. La hauteur du fer se règle en fonction de la profondeur de la rainure. Il se compose de deux pièces : le fût proprement dit, portant le fer, et une joue mobile que l'on peut écarter ou rapprocher à volonté du fût au moyen de deux vis de réglage, afin de régler la distance de la rainure par rapport au bord de la pièce.

On peut adapter différents types de lames sur le bouvet à deux pièces.

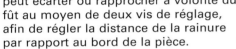

Bouvet à deux pièces

Bouvet à joindre

Également appelé bouvet d'assemblage ou bouvet à rainure et languette, ce rabot est muni de deux fers disposés en sens inverse et de deux contre-profils, l'un servant à creuser la rainure de l'assemblage sur le chant de la première pièce, et l'autre pour dégager la languette sur le chant de la seconde pièce, rainure et languette s'emboîtant l'une dans l'autre pour fournir un assemblage net et solide. Pour obtenir de bons résultats, il est nécessaire de tenir le rabot fermement des deux mains et de prendre un bon appui sur ses jambes, en plaçant une jambe devant l'autre. Il faut en effet déployer une certaine force physique pour se servir de ce type de rabot.

Le bouvet à joindre permet de dégager la languette, ou partie mâle de l'assemblage, sur le chant de la pièce quand on l'utilise du côté approprié.

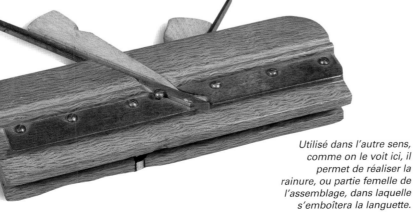

Bouvet à joindre

Utilisé dans l'autre sens, comme on le voit ici, il permet de réaliser la rainure, ou partie femelle de l'assemblage, dans laquelle s'emboîtera la languette.

Outils à entailler

Ces outils comportent une lame ou planche en acier trempé plus ou moins épaisse, plate ou concave, dont l'arête tranchante peut présenter divers profils. Cette lame se termine à l'extrémité opposée par une pointe ou soie qui s'insère dans un manche en bois tourné.

Le bon maniement de ces outils est étroitement lié à l'habileté de celui qui s'en sert, la lame n'étant pas, comme dans le cas des rabots, solidaire d'une pièce qui la guide. Ils servent à dégrossir ou à creuser des rainures, entailles, mortaises, ou à sculpter le bois.

Ciseaux à bois

Outil à lame en acier trempé d'environ 3 à 4 mm d'épaisseur et de 4 à 40 mm de large. La lame du ciseau de menuisier est de section rectangulaire, terminée par un tranchant à un biseau. Celle des ciseaux d'ébéniste est également chanfreinée sur les côtés, ce qui lui permet d'entailler plus facilement le bois dans les angles rentrants. Ils permettent de détacher des copeaux peu épais, plus ou moins larges, et d'entailler le bois en tous sens, que ce soit pour dresser des entailles, ajuster correctement des pièces entre elles, encastrer des charnières, serrures, etc. Il est conseillé de s'équiper d'un bon assortiment de ciseaux de différents profils et de différentes largeurs. On les percute en général au maillet. Si on travaille d'une seule main, il faut veiller, pour éviter les accidents, à ne pas placer l'autre main dans l'axe du tranchant. Ces outils ne doivent pas être employés pour faire levier, car cela endommagerait leur tranchant, qui est très fragile.

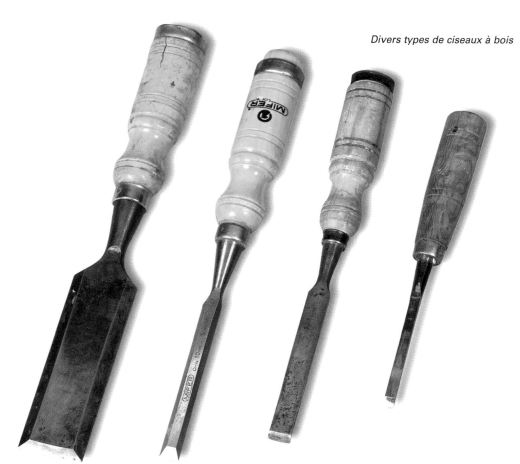

Divers types de ciseaux à bois

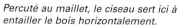

Percuté au maillet, le ciseau sert ici à entailler le bois horizontalement.

Il peut être utilisé pour entailler le bois en tous sens. Tenu verticalement, il permet de délimiter avec netteté la surface de l'entaille.

Pour dresser le fond de l'entaille, mieux vaut, pour plus de force et de précision, tenir le ciseau des deux mains.

Bédanes

Les bédanes se distinguent des ciseaux par leur lame étroite, d'une largeur comprise entre 2 et 12 mm, qui est plus épaisse que large, de section trapézoïdale, et pourvue à son extrémité d'un biseau très allongé.

Ils s'utilisent pour entailler profondément le bois, y pratiquer des saignées et rainures de section rectangulaire, comme les mortaises, parties mâles des assemblages à tenon et mortaise. Ils sont assez robustes pour être percutés énergiquement au maillet, le manche étant en bois dur, à tête renforcée par une bague de métal, qui évite qu'il ne se fende ou éclate sous les coups, et leur lame assez solide pour résister aux efforts quand on l'utilise pour soulever le bois tranché en faisant levier.

Les bédanes servent surtout à pratiquer des entailles plus étroites et plus profondes que ne le permettent les ciseaux à bois, notamment pour percer des mortaises, ou encore encastrer des paumelles, tel le bédane à ferrer, entièrement en métal.

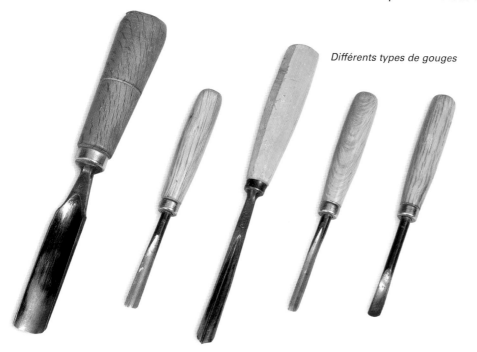

Différents types de bédanes

Le bédane permet d'exécuter des mortaises. En tenant l'outil verticalement, on le percute au maillet pour l'introduire dans le bois, puis on fait levier pour évider l'entaille.

On procède de la même manière sur le bord opposé de l'entaille, dont il sera ensuite nécessaire d'évider l'autre moitié.

Gouges

Les gouges sont des outils similaires aux ciseaux, dont la planche et le tranchant sont de forme concave, à courbure semi-circulaire plus ou moins prononcée (gouges creuses, demi-creuses ou plates), ou à profil triangulaire dans le cas des burins. Les gouges sont employées pour le dégrossissage ou la finition des gorges ou cannelures. Mais ce sont surtout les outils de prédilection des sculpteurs sur bois, qui en possèdent en général un large assortiment. Les burins servent à préciser certains détails au stade de la finition et à effectuer des évidements.

S'il arrive, pour des travaux minutieux, qu'on frappe la gouge à la main, on s'en sert le plus souvent en percutant leur manche au maillet.

Différents types de gouges

Pour les opérations de dégrossissage, la gouge est percutée au maillet.

Pour préciser ou affiner certains détails, il est indispensable de tenir la gouge des deux mains.

Outils de perçage et de vissage

La manière la plus simple et la plus rapide de percer un trou dans le bois est d'y enfoncer une pointe à ferrer ou un poinçon, mais, en agissant ainsi, on risque de fendre le bois ou de le faire éclater, étant donné qu'à l'endroit de la perforation, il n'est pas progressivement éliminé, mais brusquement comprimé. Pour éviter ce genre de problème, on peut employer un certain nombre d'outils qui permettent de percer ou de forer le bois de façon progressive, sans occasionner le moindre dommage à la masse ligneuse environnante.

Laceret

C'est un outil semblable au poinçon, mais dont la tige se terminant en forme de cuillère permet de perforer le bois sans risquer de le fendre, notamment si on l'utilise perpendiculairement au sens des fibres. Elle ne sert cependant qu'à percer des trous de faible diamètre et peu profonds, qui manquent en général de netteté en comparaison avec ceux que l'on obtient avec les mèches ou les vrilles.

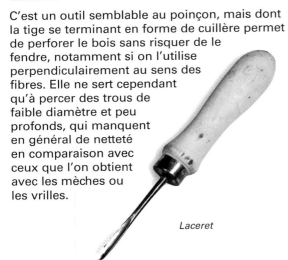

Laceret

Vrille

C'est l'un des outils de perçage les plus anciens. Elle se compose d'une tige dont l'extrémité se termine en forme de vis à pointe acérée que l'on introduit dans le bois pour exécuter l'avant-trou et qui sert de guide central. Cette partie filetée est surmontée d'une arête tranchante hélicoïdale plus ou moins large, déterminant le diamètre de la perforation et évitant l'éclatement du bois, puis d'un rainurage hélicoïdal facilitant l'évacuation des copeaux et le dégagement de l'outil. On s'en sert en général pour ouvrir des avant-trous qui facilitent la pénétration des clous ou vis et évite l'éclatement du bois.

Il existe une autre version de la vrille, la grande vrille ou tarière, entièrement métallique et d'un diamètre plus important. Elle est munie à son extrémité supérieure d'une pièce à orifice circulaire dans laquelle on introduit une tige appelée tourne-à-gauche servant à l'actionner

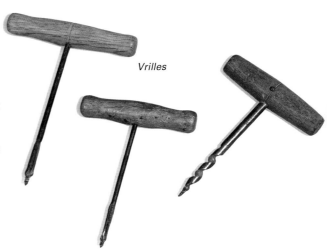

Vrilles

des deux mains en exerçant une force plus importante. La tarière permet d'effectuer des trous de plus grand diamètre.

Vilebrequin

Le vilebrequin est un outil de perçage de conception simple, qui développe une force considérable. Il se compose d'une tige métallique coudée en forme de U servant de manivelle. Elle est munie à son extrémité inférieure d'un mandrin dans lequel on fixe les mèches, et de deux poignées : la paume, située à l'extrémité supérieure, et la noix située sur la partie coudée. On peut y adapter un large éventail de mèches. Certains modèles élaborés comportent un cliquet permettant de percer en tournant vers la droite ou vers la gauche, ce dispositif permettant de percer dans des endroits difficiles d'accès quand on n'a pas la place suffisante pour donner un tour complet de manivelle.

Vilebrequins

Différents types de mèches à bois

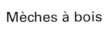

Pour percer au vilebrequin, on tient l'outil à deux mains, en faisant pression avec son corps pour exercer davantage de force.

Mèches à bois

On peut adapter divers types de mèches, qu'elles soient à queue carrée ou cylindrique, sur le vilebrequin, qui leur sert de support et de complément, bien qu'on puisse aussi les monter sur une perceuse électrique, dont le mandrin n'accepte en ce cas que les mèches à queue cylindrique.

Pour obtenir un résultat soigné et ne pas détériorer le bois, il importe que l'arête tranchante de la mèche coupe les fibres le plus parallèlement possible à leur direction. Pour percer un trou en bois de bout, il faut employer une mèche suisse ; en revanche, pour travailler perpendiculairement au sens des fibres, on utilise une mèche plate dite « anglaise » ou une mèche hélicoïdale à traçoirs latéraux et pointe de centrage.

Chignole

Cet outil se compose d'un axe droit terminé par un mandrin et muni d'une manivelle entraînant une roue dentée synchronisée à deux pignons fixés à l'axe. Une poignée latérale sert à tenir l'outil et une plaque d'appui, appelée conscience, permet de peser sur l'outil pour accroître l'efficacité du perçage. La chignole permet de forer le bois plus rapidement que le vilebrequin, mais ne peut être équipée de mèches d'aussi gros diamètre, et seulement à queue cylindrique.

Certaines chignoles de conception plus élémentaire possèdent un axe parcouru sur toute leur longueur d'une rainure hélicoïdale. En exerçant une pression sur la poignée, on imprime à l'axe un mouvement giratoire de va-et-vient qui permet le perçage. Il convient cependant de préciser que pour percer efficacement avec ce genre d'outil, il faut utiliser des mèches très fines.

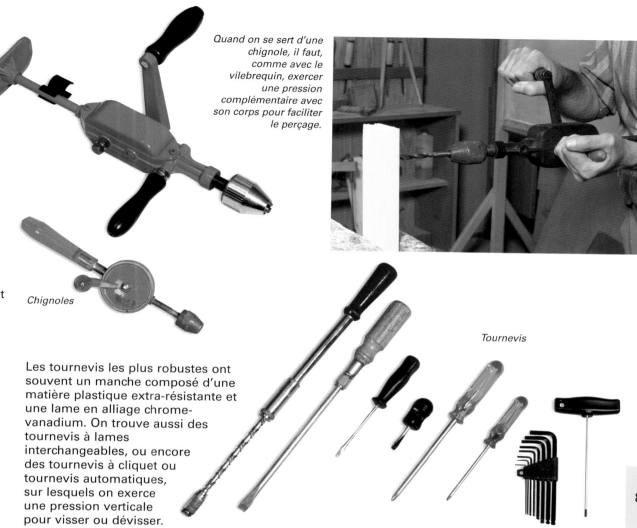

Quand on se sert d'une chignole, il faut, comme avec le vilebrequin, exercer une pression complémentaire avec son corps pour faciliter le perçage.

Chignoles

Tournevis

Le tournevis traditionnel est constitué d'une lame cylindrique en métal fixée sur un manche en bois ou en matière plastique, pourvu de cannelures pour une meilleure prise en main. Sur les tournevis en bois, la lame est assujettie au manche par l'intermédiaire d'une bague en métal ou virole. Le profil de l'extrémité de la lame varie suivant le type de vis auquel le tournevis est destiné : vis à fente, à empreinte cruciforme, etc.

Les tournevis les plus robustes ont souvent un manche composé d'une matière plastique extra-résistante et une lame en alliage chrome-vanadium. On trouve aussi des tournevis à lames interchangeables, ou encore des tournevis à cliquet ou tournevis automatiques, sur lesquels on exerce une pression verticale pour visser ou dévisser.

Tournevis

89

Outils de percussion et d'extraction

La frappe et l'extraction sont des actions quasi inhérentes à l'exécution de n'importe quel ouvrage et sont intimement liées, comme en témoigne le marteau de charpentier, qui allie les deux fonctions, grâce à sa panne fendue. Mais il existe aussi un large assortiment d'outils aux fonctions plus spécialisées, c'est-à-dire servant uniquement à frapper ou à clouer, ou à extraire les pointes.

Marteau

Outil d'usage universel, le marteau sert essentiellement à frapper, notamment pour enfoncer les clous, ou encore à les extraire, dans le cas du marteau de charpentier. Sa composition est extrêmement simple : une masse en métal servant à frapper, avec d'un côté la tête ou surface de frappe plane et à l'opposé la panne, à profils divers, et un manche en bois dur et robuste qui permet de manier l'outil et d'augmenter la force de percussion. La masse est percée d'un trou central ou œil, dans lequel s'insère le manche. La forme de la panne varie selon le type d'emploi auquel est destiné l'outil. Il existe une grande variété de marteaux dont le marteau de menuisier classique, le marteau à plaquer, le marteau d'ébéniste, le marteau à oreilles, à double panne, etc.

Pour enfoncer un clou au marteau sans endommager le bois, il faut cesser de frapper la tête du clou alors qu'elle dépasse encore légèrement de la surface du bois et achever de l'enfoncer avec un chasse-clou.

Pour consolider l'assemblage de deux éléments à l'aide de clous, il est conseillé d'enfoncer les clous en biais, en les inclinant alternativement vers la droite et vers la gauche.

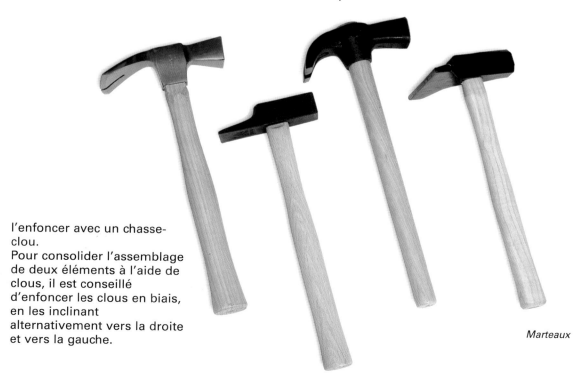

Marteaux

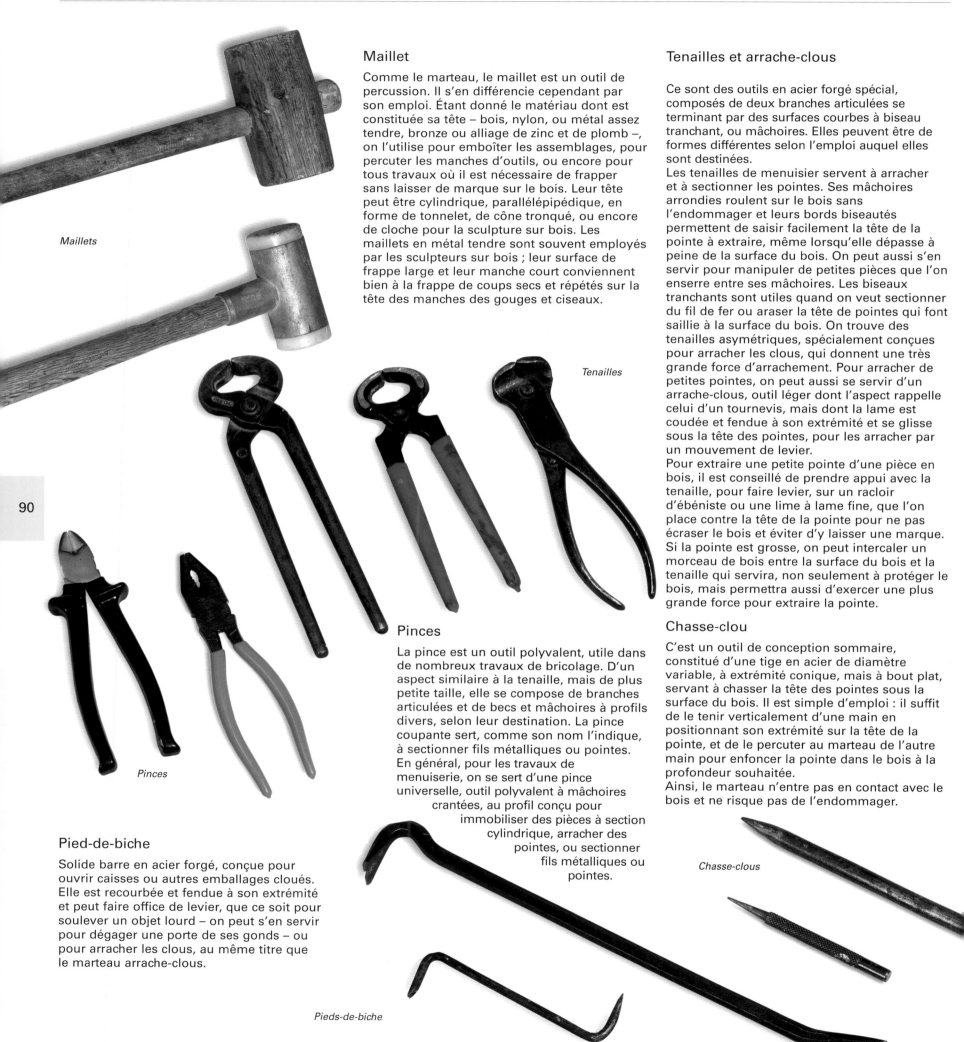

Maillets

Maillet

Comme le marteau, le maillet est un outil de percussion. Il s'en différencie cependant par son emploi. Étant donné le matériau dont est constituée sa tête – bois, nylon, ou métal assez tendre, bronze ou alliage de zinc et de plomb –, on l'utilise pour emboîter les assemblages, pour percuter les manches d'outils, ou encore pour tous travaux où il est nécessaire de frapper sans laisser de marque sur le bois. Leur tête peut être cylindrique, parallélépipédique, en forme de tonnelet, de cône tronqué, ou encore de cloche pour la sculpture sur bois. Les maillets en métal tendre sont souvent employés par les sculpteurs sur bois ; leur surface de frappe large et leur manche court conviennent bien à la frappe de coups secs et répétés sur la tête des manches des gouges et ciseaux.

Tenailles et arrache-clous

Ce sont des outils en acier forgé spécial, composés de deux branches articulées se terminant par des surfaces courbes à biseau tranchant, ou mâchoires. Elles peuvent être de formes différentes selon l'emploi auquel elles sont destinées.
Les tenailles de menuisier servent à arracher et à sectionner les pointes. Ses mâchoires arrondies roulent sur le bois sans l'endommager et leurs bords biseautés permettent de saisir facilement la tête de la pointe à extraire, même lorsqu'elle dépasse à peine de la surface du bois. On peut aussi s'en servir pour manipuler de petites pièces que l'on enserre entre ses mâchoires. Les biseaux tranchants sont utiles quand on veut sectionner du fil de fer ou araser la tête de pointes qui font saillie à la surface du bois. On trouve des tenailles asymétriques, spécialement conçues pour arracher les clous, qui donnent une très grande force d'arrachement. Pour arracher de petites pointes, on peut aussi se servir d'un arrache-clous, outil léger dont l'aspect rappelle celui d'un tournevis, mais dont la lame est coudée et fendue à son extrémité et se glisse sous la tête des pointes, pour les arracher par un mouvement de levier.
Pour extraire une petite pointe d'une pièce en bois, il est conseillé de prendre appui avec la tenaille, pour faire levier, sur un racloir d'ébéniste ou une lime à lame fine, que l'on place contre la tête de la pointe pour ne pas écraser le bois et éviter d'y laisser une marque. Si la pointe est grosse, on peut intercaler un morceau de bois entre la surface du bois et la tenaille qui servira, non seulement à protéger le bois, mais permettra aussi d'exercer une plus grande force pour extraire la pointe.

Tenailles

Chasse-clou

C'est un outil de conception sommaire, constitué d'une tige en acier de diamètre variable, à extrémité conique, mais à bout plat, servant à chasser la tête des pointes sous la surface du bois. Il est simple d'emploi : il suffit de le tenir verticalement d'une main en positionnant son extrémité sur la tête de la pointe, et de le percuter au marteau de l'autre main pour enfoncer la pointe dans le bois à la profondeur souhaitée.
Ainsi, le marteau n'entre pas en contact avec le bois et ne risque pas de l'endommager.

Pinces

La pince est un outil polyvalent, utile dans de nombreux travaux de bricolage. D'un aspect similaire à la tenaille, mais de plus petite taille, elle se compose de branches articulées et de becs et mâchoires à profils divers, selon leur destination. La pince coupante sert, comme son nom l'indique, à sectionner fils métalliques ou pointes. En général, pour les travaux de menuiserie, on se sert d'une pince universelle, outil polyvalent à mâchoires crantées, au profil conçu pour immobiliser des pièces à section cylindrique, arracher des pointes, ou sectionner fils métalliques ou pointes.

Pinces

Chasse-clous

Pied-de-biche

Solide barre en acier forgé, conçue pour ouvrir caisses ou autres emballages cloués. Elle est recourbée et fendue à son extrémité et peut faire office de levier, que ce soit pour soulever un objet lourd – on peut s'en servir pour dégager une porte de ses gonds – ou pour arracher les clous, au même titre que le marteau arrache-clous.

Pieds-de-biche

Outils de serrage

L'élaboration d'un ouvrage en bois nécessite la plupart du temps l'immobilisation des pièces à l'établi pour faciliter le travail ou leur mise sous presse, quand on souhaite consolider un assemblage par collage. Si l'on utilise d'autres colles que les colles de contact de type néoprène, agissant par simple mise en contact des pièces, il est en effet nécessaire d'avoir recours à des outils susceptibles de maintenir les pièces sous pression durant le temps de prise et de séchage de la colle. On dispose pour cela de divers types de presses et serre-joints de tailles et conceptions différentes selon l'envergure de la pièce ou le type d'assemblage que l'on souhaite réaliser.

Presses métalliques

Les presses s'utilisent soit pour immobiliser les assemblages durant le temps de prise de la colle, soit pour maintenir dans la bonne position deux pièces de bois que l'on veut assembler à l'aide de clous ou de vis, ou immobiliser des pièces pour d'autres opérations de façonnage. Elles comportent en général une tige filetée sur laquelle coulisse une patte de serrage et une partie fixe servant de butée. Il en existe divers modèles, suivant le type d'assemblage ou d'ouvrage à maintenir. Ainsi, au système traditionnel du garrot, consistant à tendre une corde en double, par torsion, à l'aide d'une clé en bois, pour maintenir les pieds d'une chaise ou de tout autre meuble de petite dimension pendant le collage, se substitue aujourd'hui la presse à cadre à feuillard, plus facile d'emploi. Elle peut également servir à maintenir les angles des cadres. Il existe aussi des presses d'angle, conçues pour immobiliser durant le collage les assemblages d'onglet. Les petites presses en acier, dont le corps en C est composé de deux bras fixes et d'une tige filetée munie d'une patte de serrage coulissant au travers de l'un des bras, permettent d'assujettir rapidement de petits éléments. Il existe des presses de plus grande taille, fonctionnant suivant le même principe, pour les pièces de plus grande dimension. Pour maintenir de petits collages, on peut aussi se servir d'un morceau de ressort de tapissier, accessoire de serrage connu sous le nom de propre-à-rien.

Presse et valet d'établi

Les menuisiers utilisent traditionnellement, pour maintenir les pièces sur l'établi, soit un valet, ou barre d'acier coudée à bout plat, soit la presse d'établi. Le valet est enfoncé d'un coup de maillet dans un logement prévu à cet effet sur l'établi, sa partie plate appuyant sur la pièce à maintenir. La presse d'établi, en général installée sur l'un des pieds de l'établi, se présente sous la forme d'un bloc de bois muni d'un dispositif de serrage similaire à celui d'un étau. Elle permet d'assujettir des pièces pour faciliter leur façonnage.

Presse à cadre à feuillard (ruban métallique) servant à maintenir les assemblages d'angle d'un cadre ou les pieds de petits meubles pendant le collage

Morceaux de ressorts de tapissier, ou propres-à-rien, servant à maintenir de petites pièces

Presses d'angle, servant à maintenir les assemblages d'angle, notamment d'onglet, pendant leur collage ou leur vissage

Petite presse métallique

Un propre-à-rien exerce la pression nécessaire pour maintenir ces deux pièces assemblées en bout par collage.

Presses métalliques maintenant en position deux pièces de bois placées à angle droit le temps de procéder à leur perçage en vue de leur assemblage.

*Assortiment de serre-joints
de différentes tailles*

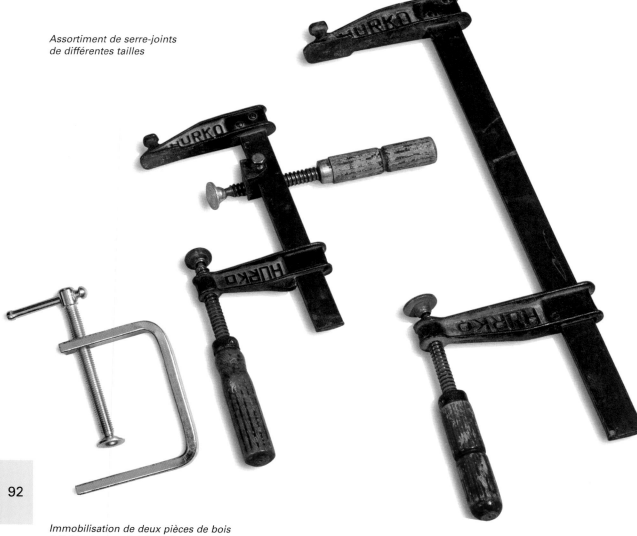

Serre-joints

Les serre-joints servent à assujettir une pièce à l'établi pour la façonner, ou deux pièces entre elles, pour les assembler et les coller.

Ils sont en général en métal, avec des poignées en bois, et de différentes tailles, constitués d'une tige fixe sur laquelle coulissent un ou deux bras mobiles qui lui sont perpendiculaires et d'une patte de serrage fixe. L'un de ces bras est pourvu à son extrémité d'un trou où passe une tige filetée orientée parallèlement à la tige principale et pourvue d'un manche. Cette tige filetée comporte à son extrémité supérieure un disque mobile ou rotule qui appuie sur l'objet à serrer. Pour bien serrer l'objet, il faut faire coulisser le bras portant la tige filetée, puis visser cette dernière jusqu'à ce que la rotule bloque solidement l'objet.

Les serre-joints servant à maintenir de petites pièces sont en forme de U, la tige filetée étant la seule partie mobile.

Serre-joints pour couvre-chants

Ce sont des serre-joints très utiles pour fixer des baguettes ou bandes couvre-chants sur les bords de certaines pièces. Ils le sont d'autant plus quand les chants sont curvilignes, car il est alors très difficile d'utiliser des serre-joints ordinaires.

Serre-joint dormant

Ce serre-joint se compose d'un long rail sur lequel coulissent deux bras mobiles munis de pattes de serrage. Il est utile quand la pièce à immobiliser se trouve à une certaine distance du bord.

Serre-joint à ruban

Il est constitué d'un ruban en nylon ou en métal de 25 mm de large qui entoure la pièce à immobiliser et se bloque à l'aide d'un cliquet. Il présente l'avantage d'exercer une pression égale sur les angles d'un cadre dont les baguettes sont assemblées d'onglet. On peut aussi s'en servir pour maintenir en place les pieds tournés d'une chaise ou d'un tabouret après collage, un serre-joint ordinaire étant en ce cas plus difficile à positionner et moins efficace. Ce système s'apparente à celui du garrot, reposant sur la tension d'une ficelle par torsion à l'aide d'une petite baguette ou tourillon que l'on laisse en place durant le serrage.

*Immobilisation de deux pièces de bois
à l'aide de serre-joints ordinaires*

*Ici, le couvre-chant est maintenu à l'aide de
serre-joints spéciaux, un liteau étant intercalé
entre les deux pour assurer une répartition
uniforme de la pression.*

Serre-joint dormant

Outils de rectification et de polissage

Avant d'aborder les traitements de finition proprement dits – encaustiquage, mise en peinture ou vernissage du bois – qui donneront à la pièce son aspect définitif, il est nécessaire d'en rectifier la forme ou les dimensions et d'en affiner la surface, afin de lui donner un aspect parfaitement net et lisse. La qualité du résultat final dépend du soin apporté à l'exécution de ces opérations d'affinage, ponçage et polissage. C'est d'autant plus vrai quand on envisage de teindre le bois, de le laquer ou de le vernir. Si l'on ne prépare pas suffisamment le bois, il est alors inutile de prétendre à une finition parfaite. Nous vous présentons ci-dessous les principaux outils qui sont employés successivement dans cette avant-dernière étape du processus de travail : râpes, limes, racloirs, papier abrasif, laine d'acier.

Râpes

Les râpes ont une lame en acier qui peut être plate sur les deux faces (râpe plate), arrondie sur l'une des faces (râpe demi-ronde), ou encore de section cylindrique (râpe ronde). Les râpes demi-rondes conviennent à la fois pour les surfaces planes ou courbes.
La lame est hérissée de dents triangulaires appelées piqûres, qui peuvent être grossières, fines ou extra-fines. Les râpes grossières servent à dégrossir le bois, à en éliminer les principales irrégularités.
Les râpes s'emploient d'une façon générale pour corriger la forme d'un ouvrage, rectifier les surfaces planes et courbes, dégager les angles rentrants dans lesquels il est impossible d'accéder avec le rabot, dégrossir les gorges avant leur polissage, casser les arêtes ou ajuster les assemblages.

Limes

Les limes, dont les rainures présentent un relief moins prononcé que les piqûres des râpes, servent à en effacer les traces et à affiner leur travail. On parle de lime à taille douce, bâtarde ou grossière, selon la finesse des rainures ; et de limes à une taille, avec de simples rainures transversales, perpendiculaires aux bords de la lame ou inclinées, ou à double taille, quand les rainures s'entrecroisent. Selon le profil de leur section, elles peuvent être plates, demi-rondes ou rondes.

Racloirs

Ils se présentent sous la forme d'une mince plaque en acier trempé, assez souple pour être légèrement incurvée, soit de forme rectangulaire, soit à profil curviligne pour les surfaces courbes. Les racloirs rectangulaires mesurent environ 12-14 cm de long sur 6-7 cm de large et 1 mm d'épaisseur.
Leurs arêtes ne sont pas biseautées, mais droites, et comportent un léger morfil qui permet d'attaquer le bois et d'en détacher de fins copeaux. En tenant le racloir des deux mains, légèrement incliné vers l'extérieur, on appuie fermement son arête sur le bois, et on le tire vers soi en l'arquant légèrement, toujours dans le sens du fil, en maintenant une pression égale. Les racloirs s'emploient pour la finition des surfaces planes ou courbes, qu'ils permettent d'affiner en éliminant les fibres rebroussées par les limes ou les marques laissées par le racloir sur fût. On s'en sert aussi pour écorcer les grumes, ou dégrossir sommairement le bois.

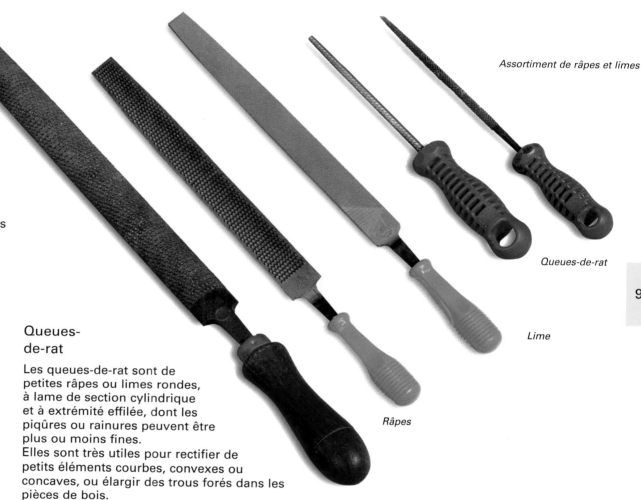

Assortiment de râpes et limes

Queues-de-rat

Lime

Queues-de-rat

Les queues-de-rat sont de petites râpes ou limes rondes, à lame de section cylindrique et à extrémité effilée, dont les piqûres ou rainures peuvent être plus ou moins fines.
Elles sont très utiles pour rectifier de petits éléments courbes, convexes ou concaves, ou élargir des trous forés dans les pièces de bois.

Râpes

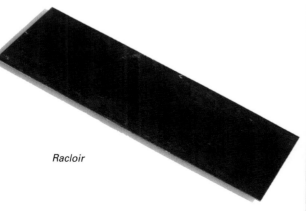

Racloir

Pour travailler efficacement au racloir, il faut l'incliner vers l'extérieur et le tirer vers soi en exerçant une pression des deux mains, qui doivent être placées de part et d'autre de la lame.

93

Racloir sur fût

En tenant l'outil des deux mains, on le pousse dans le sens du fil en le faisant légèrement basculer vers le haut ou le bas.

Racloir sur fût

Semblable à un petit rabot plat que l'on pousse à deux mains et portant en son centre une lame à faible pente. Très employé par les ébénistes ou chaisiers, il sert à dresser le fond des creux, à rectifier des courbes, en association avec le racloir ordinaire. Le travail est le même qu'au rabot, mais le racloir sur fût est moins facile à contrôler en raison de l'étroitesse de sa base. Son maniement exige une certaine habileté quand on veut travailler en finesse.

Racloir sur fût à lame cintrée

Similaire au précédent, mais pourvu d'une lame à tranchant convexe servant à adoucir une pièce de bois de forme concave. C'est l'outil qui convient le mieux à ce type de travail. Il agit à la manière d'un rabot miniature, s'adaptant à la forme du bois par son contre-profil. Deux vis de blocage situées aux angles supérieurs du fer permettent d'en ajuster la hauteur, la saillie de la lame étant fonction de l'épaisseur de la pièce de bois à retirer.

Abrasifs

Ils sont constitués d'une couche de fins cristaux à arêtes vives, de verre, silex, quartz, ou émeri, collée sur un support en papier rigide et résistant ou sur toile. On en trouve de diverses sortes et qualités, dont le choix dépend du type de travail que l'on se propose d'effectuer et du niveau de finition que l'on veut donner à l'ouvrage. Les abrasifs sont numérotés de différentes façons selon leur degré de finesse. La numérotation la plus courante est : 40 et 50 pour les grains grossiers, 60, 80 et 100 pour les grains moyens, 150 pour les grains fins et 240 pour les grains extra-fins.

Les grains fixés sur le papier agissent de la même manière que les rainures des limes : quand on en frotte la surface du bois en un mouvement de va-et-vient, ils l'affinent en produisant une fine sciure.

Pour utiliser plus facilement les papiers abrasifs, il est préférable de les monter sur un bloc en bois ou cale à poncer, dont la surface, garnie ou non de feutre ou de liège, peut être plane ou cintrée. Il existe aussi des cales qui permettent d'épouser le profil des moulures.

Laine d'acier

Le ponçage au papier abrasif marque le bois de fines rayures qu'il est nécessaire d'éliminer à la laine d'acier fine ou extra-fine pour obtenir une surface parfaitement polie et prête à recevoir le traitement de finition – cire, laque ou vernis.

Laine d'acier fine

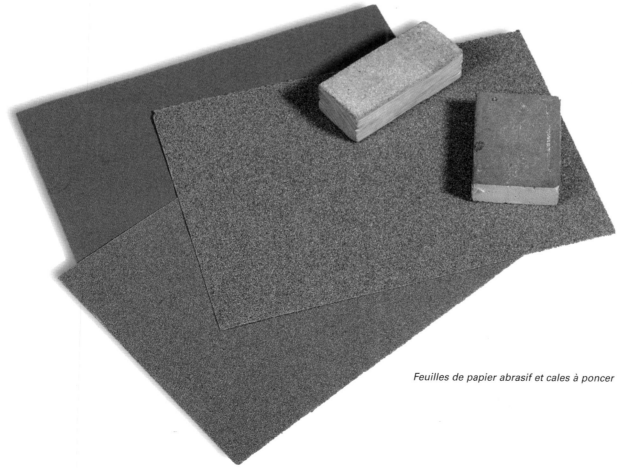

Feuilles de papier abrasif et cales à poncer

94

Outillage électrique

Les machines électriques répondent à une forte demande des utilisateurs, tant professionnels qu'amateurs, qui disposent de moins en moins d'espace pour travailler et apprécient ces outils maniables et polyvalents qui leur épargnent du temps et des efforts.

Elles ont permis à bien des amateurs de faire de la menuiserie leur passe-temps favori, leur offrant l'opportunité d'exercer cette activité à leur domicile dans un espace souvent réduit. Les professionnels les utilisent quand ils doivent effectuer des travaux en dehors de l'atelier, dans des conditions difficiles et des endroits peu accessibles où leur intervention serait compromise s'ils ne disposaient pas de machines de format réduit, légères et maniables, qui offrent en outre l'avantage de pouvoir être équipées d'une batterie.

Ces outils électriques peuvent être regroupés en deux catégories : les machines d'établi, qui ne peuvent fonctionner correctement que si elles sont fixées à un support assurant leur stabilité, et les machines portatives, conçues pour être aussi légères que possible et de faible encombrement, que l'on tient et guide des deux mains, fonctionnant sur secteur ou sur batterie.

Scie radiale

Machine puissante permettant d'effectuer des coupes d'une grande précision à divers angles. Son maniement est dangereux, bien que le bord de la lame soit protégé d'un capot là où la lame n'entre pas en contact avec le bois.

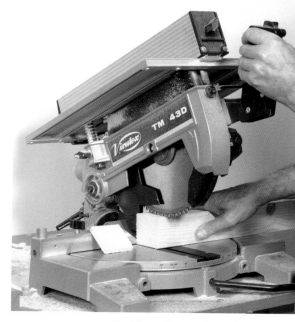

Position adéquate des mains pour une coupe transversale à 90°

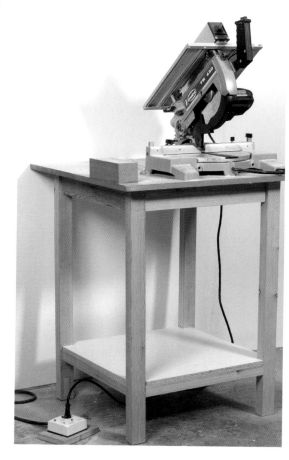

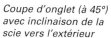

Scie radiale sur un meuble-support fabriqué sur place

Coupe d'onglet (à 45°) avec inclinaison de la scie vers l'extérieur

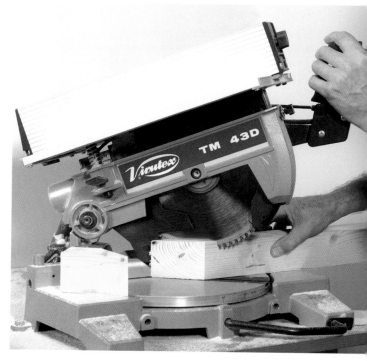

Coupe d'onglet (à 45°) avec inclinaison de la scie vers l'intérieur

Perceuse électrique portative

C'est un outil facile à manier et à utiliser, grâce à sa poignée qui offre une bonne prise en main. L'efficacité de la perceuse électrique dépend de la puissance de son moteur et de la vitesse de rotation de son axe, qui peut être réglée sur certains modèles. Les mèches et forets utilisés pour percer s'insèrent dans un mandrin que l'on serre avec une clé. On trouve aujourd'hui un grand nombre d'accessoires adaptable sur le bloc-moteur d'une perceuse, qui diversifient la fonction première de cet outil qui est de percer.

Perceuse électrique portative

Perceuse sur colonne

La perceuse peut être montée sur un support vertical fixé à l'établi. Ce support de perçage est équipé d'une butée de profondeur avec réglage et d'une échelle graduée des profondeurs de perçage. Une poignée latérale permet d'abaisser ou de relever la perceuse. Ce système assure un perçage bien vertical et très précis.

Perceuse sur colonne

96

Emploi de la perceuse sur colonne fixée sur une surface parfaitement horizontale

Scie sauteuse

Équipée de fines lames interchangeables, elle permet, grâce à un mouvement de va-et-vient vertical, d'effectuer des coupes droites ou courbes à divers angles, l'inclinaison de la semelle pouvant être ajustée selon les besoins.

Scie sauteuse

Découpe curviligne à la scie sauteuse sur une pièce fixée l'établi

Scie circulaire à main

Scie pourvue d'une lame circulaire interchangeable, réglable en hauteur et en largeur, pouvant être utilisée pour couper des pièces en bois massif ou des panneaux dérivés du bois dans le sens du fil ou à travers fil.

Scie circulaire à main

Découpe à la scie circulaire d'une pièce fixée à l'établi. La main droite guide la machine et la main gauche plaque la semelle contre le bois pour éviter de soulever des éclats sur le bord.

Ponceuse vibrante

Ponceuse à semelle vibrante sur laquelle on peut fixer des papiers abrasifs de différents grains, suivant la finition recherchée. C'est l'outil idéal pour poncer de grandes surfaces.

Ponceuse vibrante

Solidement tenue des deux mains de façon que sa semelle soit bien plaquée contre le bois, la ponceuse vibrante est déplacée en tenant compte du sens du fil sur la pièce fixée à l'établi à l'aide de serre-joints.

Affleureuse

Outil destiné à creuser des moulures sur les chants au moyen de divers types de lames aux profils adaptés. Elle s'emploie sur chants droits ou curvilignes. La pièce à profiler doit être solidement fixée à l'établi.

Affleureuse et jeu de fraises

Emploi correct de l'affleureuse sur un chant droit. La pression exercée doit être régulière, pour que la moulure soit de profondeur constante.

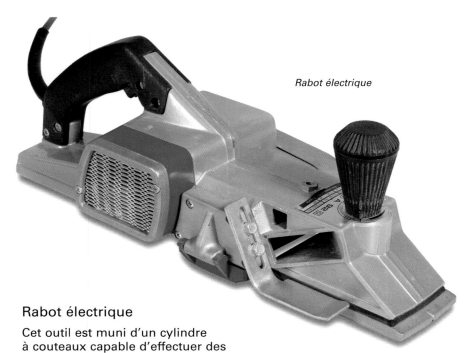

Rabot électrique

Rabot électrique

Cet outil est muni d'un cylindre à couteaux capable d'effectuer des coupes très fines, le réglage de la profondeur de coupe étant précis au dixième de millimètre. Il permet d'aplanir des surfaces brutes de sciage.

Une fois réglée la profondeur de coupe, on actionne le rabot en exerçant une pression des deux mains pour bien l'appliquer contre le support à raboter et en travaillant toujours dans le sens du fil. Quand on a atteint le bord opposé de la pièce, on revient à la position de départ pour le repasser dans le même sens jusqu'à l'obtention du résultat souhaité.

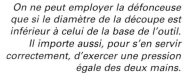

Rabot électrique fixé à l'envers sur un support adapté, en position de dégauchissage.

Défonceuse

Outil équipé de fraises permettant d'effectuer des rainures, entailles, évidements à différentes profondeurs, borgnes ou débouchants, etc., à partir d'un tracé précis, droit ou curviligne. On ne peut cependant s'en servir pour une découpe circulaire d'un diamètre supérieur à celui de la base de l'outil.

On ne peut employer la défonceuse que si le diamètre de la découpe est inférieur à celui de la base de l'outil. Il importe aussi, pour s'en servir correctement, d'exercer une pression égale des deux mains.

Défonceuse

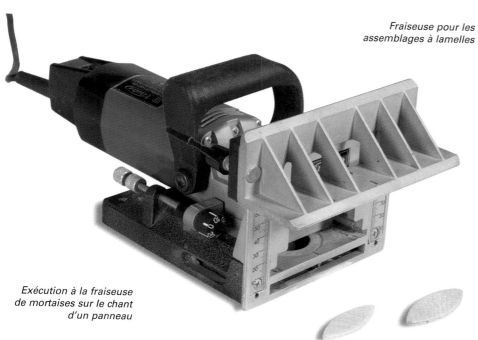

Fraiseuse pour les
assemblages à lamelles

*Exécution à la fraiseuse
de mortaises sur le chant
d'un panneau*

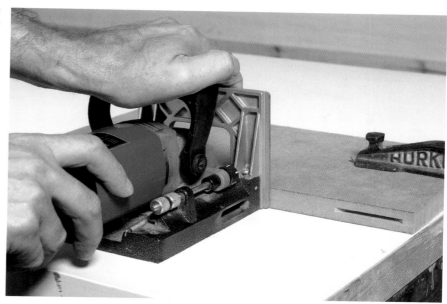

Fraiseuse

Outil à mèche, avec un dispositif de réglage de profondeur du travail, qui permet de creuser des mortaises à mi-bois dans l'épaisseur de panneaux de fibres ou de particules en vue d'y insérer des plaquettes ovales, appelées lamelles, fixées par collage pour renforcer leur assemblage d'angle à plat joint.

*Lamelle insérée dans la
mortaise avant encollage*

99

Tournevis électrique

Outil fonctionnant sur batterie, d'une grande autonomie et d'une grande puissance malgré sa taille réduite, avec un mécanisme contrôlant le sens de rotation. On peut y adapter divers types de lames.

Tournevis électrique

Perceuse-visseuse à batterie rechargeable

Perceuse-visseuse à batterie rechargeable

Outil présentant les mêmes caractéristiques que la perceuse classique, mais appréciable pour son autonomie quand on doit travailler en dehors de l'atelier.

Entretien des outils manuels

Pour pouvoir effectuer plus facilement et avec plus de netteté et précision tous travaux de menuiserie ou d'ébénisterie, il est important, non seulement de bien connaître son matériel pour l'utiliser à bon escient, mais aussi de l'entretenir comme il se doit. La qualité des résultats obtenus en dépend étroitement.

La première habitude à prendre pour le conserver en bon état est de le ranger soigneusement à un endroit déterminé après chaque utilisation. Les outils à main peuvent être suspendus à un râtelier mural ou rangés dans des casiers compartimentés, disposés de préférence tête-bêche pour que leurs lames ne s'entrechoquent pas.

Il est par ailleurs essentiel de toujours travailler avec des outils propres et bien affûtés. Il faut en rectifier le tranchant régulièrement, y compris en cours de travail si nécessaire, afin de disposer à tout moment de lames en parfait état, et donc d'un matériel sûr et efficace. Les lames émoussées coupent mal, accrochent le bois, subissent un effort plus important, et rendent le maniement de certains outils ou machines dangereux.

L'achat d'outils représente en outre un certain investissement, et il faut donc faire le nécessaire pour qu'ils durent. Nous vous présentons ici le matériel et les procédés d'entretien les plus

Nettoyage

Il est normal que les outils s'encrassent, quand on les utilise, de fragments de bois, sciure, colle ou autres substances. Un outil dont la surface de travail manque de netteté ne peut être utilisé correctement, et certaines colles peuvent même le détériorer. D'où l'importance de nettoyer son matériel après chaque emploi.

Pour éliminer les traces de colle sur un marteau, on en frotte la tête sur une feuille de papier abrasif.

Les limes et râpes encrassées se nettoient à la brosse métallique.

Affûtage au touret à meuler

Pour affûter un outil à entailler ou un fer de rabot, il faut tout d'abord ébarber son tranchant ébréché puis en rectifier le biseau, en passant la lame de gauche à droite sur la meule, selon l'angle d'origine.

Le touret à meuler, ici muni de deux meules à grains différents, est utile pour ébarber les tranchants d'outils et rectifier leur biseau.

Le tiers-point, lime de section triangulaire, sert à affûter les dents des scies.

100

Affilage à la pierre à huile

Une fois l'outil ébarbé et son biseau poli, on en enlève le morfil et on forme le fil du tranchant, en le frottant à plat dans un mouvement de va-et-vient latéral contre une pierre à affûter enduite d'huile.

Rectification de la voie d'une scie

Une scie dont la voie, ou l'écartement latéral alterné des dents, n'est plus régulière, doit être avoyée à l'aide d'une pince à avoyer réglable ou d'une plaque à avoyer. Seul le tiers supérieur des dents doit être recourbé, et la largeur de la voie doit être au maximum d'une fois et demie l'épaisseur de la lame. On commence par les dents qui doivent être pliées à gauche, puis on plie celles qui doivent l'être à droite. Une scie à voie régulière accroche mieux et ne coince pas.

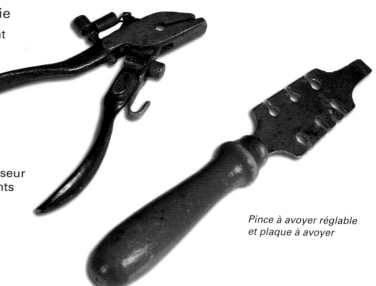

Pince à avoyer réglable et plaque à avoyer

Pierre à affûter enduite d'huile servant à enlever le morfil produit par l'affûtage à la meule et à affiler le tranchant des lames.

Entretien des lames de scies

Affûtage des dents au tiers-point

Rectification de la voie d'une scie à la plaque à avoyer

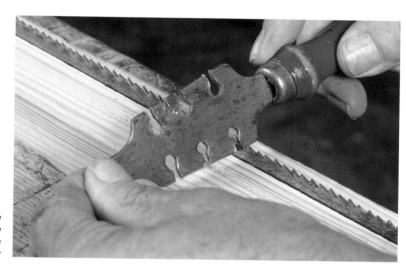

Entretien des fers de rabots

Affûtage à la meule. Pour éviter un échauffement excessif qui lui ferait perdre sa trempe et le fragiliserait, il faut plonger régulièrement le fer dans de l'eau froide.

Pour former le fil du tranchant, on en frotte le biseau sur une pierre à affûter selon son angle d'attaque en un mouvement de va-et-vient latéral.

On retourne ensuite le fer pour en affiler l'autre face contre la pierre enduite d'huile.

Entretien des outils à entailler

Affûtage d'un ciseau à la meule. Pour éviter de faire perdre sa trempe à l'acier en le brûlant, il faut le tremper régulièrement dans de l'eau froide.

Le tranchant est ensuite affilé sur une pierre à huile. Le biseau est maintenu bien à plat, et l'outil déplacé en un mouvement de va-et-vient latéral.

La lame est ensuite affilée sur l'autre face.

Entretien d'un racloir

Fournitures nécessaires à l'affûtage d'un racloir : une presse pour maintenir en place le racloir, des limes, une pierre à affûter et une burette d'huile.

Le racloir fermement immobilisé, on en lime le chant en tenant la lime bien à plat pour rectifier l'angle des arêtes et en éliminer les barbes.

On passe ensuite le racloir verticalement sur la pierre à huile, pour que son chant soit bien d'équerre.

Pour créer le morfil, on frotte le racloir en mouvements circulaires sur la pierre en le tenant à un angle d'inclinaison très faible.

LA MENUISERIE

Cette partie est consacrée aux travaux de menuiserie et aux diverses opérations qui s'y rapportent (conception d'un projet, découpe du bois, exécution des divers types d'assemblages, pose de ferrures, ponçage, traitements de finition, etc.), jusqu'à leur aboutissement, c'est-à-dire l'élaboration de divers ouvrages en bois, utilitaires ou décoratifs.

Comme dans tout autre métier, l'exercice de la menuiserie s'appuie sur un ensemble de connaissances et la maîtrise de certaines techniques qui ont été mises au point et perfectionnées au fil de longs siècles de pratique. La menuiserie, qui a une si longue histoire derrière elle, en dehors du fait qu'elle a laissé un vaste éventail d'œuvres pleines d'ingéniosité, de personnalité et d'une grande qualité esthétique, est la somme d'une multitude d'expériences qui font qu'elle continue à être exercée par des artisans conscients de la noblesse du matériau qu'ils façonnent et de la possibilité que leur offre ce métier d'exercer leur créativité.

Les pages suivantes sont riches de conseils, suggestions et tours de main qui contribueront sans nul doute à ce que le lecteur parvienne, non seulement à bien travailler le bois, mais acquière un solide bagage de connaissances et d'expérience, qui fasse rapidement de lui un artisan accompli, dont les travaux ne se distinguent pas simplement par la perfection de leur fini, mais possèdent aussi la qualité des ouvrages exécutés avec le cœur.

Infrastructure et techniques de base

Aménagement de l'atelier

Le métier de menuisier existe depuis des siècles, depuis cette époque lointaine où le bois constituait l'unique matériau susceptible d'être employé pour la construction d'un abri, mais aussi la seule matière première entrant dans l'élaboration d'outils et ustensiles ou de meubles, au début très rudimentaires.

Cela fait donc très longtemps que la polyvalence de ce matériau a fait du menuisier un ouvrier très sollicité pour tous types de travaux destinés à améliorer notre confort, tant à l'intérieur qu'à l'extérieur.

Au fil des siècles, les techniques propres à la menuiserie n'ont cessé d'évoluer et de s'enrichir des techniques d'autres métiers, dans la mesure où leur développement a facilité cette interaction.

Dans ce que l'on peut considérer comme le domaine du menuisier, c'est-à-dire son atelier, on peut trouver aujourd'hui aussi bien des outils à main traditionnels que leurs versions mécanisées les plus récentes, sans qu'il ait pour autant abandonné les techniques anciennes ni le contact direct avec le bois sous ses différentes formes.

L'atelier d'un menuisier doit comporter divers plans de travail, dont l'établi, permettant le façonnage du bois, et des rangements où entreposer, à la place la plus appropriée et dans les meilleures conditions, matériaux, outils et fournitures.

L'établi

L'établi est l'élément central de l'atelier, le plan de travail sur lequel le menuisier exécute une grande partie des opérations liées à l'exercice de son métier. Il doit être assez robuste pour supporter sans problème le poids des matériaux et des outils, et résister à la pression, à la flexion et autres contraintes qu'il devra subir durant l'exécution d'un ouvrage. Il doit être constitué d'un bois dur et résistant à l'usure ; il est souvent en hêtre, mais il peut aussi s'agir de pin, à condition qu'il soit dur et résineux.

Au sein de l'atelier, l'établi doit être situé dans une zone dégagée, et n'avoir d'autre point d'appui que son propre bâti. Pour que le travail soit commode, il est important qu'il soit accessible de tous côtés, car on doit pouvoir se mouvoir librement autour de l'établi et manipuler aisément tant les outils que les pièces de bois sur lesquelles on travaille, sans qu'aucun obstacle ne gêne le travail.

On trouve des établis de diverses longueurs et largeurs ; ce qui importe surtout, c'est qu'il soit d'une hauteur adaptée à la taille de son utilisateur qui permette de travailler confortablement ; la hauteur courante d'un établi est d'environ 90 cm.

Son plateau repose sur un piétement composé de montants et traverses solidement assemblés ; les pieds arrière sont un peu plus hauts et donnent à l'établi une légère inclinaison qui évite qu'il ne bascule vers l'arrière.

Les tréteaux sont des accessoires très utiles dans un atelier de menuiserie, que ce soit comme surfaces d'appui provisoires ou pour d'autres fonctions.

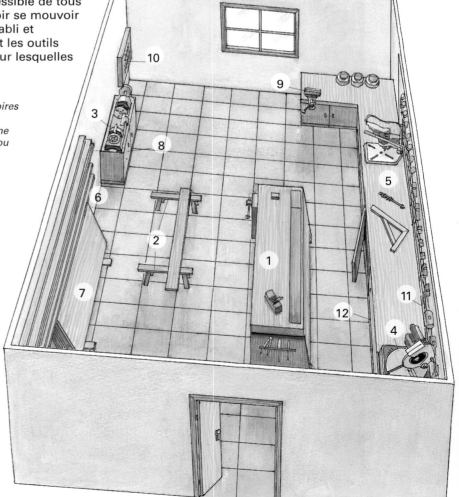

Représentation schématique de l'aménagement idéal d'un atelier comportant
les éléments essentiels à l'exercice du métier de menuisier (ci-dessus et page ci-contre) :

1   Établi
2   Tréteaux
3   Tour
4   Scie pendulaire
5   Perceuse sur colonne
6   Étagères en hauteur pour ranger les planches
7   Zone dégagée sous les étagères pour ranger les panneaux

8   Meuble de rangement des outils, machines et accessoires du tour
9   Étau fixe
10 Armoire à outils
11 Râteliers à outils
12 Placards pour entreposer outils, feuille d'abrasif, colles, vernis, etc.

La structure de l'établi inclut une presse, installée sur l'un de ses pieds, qui permet d'assujettir les pièces sur lesquelles on doit travailler. En complément de cette presse, le pied opposé est percé de trous à intervalles réguliers dans lesquels on peut insérer des clés en bois dur qui serviront d'appui aux pièces de grande longueur. Les tréteaux peuvent aussi être utilisés en complément de l'établi pour servir d'appui aux pièces d'une longueur supérieure à celle de l'établi.
Le plateau comporte un orifice de section carrée dans lequel on insère la griffe, composée de deux blocs de bois en forme de coin et contre laquelle on cale les pièces en cours de travail.
L'établi inclut aussi divers éléments où l'on peut déposer les outils pour les avoir à portée de main : un tiroir, un plateau inférieur, et une rainure sur le bord arrière du plateau.

L'atelier est le cadre de travail habituel du menuisier, où il exécute les diverses opérations de mise en œuvre du bois, tant manuelles que mécaniques.

Les rangements

La grande quantité d'outils (manuels, mécaniques, électriques) et de matériaux (planches, liteaux, moulures, feuilles de placage, etc.) que l'on est amené à utiliser dans un atelier de menuiserie rend indispensable l'adoption d'un système de rangement pratique, qui permette de les trouver aisément et de les saisir sans difficulté.

On trouve aujourd'hui des meubles spécialement conçus pour le rangement des outils dans l'atelier, dans lesquels on peut les classer par catégories et les disposer de façon

Pour de petites interventions d'urgence en dehors de l'atelier, on peut transporter le matériel essentiel dans une mallette en bois aménagée à cet effet, pourvue de compartiments permettant un rangement précis des outils et accessoires.

La taille ou la forme des meubles destinés à ranger les outils dans l'atelier importent peu ; cependant, il est fortement souhaitable qu'ils permettent une répartition des outils par catégorie selon un ordre précis, afin que l'on sache toujours où les trouver quand on en a besoin et qu'ils soient tous aisément accessibles.

ordonnée de manière qu'ils soient faciles à trouver et à prendre, ce qui assure un sérieux gain de temps. C'est une bonne solution de rangement pour de nombreux outils, dont les outils de dégrossissage, qui sont très nombreux et d'aspect presque identique pour certains. Il est indispensable de pouvoir les entreposer dans un meuble où ils restent à la fois à portée de main et bien visibles.

Par ailleurs, liteaux, lattes ou planches ne doivent pas être posés directement sur le sol, où ils risquent d'être en contact avec l'humidité ou de subir des chocs. Il est conseillé de les entreposer à une hauteur raisonnable, de façon à pouvoir les atteindre sans difficulté, sur des étagères parfaitement horizontales, soutenues de préférence par des équerres métalliques solidement fixées au mur, plus robustes que les équerres en bois et moins susceptibles de se déformer.

Diverses autres fournitures employées en menuiserie, comme les couvre-chants, ont également besoin d'être rangées dans un endroit où elles ne risquent pas d'être endommagées et restent faciles d'accès.

La surface de l'établi est pourvue d'un logement où l'on insère la griffe, constituée de deux blocs de bois en forme de coin, bloqués en place au maillet, servant à caler les pièces de bois pour les dresser au rabot.

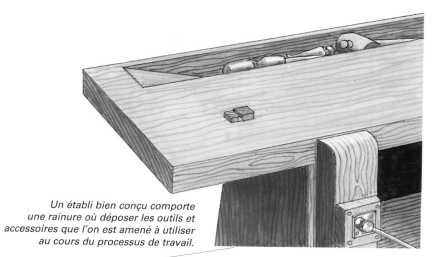

Un établi bien conçu comporte une rainure où déposer les outils et accessoires que l'on est amené à utiliser au cours du processus de travail.

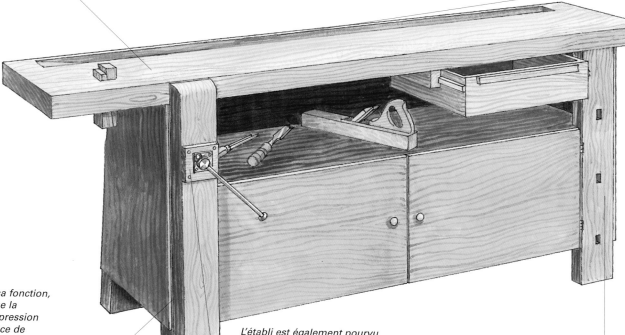

En dehors du plateau qui sert de plan de travail, l'établi de menuisier inclut aussi divers éléments permettant de ranger temporairement les outils et fournitures nécessaires à l'élaboration d'un ouvrage particulier.

Pour bien remplir sa fonction, il est nécessaire que la presse exerce une pression adéquate sur la pièce de bois ; elle est munie à cet effet d'un dispositif permettant d'en régler l'écartement.

L'établi est également pourvu d'une presse installée sur l'un de ses pieds, qui permet d'immobiliser les pièces en cours de travail.

Le pied opposé de l'établi est percé de trous à différents niveaux, dans lesquels on insère des clés en bois dur pouvant servir d'appui aux pièces de grande longueur.

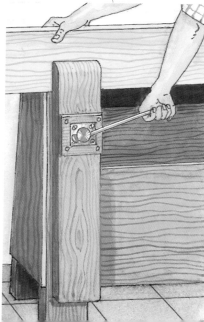

Le projet

Le projet est l'ensemble du processus de création permettant de donner forme au meuble ou à l'objet que l'on se propose d'élaborer ; l'ouvrage achevé représente l'aboutissement d'une succession d'opérations faisant appel à divers types d'outils et de pièces en bois massif ou en matériaux dérivés du bois, agencées à l'aide de diverses techniques d'assemblage pour former, une structure déterminée.

Si le projet est une création personnelle, il est recommandé de le concrétiser par un dessin ou schéma qui en détaille tous les éléments constitutifs, avec indication de leurs cotes, et numérotation des pièces pouvant être confondues. Les croquis peuvent en effet se présenter soit sous forme de plans en projection horizontale, soit en élévation, soit en perspective, selon la complexité du travail à réaliser. Dans le cas d'un projet assez complexe, il peut être, en effet, très utile de représenter les pièces selon leur orientation dans l'espace les unes par rapport aux autres.

Ces croquis permettent, non seulement de définir les procédés d'assemblage et les dimensions définitives de l'ouvrage, mais aussi d'élaborer la liste des matériaux nécessaires et celle de tous les outils et fournitures qui doivent intervenir dans le processus d'élaboration. Cette phase initiale peut également comprendre la confection dans du contreplaqué de gabarits qui faciliteront la découpe des pièces aux contours irréguliers.

Première esquisse

Il est fortement recommandé de réaliser un croquis de l'ouvrage envisagé qui en précise aussi clairement que possible les proportions et l'aspect final. Dans bien des cas, en effet, il est essentiel de se référer à cette représentation concrète pour mener à bien le travail.

Tracé d'une épure pour la découpe d'un gabarit

Pour confectionner un gabarit, il faut tout d'abord tracer sur un papier-calque le contour de la pièce à l'échelle 1/1, ou grandeur nature. Ce tracé servira ensuite de patron pour la découpe du gabarit dans du contreplaqué.

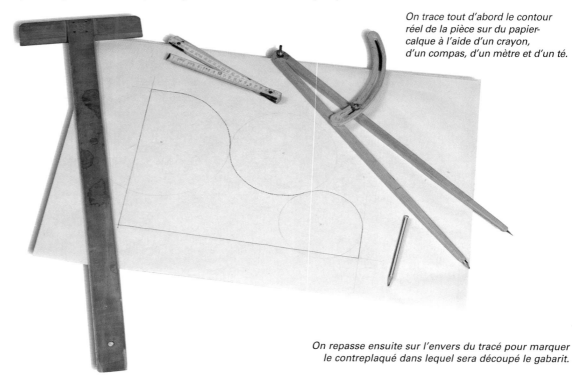

On trace tout d'abord le contour réel de la pièce sur du papier-calque à l'aide d'un crayon, d'un compas, d'un mètre et d'un té.

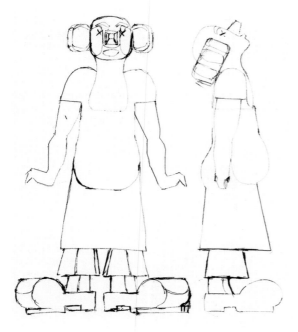

Même si elle n'est pas rigoureusement exacte, l'esquisse donne un aperçu de l'aspect de la future réalisation.

On repasse ensuite sur l'envers du tracé pour marquer le contreplaqué dans lequel sera découpé le gabarit.

108

Avant de découper le gabarit dans le contreplaqué, on en marque d'une croix la face principale, pour ne pas risquer de le poser ensuite dans le mauvais sens sur la pièce de bois.

La découpe du gabarit à la scie sauteuse s'effectue à l'extérieur du tracé, ce qui permet de disposer ensuite d'une marge pour en poncer les bords.

Confection de gabarits à partir d'un croquis coté

On peut aussi confectionner un gabarit à partir d'un croquis tracé à main levée et/ou à la règle, représentant l'ouvrage et/ou certains de ses éléments à une échelle réduite, que ce soit en projection horizontale, en élévation ou en perspective, et sur lequel figurent les cotes permettant de tracer sur le contreplaqué le contour des pièces aux dimensions réelles.

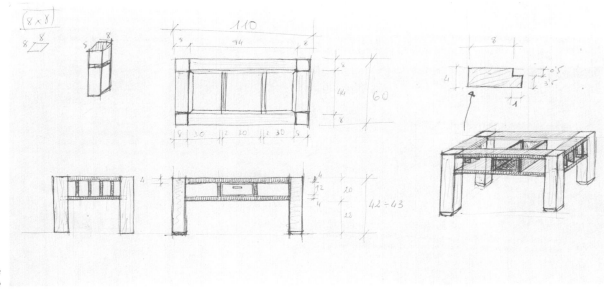

*Croquis cotés
d'un projet de meuble*

*Répartition rationnelle des gabarits
sur le bois pour limiter les pertes*

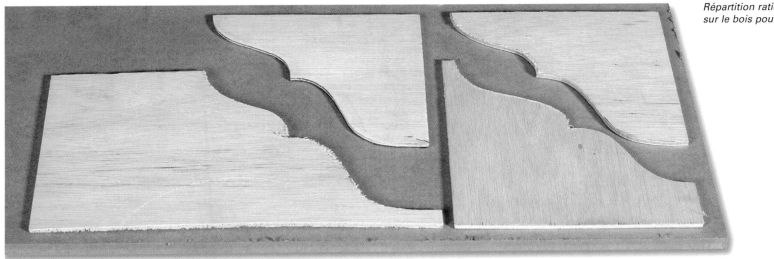

Confection de divers gabarits

Traçage d'un demi-cercle sur un panneau de contreplaqué avec un compas improvisé à l'aide d'une ficelle attachée à des clous et d'un crayon.

On se sert aussi de contreplaqué pour confectionner les gabarits, car on peut y découper sans difficulté à la scie sauteuse des profils complexes.

Une fois découpé selon le tracé, le contreplaqué fournit un gabarit utile et résistant, pouvant être utilisé de nombreuses fois. Si l'on a d'autres gabarits à découper, il est bon de tirer parti au maximum de la surface disponible.

Un gabarit peut être utilisé autrement que comme patron de découpe. On peut aussi s'en servir pour mesurer et reporter des angles, à la manière d'un rapporteur.

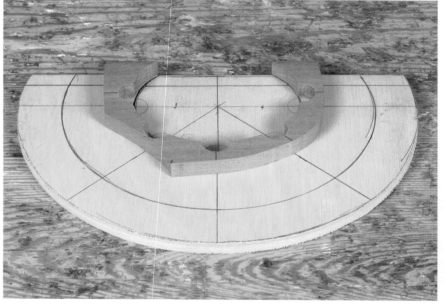

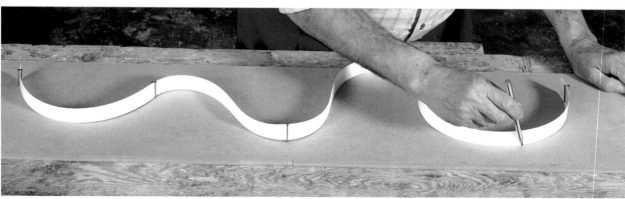

Tracé d'un profil à courbes et contre-courbes au moyen d'une bande de placage de chant maintenue par des pointes, en vue de la découpe d'un gabarit dans du médium.

Techniques de base

L'exécution de n'importe quel ouvrage de menuiserie fait appel à un ensemble de techniques de base qu'il importe de bien connaître. Il s'agit, pour résumer :

• De toutes les opérations élémentaires effectuées avec les outils de marquage, traçage, mesure, coupe et dressage.

• Des diverses techniques d'assemblage qui multiplient les possibilités d'emploi du bois.

• Des opérations de montage, collage, pose de ferrures, et tous types de travaux de finition.

Ces multiples opérations correspondent à autant d'étapes du processus de réalisation d'un ouvrage, et doivent être considérées comme essentielles, dans la mesure, bien entendu, où le projet n'exige pas, pour être mis en œuvre, l'application de procédés plus complexes qui l'apparentent à un ouvrage d'ébénisterie ou de menuiserie artisanale plus sophistiquée et relevant plus de la compétence du professionnel.

Le dressage

Dresser une pièce de bois consiste à l'aplanir et à en rectifier les chants et les arêtes, afin de lui donner une forme géométrique précise et de pouvoir ensuite la marquer et la mesurer avec précision. Si elles ne sont pas dressées comme il convient, il est pratiquement impossible de travailler les pièces en bois massif brutes de sciage, car elles sont souvent gauchies ou présentent trop d'irrégularités sur leurs faces, chants et bouts. Même si le bois acheté a déjà subi un rabotage industriel, il est souvent nécessaire d'en rectifier les surfaces pour qu'elles soient bien planes et parfaitement d'équerre. Les rabots à main sont les outils indispensables pour mener à bien cette opération.

La technique de dressage du bois varie suivant la partie de la pièce à aplanir : on ne rabote pas de la même manière une face, un chant ou le bout d'une pièce. Quoi qu'il en soit, certains principes restent valables dans tous les cas, à savoir que le fer du rabot doit être correctement réglé, parfaitement affûté, et surtout que le travail doit toujours s'effectuer dans le sens du fil, ou en biais pour le bois de bout, de façon que le rabot ne « broute » pas et ne soulève pas d'éclats de bois. Les différents types de rabots servant à dresser les surfaces doivent être employés dans un ordre précis, certains ayant pour fonction de dégrossir le bois, d'autres d'en affiner la surface.

Il convient donc de passer tout d'abord le riflard, un outil de dégrossissage dont la fonction est d'éliminer les plus grosses inégalités des pièces. Son travail assez grossier est complété par le passage de la varlope, dont le rôle est de parfaire le dégrossissage et de dresser sommairement les pièces ; pour finir, le bois doit être dressé au rabot ordinaire, qui permet d'aplanir finement la surface et de lui donner un beau poli.

Aspect brut du bois avant dressage, tel qu'il sort de chez le fournisseur.

Emploi correct du riflard pour dégrossir le bois et le niveler.

Passage de la varlope pour compléter le travail du riflard.

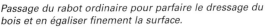

Passage du rabot ordinaire pour parfaire le dressage du bois et en égaliser finement la surface.

Tenue correcte du racloir pour affiner la surface du bois.

Aspect présenté par la pièce après les opérations successives de dressage, du premier nivellement au lissage final.

Le traçage

Le traçage, qui s'effectue toujours sur des pièces aux surfaces parfaitement planes, compte parmi les premières étapes incontournables de la mise en œuvre du bois. Il consiste à reporter sur le bois les dimensions spécifiées sur la liste des matériaux ou sur le croquis coté, ou encore, le cas échéant, le contour des gabarits. Il peut se faire à la pointe à tracer, qui creuse un sillon dans le bois, ou avec un crayon de menuisier de section ovale si l'on préfère un marquage plus superficiel. En menuiserie artisanale, il existe tout un éventail de techniques servant à tracer et/ou mesurer qui sont souvent employées tout au long du processus de travail. Ces méthodes de marquage restent identiques quel que soit le type de pièce à façonner. L'essentiel, dans tous les cas, c'est que ses faces et ses chants soient parfaitement plats, lisses et d'équerre, pour que la prise de mesures et le traçage soient aussi fiables que possible et les futures opérations plus exactes.

Traçage d'une ligne horizontale sur un panneau

Le niveau sert à déterminer, par un premier tracé vertical, le point de départ de la ligne horizontale, qui lui sera perpendiculaire.

On mesure tout d'abord la hauteur à laquelle doit se situer l'horizontale en vérifiant la verticalité du mètre à l'aide d'un niveau.

On trace ensuite une marque à l'endroit voulu en prenant appui contre le mètre, qui doit rester parfaitement tendu.

Traçage d'une ligne perpendiculaire aux faces et aux chants

Cette opération, qui permet de couper le bois d'équerre, précède l'exécution de nombreux assemblages, qu'ils soient sur chant, d'angle ou en bout, si souvent employés en menuiserie.

La pièce étant immobilisée dans la presse d'établi, on en dresse les chants au rabot.

En calant la pièce contre la griffe, on en dresse les faces dans le sens du fil.

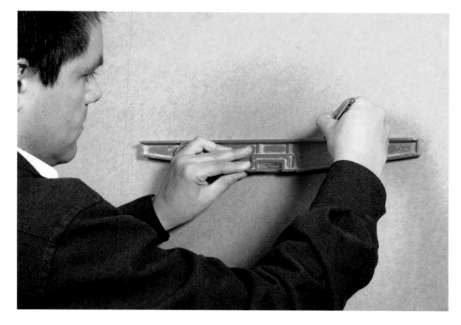

On place la partie plane du niveau contre cette marque, en le plaçant bien à l'horizontale pour tracer la ligne en s'en servant comme d'une règle.

Une fois les faces et les chants dressés, on se sert d'une équerre pour tracer les lignes perpendiculaires aux arêtes sur les deux chants ; leur prolongation sur la face de la pièce confirmera ou non si les chants sont bien d'équerre.

Si la dernière ligne tracée coïncide parfaitement avec les deux premières, on est sûr que le tracé réalisé est bien perpendiculaire aux arêtes et que la pièce a été correctement dressée.

Traçage d'une coupe biaise

Cette opération précède l'exécution d'une coupe biaise en vue de l'assemblage d'angle de diverses pièces, dont les baguettes d'encadrement. Le traçage d'une coupe biaise est un bon moyen de vérifier que les chants des pièces sont bien d'équerre ; sinon, la coupe elle-même le met clairement en évidence. Pour réaliser correctement cette opération, il faut se munir d'une équerre droite et d'une équerre d'onglet, simple ou double, afin de tracer une ligne oblique par rapport à l'arête.

Comme dans le cas précédent, il faut que le chant de la pièce à partir duquel on effectue le tracé à 45° ou à 30° soit parfaitement d'équerre.

L'équerre d'onglet à branche simple permet de tracer plus facilement des lignes parallèles à un angle d'inclinaison de 45°.

113

Pour préparer une coupe biaise, il est nécessaire de prolonger le tracé de la ligne oblique sur les chants, quel que soit l'outil utilisé pour tracer les obliques sur la face de la pièce. Là encore, il faut vérifier à l'aide d'une équerre si les opérations effectuées antérieurement sont ou non correctes.

Marquage d'une ligne de coupe au cutter

Quand on veut effectuer une découpe rectiligne sur une pièce en bois massif ou un panneau dérivé du bois, après avoir tracé la ligne de coupe au crayon, il est conseillé de la repasser au cutter ; l'incision pratiquée au cutter facilite la coupe et évite que l'outil ou la machine ne fasse éclater le bois sur les bords.

Avec un cutter bien affûté, on repasse les lignes de coupe préalablement tracées au crayon. Pour guider la lame de l'outil, il est conseillé d'utiliser une règle métallique, que le cutter ne pourra entailler, et qui assure une coupe parfaitement rectiligne. Pour éviter les accidents, il faut veiller à tenir les doigts à l'écart de la trajectoire de la lame.

Traçage au trusquin

Le trusquin est l'outil idéal pour tracer des lignes parallèles à un chant. Certains trusquins sont munis de deux pointes à tracer qui permettent de délimiter les bords d'une rainure longitudinale ou d'une mortaise en vue d'un assemblage. Cet outil sert aussi au report de mesures d'une pièce à une autre ; il est très utile pour reporter la largeur d'un chant sur la face d'une pièce. Dans bien des cas, il dispense de la prise de mesures avec un instrument gradué, car il permet de transposer avec une grande précision une épaisseur déterminée sur un plan.

Avant d'utiliser le trusquin, il faut assujettir la pièce sur laquelle doit être effectué le traçage à l'établi.

On ajuste à légers coups de maillet l'écartement de la pointe à tracer par rapport à la platine en prévoyant un peu de jeu pour pouvoir retirer commodément l'outil sans modifier cette mesure.

Pour tracer une ligne ou reporter une mesure, il faut tenir la platine du trusquin bien à plat contre la face de la pièce et appuyer fermement la pointe à tracer sur le chant (qui doit être lisse et parfaitement d'équerre), en la déplaçant d'un mouvement régulier ; l'incision n'a pas besoin d'être très profonde.

Si l'on utilise le trusquin pour tracer les bords d'une rainure ou d'une mortaise, il faut veiller à ne pas trop appuyer la pointe sur le bois, pour éviter d'écarter les fibres et de compromettre ainsi le parallélisme des lignes.

Traçage de cercles ou d'arcs de cercle

L'élaboration artisanale d'un ouvrage en bois peut impliquer le façonnage d'éléments à profil curviligne, et donc la nécessité de tracer et marquer des cercles ou arcs de cercle sur les pièces à travailler. Un large assortiment de compas permet de mener à bien cette opération. Le choix du compas s'effectue en général en fonction l'amplitude de la courbe à tracer.

Traçage d'un cercle avec un compas très rudimentaire, que l'on peut fabriquer aisément soi-même en attachant une ficelle à un clou et un crayon à l'autre extrémité de la ficelle.

Traçage d'un cercle avec un compas en bois.

Pour tracer un grand arc de cercle, le compas à verge est le plus indiqué.

La coupe

Pour donner à une pièce de bois la dimension ou le profil recherchés, on dispose d'une grande variété de scies, à main ou électriques, qui permettent de le couper, mais aussi de nombreux outils à lame tranchante qui permettent de l'entailler.

Les opérations de coupe peuvent s'effectuer à différents stades du processus de travail, mais figurent le plus souvent dans les toutes premières étapes de mise en œuvre du bois.

Coupe droite transversale ou longitudinale

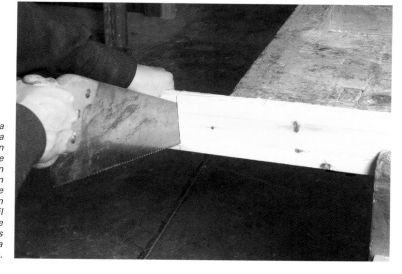

Pour amorcer la coupe transversale d'une pièce, il faut partir du bord extérieur en tenant la lame de la scie inclinée.

On redresse ensuite la lame pour terminer la coupe, en la guidant en un mouvement ample avec une pression légère et constante, en tenant le morceau de bois à retirer de la main libre pour éviter qu'il ne provoque le déchirement des fibres en se détachant avant la fin de la coupe.

Coupe longitudinale d'une pièce posée sur des tréteaux et maintenue à l'aide de serre-joints. Pour limiter les vibrations produites par le sciage, il faut veiller à ne pas trop écarter les tréteaux.

Coupe longitudinale d'un panneau peu épais sous lequel on a glissé des planches pour augmenter la surface d'appui des tréteaux.

Pour couper transversalement une pièce à la scie à monture, il faut veiller à ce que la ligne de coupe tracée sur le bois reste toujours bien visible et retenir de la main libre le morceau de bois à retirer pour qu'il ne se détache pas de lui-même avant la fin de la coupe.
La pièce est immobilisée dans la presse d'établi.

Pour effectuer une coupe longitudinale avec une scie à monture, il faut immobiliser la pièce à plat sur le plateau de l'établi en en laissant dépasser une partie et tenir la scie inclinée vers l'avant.

Coupe d'onglet

Le sciage s'effectue ici sans guide de coupe, la scie à dos étant tenue en position horizontale, et l'autre main maintenant fermement l'extrémité du morceau à retirer pour séparer les fibres fraîchement coupées et faciliter la coupe.

La coupe d'onglet avec guide est plus facile à réaliser et permet d'obtenir un résultat parfait, à condition, bien sûr, que l'angle du guide de coupe soit très précis.

Découpe interne rectiligne

On perce tout d'abord des avant-trous dans chaque angle du tracé, pour y introduire une lame de scie.

On effectue ensuite la découpe à la scie à guichet.

La scie sauteuse convient bien également à ce genre de découpe.

Découpe interne circulaire

On perce un avant-trou à l'intérieur du tracé circulaire, pour pouvoir y engager une lame de scie.

On effectue ensuite la découpe à la scie à guichet, par passages courts au début, puis en introduisant la lame jusqu'à la moitié de sa longueur.

Découpe circulaire à la scie sauteuse sur une pièce solidement fixée à l'établi.

Découpe curviligne en bout de pièce sur tracé au compas

Découpe pratiquée pour arrondir l'extrémité d'une pièce, à partir du tracé d'arcs de cercle tangents aux chants ou au bout de la pièce à façonner. Dans ce cas, il importe que le compas marque bien le centre du cercle.

Marquage au compas du centre du cercle à partir duquel on détermine le rayon souhaité.

Traçage de l'arc de cercle sur lequel se fera la découpe en arrondi de la pièce.

Découpe d'un quart de cercle à la scie à guichet.

Découpe d'un quart de cercle à la scie sauteuse.

Découpe curviligne en bout de pièce avec gabarit

Elle a la même finalité que la précédente, mais l'emploi du gabarit évite le marquage du bois à la pointe du compas pour déterminer le centre du cercle.

Pour tracer une courbe sans compas, il faut tout d'abord confectionner un gabarit dans du contreplaqué sur lequel on trace un cercle que l'on découpe à la scie sauteuse ; si le contreplaqué est très mince, il faut le tenir pour éviter qu'il ne plie.

Après mise en place du gabarit, qui doit être tangent aux chants et au bout de la pièce à façonner, on trace l'arc de cercle qui va donner un profil arrondi à la pièce.

On découpe ensuite le bois à la scie sauteuse en suivant ce tracé ; la lame de la scie doit être maintenue à l'extérieur de la ligne.

Découpe curviligne à la scie à chantourner

Quand on effectue ce genre de découpe sur une pièce d'une certaine épaisseur, il est nécessaire de tenir la scie à deux mains.

Pour pratiquer une découpe en demi-cercle sur un chant, on peut aussi travailler assis sur un tabouret et utiliser un guide de coupe en contreplaqué avec une encoche en V qui assure à tout moment un appui stable.

Exécution d'une entaille

Les outils à entailler les plus employés dans les travaux de menuiserie artisanale sont les ciseaux à bois et les bédanes, les premiers servant à défoncer ou à dresser les entailles, les seconds, à creuser dans le bois des rainures ou mortaises étroites et profondes.

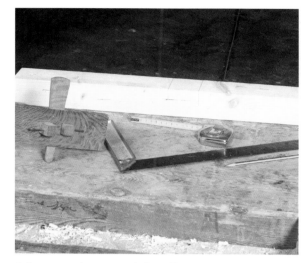

1. Pour tracer le contour de l'entaille, on se sert d'un trusquin, d'une équerre à épaulement, d'un mètre et d'un crayon à mine tendre.

2. On délimite d'un trait de scie les bords de l'entaille, et on pratique des coupes parallèles verticales de la profondeur requise.

3. On procède alors à l'évidement de la première moitié de l'entaille en orientant le biseau du ciseau vers le bas, et en ne dégageant pas entièrement le fond.

4. On élimine ensuite le bois restant de l'autre côté de l'entaille en conservant une fine épaisseur de bois au-dessus du trait inférieur.

5. Pour dégager le fond de l'entaille, on retourne le ciseau, bords biseautés vers le haut.

6. Après avoir donné à l'entaille la profondeur requise, on en dresse le fond en frappant légèrement de la main la tête du manche pour retirer de fins copeaux de bois.

Le perçage

Le perçage est l'une des opérations que l'on est amené à effectuer le plus souvent dans les travaux de menuiserie, puisqu'il peut s'avérer nécessaire depuis le stade de la confection de gabarits jusqu'à celui de l'assemblage des pièces achevées.

Perçage vertical d'une pièce de bois

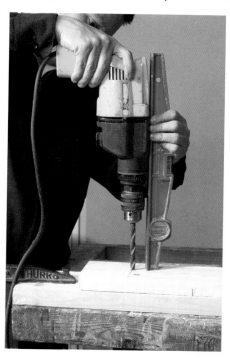

Avant de commencer le perçage, il faut s'assurer que la perceuse est bien verticale, en s'aidant éventuellement d'un niveau.

Il faut ensuite bien guider la perceuse des deux mains, de façon que l'axe de la mèche reste perpendiculaire à la surface du bois.

Pour effectuer un perçage correct, il faut que la pièce à percer soit bien fixée à l'établi, au moyen de serre-joints ou de presses. Il est conseillé de glisser des cales sous les mors des outils de serrage pour assurer une meilleure répartition de la pression et protéger le bois. Pour éviter d'abîmer l'établi, il suffit d'intercaler entre le plateau de l'établi et la pièce travaillée un morceau de bois de même format que cette dernière.

Les assemblages

Les sections et longueurs des pièces de bois disponibles sur le marché, résultant des diverses opérations de débit et de la taille naturelle des arbres, constituent une sérieuse limitation quand on pratique la menuiserie.

On comprend mieux pourquoi, au fil des siècles, les menuisiers ont mis au point divers procédés d'assemblage leur permettant d'allonger ou d'élargir ces pièces, mais aussi d'en améliorer, entre autres, la résistance et la flexibilité.

La nature des propriétés modifiées par ces procédés dépend en grande partie du type d'assemblage employé dans chaque cas.

Nous vous présentons dans ce chapitre les liaisons ou assemblages les plus courants, en les regroupant en trois catégories : les assemblages sur chants, les assemblages d'angle, de rencontre ou de croisement et les assemblages en bout.

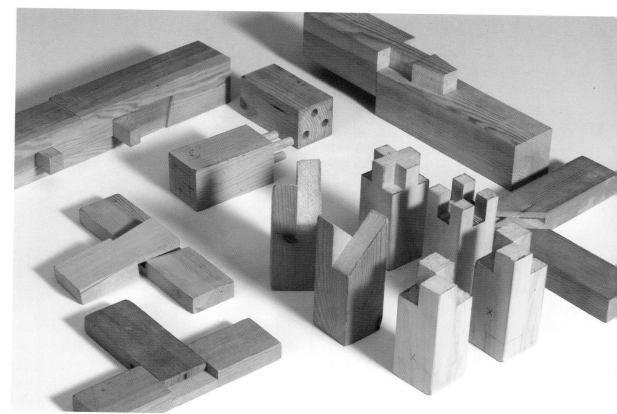

La diversité des assemblages traduit la variété des solutions existant pour doter le bois de propriétés spécifiques dont il est naturellement dépourvu. En dehors de leur qualité esthétique, et de leur indiscutable utilité, les assemblages attestent l'adresse et l'expérience du menuisier qui les a réalisés.

Assemblages sur chants

Les pièces de bois disponibles sur le marché ne possèdent pas toujours les dimensions requises à l'élaboration d'un ouvrage spécifique. Des assemblages s'avèrent alors nécessaires pour en accroître la largeur ou l'épaisseur. On peut regrouper les assemblages sur chants, c'est-à-dire de pièces disposées l'une contre l'autre, chant contre chant, en deux grandes catégories : les assemblages à plat joint de deux pièces rabotées et encollées, réunissant deux pièces simplement mises en contact, et les assemblages plus élaborés, renforcés à l'aide de feuillures, rainures, languettes, clés, etc., pour minimiser le retrait du bois et donner à l'ouvrage plus de résistance.

Assemblage à double rainure et fausse languette

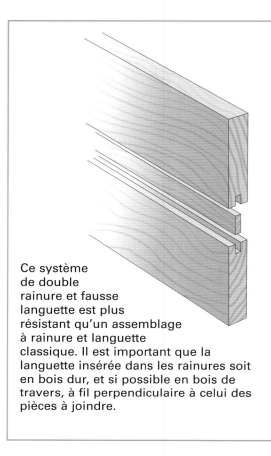

Ce système de double rainure et fausse languette est plus résistant qu'un assemblage à rainure et languette classique. Il est important que la languette insérée dans les rainures soit en bois dur, et si possible en bois de travers, à fil perpendiculaire à celui des pièces à joindre.

1. À l'aide d'un mètre, on ajuste l'écartement de la pointe à tracer du trusquin, qui doit correspondre environ au tiers de la largeur de la pièce de bois.

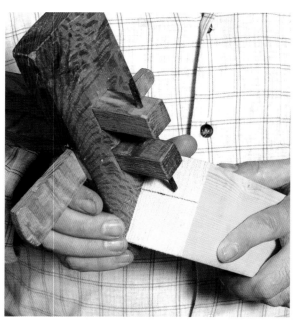

2. Après avoir délimité au crayon, sur le bout de la pièce, la profondeur de la future rainure, qui sera ici d'environ 3 cm (1 1/8 po), on marque le bois au trusquin pour délimiter les bords de la rainure, en commençant par le bout, puis sur toute la longueur de la pièce.

3. Pour trancher les bords de la rainure, on utilise la scie circulaire de table, en faisant coulisser la pièce contre le guide pour effectuer deux coupes parallèles dans le bois qui seront les bords de la première rainure.

4. On se sert ensuite d'un bédane pour évider la rainure jusqu'à la profondeur requise, en prenant soin de bien en dresser le fond et d'éliminer tous les résidus de bois pouvant gêner la mise en place de la languette.

5. La fausse languette doit être d'une section et d'une longueur parfaitement adaptées à celles des rainures creusées dans les chants des deux pièces à assembler.

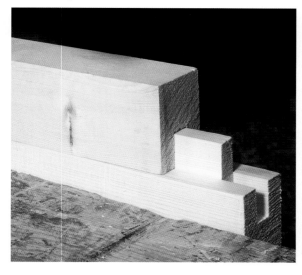

6. Il est nécessaire de prévoir un peu de jeu pour assurer une bonne répartition et une bonne prise de la colle. On rabote donc la languette de quelques millimètres sur les chants et les faces.

7. Pour les mêmes raisons, on chanfreine les arêtes de la languette en tenant le rabot incliné à 45° ; cela évitera aussi d'endommager les pièces ou d'en détacher des fragments de bois en les manipulant lors de l'assemblage.

8. Il faut enduire de colle entièrement les rainures et la languette pour que les surfaces adhèrent parfaitement entre elles. Cette répartition uniforme de la colle facilite l'ajustement de l'assemblage avant la prise de la colle, les pièces se déplaçant alors d'un seul tenant de façon homogène.

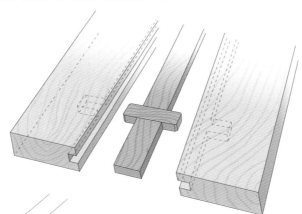

121

AUTRES ASSEMBLAGES SUR CHANTS AVEC DIVERS ÉLÉMENTS DE RENFORT

À double fausse languette

Assure un assemblage plus résistant des pièces épaisses, et limite les risques de déformation du joint d'assemblage.

À fausse languette renforcée d'un faux tenon

Employée pour augmenter la résistance à la rupture des fibres du bois, avec insertion de faux tenons dans des logements dont l'espacement est proportionnel à l'effort subi.

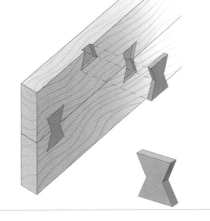

À clés découvertes en double queue d'aronde

L'une des plus anciennes techniques d'assemblage de plateaux de table ou de dessus de meubles faits de plusieurs pièces.

Liaison renforcée de lamelles

Assemblage sur chant renforcé par des plaquettes ovales ou lamelles fixées par collage après insertion dans des logements creusés à la fraiseuse.

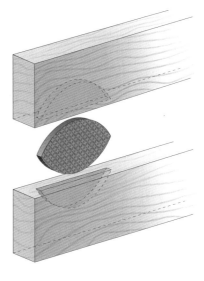

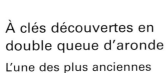

Assemblage à rainure et languette

Dans ce type de liaison par emboîtement, l'une des pièces porte une languette en saillie sur son chant, ou partie mâle de l'assemblage, et l'autre une rainure, partie femelle, dans laquelle s'insère la languette. C'est l'assemblage traditionnel des lames de parquet.

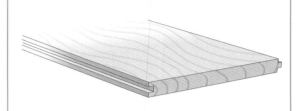

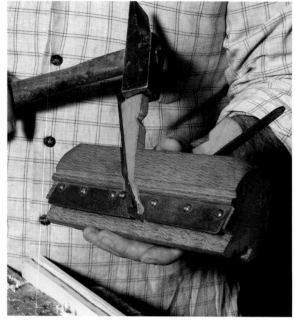

1. Après avoir solidement immobilisé la pièce à travailler dans la presse d'établi et en avoir dressé le chant, on rainure celui-ci au bouvet à joindre, utilisé du côté approprié.

2. Si l'on souhaite travailler plus rapidement, on peut ajuster la profondeur de coupe en donnant de légers coups de marteau sur le coin pour faire saillir davantage le tranchant du fer sous la semelle.

3. On procède de la même manière pour dégager la languette sur le chant de l'autre pièce, en utilisant cette fois le bouvet dans l'autre sens, puisque ce rabot est pourvu de chaque côté d'un contre-profil permettant d'exécuter respectivement la rainure et la languette.

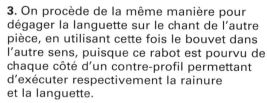

4. Une fois réalisée la languette, ou partie mâle de l'assemblage, il faut en aplanir les faces au rabot ordinaire et en chanfreiner les deux arêtes à un angle de 45°, pour favoriser la bonne répartition de la colle.

5. La structure du bouvet à rainure et languette est ici clairement mise en évidence. On aperçoit les contre-profils servant à exécuter d'un côté la rainure et de l'autre côté la languette et les fers correspondants, disposés en sens inverse.

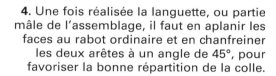

6. Les chants des pièces à assembler sont soigneusement encollés avec un pinceau assez fin, pour bien répartir la colle dans les angles.

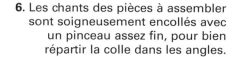

7. Au moment d'emboîter les pièces l'une dans l'autre, il faut éviter les mouvements de basculement vers l'avant ou vers l'arrière qui pourraient, par effet de levier, fendre la languette, ce qui fragiliserait l'assemblage.

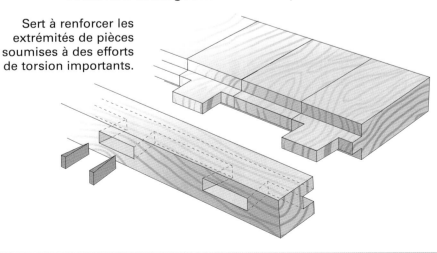

8. Pour parfaire l'emboîtement des pièces, on les frappe de légers coups de marteau en utilisant une cale pour ne pas endommager le bois.

AUTRES ASSEMBLAGES À RAINURE ET LANGUETTE

À double rainure et double languette

Assemblage plus résistant pour les pièces de forte épaisseur. Double les surfaces de contact et permet un emboîtement aisé. Chaque rainure et languette est de 1/5 de la largeur totale.

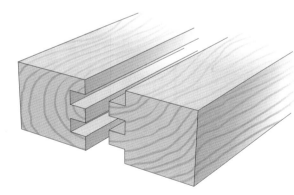

À rainures et languettes alternées

L'alternance sur chaque pièce d'une languette et d'une rainure assure une meilleure résistance de l'assemblage à un effort de torsion latéral.

À rainure et languette avec joint mouluré

Outre son rôle décoratif, la moulure aide à dissimuler les défauts résultants du retrait du bois encollé. Ce type d'assemblage est employé pour les lambris.

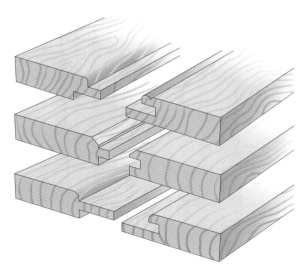

À rainure et languette renforcée par tenons

Sert à renforcer les extrémités de pièces soumises à des efforts de torsion importants.

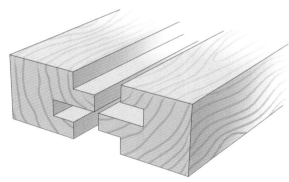

Assemblages d'angle, de rencontre ou de croisement

Ces diverses liaisons sont employées pour réunir à angle droit ou en biais les éléments d'un ouvrage de menuiserie. Elles n'ont pas pour finalité l'élargissement des pièces, comme c'est le cas des assemblages sur chants, ou leur allongement, comme les assemblages en bout où entures, mais sont destinées à l'élaboration d'une structure solide, susceptible de résister de façon satisfaisante à divers efforts simultanés.

Il peut s'agir de liaisons d'angle, en L ou obliques, de rencontre, en T, ou de croisement, à angle droit ou en X. Leur complexité dépend de la destination finale de l'ouvrage, et donc de la nature et de l'intensité des efforts auxquels il sera soumis, les efforts de traction exigeant des liaisons plus complexes que les efforts de compression.

Assemblages à mi-bois

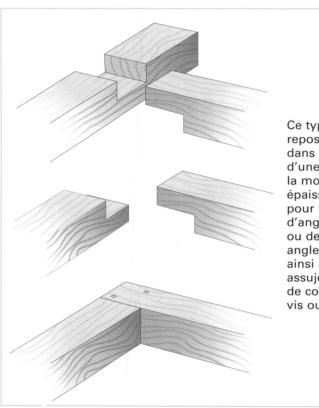

Ce type de liaison, qui repose sur l'exécution dans chaque pièce d'une entaille de la moitié de son épaisseur, est employé pour les assemblages d'angle, de rencontre ou de croisement à angle droit. Les pièces ainsi assemblées sont assujetties à l'aide de colle, clous, vis ou tourillons.

1. On commence par marquer au trusquin les axes longitudinaux des deux faces opposées des pièces de section carrée à assembler à mi-bois.

2. À l'aide d'une équerre, on marque ensuite la profondeur de la future entaille sur la face de la pièce, dont la distance par rapport au bout est égale à la largeur de la pièce, puis on prolonge cette ligne sur la moitié des chants.

3. On effectue alors la première découpe transversale de l'entaille à la scie à dos, en veillant à ne pas dépasser la limite tracée sur les chants, de façon à ne couper que la moitié de l'épaisseur de la pièce.

4. On fixe ensuite la pièce verticalement pour effectuer la seconde découpe à partir du bout en respectant bien le tracé, et évider ainsi l'entaille.

5. Pour finir, on en dresse les faces au ciseau pour qu'elles soient parfaitement lisses. On procède de même pour entailler l'autre pièce.

6. Après avoir éliminé sciure et fragments de bois avec un chiffon propre, on enduit les entailles de colle. Une fois les pièces réunies, on obtient un assemblage d'angle à mi-bois d'une grande netteté.

Pour réaliser une liaison de rencontre en T, on procède de façon analogue, à ceci près qu'après avoir tranché les côtés de l'entaille centrale à la scie à dos, il faut utiliser le ciseau à bois pour l'évider.

AUTRES ASSEMBLAGES À MI-BOIS

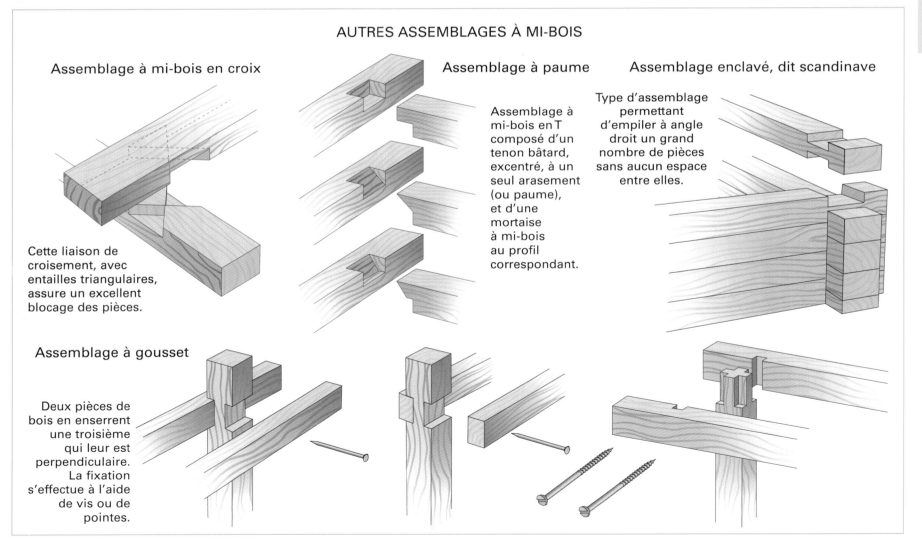

Assemblage à mi-bois en croix

Cette liaison de croisement, avec entailles triangulaires, assure un excellent blocage des pièces.

Assemblage à paume

Assemblage à mi-bois en T composé d'un tenon bâtard, excentré, à un seul arasement (ou paume), et d'une mortaise à mi-bois au profil correspondant.

Assemblage enclavé, dit scandinave

Type d'assemblage permettant d'empiler à angle droit un grand nombre de pièces sans aucun espace entre elles.

Assemblage à gousset

Deux pièces de bois en enserrent une troisième qui leur est perpendiculaire. La fixation s'effectue à l'aide de vis ou de pointes.

Assemblage en T à double tenon et coins de renfort

Renforcé à l'aide de coins, cet assemblage est l'un des plus efficaces pour résister à des efforts de compression. On l'emploie souvent en menuiserie pour exécuter diverses liaisons d'angle et de rencontre de montants et de traverses.

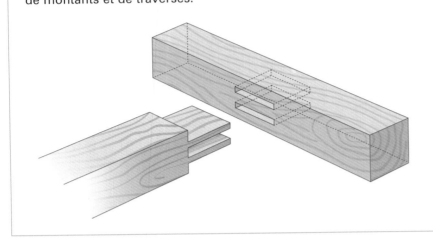

1. Après avoir marqué d'une croix les deux faces des pièces pour ne pas les intervertir ensuite, on les assemble en T, en positionnant le bout de la pièce verticale bien au centre de l'autre, puis on en délimite son contour au crayon.

2. On rectifie ce tracé à l'équerre.

3. Entre ces lignes transversales, on trace au trusquin, de chaque côté, une première ligne à 15 mm (9/16 po) de l'arête, et une seconde distante de 10 mm (3/8 po) de la première, pour marquer le contour des futures mortaises.

4. Avec un bédane de 10 mm (3/8 po) de large percuté au maillet, on évide alors les mortaises. On entaille l'un des bords verticalement, puis on incline la lame pour détacher progressivement les copeaux jusqu'au bord opposé.

5. À chaque extrémité des mortaises, on prépare le futur logement des coins de renfort, en dépassant les limites tracées d'environ 5 mm (3/16 po).

6. Pour confectionner les tenons, on reporte les contours des mortaises sur le bout de la seconde pièce, en marquant de croix les parties à évider.

7. On découpe ensuite le bout à la scie en suivant les lignes parallèles jusqu'à la profondeur indiquée, le trait de scie devant être exécuté à l'extérieur des tracés.

8. Avec la même scie, on dégage les joues externes des tenons en coupant transversalement le bois.

9. Avec un bédane ou un ciseau, on évide l'espace interne séparant les tenons, en entaillant d'abord le bois dans un sens, puis dans l'autre.

10. Après avoir égalisé les surfaces entaillées, on les enduit de colle.

11. Une fois les tenons insérés dans les mortaises, on encolle les coins de blocage et on les enfonce dans leurs logements à petits coups de maillet. Quand la colle a pris, on arase les coins à la scie et on passe le rabot pour égaliser la surface.

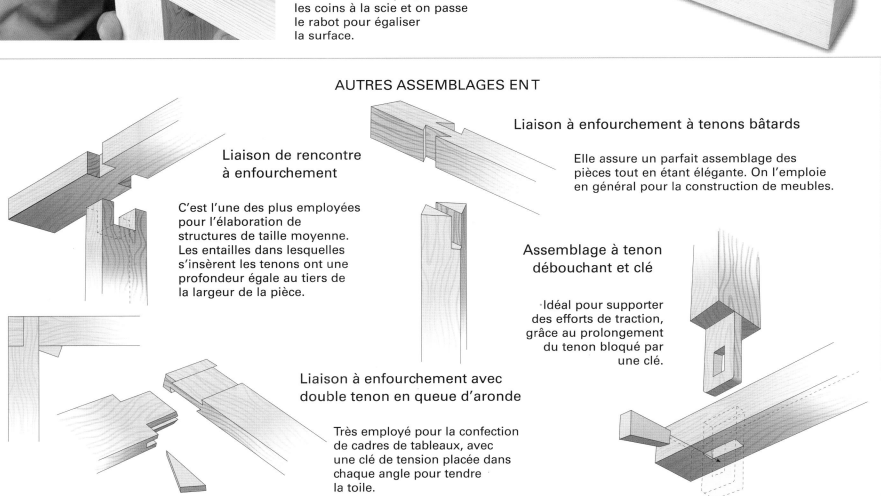

AUTRES ASSEMBLAGES EN T

Liaison à enfourchement à tenons bâtards

Elle assure un parfait assemblage des pièces tout en étant élégante. On l'emploie en général pour la construction de meubles.

Liaison de rencontre à enfourchement

C'est l'une des plus employées pour l'élaboration de structures de taille moyenne. Les entailles dans lesquelles s'insèrent les tenons ont une profondeur égale au tiers de la largeur de la pièce.

Assemblage à tenon débouchant et clé

·Idéal pour supporter des efforts de traction, grâce au prolongement du tenon bloqué par une clé.

Liaison à enfourchement avec double tenon en queue d'aronde

Très employé pour la confection de cadres de tableaux, avec une clé de tension placée dans chaque angle pour tendre la toile.

Assemblage d'angle à tenon découvert

C'est un assemblage résistant parfaitement à la compression, largement employé en menuiserie pour la construction d'huisseries de portes et de fenêtres ou de toute autre structure dont les éléments sont assemblés à 90°. Il est fixé par collage et vissage.

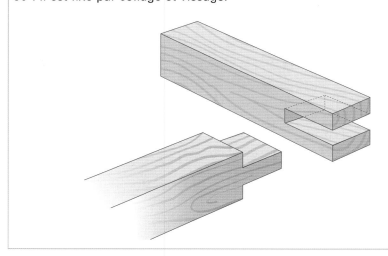

1. Les pièces ayant été correctement dressées au rabot, on marque au crayon les deux faces de référence. On superpose ensuite l'une des pièces perpendiculairement au bout de l'autre pour marquer la profondeur de l'assemblage.

2. On rectifie ce tracé à l'équerre et on le prolonge sur les deux chants et sur l'autre face.

3. Sur la face la plus large, on trace au trusquin deux lignes parallèles aux arêtes partageant la largeur en trois tiers égaux.

4. On fixe la pièce verticalement pour la scier suivant ces lignes parallèles jusqu'à la profondeur indiquée.

5. La pièce étant maintenue avec un serre-joint, on évide la mortaise au ciseau et au maillet entre les deux traits de coupe. La lame du ciseau doit être d'une largeur égale à celle de la mortaise.

6. Après avoir marqué l'autre pièce comme précédemment, on la fixe à l'établi et on procède à l'arasement du tenon, pour en dégager les joues.

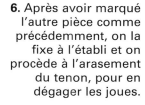

7. On égalise ensuite les surfaces de la mortaise et du tenon à la râpe plate.

8. On encolle toutes les surfaces de contact de l'assemblage avant de réunir les deux pièces. Après séchage de la colle, on ponce l'ensemble de la surface.

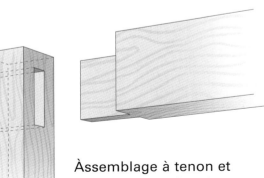

AUTRES ASSEMBLAGES D'ANGLE À TENON ET MORTAISE

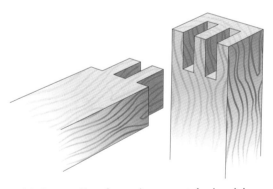

Liaison d'enfourchement à double tenon découvert

Employé pour donner plus de rigidité, après encollage, à l'assemblage de deux pièces de forte épaisseur.

Enfourchement d'angle à tenon borgne

Il existe divers types de liaisons à angle droit. Elles sont d'autant plus résistantes, après encollage, que les surfaces de contact entre les pièces sont importantes.

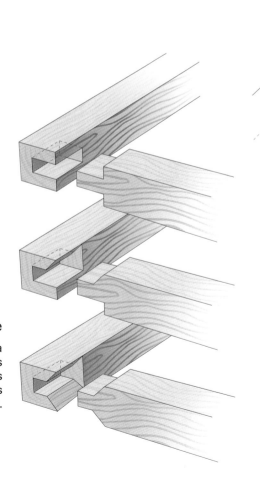

Assemblage à 45° à tenon borgne

Dans ce type de liaison, le tenon et la mortaise ont une forme triangulaire.

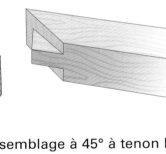

Àssemblage à tenon et mortaise avec épaulement

Employé pour immobiliser les assemblages à angle droit, à condition qu'il n'y ait aucun jeu entre le tenon et la mortaise.

Assemblage à tenon en queue d'aronde

Il a les mêmes propriétés qu'un assemblage d'angle à tenon découvert, mais résiste mieux aux efforts de traction, grâce à la forme trapézoïdale du tenon et de la mortaise, tout en ayant un bon comportement en compression. En ébénisterie, on a recours aux assemblages à queues d'aronde multiples.

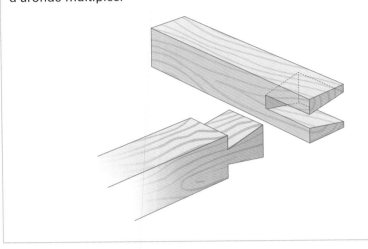

1. Pour délimiter les contours de la mortaise, on trace au trusquin, sur l'un des côtés les plus larges, deux parallèles divisant la largeur en trois parties égales ; puis, sur le côté opposé, deux parallèles distantes des arêtes du sixième de la largeur. Avec une fausse équerre, on trace sur le bout de la pièce les lignes réunissant les parallèles tracées sur les côtés opposés.

2. On fixe la pièce verticalement dans la presse d'établi pour scier, à l'intérieur des lignes obliques, les côtés de la mortaise.

3. On évide ensuite la mortaise au ciseau et au maillet, en orientant le plat de la lame vers l'intérieur de la mortaise.

4. Pour déterminer les dimensions du tenon, on prolonge celles de la mortaise sur les côtés de la pièce.

5. On transpose ces dimensions sur les faces de l'autre pièce, et on marque le bout de la pièce au trusquin.

6. On utilise la fausse équerre pour tracer les lignes obliques qui complètent le traçage du contour du tenon.

30

8. On enduit de colle toutes les surfaces de contact de l'assemblage, puis on emboîte les pièces l'une dans l'autre en donnant de légers coups de maillet jusqu'à ce que le tenon affleure la surface.

7. On fixe la pièce sur l'établi pour effectuer les deux coupes transversales qui vont permettre de dégager le tenon. On égalise ensuite les surfaces à la râpe.

AUTRES ASSEMBLAGES À TENON EN QUEUE D'ARONDE

Assemblage à mi-bois avec tenon bâtard en demi-queue d'aronde

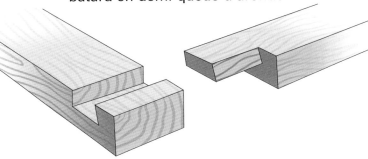

Bien que plus facile à réaliser, il est plus fragile que l'assemblage à queue d'aronde entière, le bord oblique de la mortaise étant sujet à la rupture.

Assemblage de rencontre à tenon en queue d'aronde biaise

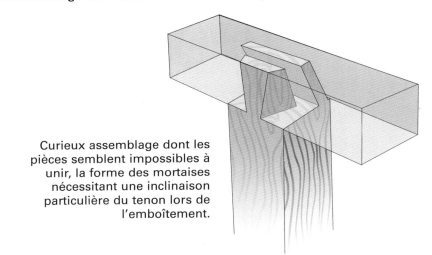

Curieux assemblage dont les pièces semblent impossibles à unir, la forme des mortaises nécessitant une inclinaison particulière du tenon lors de l'emboîtement.

Assemblage de rencontre avec entaille en queue d'aronde

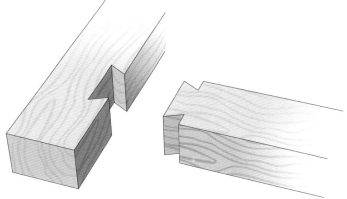

Très employée pour fixer les entretoises, car résistant bien aux efforts de traction, surtout si la queue d'aronde est débouchante.

Profils de queues d'aronde

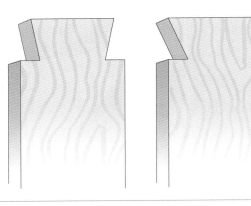

En menuiserie, les queues d'aronde sont plus larges qu'en ébénisterie. Leur pente est de 1/8 pour les bois durs (ci-contre) et de 1/6 pour les bois tendres (extrême droite). Pour tracer les queues d'aronde, on utilise un gabarit.

Assemblage d'onglet avec tourillons

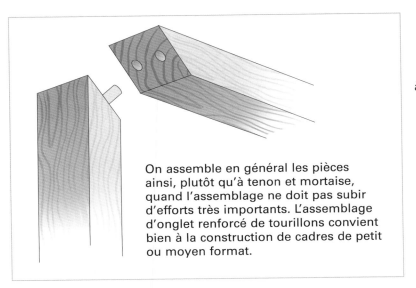

On assemble en général les pièces ainsi, plutôt qu'à tenon et mortaise, quand l'assemblage ne doit pas subir d'efforts très importants. L'assemblage d'onglet renforcé de tourillons convient bien à la construction de cadres de petit ou moyen format.

1. Sur une pièce de section carrée bien dressée au rabot, on procède au traçage de la coupe d'onglet à l'aide d'une équerre droite et d'une équerre d'onglet.

2. Pour effectuer aisément la coupe, on utilise la scie radiale en abaissant rapidement la lame pour éviter que les bouts ne présentent des marques de brûlure dues à un frottement excessif.

3. On ponce ensuite le bout et les arêtes de la pièce coupée d'onglet avec un papier abrasif de grain moyen.

4. Pour percer les logements des tourillons, il faut fixer chacune des pièces tour à tour dans la presse d'établi en veillant à ce que leur bout soit bien à l'horizontale ; on peut le vérifier en y accolant l'autre pièce posée à plat sur l'établi.

5. On trace ensuite sur le bout un axe longitudinal que l'on divise en trois parties égales pour déterminer l'emplacement des futurs trous.

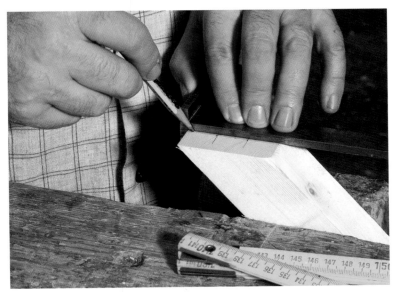

6. Le perçage doit être effectué dans un axe perpendiculaire à la surface coupée en biais. On perce des trous d'une profondeur de 1,5 cm ($^9/_{16}$ po) avec une mèche de 6 mm ($^7/_{32}$ po) de diamètre.

132

7. Pour que les trous forés sur les deux bouts coïncident parfaitement, on insère dans les trous déjà forés des pointes pour reporter l'emplacement des trous correspondants sur l'autre bout.

8. Après avoir foré l'autre bout, on encolle et on met en place les tourillons, qui doivent être d'un diamètre adéquat et d'un bois plus dur que celui des pièces à joindre.

9. On fixe l'une des pièces à l'établi et, après avoir encollé les deux bouts, on les réunit en exerçant une pression suffisante pour que la colle remplisse sa fonction.

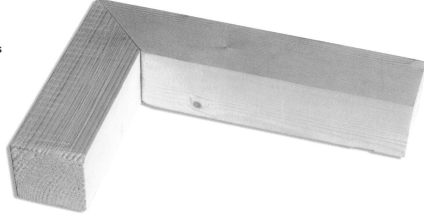

AUTRES ASSEMBLAGES D'ANGLE AVEC CHEVILLES OU TOURILLONS

Différentes sortes de tourillons

Il existe divers types de tourillons, lisses ou rainurés, ces derniers assurant une meilleure adhérence de la colle.

Assemblage d'angle à plat joint renforcé de chevilles

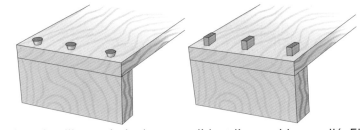

Les chevilles en bois dur consolident l'assemblage collé. Elles sont souvent remplacées aujourd'hui par des pointes en métal.

Liaison d'angle à plat joint renforcée de tourillons

Une variante de l'assemblage à tenon et mortaise, plus facile à réaliser, mais moins résistante aux efforts de traction et de torsion.

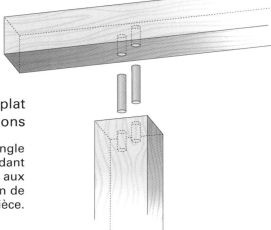

Liaison de rencontre à plat joint renforcée de tourillons

Semblable à la liaison d'angle ci-contre, elle offre cependant une meilleure résistance aux efforts du fait de la position de la pièce.

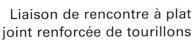
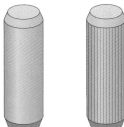

Assemblages en bout ou entures

Les assemblages en bout, ou entures, ont pour rôle essentiel d'allonger une pièce de bois. Les techniques d'assemblage varient en fonction de la partie de la pièce qui doit subir l'effort le plus intense – face, chant ou bout –, de la direction de cet effort, verticale ou horizontale, et de sa nature, effort de compression, flexion ou torsion. Les pièces utilisées dans ce type d'assemblage ne doivent pas comporter d'irrégularités ou de nœuds pouvant affaiblir leurs résistances mécaniques.

Enture à tenon en équerre

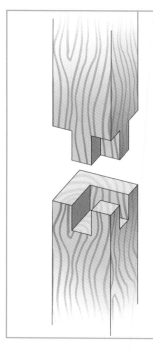

Dans ce type d'enture, assez longue à exécuter mais d'un bel aspect, l'une des pièces est munie à son extrémité d'un tenon en équerre qui vient s'emboîter dans une mortaise de profil complémentaire sur le bout de l'autre pièce.

134

1. Sur le bout d'une pièce en bois massif de section carrée, on trace la ligne délimitant la profondeur du tenon à une distance du bout égale à la largeur des faces.

2. Avec un trusquin et une règle, on marque des lignes parallèles aux arêtes sur les deux faces contiguës ; le tenon doit faire 15 mm ($^9/_{16}$ po) d'épaisseur.

3. Pour former le tenon, on commence par trancher transversalement à la scie à dos les parties qui pourront être éliminées par une deuxième coupe perpendiculaire.

4. Pour effectuer cette coupe complémentaire, on fixe la pièce verticalement dans la presse d'établi.

5. On répète le processus sur les différentes faces à dégager, en associant coupes transversales et longitudinales.

6. Pour procéder aux évidements qui ne peuvent être effectués à la scie, on utilise des ciseaux de différentes largeurs.

7. Après avoir scié verticalement l'extrémité de l'entaille, on retire le bois couche par couche au ciseau jusqu'à la profondeur requise, en orientant le plat de la lame vers le haut.

8. On dresse les surfaces dégagées en percutant le ciseau de la main pour détacher de fins copeaux.

9. Quand le tenon est achevé, on s'en sert pour marquer le bout de la pièce dans laquelle doit être exécutée la mortaise.

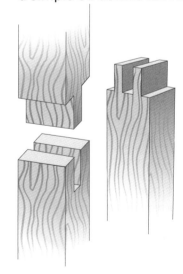

10. On suit le même processus que pour le tenon pour évider la mortaise et en dresser les surfaces de contact, bien que le travail soit, dans ce cas, plus complexe.

11. L'encollage doit être méticuleux, car il faut bien recouvrir toutes les surfaces de contact de l'assemblage. Mieux vaut donc employer un pinceau fin pour procéder à cette opération.

AUTRES ASSEMBLAGES D'ALLONGEMENT OU ENTURES

Enture à enfourchement à simple ou double tenon

Enture à enfourchement biaise

Enture à tenons et mortaises alternés

Enture en sifflet à clé

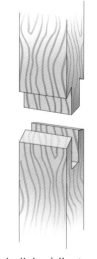

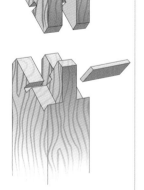

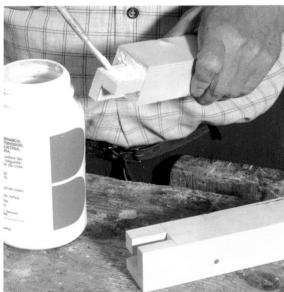

Plus résistante qu'une enture à mi-bois, dans la mesure ou la largeur du tenon n'est pas inférieure au tiers de la largeur de la pièce. Pour des pièces de plus forte section, on emploiera l'enture à double tenon.

Très similaire à l'enture à enfourchement simple, mais les bords de la mortaise et les arasements du tenon sont coupés en biais, ce qui rend l'assemblage plus résistant à un effort de flexion latéral.

Ce type d'enture permet d'augmenter les superficies de contact des pièces assemblées en bout.

Assez laborieuse à exécuter à la scie et au ciseau à bois, mais assez esthétique.

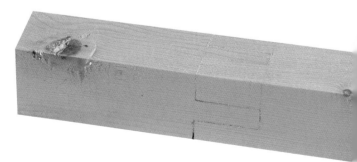

Enture à tenon bâtard en queue d'aronde

Ce type d'assemblage est tout à fait indiqué pour résister aux efforts de traction et a également un bon comportement en compression, étant donné la forme trapézoïdale à faible pente du tenon, qui fait que ses extrémités sont moins susceptibles de rompre que celles d'une queue d'aronde à forte pente.

1. Sur une pièce de bois convenablement dressée, de section rectangulaire, on trace une première ligne transversale sur l'une des faces indiquant la profondeur de l'entaille, puis on marque au trusquin deux parallèles aux arêtes partageant la largeur en trois parties égales.

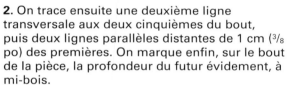

2. On trace ensuite une deuxième ligne transversale aux deux cinquièmes du bout, puis deux lignes parallèles distantes de 1 cm (³/₈ po) des premières. On marque enfin, sur le bout de la pièce, la profondeur du futur évidement, à mi-bois.

3. Après avoir fixé la pièce à l'établi, on procède au dégagement de la mortaise en commençant par entailler verticalement au ciseau pour délimiter le contour du tenon.

4. On détache le bois couche par couche au bédane tenu à l'envers, biseau tourné vers le bas, jusqu'au tracé préalablement effectué à mi-bois.

5. Pour dresser les surfaces de l'entaille, on se sert du même bédane, biseau tourné vers le haut, que l'on percute de la main.

6. Pour tracer les limites transversales du tenon bâtard qui s'emboîtera dans la mortaise précédemment creusée, on met les deux bouts côte à côte pour reporter les mesures à l'équerre.

7. On met ensuite les pièces bout à bout pour tracer les limites longitudinales du tenon dans le prolongement de celles de la mortaise et s'assurer ainsi que les dimensions du tenon et de la mortaise coïncideront parfaitement.

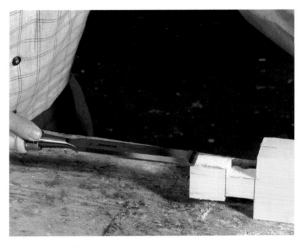

8. Avant de dégager les joues du tenon, on pratique une coupe à mi-bois à la scie à dos pour faciliter l'extraction du bois.

9. On retire le bois superflu au ciseau en se servant de cette première entaille comme butée.

10. On régularise les surfaces du tenon au ciseau, en faisant pivoter chaque fois la pièce pour utiliser toujours le ciseau en position horizontale.

11. Pour finir, on enduit de colle les surfaces de contact, avec un pinceau suffisamment fin pour pénétrer dans les angles.

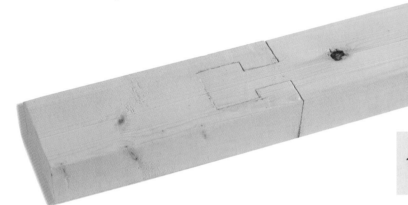

137

AUTRES TYPES D'ENTURES À TENON BÂTARD

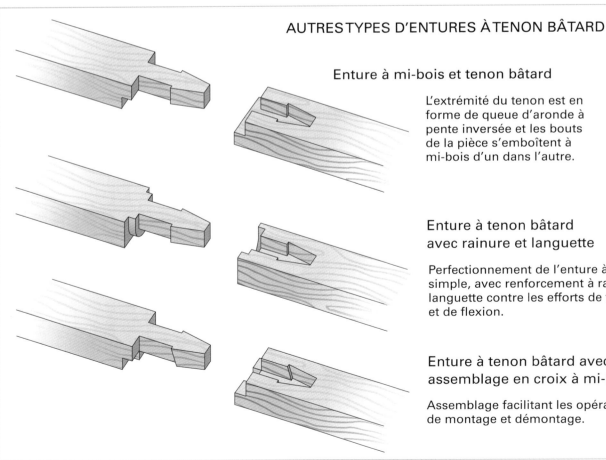

Enture à mi-bois et tenon bâtard

L'extrémité du tenon est en forme de queue d'aronde à pente inversée et les bouts de la pièce s'emboîtent à mi-bois d'un dans l'autre.

Enture à tenon bâtard avec rainure et languette

Perfectionnement de l'enture à tenon bâtard simple, avec renforcement à rainure et languette contre les efforts de torsion et de flexion.

Enture à tenon bâtard avec assemblage en croix à mi-bois

Assemblage facilitant les opérations de montage et démontage.

Enture à double tenon bâtard

Idéale pour les ouvrages qui doivent être démontés facilement tout en donnant la sensation d'un assemblage permanent.

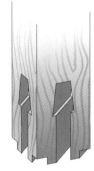

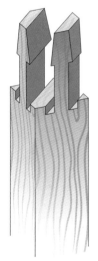

Enture à tenon et enture à faux tenon carré

Ce type d'enture est utilisé pour des pièces soumises à des efforts de compression et de torsion ; son comportement en flexion est fonction de la longueur et de la section du tenon.

1. On trace au trusquin, sur le bout et sur les côtés d'une pièce de section carrée, ici de 40 x 40 mm (1 ¹/₂ po), le contour du tenon qui fera 15 x 15 mm (⁹/₁₆ po).

2. Le traçage terminé, on retire le bois superflu à la scie à dos pour dégager le tenon.

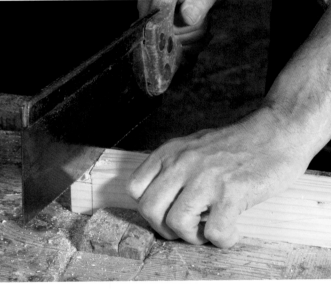

3. On effectue d'abord des coupes transversales à la scie sur la pièce fixée à plat sur l'établi, puis des coupes longitudinales à partir du bout sur la pièce fixée verticalement. Le tenon fait ici 20 mm (²⁵/₃₂ po) de long, mais cette mesure peut varier.

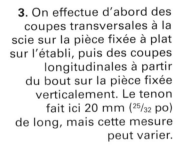

4. On pose la pièce à plat sur l'établi pour dresser au ciseau les faces du tenon.

5. Pour tracer le contour de la mortaise, on reporte les mesures au trusquin.

6. La pièce fixée verticalement, on entaille le contour de la mortaise au bédane.

138

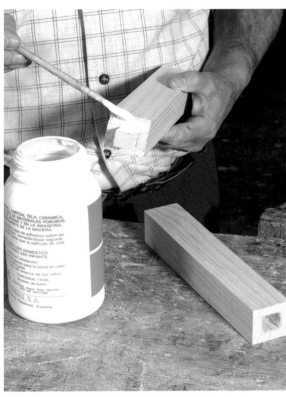

7. Toujours au bédane, on creuse progressivement la mortaise en retirant au fur et à mesure le bois superflu, jusqu'à une profondeur égale à la longueur du tenon.

8. Avant d'assembler les pièces en bout, on procède à l'encollage du tenon et de la mortaise, en veillant à bien enduire toutes les surfaces de contact.

AUTRES ENTURES À TENONS BÂTARDS

Enture par quartier ou à double carré	Enture à tenon et mortaise en croix	Enture à mortaises et tenons alternés	Enture à enfourchement avec entailles

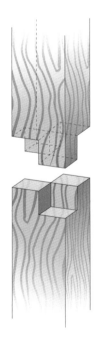 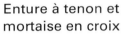   

Enture assemblant deux pièces de section carrée à mi-bois à deux tenons et deux mortaises disposées symétriquement sur chaque pièce.

Enture à tenons asymétriques, avec mortaise en croix d'un côté et tenon en croix de l'autre. Idéale pour des pièces de section carrée subissant des efforts de compression et de torsion.

Enture d'exécution lente et difficile, tout le processus devant être effectué à la main avec la scie à dos, le ciseau et le bédane. A les mêmes propriétés que l'enture précédente.

Enture qui de distingue par la subtilité de la solution adoptée pour éviter les efforts de torsion, mais dont l'esthétique prime sur l'efficacité.

Montage à blanc et assemblage définitif

Tout ouvrage de menuiserie composé de deux pièces ou plus réunies par divers types de liaisons, doit, avant son montage définitif, être assemblé provisoirement. Ce montage à blanc permet de vérifier que ses différents éléments s'ajustent correctement et conservent entre eux une relation équilibrée. Il convient toutefois de s'assurer, dans un premier temps, qu'il ne manque aucune pièce, et de les soumettre à un ponçage méticuleux, car c'est à cette condition

seulement que le montage à blanc constituera une vérification volumétrique fiable, tant des composants considérés individuellement que de l'ensemble de l'ouvrage. Si le montage à blanc des pièces est jugée satisfaisante, on peut alors entreprendre le processus de montage final de l'ouvrage.

Que ce soit au cours des diverses étapes de la présentation ou du montage, on est amené à utiliser une grande variété d'outils de serrage,

qui sont indispensables à l'exécution d'assemblages précis et résistants, renforcés par collage. Les procédés d'immobilisation des pièces, notamment ceux utilisés pour leur montage à blanc, peuvent être très variés, de la fixation rapide au ruban adhésif aux méthodes plus complexes faisant intervenir des outils déterminés, comme les serre-joints ou les presses.

Avant d'entreprendre le montage définitif, il faut vérifier qu'il ne manque aucune pièce et les poncer avec soin.

Exemple de fixation des pièces au ruban de masquage pour une présentation rapide de contrôle.

Utilité des cales de serrage

Entre les mors des outils de serrage et le bois, il faut toujours intercaler une cale aux surfaces lisses et d'une dureté égale ou inférieure à celle du bois mis sous presse pour éviter de faire des marques sur la pièce lors de son montage à blanc et, surtout, lors de son assemblage définitif.

Immobilisation au serre-joint de deux planches assemblées sur chants

Avant d'assembler les pièces, il convient d'alterner les cernes de croissance en vue de réduire au maximum le risque de gauchissement du bois.

Positionnement correct du serre-joint pour l'assemblage de deux planches posées à plat.

La cale sert à protéger la surface de la pièce que l'on met sous presse des marques que pourraient y laisser les outils de serrage.

Assemblage à la verticale de deux planches
maintenues à l'aide de la presse d'établi et
de deux serre-joints.

Mise en place de plusieurs serre-joints régulièrement espacés
pour l'assemblage de pièces d'une certaine longueur.

On obtient une bonne répartition de la force exercée sur
les planches si les serre-joints exercent sur elles une
pression de même intensité ; de plus, il faut en alterner
la disposition en les plaçant en sens inverse de part et
d'autre de l'ensemble.

Immobilisation d'un cadre à l'aide de serre-joints

Assemblage d'un cadre au moyen de deux serre-joints
employés en parallèle, mais positionnés en sens inverse
pour une meilleure répartition de la pression sur l'ouvrage.

Finalisation de l'assemblage d'un cadre avec mise en place
de quatre serre-joints positionnés de telle sorte que les
pattes de serrage ne soient pas directement en vis-à-vis.

Immobilisation d'un cadre à l'aide d'une presse d'angle

Assemblage de deux pièces coupées d'onglet à l'aide d'une presse d'angle, en immobilisant tout d'abord le premier montant avant d'ajuster l'autre montant formant l'angle droit.

Le premier angle est assemblé.

Assemblage de l'angle opposé à l'aide d'une presse d'angle.

Une fois les deux angles opposés correctement ajustés et immobilisés, les pièces solidarisées forment deux ensembles plus faciles à manipuler.

Immobilisation de deux pièces assemblées en angle à plat joint en vue de la mise en place de vis de fixation

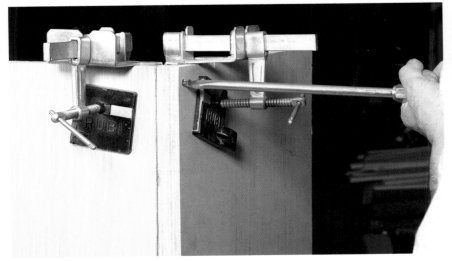

Après avoir immobilisé les pièces à angle droit, on peut procéder au perçage en étant absolument sûr que le trou sera bien perpendiculaire à la première pièce et dans l'axe de la seconde.

Après avoir foré le trou, on met en place l'élément de fixation retenu (ici une vis) avant de démonter les presses.

Montage à blanc à l'aide de propres-à-rien

Les propres-à-rien, en forme de C, sont découpés dans d'anciens ressorts de sommier et utilisés à la manière de serre-joints pour maintenir assemblés de petits ouvrages par une pression modérée.

Immobilisation à la presse à cadre pour montage à blanc et assemblage définitif

La presse à cadre peut servir, comme son nom l'indique, à immobiliser les assemblages d'angle d'un cadre, mais peut aussi être utilisée pour maintenir tout autre assemblage présentant quatre angles droits ou les pieds de petits meubles. Bien qu'apparemment plus efficace que les procédés de serrage artisanaux présentés ci-contre et ci-dessous, elle n'offre pas la même souplesse et commodité de mise en œuvre.

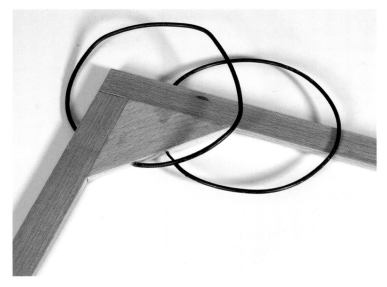

Montage à blanc, à l'aide de propres-à-rien, de pièces assemblées à angle droit avec un renfort.

L'emploi de la presse à cadre est conseillé lorsqu'il s'avère nécessaire d'ajuster la pression pour maintenir les pièces montées à blanc dans la position qu'elles auront après encollage.

Montage à blanc d'un piétement avec le système du garrot

Quand le volume de l'ouvrage est irrégulier, et que l'on souhaite exercer une pression uniforme sur toutes les surfaces de contact, rien ne vaut ce procédé d'immobilisation artisanal, très rudimentaire, qui consiste à tendre une corde autour des éléments à immobiliser à l'aide d'une clé.

Présentation de l'ensemble assujetti à l'aide du système du garrot.

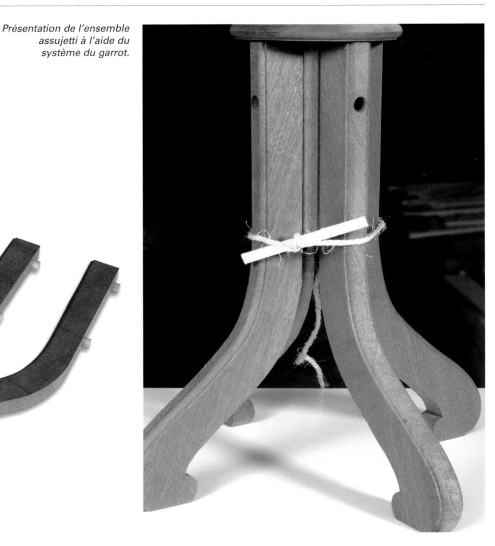

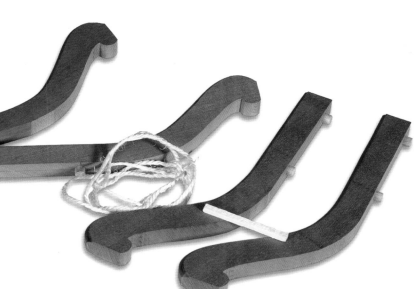

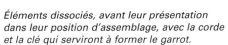

Éléments dissociés, avant leur présentation dans leur position d'assemblage, avec la corde et la clé qui serviront à former le garrot.

Assemblages par collage et éléments de liaison métalliques

Pour l'élaboration de certains ouvrages, les pièces peuvent être assemblées l'une contre l'autre par simple collage, ou à l'aide d'éléments de liaison métalliques – pointes, vis, etc. –, ou encore par association des deux, selon la nature des sollicitations auxquelles l'ouvrage sera soumis dans la pratique.

D'autres techniques de base sont associées au collage ou vissage des pièces, notamment celles présentées antérieurement, associées au montage provisoire ou définitif des pièces. Pour décrire ci-après les différentes méthodes d'assemblage par collage, nous employons la colle blanche vinylique pour les bois massifs et une

colle de contact pour les produits dérivés du bois. Mais il convient de rappeler qu'il existe aujourd'hui une vaste gamme de colles synthétiques qui donnent d'excellents résultats, et sont parfois si efficaces qu'elles dispensent du clouage ou du vissage.

Clouage en biais

Technique simple et rapide pour assembler deux pièces l'une contre l'autre de façon discrète. Plantés en biais, les clous assurent une plus grande solidité à l'assemblage, car ils résistent mieux à l'arrachement que s'ils étaient enfoncés verticalement.

Clouage invisible d'une moulure

Il est essentiel de dissimuler la tête des clous employés pour fixer certains éléments apparents, comme les moulures, dont

l'assemblage doit rester invisible pour ne pas nuire à l'aspect esthétique final de l'ouvrage. La procédure à suivre est très simple.

Les deux pièces étaient bien appuyées l'une contre l'autre. On plante un premier clou en biais, à une inclinaison d'environ 60°.

Pour accroître la solidité de l'assemblage, on plante un second clou incliné dans l'autre sens.

On commence par enfoncer partiellement les clous en s'assurant cependant qu'elles pénètrent suffisamment dans le bois pour fixer la moulure à la pièce sous-jacente.

On sectionne la partie du clou qui dépasse avec une tenaille à mâchoires coupantes en prenant soin de ne pas marquer le bois de la moulure.

Quand tous les clous ont été sectionnés, on les enfonce à l'aide d'un chasse-clou pour les dissimuler dans l'épaisseur du bois.

Assemblage de pièces par vissage

Après avoir déterminé, à l'aide d'instruments de mesure et de traçage, l'emplacement exact du trou où doit être insérée la vis de fixation, il convient de prendre certaines précautions pour forer le trou et mettre en place la vis suivant la nature et les dimensions des pièces à assembler.

Si les deux pièces à assembler par vissage sont en bois massif, il suffit d'effectuer un avant-trou à la perceuse avec une mèche d'un diamètre inférieur à celui de la vis, en traversant la première planche et en commençant à pénétrer dans la seconde.

Cet avant-trou évite que le bois n'éclate au vissage et assure une pénétration facile de la vis dans le bois ; il permet en outre de l'y introduire bien verticalement, dans la mesure où le tournevis est tenu correctement.

Si les deux pièces à assembler sont de nature différente, l'une en bois massif (base) et l'autre en contreplaqué, il faut non seulement percer l'avant-trou, mais évaser le logement de la tête de la vis pour éviter de fendre ou de faire éclater le contreplaqué.

Cette opération s'avère nécessaire quand on utilise des vis à tête plate fraisée. Il faut évaser l'entrée de l'avant-trou avec la lame d'un tournevis pour que la tête de la vis puisse venir s'y loger en affleurant la surface.

On peut aussi fraiser l'entrée du trou au ciseau à bois.

On peut alors enfoncer correctement la vis dans le bois avec un tournevis dont la lame soit de la largeur de la fente.

Mise en place d'un boulon

Si cet élément de fixation garantit la robustesse de l'assemblage de pièces de moyennes ou grandes dimensions, il ne peut cependant être employé que sur des ouvrages pour lesquels l'aspect esthétique est secondaire. On en réserve en général l'emploi à l'assemblage d'éléments non apparents d'un ouvrage, ou à celui d'objets ou meubles fonctionnels, tels les établis ou les tréteaux.

Le trou doit être percé avec une mèche d'un diamètre légèrement supérieur à celui de la tige du boulon.

Pour faciliter la pénétration de la tige dans le bois, il convient d'évaser l'entrée du trou au ciseau à bois assez largement, pour permettre de saisir la tête du boulon avec une tenaille lors d'un éventuel démontage.

Pour introduire le boulon dans le trou, il faut le frapper au marteau jusqu'à ce que sa tige soit partiellement enfoncée ; cela évite que la tige ne pivote lors de l'ajustement de l'écrou correspondant.

Avant de visser l'écrou sur l'extrémité de la tige, il faut insérer une rondelle pour que la pression soit bien répartie et que les bords du trou n'éclatent pas au serrage.

Le serrage de l'écrou peut être effectué indifféremment avec une clé plate, une clé à pipe ou à cliquet.

Mise en place d'une vis à aggloméré

Ce type de vis à empreinte étoilée dite Allen, possède un filetage plus long et plus saillant que les vis à bois traditionnelles, et le diamètre de sa tige est constant. On l'utilise en général pour assembler les panneaux de fibres (aggloméré) ou de particules (médium).

Fournitures nécessaires à l'assemblage de deux panneaux de médium.

On perce tout d'abord un avant-trou avec une mèche d'un diamètre légèrement inférieur à celui de la vis, jusqu'à mordre le chant de la pièce inférieure.

On y insère la vis avec une clé mâle Allen, jusqu'à ce qu'elle commence à exercer une compression entre les deux pièces.

Pour finir de serrer les vis, on place l'ensemble sur chant.

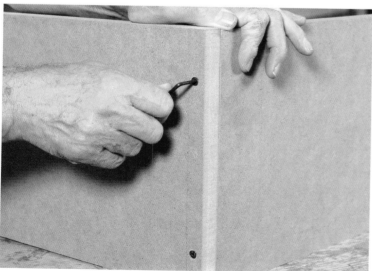

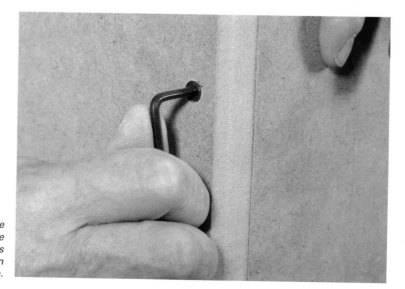

Vue détaillée de l'empreinte creuse de la tête de la vis dans laquelle on insère la clé Allen.

infrastructure et techniques de base

Assemblage d'angle à mi-bois fixé par collage

Les surfaces à encoller ne doivent présenter aucune aspérité ou perforation et doivent être parfaitement propres, exemptes de sciure ou de toute trace de graisse. La colle peut alors être étendue en une couche uniforme mais pas trop épaisse sur l'ensemble des surfaces de contact.

Après avoir soigneusement nettoyé les surfaces de contact de l'assemblage, on les enduit d'une couche de colle, à l'aide d'une spatule en bois ou d'un pinceau.

Si les surfaces de contact présentent, comme ici, un profil assez complexe, il faut frapper la surface de l'assemblage de légers coups de marteau pour que les pièces adhèrent bien l'une à l'autre, en intercalant une cale pour ne pas endommager le bois.

Cette opération de pressage fait sortir l'excédent de colle par les joints. Il faut l'éliminer avec un tampon de mèche de coton ou un chiffon humide avant qu'elle ne sèche.

Collage de deux pièces à plat joint

Pour immobiliser deux pièces après les avoir assemblées par collage à plat joint, c'est-à-dire l'une contre l'autre, face contre face ou chant contre chant, on peut utiliser la presse d'établi, et divers types de serre-joints. Pour les pièces de très grand format, on peut aussi employer des techniques plus sommaires.

L'assemblage par frottement n'est valable que pour des pièces de petite taille aux faces bien lisses. On les encolle puis on les frotte l'une contre l'autre pour bien répartir la colle sans les mettre sous presse, l'expulsion de l'air se trouvant entre les surfaces s'effectuant naturellement sous l'effet de la pression atmosphérique qui assure la bonne adhérence des deux pièces.

Pour assembler sur chants deux pièces de grand format, on immobilise la première pièce horizontalement dans la presse d'établi, puis on assemble les deux pièces après encollage de leurs chants en les mettant sous presse à l'aide de deux serre-joints placés aux deux extrémités.

L'excédent de colle expulsé par cette mise sous presse doit être aussitôt nettoyé, avant que la colle ne sèche.

Lorsqu'une pièce doit être assemblée à la fois par collage et clouage, on y enfonce partiellement les pointes pour n'avoir plus qu'à les enfoncer au marteau lors de la mise en place de la pièce.

Clouage d'une baguette couvre-chant sur une pièce en bois massif préalablement encollée.

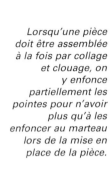

Nettoyage des bavures de colle résultant du clouage.

Collage d'une feuille de placage sur un panneau

La colle de contact de type Néoprène s'emploie en menuiserie pour coller des feuilles de placage de diverses essences sur des panneaux de fibres ou de particules dont on veut améliorer l'aspect.

1. Fournitures nécessaires au collage d'une feuille de placage sur un panneau.

2. À l'aide d'une raclette métallique, on enduit rapidement et uniformément de colle Néoprène le panneau et l'envers de la feuille de placage. Pour éviter les surépaisseurs de colle au centre, il faut l'étaler du centre vers les bords.

3. On laisse s'évaporer un peu la colle jusqu'à ce qu'elle n'adhère plus au doigt.

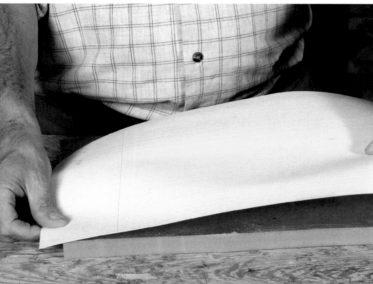

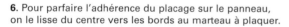

4. Avant de poser le placage sur le panneau, il faut le positionner de telle sorte qu'il dépasse d'environ 1 cm (^{3}/$_8$ po) sur les bords.

5. Pour chasser les bulles d'air pouvant rester sous le placage, on fait glisser à sa surface une cale que l'on tapote de légers coups de marteau.

6. Pour parfaire l'adhérence du placage sur le panneau, on le lisse du centre vers les bords au marteau à plaquer.

7. On arase le placage, en passant la lame bien affûtée d'une râpe à plat le long des arêtes.

8. Pour parfaire la netteté des arêtes, on ponce les chants du panneau au papier abrasif monté sur une cale à poncer.

Placage des chants

Pour masquer les chants apparents des panneaux de contreplaqué, fibres ou particules, il est nécessaire de les plaquer d'une bande couvre-chant, en bois ou en matière synthétique. Dans les deux cas, l'adhésif utilisé sera la colle Néoprène.

1. Sur une surface lisse et plane, on découpe au ciseau une bande de placage d'une largeur légèrement supérieure à celle du chant à recouvrir.

2. Après avoir fixé le panneau à l'établi, on en enduit uniformément le chant de colle à la spatule, en l'étalant dans le sens longitudinal.

3. Pour encoller la bande couvre-chant, on la pose sur un liteau, afin d'y répartir plus aisément la colle et de ne pas salir la surface de l'établi.

4. Lors de l'application de la bande sur le chant, il faut veiller à ce qu'elle dépasse de tous les côtés.

5. Pour chasser l'air emprisonné sous le placage, on lisse la bande au marteau à plaquer en un mouvement linéaire régulier et en exerçant une pression constante.

6. Pour araser le placage, on passe la râpe à plat et en biais sur toutes les arêtes.

7. On polit les chants plaqués avec un papier abrasif à grain très fin monté sur une cale à poncer.

8. Pour finir, on adoucit les arêtes pour unifier la liaison entre les chants et les faces.

Le ponçage

Dans le cadre du processus d'élaboration d'un ouvrage de menuiserie, qu'il soit constitué de bois massif ou d'un matériau dérivé du bois, le ponçage représente une étape essentielle, qui conditionne l'aspect final de l'objet réalisé. En effet, même s'il a été correctement monté, son apparence manquera toujours de netteté si son ponçage n'a pas été effectué avec le plus grand soin. Étant donné que cette étape du travail précède les traitements de finition proprement dits, il convient de ne pas la négliger, car elle va déterminer le comportement des vernis, teintures ou peintures qui seront ensuite appliqués.

Ponçage à la main

C'est le procédé le plus rudimentaire et ancien qui existe, mais sans aucun doute le plus efficace pour poncer de petites surfaces ou des pièces au relief très accentué et irrégulier. Il convient alors de choisir non seulement le papier abrasif adéquat, mais aussi le support le plus approprié pour permettre tant à la main qu'à la surface abrasive d'exécuter correctement leur travail.

Ponçage à la main d'une surface plane avec une cale à poncer de forme parallélépipédique déplacée en mouvements linéaires dans le sens des fibres.

Les arêtes vives sont adoucies avec un papier abrasif à grain moyen, la cale à poncer étant tenue en biais et passée de façon régulière avec une pression constante.

Pour adoucir les arêtes des extrémités des chants, on les frotte avec la cale inclinée en effectuant de petits mouvements courts dans l'axe de la pièce.

Il est très important de bien poncer les chants des panneaux de contreplaqué, pour en réduire la porosité et éviter qu'ils n'absorbent trop les différents produits employés au stade de la finition.

Ponçage d'une moulure avec une cale à poncer à chant arrondi s'adaptant au profil de la pièce. Les gestes doivent être adaptés aux différents types de reliefs à poncer.

Ponçage d'une moulure à l'aide d'une cale à poncer de taille et de dimension adaptés au travail à exécuter.

Pour poncer des profils courbes, il est conseillé de poncer sans cale, en utilisant le bout des doigts pour faire pression sur le papier abrasif.

Quand le papier abrasif est trop encrassé, il faut le secouer contre la surface de l'établi pour en éliminer la sciure de bois.

On peut aussi, si l'on souhaite effectuer un ponçage en profondeur, humidifier tout d'abord le bois pour en rebrousser les fibres, puis le laisser sécher et ensuite le poncer, ce qui permet d'obtenir une texture d'une grande finesse.

Avant de poncer perpendiculairement au fil, on passe la main sur la surface du bois pour déterminer dans quel sens il est le plus rugueux. Pour que le ponçage soit efficace, il faudra l'effectuer dans ce sens.

Avant de poncer dans le sens du fil, on passe la main sur la surface du bois pour déterminer dans quel sens il est le plus lisse.

Ponçage à la machine

L'un des principaux avantages de cette méthode de ponçage est la rapidité avec laquelle elle permet de poncer des surfaces de moyennes ou grandes dimensions ; en contrepartie, elle exige une manipulation bien calculée et très professionnelle de la machine, car il faut éviter tout mouvement brusque susceptible de la faire dévier et de provoquer des irrégularités de ponçage. Quand on adopte cette méthode, il est très important d'immobiliser correctement la pièce à poncer sur un support stable.

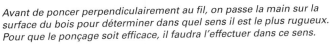

Il convient de caler correctement la pièce à polir avant de la poncer à la ponceuse vibrante dans le sens du fil.

Le ponçage de la face doit s'effectuer en un mouvement de va-et-vient dans le sens du fil.

Ponçage d'un chant, la pièce étant immobilisée dans la presse d'établi.

Pour casser les arêtes, on tient la semelle de la ponceuse inclinée de 45° par rapport à la face de la planche.

Mieux vaut casser les arêtes des extrémités des chants à la cale à poncer plutôt qu'à la ponceuse si on n'en maîtrise pas parfaitement l'emploi.

En tenant la ponceuse de cette manière, on peut aussi arrondir les arêtes.

Pose d'une charnière

Divers accessoires métalliques assurent l'articulation des portes ou autres parties mobiles de certains ouvrages de menuiserie. Les principaux sont les charnières et les paumelles, disponibles dans une grande variété de dimensions et de formes, adaptées aux dimensions de l'élément ouvrant, à son poids, sa fonction, etc. Au moment de choisir un organe de rotation, il faut avant tout s'assurer qu'il soit assez résistant pour répondre aux sollicitations auxquelles il sera soumis dans la pratique. Les organes de rotation trop légers se déforment s'ils subissent un travail ou un poids excessifs. Le second élément à prendre en considération est la méthode de pose : on peut poser charnières ou paumelles soit en applique, à la surface du bois, soit encastrées, en entaillant dans le bois un logement à la taille de leurs lames ou ailes. Si la plupart sont conçues pour être fixées en applique, la pose encastrée est néanmoins préférable, car plus solide et plus esthétique.

155

Pose de charnière en applique

Cette méthode convient à la mise en place de charnières sur les portes d'ouvrages qui ne nécessitent pas une finition très soignée.

On reporte tout d'abord au crayon, sur le chant de la pièce maintenue dans la presse d'établi, le contour de la lame de la charnière, en maintenant son axe ou nœud à l'extérieur de l'arête.

On marque l'emplacement des trous de fixation.

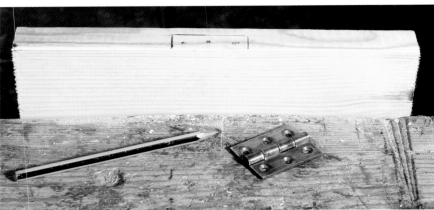

On perce les avant-trous à la vrille.

Après avoir vissé sur le chant la première lame de la charnière, on s'en sert pour situer l'emplacement de la deuxième lame.

Après avoir marqué au crayon la largeur de la lame sur la face de la pièce de bois, on reporte cette mesure sur le chant.

Au trusquin, on relève la distance séparant la lame de la charnière de l'arête opposée.

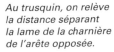

On reporte cette mesure sur le chant de l'autre pièce.

156

On assemble ensuite l'une contre l'autre les deux pièces pour marquer les trous de fixation en tenant compte de l'épaisseur du nœud de la charnière.

On perce les avant-trous à la vrille.

La charnière est posée en applique sur les chants pour les ouvrages simples dont l'aspect importe peu.

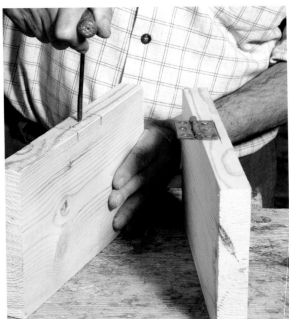

Pose de charnière encastrée

Cette méthode de pose s'emploie sur les meubles, portes, fenêtres, etc., dont l'apparence doit être soignée. Les lames des charnières peuvent être encastrées sur faces ou sur chants. Le travail doit être effectué avec beaucoup de minutie, la profondeur de l'entaille devant être égale à l'épaisseur de la lame de la charnière qui doit juste affleurer la surface du bois.

Après avoir délimité le contour des lames de la charnière comme on l'a vu précédemment, on en mesure l'épaisseur au trusquin.

On reporte cette mesure sur la face contiguë aux chants sur lesquels on a tracé le contour des lames.

On marque tout d'abord le contour de l'entaille en tenant le ciseau verticalement.

On procède à son évidement en tenant le ciseau incliné à 90° ou 60° pour pratiquer dans le bois des entailles successives, peu profondes, espacées d'environ 1 cm.

Vue détaillée des incisions obliques pratiquées au ciseau.

On soulève ensuite les copeaux de bois avec le ciseau pour les détacher.

On attaque alors le bois perpendiculairement
au fil, en prenant soin de ne pas dépasser
la profondeur de l'entaille.

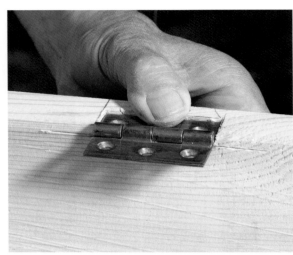

Quand le logement est entièrement évidé,
on en contrôle la dimension en y
insérant la lame de la charnière.

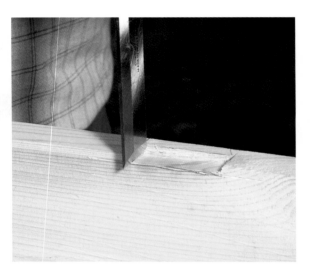

Si la lame s'ajuste correctement dans l'entaille,
on en affine le contour en frappant le
ciseau verticalement.

Après avoir marqué
l'emplacement des
trous de fixation, on
perce les avant-trous
à la vrille.

On insère alors les vis
à tête plate fraisée, qui
doivent juste affleurer
la lame de la paumelle.

Traitements de finition

Un ouvrage ne peut être considéré
comme achevé qu'après avoir été soumis à divers traitements de finition
destinés à lui garantir une meilleure
durabilité et à en améliorer l'aspect. Le
bois peut être ciré, huilé, verni, teinté,
peint, laqué, etc., la finalité de ces traitements étant de le protéger contre l'humidité et de l'embellir. On peut choisir
de conserver la teinte naturelle du bois
ou de la masquer après avoir rebouché
à la pâte à bois, si nécessaire, trous et
fentes.

Application de pâte à bois

Quand on a l'intention de peindre le
bois, il faut auparavant en colmater
soigneusement les ébréchures,
éraflures, trous et fissures pouvant
subsister après son ponçage, en
employant une pâte à bois de même
teinte ou de teinte quasi similaire.

La pâte à bois traditionnelle
s'obtient en mélangeant de la
colle vinylique à de la sciure fine,
de préférence du même bois que
celui travaillé.

La pâte à bois s'applique en général au couteau à enduire. On comble la fente ou le trou en tassant bien la pâte ; il est conseillé de laisser une fine couche de pâte en surface en prévision de son retrait au séchage.

Quand la pâte est sèche, on la ponce au papier abrasif à grain fin pour aplanir et lisser la surface.

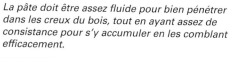

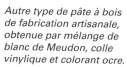

Autre type de pâte à bois de fabrication artisanale, obtenue par mélange de blanc de Meudon, colle vinylique et colorant ocre.

Pour fabriquer ce substitut de pâte à bois, il ne suffit pas de mélanger les ingrédients avec la colle ; il faut également les diluer avec un peu d'eau pour lui donner plus de plasticité.

La pâte doit être assez fluide pour bien pénétrer dans les creux du bois, tout en ayant assez de consistance pour s'y accumuler en les comblant efficacement.

On trouve aujourd'hui des pâtes à bois en tube ou en pot dans une large gamme de teintes et d'une consistance idéale pour être appliquées directement.

Elles s'emploient de la même manière que les pâtes à bois traditionnelles, avec l'avantage que l'on peut conserver la pâte non utilisée.

Nettoyage de la surface

Après avoir retiré la poussière produite par le ponçage, on peut constater la présence de taches grasses ou de marques de doigts. Pour les éliminer, on frotte la surface du bois avec un mélange d'eau et d'essence de térébenthine.

Avec un tampon de mèche de coton imbibé d'eau et de quelques gouttes d'essence de térébenthine, on retire les traces grasses sur le bois en le frottant dans le sens du fil.

Application d'un bouche-pores et de cire

Si l'on souhaite conserver au bois son aspect naturel, sans en masquer la veinure, ou en modifier la texture ou la teinte, ou si l'on envisage de le cirer, il faut au préalable l'enduire d'un bouche-pores pour en réduire la porosité naturelle et éviter qu'il ne soit taché par toutes sortes de liquides, dont l'huile et l'eau. La surface tachée d'une table non traitée au bouche-pores est irrécupérable. Pour boucher efficacement les pores du bois, on peut utiliser soit une préparation artisanale faite d'un mélange de vernis dilué avec de l'essence de térébenthine ou de tout autre solvant approprié, soit un bouche-pores acheté dans le commerce, prêt à l'emploi. On trouve une vaste gamme de bouche-pores, adaptés à chaque type de bois.

Fabrication artisanale d'un bouche-pores à l'aide de vernis dilué dans de l'essence de térébenthine ou tout autre solvant approprié.

160

Application du bouche-pores dans le sens du fil, avec un tampon de mèche de coton.

Application du bouche-pores dans le sens du fil avec une brosse plate.

Application du bouche-pores dilué avec un rouleau en mousse de texture fine.

Application d'une seconde couche de bouche-pores à la mèche de coton, après séchage de la première couche diluée.

Stabilisation des nœuds à la gomme-laque

Lorsque les nœuds vivants exsudent de la résine, on peut, pour les stabiliser, les enduire d'une couche de gomme-laque diluée dans de l'alcool qui constituera une couche imperméable. Si on ne les recouvre pas de cette solution, les taches produites par la résine seront irréparables et difficiles à dissimuler. Il existe une autre méthode à l'ancienne, très simple, et tout aussi efficace, qui consiste à frotter les nœuds avec une gousse d'ail.

Fournitures nécessaires à la stabilisation des nœuds : gomme-laque en paillettes, alcool pour la diluer et pinceau pour appliquer la solution.

La solution de gomme-laque est appliquée en couche fine sur les nœuds, en les tapotant du bout du pinceau pour bien les imprégner.

Application de cire

On ne peut appliquer de la cire sur un bois qui n'a pas été préalablement traité au bouche-pores. La cire ne constitue pas à elle seule une protection suffisante contre l'usure et l'humidité. Elle offre l'avantage de ne pas masquer la veinure du bois, mais a tendance à en foncer légèrement la teinte, même lorsqu'elle est incolore. Une fois lustrée, elle en accentue le poli.

Préparation de la surface à cirer par polissage au tampon de fibres d'alfa.

Préparation de la surface à cirer par polissage à la laine d'acier.

Quand le bouche-pores est sec, on étend, toujours dans le sens du fil, une première couche de cire avec un tampon de laine d'acier qui la fait pénétrer profondément dans le bois.

On applique une seconde couche de cire au tampon de mèche de coton dans le même sens, qui assure une parfaite pénétration des deux couches dans le bois.

Quand la cire est sèche, on lustre la surface au chiffon de laine pour lui donner un beau poli. Pour un brillant plus intense, il faut passer une autre couche de cire.

Application d'une teinture

Les teintures modifient la teinte du bois sans en masquer la veinure, en lui donnant soit une autre nuance à l'intérieur de sa propre gamme chromatique, soit la tonalité d'une autre essence, ou toute autre teinte plus fantaisiste. Il convient toutefois de souligner que les teintures confèrent toujours au bois un ton plus soutenu. Les teintures à l'eau sont les plus employées ; elles ne nuisent pas à l'environnement, sèchent rapidement, s'éliminent à l'eau et facilitent le nettoyage des pinceaux en fin de travail. Avant d'étendre les teintures sur le bois, il faut veiller à ce qu'il soit bien dépoussiéré et exempt de traces grasses. Le bois teint doit être protégé d'une couche de vernis incolore qui ne modifie pas la teinte obtenue.

Fournitures nécessaires pour donner à un panneau de contreplaqué la teinte du noyer.

La teinture en poudre est diluée avec plus ou moins d'eau selon l'intensité recherchée.

Application de la teinture au pinceau, dans le sens du fil, en mouvements rapides qui évitent la formation de cernes dûs à des différences de tonalités.

Application de la teinture à la mèche de coton dans le sens du fil, en exerçant une pression suffisante pour obtenir une répartition uniforme de la couleur.

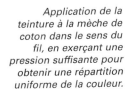

Application de la teinture sur le bout d'une planche, en tapotant du pinceau la surface du bois pour bien faire pénétrer la couleur.

Application d'une ou deux couches de teinture sur la superficie d'un contreplaqué pour obtenir le degré d'intensité recherché.

Quand l'application de la teinture est achevée, on la frotte à la mèche de coton alors qu'elle est encore humide pour obtenir une coloration uniforme.

Ponçage superficiel au tampon de fibres d'alfa pour éliminer l'aspect pelucheux que prend le bois après absorption de la teinture.

Quand la teinture est sèche, on protège le bois d'une couche de vernis incolore.

Essais de diverses teintures sur un morceau de contreplaqué ; la gamme chromatique peut être très large.

Application de vernis

Incolores ou légèrement teintés, les vernis peuvent présenter des caractéristiques très variées. Ils ont en commun la propriété de protéger le bois contre l'humidité et l'usure. Le bois verni peut avoir un aspect mat, satiné ou brillant. Pour donner de bons résultats, un vernis à bois doit sécher rapidement, présenter un brillant permanent, bien adhérer à la surface, constituer un film protecteur résistant, ne pas se décolorer avec le temps, et conserver son élasticité, même exposé aux intempéries ou autres conditions extrêmes.

Fournitures nécessaires au vernissage de bois massif ou d'un matériau dérivé du bois.

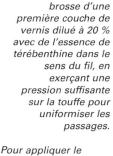

Application d'une première couche de vernis dilué à 20 % avec de l'essence de térébenthine à l'aide d'un tampon de mèche de coton pour une meilleure imprégnation du bois.

Application à la brosse d'une première couche de vernis dilué à 20 % avec de l'essence de térébenthine dans le sens du fil, en exerçant une pression suffisante sur la touffe pour uniformiser les passages.

Pour appliquer le vernis au rouleau, il faut imprégner le rouleau de vernis à l'aide d'un pinceau pour éviter qu'il ne goutte ou ne laisse des traces à la surface du bois.

On passe alors le rouleau dans le sens du fil, de façon régulière et en exerçant une pression suffisante pour répartir uniformément le vernis.

Quand la première couche de vernis est sèche, on la ponce à la main avec un papier abrasif à grain fin pour la surface avant l'application de la seconde couche.

Application de la seconde couche de vernis avec accentuation de la teinte due à la superposition des couches.

Vernissage de petites pièces par trempage direct.

Application de peinture

Le bois accepte aussi bien les peintures à l'huile que les peintures à l'eau. Ces deux types de peintures offrent chacune une gamme chromatique très étendue. Il est recommandé d'employer les peintures à l'huile pour protéger des bois exposés aux intempéries ou des ouvrages intérieurs d'emploi courant, soumis fréquemment à des frottements.
Il faut savoir cependant qu'une peinture à l'huile met plus de temps à sécher et qu'on ne peut l'appliquer que sur un bois recouvert de plusieurs couches d'enduit. La peinture à l'huile assure au bois une meilleure résistance aux retraits et gonflements, et le préserve mieux des rayures.

Ponçage préalable au papier abrasif de grain moyen d'une surface à peindre.

Avant d'appliquer la peinture, il est important de bien dépoussiérer le bois.

On étend la peinture en couches croisées, en alternant les passages dans le sens longitudinal et dans le sens transversal pour obtenir une couverture uniforme.

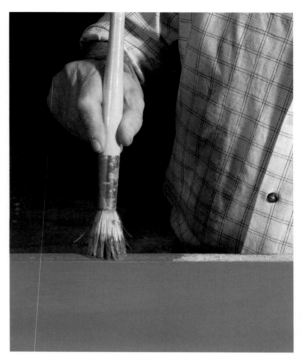

Pour bien délimiter la zone à peindre, on utilise du ruban adhésif de masquage qui protège la partie qui ne doit pas être peinte.

Quand la peinture est sèche, on retire le ruban adhésif.

Pour peindre les chants ou le bois de bouts, on applique la peinture par petits tapotements pour qu'elle soit bien absorbée par le bois.

Application d'une laque

À base de vernis teintés, les laques donnent au bois un fini brillant d'une grande homogénéité, le recouvrant d'un film parfaitement lisse et résistant aux chocs et aux agents atmosphériques. Actuellement, les laques les plus utilisées sont celles qui sont constituées de composants cellulosiques ; on peut les appliquer au pinceau ou au pistolet à air comprimé, qui assure une finition très uniforme, plus difficile à obtenir quand on étend la laque au pinceau, dont les poils peuvent laisser des traces dans la peinture après évaporation du solvant.

Quand on souhaite une finition parfaite, il est préférable de recouvrir au préalable le bois d'une ou deux couches d'un enduit compatible avec la laque choisie.

Pour obtenir une couverture homogène, on étale la laque en couches croisées, et on termine en la lissant dans le sens du fil.

Panneau de médium naturel enduit et laqué (de gauche à droite).

Vieillissement artificiel du bois

Si l'on veut donner l'aspect d'un bois ancien à une pièce de bois neuf, il suffit d'en brûler superficiellement la superficie au chalumeau. Ce procédé est très employé, car simple à mettre en œuvre. Il faut néanmoins prendre soin de ne pas trop approcher la flamme du bois, et de bien doser la chaleur, car on risque d'en détruire la couche superficielle par carbonisation.

Outils nécessaires pour donner à un bois neuf (ici du pin) l'aspect d'un bois vieilli par le temps.

1. Vieillissement d'une pièce de bois neuf au chalumeau ; il faut faire attention de ne pas endommager les surfaces sur lesquelles on travaille.

2. Il convient de tenir le chalumeau toujours à la même distance du bois, pour ne pas le brûler de façon irrégulière, tant sur les faces que sur les chants.

3. Avant d'appliquer le traitement de finition sur le bois brûlé, on brosse la surface pour éliminer la poudre de charbon de bois.

4. On polit ensuite le bois en le frottant énergiquement au tampon en fibres d'alfa ou autres fibres végétales.

5. Pour terminer, on applique une couche régulière de cire incolore à la mèche de coton sur la face et les chants.

6. Aspect du bois avant et après le processus de vieillissement artificiel.

Pose de systèmes de fermeture

Les organes d'immobilisation ou de condamnation provisoire de portes, fenêtres, etc., sont très divers, allant des systèmes les plus simples, comme les verrous ou targettes, aux mécanismes les plus complexes et de formes variées, comme les serrures à cylindre ou à tringle, ou encore les crémones. On peut les poser en applique, en les vissant contre la partie ouvrante et la partie fixe, soit les encastrer dans l'épaisseur du bois des deux parties à solidariser.

Pose d'une targette

Les targettes, dans toutes leurs versions, sont les éléments de condamnation dont le principe de fonctionnement, et la pose, sont les plus simples.

Fournitures nécessaires à la pose d'une targette sur un panneau de médium.

1. On enduit le filetage des vis de cire pour faciliter leur pénétration.

2. On détermine le niveau d'emplacement de la targette et on trace au crayon la première ligne de référence.

3. On positionne la targette sur cette ligne et à 2 à 3 mm de l'arête du chant, puis on en marque au crayon les trous de fixation.

4. Après avoir fixé cette partie de la targette à l'aide de vis, on positionne sur l'autre pièce, en vis-à-vis, la gâche dans laquelle coulissera sa tige.

5. La pose s'achève par le vissage de la gâche.

Pose d'un verrou en applique

Ce type de verrou est assez simple à mettre en place. On en réserve en principe l'emploi à la fermeture de portes ou tiroirs de meubles qui n'exigent pas un mécanisme de condamnation très robuste. Son fonctionnement est simple : le pêne en forme de barre plate coulisse dans une gâche fixée en applique. L'avantage de ce système est que seule la partie traversée par le barillet du verrou est à entailler.

Fournitures nécessaires à la pose d'un verrou en applique.

1. À l'aide d'une équerre, on détermine l'emplacement du barillet ou cylindre du verrou par rapport au chant.

2. On trace le contour du futur logement du barillet en maintenant fermement le verrou en place.

3. À nouveau à l'aide de l'équerre, on marque le centre du cercle où devra être située la pointe de la mèche.

4. Avec un compas à pointes sèches, on incise le périmètre du cercle pour éviter que la mèche ne fragmente le bois.

5. Pour procéder au perçage du trou, on utilise une mèche à bois plate d'un diamètre équivalent.

6. Il est essentiel de tenir la perceuse en position bien verticale quand on amorce le perçage, pour que la mèche effectue une découpe circulaire uniforme.

7. La verticalité du perçage garantit également que l'écartement du trou par rapport au chant est identique sur les deux faces.

8. Si l'on parvient à encastrer le barillet dans son logement sans trop forcer ou sans qu'il y ait de jeu, c'est que le trou pratiqué est d'un diamètre adapté.

9. Une fois le barillet encastré, on maque l'emplacement des trous de fixation du boîtier du verrou, qui doit être espacé du bord de 2 à 3 mm si le travail a été correctement effectué jusque-là.

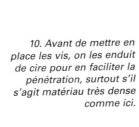

10. Avant de mettre en place les vis, on les enduit de cire pour en faciliter la pénétration, surtout s'il s'agit matériau très dense comme ici.

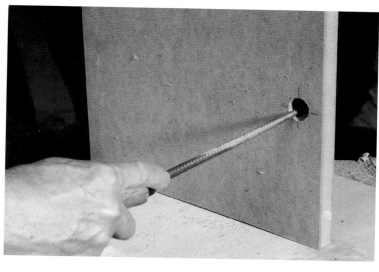

11. Avant d'emboutir l'entrée du verrou dans le bois, on évase les bords de l'orifice à la lime.

12. Pour mettre en place l'entrée du verrou, on insère entre la pièce et le marteau une cale de bois qui protège à la fois la pièce et le bois.

13. Partie visible du verrou sur la face externe de la porte.

14. Aspect de la serrure sur la face interne.

171

Pose d'une serrure encastrée sur chant

Nous allons voir ici comment poser une serrure classique, qui équipe en général les portes préfabriquées de bureaux et locaux publics, et qui peut être complétée de différents types de poignées.

Traçage des éléments de la serrure sur la face de la porte

2. À l'aide d'une équerre et d'un mètre, on situe sur la face de la porte la hauteur de l'axe central de la future poignée.

3. En faisant coïncider l'axe transversal situé à une hauteur de 1,05 m avec le centre de l'axe de la poignée, on positionne la serrure dont on trace le contour.

1. Éléments nécessaires à la pose de la serrure.

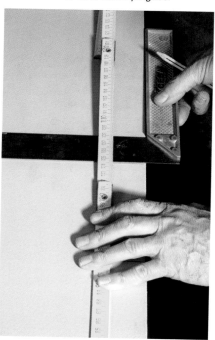

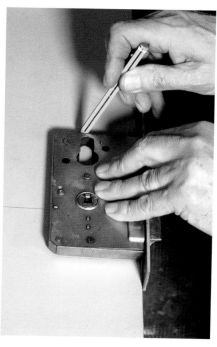

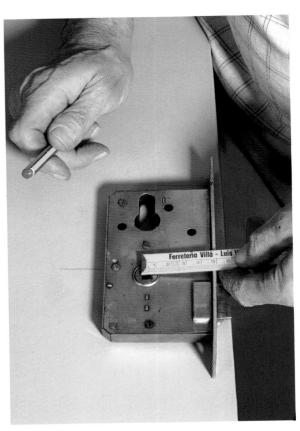

4. On trace le contour du logement du futur barillet de la serrure.

5. On mesure ensuite la distance séparant le côté externe du logement du carré servant d'axe aux poignées et l'arête de la porte.

6. On reporte cette mesure, équivalant à 5 cm (1 $^{15}/_{16}$ po), sur l'axe de référence situé à 1,5 m de hauteur.

Traçage des éléments de la serrure sur le chant de la porte

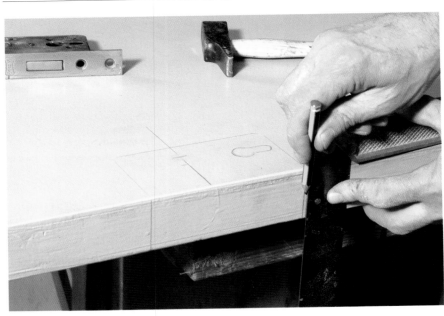

7. On prolonge sur le chant les limites supérieure et inférieure de la serrure pour pouvoir tracer le contour de la mortaise à creuser sur le chant.

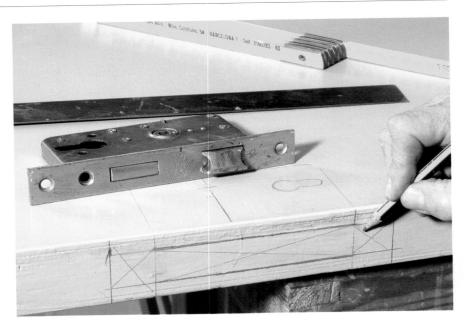

8. On trace ensuite deux parallèles à 1 cm ($^3/_8$ po) des arêtes et deux autres lignes transversales à 2,5 cm (1 po) des premières lignes tracées pour délimiter le contour de la têtière de la serrure, ou plaque métallique entourant la sortie du pêne. On marque d'une croix les zones à entailler superficiellement.

Exécution de la mortaise sur le chant de la porte

9. Après avoir solidement fixé la porte à l'établi, on évide la mortaise au ciseau jusqu'à une profondeur de 7 cm (2 ³/₄ po).

10. Une fois la mortaise percée, on creuse les entailles situées aux deux extrémités, qui doivent faire 3 mm (¹/₈ po) de profondeur.

11. On encastre alors la serrure dans son logement en donnant de légers coups de marteau jusqu'à ce que la têtière affleure parfaitement le chant de la porte.

Percement de la face de la porte

12. On procède ensuite à l'évidement, sur la face de la porte, du trou de passage de 2 x 2 cm (2 x ²⁵/₃₂ po) du barillet de la serrure, au centre de la zone délimitée antérieurement au crayon. On perce ensuite un second trou de 2 x 2 cm au-dessous pour le passage du carré servant d'axe aux deux poignées.

13. Une fois le barillet inséré dans son logement, on met en place le carré en le faisant dépasser de chaque côté de la longueur adéquate pour fixer les poignées.

14. On peut alors mettre en place sur chaque face de la porte la plaque de propreté sur laquelle est montée la poignée.

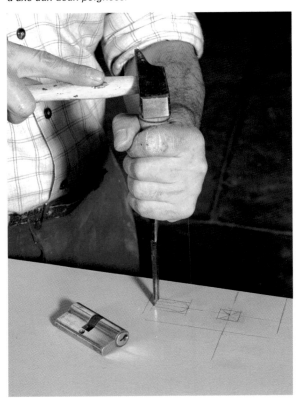

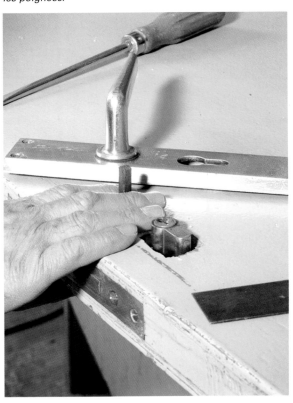

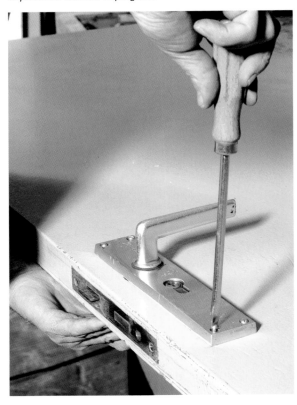

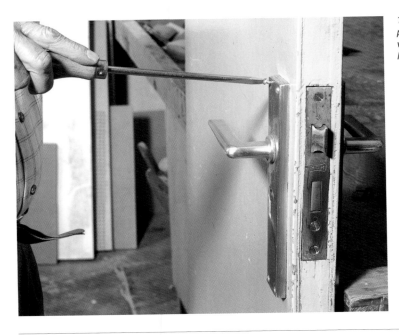

15. Après avoir fixé la première poignée, on visse la seconde sur la face opposée.

16. Pour finir, on vérifie le bon fonctionnement de la serrure avec la clé.

Pose d'une crémone

La crémone est un mécanisme apparemment complexe, mais dont la pose ne présente pas de grande difficulté, car l'ensemble s'articule autour d'une tringle centrale que l'on fait coulisser à l'aide d'une poignée et dont les extrémités s'engagent dans des gâches.

1. Châssis de fenêtre, outils et crémone en pièces détachées.

2. À l'aide d'un double mètre ou d'un réglet, on marque les repères de l'axe de la crémone sur le montant du battant qui, à la fermeture, vient joindre le montant correspondant de l'autre battant.

3. Après avoir marqué au moins trois repères, on trace l'axe avec un réglet ou une pièce de bois bien dressée.

174

4. Sur l'axe tracé, on fixe au battant de la fenêtre la patte à lacet inférieure qui maintiendra la tringle de la crémone.

5. En prenant la tringle de la crémone pour guide, on fixe ensuite les autres pattes à lacet.

6. On procède de la même manière pour poser le boîtier de la poignée qui va servir à faire coulisser la tringle.

7. Les gâches fixées sur le dormant de la fenêtre sont fixées après la pose des battants, car on peut alors en ajuster parfaitement l'emplacement en fonction du coulissement de la tringle.

8. Aspect final de la crémone.

Pose d'éléments de protection et de poignées de tirage

Les éléments de protection sont tous les accessoires destinés à protéger le bois des chocs, de l'usure ou de la salissure, qu'il s'agisse d'entrées de serrure, de plaques de propreté ou de bandes couvre-chants. Quant aux poignées de tirage – poignée bouton, poignée cuvette, ou tirant en forme de tige coudée –, ce sont les poignées qui permettent d'ouvrir ou de fermer les portes ou tiroirs des meubles sans en assurer l'immobilisation, puisqu'elles ne sont pas intégrées à une serrure.

Entrées de serrure et plaques de propreté

Ces accessoires assurent une triple fonction :
• Servir de couvre-joint pour masquer les bords des entailles.
• Protéger la porte des rayures ou salissures engendrées par son ouverture ou l'introduction de la clé dans la serrure.
• Embellir les trous de serrure.

Mise en place d'une poignée associée à une plaque de propreté.

Entrées de serrure, de gâche, et plaques de propreté.

176

Poignées de tirage

Comme les entrées de serrure, les poignées de tirage se font dans une large gamme de formes et de tailles. On les choisit à la fois pour leur côté fonctionnel et esthétique en fonction du style et de la destination du meuble sur lequel elles doivent être installées. Elles peuvent être en bois tourné, en métal doré ou chromé, en porcelaine, en matière plastique, etc.
Elles ne sont associées à aucun mécanisme ; elles facilitent simplement l'ouverture et la fermeture d'un élément mobile et sont en général associées à un aimant ou à un cliquet qui en assure l'immobilisation. La poignée bouton est moins ergonomique que la poignée fil ou arc en forme de tige coudée, plus facile à saisir, et qui est en général utilisée en position horizontale sur les tiroirs et en position verticale sur les portes. Ces poignées, qu'elles soient indépendantes ou associées à des plaques de propreté, sont simples à poser.

Pose d'une poignée en applique

La poignée fil est une poignée posée en applique dont la fixation est invisible. Les seules modifications apportées à la surface sur laquelle elle est posée sont les trous servant à insérer les vis sur la face arrière, et qui sont masqués par la poignée.

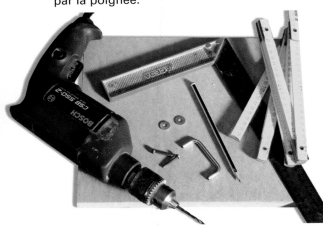

Outils et fournitures nécessaires à la pose en applique d'une poignée fil sur un panneau de médium.

1. On trace l'axe de symétrie horizontal de la poignée, puis on marque plusieurs repères à une distance de 3 cm (1 1/8 po) de l'arête du chant.

2. Avec l'équerre, on trace ensuite l'axe de positionnement vertical de la poignée.

3. Pour centrer la poignée, on en mesure l'entraxe.

4. On reporte cette mesure sur l'axe vertical déjà tracé sur le panneau pour définir l'emplacement des trous de fixation.

5. On procède alors au perçage des trous de fixation avec une mèche d'un diamètre légèrement supérieur au diamètre de la tige de la vis.

6. Les vis sont mises en place sur la face interne du panneau, associées à des rondelles.

7. Il faut bien les serrer, sans craindre d'abîmer le panneau, qui est protégé par les rondelles.

8. On vérifie que la poignée est solidement fixée.

9. Poignée vue de profil dans sa position finale verticale.

Pose d'une poignée cuvette

Les poignées cuvette sont des poignées de tirage encastrées dans le bois pourvues d'un évidement facilitant la prise, qui sont en général installées sur des portes coulissantes. Leur fixation est invisible, puisqu'elles sont vissées sur la face arrière du panneau.

1. Sur un panneau de médium, on centre la poignée en mesurant de part d'autre la distance la séparant des chants latéraux.

2. On la place à la hauteur souhaitée et on en marque les angles avec une équerre.

3. L'emploi de l'équerre est essentiel si l'on veut que les axes de référence soient exacts, à condition bien sûr que les chants de la pièce sur laquelle on travaille soient parfaitement d'équerre.

4. On mesure ensuite, sur l'envers de la poignée, la partie qui sera encastrée dans le panneau.

5. On reporte sur le panneau le contour de la partie à encastrer, puis on délimite l'entaille au ciseau percuté au marteau.

6. On procède ensuite à son évidement en orientant le biseau de l'outil vers le bas, jusqu'à la profondeur requise pour encastrer la poignée.

7. Puis, toujours au ciseau, mais percuté cette fois-ci à la main, on égalise le fond et les parois latérales de l'entaille.

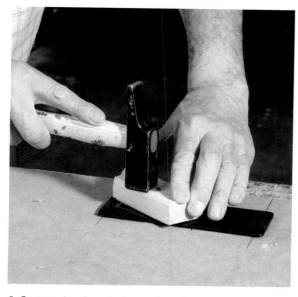

8. On met alors la poignée en place dans son logement et on se munit d'une cale pour en parfaire l'ajustement au marteau sans risquer de l'endommager.

9. Pour situer l'emplacement des trous de fixation sur le panneau, on en mesure l'entraxe sur la poignée.

10. Après avoir marqué l'emplacement des trous sur le panneau, on procède au perçage, en tenant la perceuse en position bien verticale.

11. On remet la poignée en place et on la fixe à l'aide de vis sur la face interne du panneau.

12. Aspect final de la poignée dans sa position verticale.

Pose d'une poignée bouton avec plaque de propreté

La poignée bouton est ici associée à une plaque de propreté qui sert à protéger le bois des traces de doigt engendrées par sa manipulation et assure en même temps à la poignée une meilleure résistance à la traction, en lui offrant une meilleure assise.

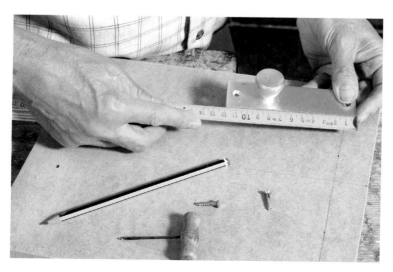

1. Après avoir tracé les axes de référence sur le panneau comme il l'est indiqué précédemment, on mesure tout d'abord la longueur totale de la base de la poignée.

2. On reporte cette longueur sur l'axe vertical.

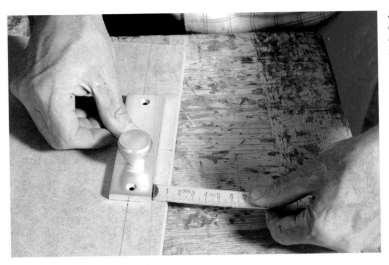

3. L'écart entre la base de la poignée et l'arête du chant doit être au minimum de 1 cm (^{3}/$_8$ po).

4. Quand la pièce est bien positionnée, on en marque les trous de fixation à la vrille.

5. Sur une surface plane et stable, on insère les vis à tête plate dans les avant-trous percés à la vrille et on les visse jusqu'à ce qu'elles affleurent la plaque de la poignée.

6. Poignée bouton dans sa position normale.

Pose de couvre-chants

N'importe quel ouvrage en bois de forme plane aux chants apparents, qu'il s'agisse d'une porte ou d'un plan de travail, remplit parfaitement sa fonction sans qu'il soit nécessaire de lui adjoindre des éléments complémentaires. Il n'en reste pas moins vrai que l'ajout de certains éléments peut en augmenter la durabilité et en améliorer l'aspect. C'est le cas des couvre-chants, qui peuvent être de simples bandes de placage en bois ou en matière synthétique fixées par collage ou des profilés en matière plastique à languette s'emboîtant dans une rainure pratiquée dans le chant, ou encore des profilés en métal, ou des baguettes d'angle ou chants plats en bois massif.

Pose d'un profilé en métal sur le chant d'un panneau de médium

Le couvre-chant que nous nous proposons de fixer ici par collage à la colle de contact sur le bord d'un panneau de médium est un profilé en métal peint à section en forme de U, très couvrant, qui garantit une excellente protection des arêtes.

Fournitures nécessaires à la pose du couvre-chant en métal.

1. Après avoir fixé le panneau à l'établi en position verticale, on en ponce soigneusement le chant avec un papier abrasif de grain moyen pour en régulariser la surface.

2. Pour délimiter les zones à encoller, on emboîte le profilé métallique sur le chant pour en tracer le contour.

3. On encolle le chant à la colle de contact avec un couteau à enduire ; il faut laisser sécher un peu la colle avant de mettre les surfaces encollées en contact.

4. On pose ensuite le panneau à plat pour encoller la surface délimitée le long du premier bord.

5. On encolle les deux faces intérieures du profilé métallique.

6. On attend que la colle n'adhère plus au doigt pour poser le couvre-chant. Aspect final du panneau protégé du couvre-chant.

7. Vue détaillée du chant du panneau montrant le parfait ajustement du couvre-chant à l'épaisseur du panneau.

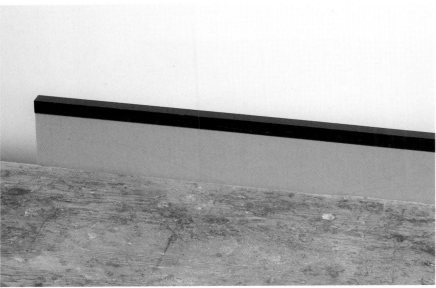

Pose d'une baguette en L en bois massif

Ici, la protection du chant est assurée par une baguette d'angle à profil en L qui protégera le panneau de médium de tous types de déformations, que ce soit en raison de l'humidité, des chocs, ou du frottement.

On peut fixer ce genre de couvre-chant soit avec de la colle de contact, comme ici, soit avec de la colle vinylique et des pointes.

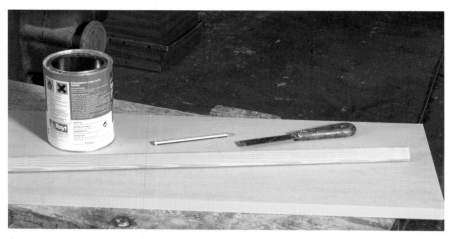

Fournitures nécessaires à la fixation du couvre-chant à la colle de contact, selon le processus décrit précédemment.

Fournitures nécessaires à la pose du couvre-chant par collage à la colle vinylique et clouage.

1. Pour définir les zones à enduire de colle vinylique, on emboîte la baguette sur le chant pour en tracer le contour.

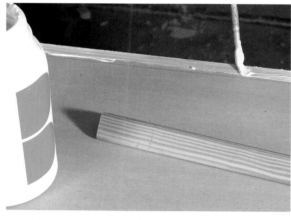

2. La planche posée à plat, pour éviter les coulures, on applique la colle au pinceau sur la zone préalablement délimitée.

3. On fixe le panneau verticalement pour mettre en place le couvre-chant et finir de le fixer, en y plantant tous les 20 cm (8 po) des pointes tête homme sans les enfoncer entièrement.

4. À l'aide d'un chasse-clou, on chasse la tête des pointes sous la surface du bois.

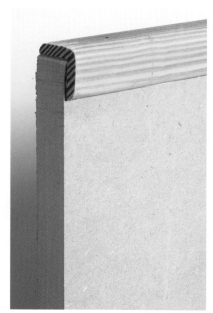

5. Vue détaillée du chant recouvert de la baguette de recouvrement en bois massif.

Pose d'une alaise en bois massif coupé d'onglet

On a choisi de recouvrir ici tout le pourtour d'un panneau à l'aide d'une alaise ou chant plat assez épais en bois massif en procédant à des assemblages d'angle à coupe d'onglet. Il convient de souligner qu'avec ce type de couvre-chant, il est très facile de réaliser des assemblages d'angle de ce type.

1. Pour en définir la longueur, on pose la baguette sur le chant en la laissant dépasser de chaque côté pour la marquer à une certaine distance de l'angle, en prévision de la coupe d'onglet.

2. Après avoir procédé au traçage de la coupe d'onglet, on coupe les baguettes à 45° avec une scie à coupe d'onglet manuelle.

3. Après avoir coupé les pièces, on en vérifie l'ajustement en les positionnant sur les chants du panneau.

4. On encolle les chants et les faces correspondantes des alaises à l'aide d'un pinceau assez étroit éviter les coulures.

5. On procède alors à la fixation définitive. On cloue ici une alaise encollée et coupée d'équerre à l'extrémité du chant arrière.

6. On met en place et on cloue les alaises coupées d'onglet sur les chants latéraux et le chant avant.

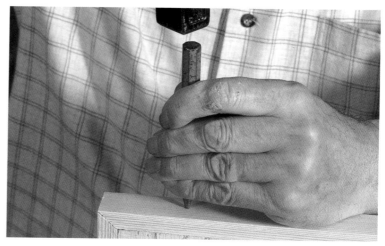

7. Pour parfaire l'aspect final des alaises, on dissimule les têtes des pointes dans l'épaisseur du bois à l'aide d'un chasse-clou.

8. On ponce avec un papier abrasif à grain moyen, puis à grain fin le raccord entre l'alaise et le panneau.

9. Vue détaillée du panneau dont les chants et les angles sont convenablement protégés par les alaises, qui constituent en outre une élégante finition.

Réalisations

Dans les pages qui suivent, avec lesquelles s'achève la partie de cet ouvrage consacrée à la menuiserie, nous avons choisi de vous présenter le processus de réalisation de plusieurs ouvrages représentatifs des trois grands domaines de la menuiserie: la menuiserie d'atelier, ou l'exécution artisanale d'ouvrages depuis leur conception jusqu'à leur finition; la menuiserie de pose, consistant à mettre en place des éléments préfabriqués, comme les parquets; et la menuiserie d'assemblage, consistant à monter des meubles vendus sous forme d'ensembles prêts à monter – deux nouvelles façons de pratiquer la menuiserie qui témoignent aujourd'hui de l'évolution qui s'est produite dans le domaine de la transformation et de la commercialisation du bois massif et de ses produits dérivés. Autrefois, la menuiserie artisanale était perçue comme étant directement liée à l'activité du menuisier dans son propre domaine, l'atelier, et la menuiserie de pose ou d'assemblage comme étant celle pratiquée sur des chantiers en dehors de l'atelier. Aujourd'hui, on les différencie plus par la plus grande habileté manuelle que suppose la première, la menuiserie de pose ou d'assemblage exigeant seulement que l'on soit capable d'installer ou d'assembler correctement un large éventail d'éléments que l'on acquiert sous forme d'un ensemble de pièces détachées accompagnées de tous les accessoires nécessaires pour les monter. C'est le cas, par exemple, des meubles de cuisine ou encore des planchers ou lambris, qui sont vendus en éléments très simples à assembler et permettent d'aménager une pièce ou de recouvrir de grandes superficies en très peu de temps.
Les projets à réaliser présentés dans ce chapitre touchent ces trois domaines.

Création d'ouvrages

Dans cette partie sont décrits, étape par étape, les processus d'élaboration de quatre ouvrages de menuiserie, les uns destinés à l'extérieur, comme la clôture et le portillon de jardin, ou encore le treillis, les autres à l'intérieur, comme le tréteau et le casier à bouteilles.

Pose d'un parquet

À titre d'exemple, nous vous montrons comment poser un parquet flottant et les éléments qui l'accompagnent, pour vous donner un aperçu de la grande souplesse d'emploi qu'offrent ces nouveaux produits à base de matériaux dérivés du bois, faciles à installer et convenant à différents décors et destinations.

Montage d'un meuble

Pour illustrer les nouvelles tendances du marché, nous avons choisi de vous exposer la procédure à suivre pour monter un meuble préfabriqué, vendu en pièces détachées accompagné des accessoires de fixation et des garnitures qui lui permettent de s'intégrer au décor d'une cuisine comme d'une salle de bains.

Clôture de jardin

En guise d'introduction à la réalisation de divers ouvrages de menuiserie, nous vous proposons ici un exercice simple et répétitif. Cette clôture de jardin trouve en outre son complément idéal dans l'ouvrage présenté ensuite, un portillon de jardin, puisque les poteaux de fixation au sol qui leur servent de support sont identiques.

Cet exercice permet de se familiariser avec l'emploi de la scie à onglet manuelle et de l'équerre d'onglet pour le traçage et l'exécution des coupes d'onglet au sommet des montants de la clôture, d'une équerre droite pour vérifier l'orthogonalité des éléments, et d'un gabarit d'espacement permettant d'assurer la parfaite égalité des intervalles entre les montants verticaux de la clôture.

FOURNITURES NÉCESSAIRES

- Pièces en pin des Landes 1er choix, équarries et rabotées.

- Pour les traverses horizontales :
  2 tasseaux de 2 x 6 x 100 cm ($^{25}/_{32}$ x 2 $^3/_8$ x 40 po)

- Pour les montants verticaux :
  5 tasseaux de 2 x 7 x 100 cm ($^{25}/_{32}$ x 2 $^3/_4$ x 40 po)

- Pour les poteaux :
  1 tasseau de 4,5 x 7 x 170 cm (1 $^3/_4$ x 2 $^3/_8$ x 67 po)

- Colle à bois vinylique

- Pointes de 4 cm (1 $^1/_2$ po) de long

- Feuilles de papier abrasif de grain moyen

- Vernis

- Pinceaux pour la colle et le vernis

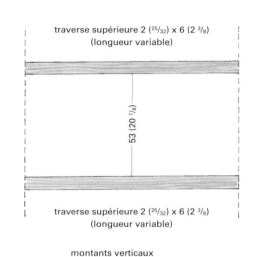

traverse supérieure 2 ($^{25}/_{32}$) x 6 (2 $^3/_8$)
(longueur variable)

53 (20 $^7/_8$)

traverse supérieure 2 ($^{25}/_{32}$) x 6 (2 $^3/_8$)
(longueur variable)

montants verticaux
2 ($^{25}/_{32}$) x 7 (2 $^3/_8$) x 90 (35 $^{15}/_{32}$)

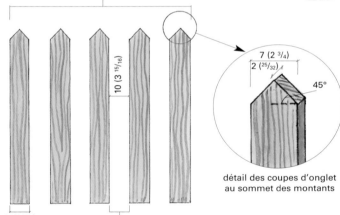

10 (3 $^{15}/_{16}$)

7 (2 $^3/_4$)

espacement des montants

7 (2 $^3/_4$)
2 ($^{25}/_{32}$)
45°

détail des coupes d'onglet
au sommet des montants

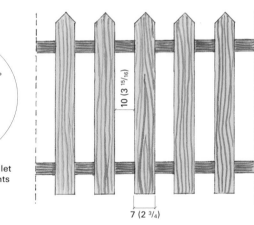

10 (3 $^{15}/_{16}$)

7 (2 $^3/_4$)

5 montants verticaux entre chaque poteau

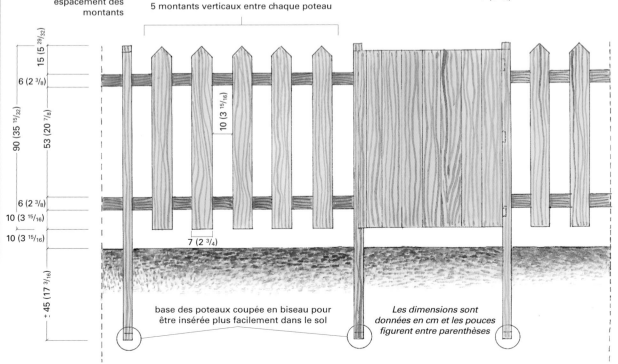

15 (5 $^{29}/_{32}$)

6 (2 $^3/_8$)

90 (35 $^{15}/_{32}$)

53 (20 $^7/_8$)

10 (3 $^{15}/_{16}$)

6 (2 $^3/_8$)

10 (3 $^{15}/_{16}$)

10 (3 $^{15}/_{16}$)

7 (2 $^3/_4$)

± 45 (17 $^3/_{16}$)

base des poteaux coupée en biseau pour
être insérée plus facilement dans le sol

Les dimensions sont données en cm et les pouces figurent entre parenthèses

Exercice pas à pas

Préparation des montants verticaux

1. Outils, accessoires et matériaux nécessaires à la réalisation d'une partie représentative de la clôture.

2. Après avoir rassemblé chant contre chant deux ou trois pièces destinées aux futurs montants, on y trace à l'équerre une ligne de référence pour les couper toutes à la même longueur (90 cm).

3. Pour couper les pièces avec précision, on utilise la scie à onglet pourvue d'un guide de coupe.

4. Après en avoir égalisé les extrémités en suivant la ligne de référence préalablement tracée, on délimite la longueur de 90 cm (35 $^{15}/_{32}$ po) que doivent avoir les montants verticaux

5. Sur l'une des faces de chaque pièce, en bout, on trace un repère au crayon au milieu de ce qui sera l'extrémité supérieure du montant.

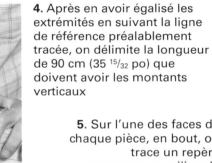

6. À partir de ce point médian, on trace à l'équerre d'onglet deux lignes à 45° de façon à former une pointe d'une symétrie parfaite.

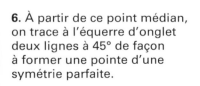

7. Pour effectuer la coupe correspondante avec un maximum de précision, on se sert à nouveau de la scie à onglet.

Préparation des traverses horizontales

8. Avant de procéder à n'importe quel traçage ou marquage, on aligne avec soin les bases des pièces à l'aide de l'équerre à épaulement.

9. Pour définir l'emplacement de la traverse supérieure, on trace un repère à 15 cm (5 $^{29}/_{32}$ po) du sommet de la pointe du premier montant.

10. À l'aide d'une équerre, on reporte cette mesure sur l'ensemble des montants correctement alignés.

11. On positionne alors l'arête supérieure de la future traverse le long de cette ligne pour en reporter la largeur et délimiter ainsi la zone à encoller.

12. On répète le processus en traçant un repère à 10 cm (3 $^{15}/_{16}$ po) de la base des futurs montants verticaux pour déterminer l'emplacement de la traverse inférieure.

13. On trace cette limite inférieure sur l'ensemble des montants avec l'équerre.

14. On positionne la traverse sur cette ligne pour en reporter la largeur.

Espacement des montants

15. Pour espacer régulièrement les montants verticaux de la clôture, on intercale entre eux une pièce de bois d'une largeur de 10 cm (3 $^{15}/_{16}$ po).

16. On utilise à nouveau l'équerre pour aligner au même niveau les bases des montants en vue d'assembler montants et traverses. On aperçoit sur les montants la délimitation des zones d'encollage de la traverse inférieure.

17. On place alors la traverse sur les montants en la laissant dépasser sur le côté d'une longueur suffisante en prévision de son futur assemblage avec les poteaux qui serviront à fixer la clôture dans le sol.

Encollage et clouage des traverses

18. On enduit alors de colle les zones délimitées sans retirer la pièce servant de gabarit d'espacement.

19. Après mise en place de la traverse inférieure, on renforce l'assemblage en plantant deux clous en biais et en diagonale au niveau de chaque montant.

20. On procède de la même manière pour mettre en place la traverse supérieure, assemblée par collage et clouage.

Finition

21. Une fois les traverses collées et clouées en place, on ponce les chants et les faces des montants et traverses avec un papier abrasif de grain moyen.

22. Pour protéger la clôture de l'humidité, on l'enduit ensuite de deux à trois couches d'un vernis pour extérieur.

23. Si les montants ne semblent pas bien parallèles, il est bon de vérifier leur espacement avec le gabarit, pour s'assurer qu'il est bien partout de 10 cm (3 $^{15}/_{16}$ po).

189

24. Le module représentatif de la clôture est achevé, prêt à être associé au portillon de jardin.

On le voit ici assemblé au portillon. Le poteau, qui leur sert d'élément de liaison, sera planté dans le sol pour assurer la fixation et la stabilité de l'ensemble de la structure.

Portillon de jardin

C et exercice est complémentaire du précédent, puisqu'il s'agit de construire ici un portillon de jardin susceptible de s'intégrer à la précédente clôture, les poteaux qui leur servent de support étant identiques.

L'exécution de cet ouvrage offre l'occasion de préparer un gabarit pour marquer et vérifier les mesures et les angles des pièces principales, d'utiliser une fausse équerre pour vérifier et ajuster divers angles, d'exécuter des assemblages à tenon et mortaise en creusant les mortaises au bédane, et de procéder à des coupes d'onglet pour tailler en pointe le sommet des poteaux et assembler la traverse oblique aux traverses horizontales.

190

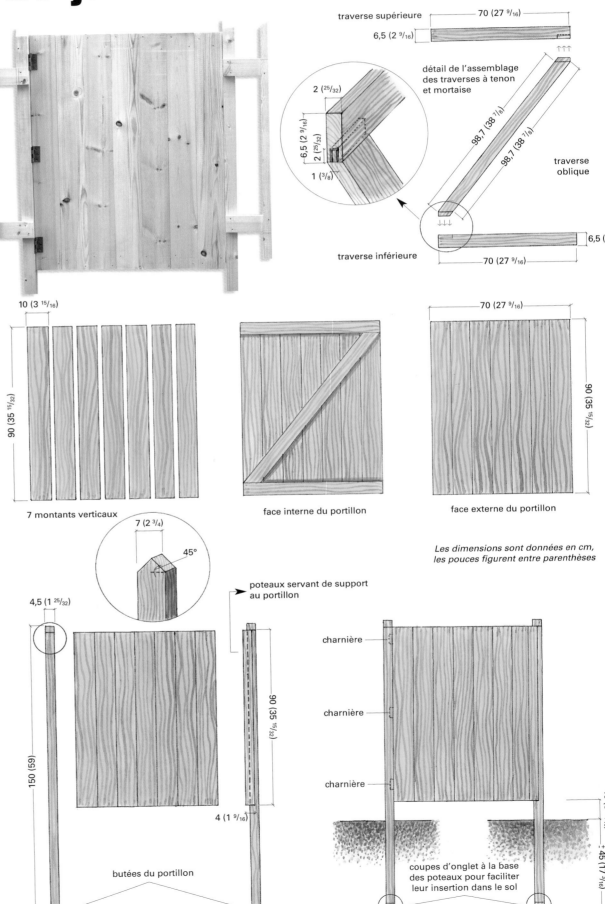

traverse supérieure — 70 (27 9/16)

6,5 (2 9/16)

détail de l'assemblage des traverses à tenon et mortaise

2 (25/32)

6,5 (2 9/16)

6,5 (2 25/32)

2 (25/32)

1 (3/8)

98,7 (38 7/8)

98,7 (38 7/8)

traverse oblique

traverse inférieure

6,5 (2

70 (27 9/16)

10 (3 15/16)

90 (35 15/32)

7 montants verticaux

face interne du portillon

70 (27 9/16)

90 (35 15/32)

face externe du portillon

Les dimensions sont données en cm, les pouces figurent entre parenthèses

7 (2 3/4)

45°

4,5 (1 25/32)

poteaux servant de support au portillon

90 (35 15/32)

150 (59)

4 (1 9/16)

butées du portillon

charnière

charnière

charnière

10 (3 15/16)

45 (17 3/4)

coupes d'onglet à la base des poteaux pour faciliter leur insertion dans le sol

FOURNITURES NÉCESSAIRES

- Pièces en pin des Landes 1er choix, équarries et rabotées.
  - Pour les traverses horizontales et oblique : 3 tasseaux de 2 x 6,5 x 110 cm (25/32 x 2 9/16 x 43 po)
  - Pour les montants verticaux : 7 tasseaux de 1,5 x 10 x 100 cm (9/16 x 3 15/16 x 40 po)
  - Pour les poteaux : 2 tasseaux de 4,5 x 7 x 170 cm (1 3/4 x 2 3/4 x 67 po)

- Colle à bois vinylique
- Vis de 2,5 cm (1 po) de long
- 3 charnières de 50 x 60 mm (2 x 2 3/8 po)
- Clous de 2 cm (3/4 po) et 4 cm (1 1/2 po)
- Papier abrasif à grain moyen
- Vernis
- Brosse plate

Exercice pas à pas

Traçage du gabarit

1. Ensemble d'outils et matériaux nécessaires à la construction du portillon.

2. On positionne, avec une équerre, l'une des traverses horizontales le long de l'un des chants du panneau, pour en reporter la largeur et la longueur.

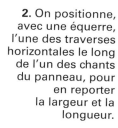

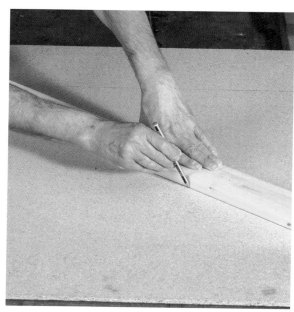

3. Après avoir délimité la longueur de cette première traverse à 70 cm (27 9/16 po), on élève une perpendiculaire qui définit le contour du portillon après assemblage.

4. Sur le bord opposé, on délimite la largeur de la seconde traverse horizontale, dont l'arête supérieure doit se trouver à 90 cm (35 15/32 po) de l'arête inférieure de la première traverse.

5. En se servant de la même pièce comme gabarit, on délimite l'emplacement de la traverse oblique.

6. On trace la profondeur de l'assemblage à tenon et mortaise 2 cm (25/32 po) sur la zone de croisement des traverses.

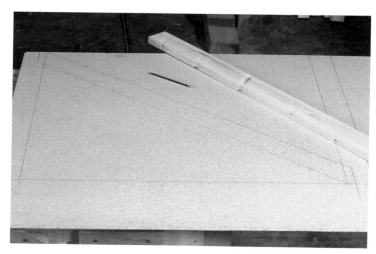

7. Le traçage du gabarit est achevé. Il indique la disposition correcte des trois traverses qui vont servir de support aux montants verticaux du portillon.

Report des mesures

8. Pour tracer le contour du tenon d'assemblage de la traverse oblique, on prolonge sur les chants respectifs de la traverse les tracés déjà effectués sur le gabarit.

9. À l'aide d'une équerre, on prolonge ces tracés sur les faces et l'autre chant de l'extrémité de chaque traverse.

10. On utilise la fausse équerre pour transposer du gabarit sur les traverses les angles d'assemblage des traverses entre elles.

11. Sur le tracé définissant la largeur de la traverse oblique, on trace, à la fausse équerre, deux lignes parallèles transversales, distantes de 2 cm ($^{25}/_{32}$ po), qui délimitent la profondeur du tenon.

Coupes à mi-bois pour l'exécution du tenon

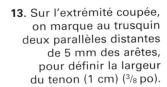

12. La traverse étant calée à plat sur l'établi, on en retire la partie superflue à la scie à dos.

13. Sur l'extrémité coupée, on marque au trusquin deux parallèles distantes de 5 mm des arêtes, pour définir la largeur du tenon (1 cm) ($^3/_8$ po).

14. Toujours au trusquin, on prolonge les parallèles sur les chants adjacents jusqu'à la limite de profondeur du tenon.

15. Après avoir fixé la traverse à l'établi, on en coupe le bout verticalement en suivant les parallèles, en veillant à ne pas dépasser la limite de profondeur.

16. La pièce calée à l'horizontale, on procède aux coupes à mi-bois pour dégager les joues du tenon.

17. Aspect du tenon d'assemblage entre la traverse oblique et les traverses inférieure et supérieure.

Exécution de la mortaise d'assemblage des traverses

18. À l'aide des deux traverses coupées à 70 cm (27 $^9/_{16}$ po) de longueur, on marque la largeur de rencontre de la traverse oblique; on se sert pour cela du gabarit, comme on le voit sur la photo.

19. Pour que les mesures soient identiques sur les deux traverses, on les reporte simultanément sur les deux pièces à l'aide d'une équerre.

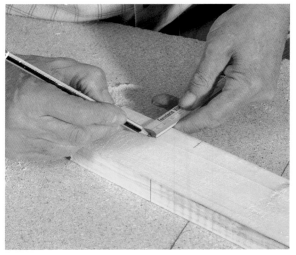

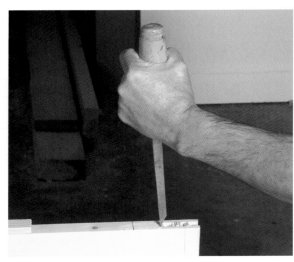

20. Sur l'un des bouts, on marque la profondeur (2 cm) ($^{25}/_{32}$ po) de la mortaise dans laquelle va s'insérer le tenon de la traverse oblique.

21. Pour définir la largeur de la mortaise, on trace au trusquin, sur le chant de la traverse, deux parallèles à 5 mm ($^3/_{16}$ po) des arêtes.

22. On délimite ensuite les contours de la mortaise en entaillant verticalement le bois avec un bédane de 1 cm ($^3/_8$ po) de large.

23. On évide la mortaise en tenant le bédane incliné, biseau à l'envers, et en faisant levier pour soulever le bois, comme on le voit ici.

24. Une fois les tenons et mortaises achevés, on procède à un montage à blanc avant encollage, afin de vérifier l'emboîtement des pièces et d'éliminer à la râpe, si nécessaire, les aspérités de leurs surfaces de contact et de les poncer.

Encollage des assemblages

25. Après s'être assuré que les surfaces de contact soient parfaitement lisses, on procède à leur encollage.

26. Lors de l'emboîtement du tenon dans la mortaise, il faut exercer une forte pression pour chasser l'excédent de colle, et nettoyer aussitôt celui-ci avec un chiffon humide.

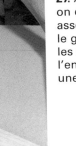

27. Avant que la colle durcisse, on dispose les trois traverses assemblées sur le gabarit pour en vérifier les angles et s'assurer que l'ensemble se consolide selon une disposition adéquate.

28. Pour couper les parties superflues des assemblages sans les désajuster, il faut attendre que la colle soit sèche et que l'ensemble soit bien consolidé.

Marquage et encollage des montants verticaux

29. Les 7 montants verticaux de 1 x 10 x 100 cm ($3/8$ x 3 $15/16$ x 40 po) sont posés un à un sur la structure des traverses pour être coupés à la bonne longueur (90 cm) (35 $15/32$ po), la structure servant de gabarit.

30. Après avoir coupé les 7 pièces à 90 cm (35 $15/32$ po), on en reporte la largeur sur les traverses afin de définir les zones à encoller.

31. On encolle ensuite les zones délimitées.

32. On met en place les montants. Pour renforcer leur fixation, on plante deux clous en diagonale à chacune de leurs extrémités.

33. On répète ces opérations d'encollage et de clouage jusqu'à ce que les traverses soient entièrement recouvertes et que les montants forment une surface plane correspondant à la face externe du portillon.

34. Sur la face interne du portillon, les clous ne sont pas visibles et les traverses constituent des éléments décoratifs.

Construction des poteaux

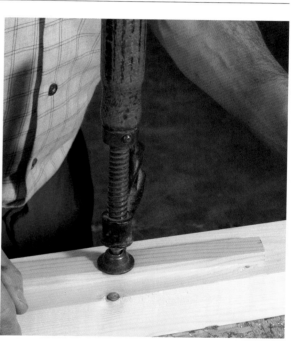

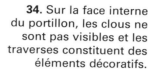

35. Après avoir coupé d'équerre, à une longueur de 150 cm (59 po), les deux tasseaux de 4,5 x 7 cm (1 ³/₄ x 2 ³/₄ po), on marque au crayon sur l'une des faces le centre de ce qui sera le sommet du poteau. Puis, à l'aide d'une équerre d'onglet, on trace vers l'extérieur, à partir de ce point, les deux lignes à 45° délimitant le contour du sommet triangulaire du poteau.

36. Sur la base de ce tracé, on exécute les deux coupes d'onglet formant la pointe du poteau.

37. On ponce ensuite les coupes d'onglet et les arêtes correspondantes avec un papier abrasif à grain moyen pour en égaliser la surface.

Montage des charnières

38. Pour marquer l'emplacement des charnières, il est nécessaire de présenter le portillon dans la position où il se trouvera par rapport au poteau qui lui servira d'élément de support.

39. L'angle supérieur externe du portillon doit être placé à l'intersection de l'axe longitudinale du poteau et de la base du triangle formant la pointe du poteau, comme on le voit ci-contre.

40. L'emplacement du portillon étant défini, on mesure 7 cm (2 3/4 po) à partir de son bord supérieur pour déterminer l'emplacement de la charnière ; il convient de rappeler que les charnières ne doivent pas être visibles sur la face interne du portillon, du côté des traverses.

41. Après avoir positionné correctement la charnière, on en marque les trous de fixation en l'utilisant comme gabarit.

42. On place ainsi deux charnières à 7 cm (2 3/4 po) du bord supérieur et inférieur du portillon, et une au centre. Avant de les visser sur le poteau, on perce des avant-trous à la vrille.

43. Quand on a fixé les trois charnières au poteau, on les visse sur la face externe de la porte.

196

Mise en place de la butée du portillon

44. Le portillon étant déjà fixé à son poteau, on marque sur l'autre la hauteur à laquelle doit arriver la butée, de façon qu'elle soit de la même longueur que le portillon et remplisse efficacement sa fonction.

45. La butée, de 2 x 4 x 90 cm (25/32 x 19/16 x 35 15/32 po), est mise en place sur l'axe médian du poteau correspondant.

46. Une fois encollées les surfaces de contact, on la met en place et on la cloue tous les 20 cm (8 po) avec des pointes de 4 cm (1 1/2 po) de long.

47. Après avoir affiné toutes les arêtes avec un papier abrasif de grain moyen puis fin, on applique 2 ou 3 couches de vernis sur toutes les parties de la porte et des poteaux qui en forment le bâti.

Intégration du portillon à la clôture

Portillon de jardin incorporé à la clôture dont la fabrication est décrite dans l'exercice antérieur.

Aspect final du portillon et de la clôture dans leur environnement naturel.

48. Aspect final de la face externe du portillon.

49. Aspect final de la face interne du portillon.

Treillis

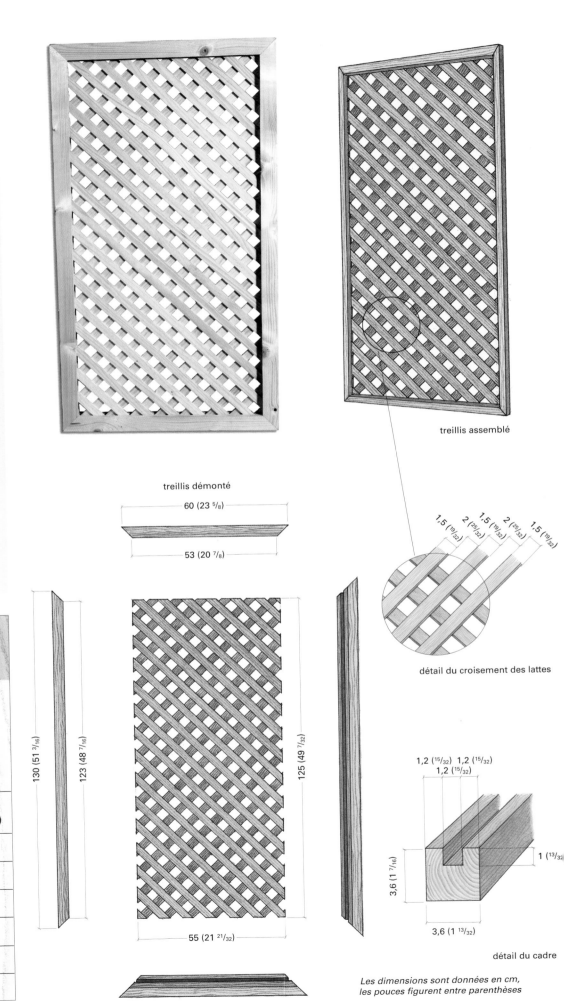

Nous vous exposons ici le processus de fabrication d'un treillis, étape par étape. Bien que l'élément en question soit de taille réduite, la démarche à suivre sera exactement la même pour fabriquer un exemplaire de plus grandes dimensions. Ce treillis peut être employé à l'extérieur comme support de plantes grimpantes, ou à l'intérieur, dans un séjour, comme cloison de séparation discrète.

La réalisation de ce treillis offre l'occasion d'aborder les techniques de manipulation et de fixation de lattes, comme l'utilisation d'une équerre pour vérifier et ajuster des angles droits, l'exécution de rainures à la scie circulaire de table et de coupes d'onglet à la scie à onglet, ainsi que la fixation des assemblages par collage et clouage, avec utilisation de presses d'angle.

198

FOURNITURES NÉCESSAIRES

- Pièces en pin des Landes 1er choix, équarries et rabotées
- Pour le cadre :
  2 tasseaux de 160 x 35 x 35 cm (63 x 13 3/4 x 13 3/4 po)
  2 tasseaux de 90 x 35 x 35 cm (63 x 13 3/4 x 13 3/4 po)
- Pour le panneau en treillis :
  50 lattes de 15 x 5 mm (longueur variable) (9/16 x 3/16 po)

- Pièces auxiliaires (gabarits d'espacement des lattes) :
  2 à 3 lattes de 20 x 5 mm (longueur variable) (25/32 x 3/16 po)

- Colle à bois vinylique

- Pointes tête homme de 8 mm de long

- Pointes tête homme de 25 mm de long

- Papier abrasif

- Huile de lin

- Brosse

treillis assemblé

treillis démonté

60 (23 5/8)

53 (20 7/8)

1,5 (19/32) 2 (25/32) 1,5 (19/32) 2 (25/32) 1,5 (19/32)

détail du croisement des lattes

130 (51 3/16)

123 (48 7/16)

125 (49 7/32)

55 (21 21/32)

1,2 (15/32) 1,2 (15/32)
1,2 (15/32)

3,6 (1 7/16)

1 (13/32)

3,6 (1 13/32)

détail du cadre

Les dimensions sont données en cm, les pouces figurent entre parenthèses

Exercice pas à pas

Assemblage des lattes

1. Matériaux employés pour la réalisation de cet exercice simple, mais requérant patience et minutie : lattes devant servir à composer le treillis, tasseaux destinés à former le cadre et, au premier plan, lattes utilisées comme gabarits d'espacement,

2. L'assemblage des lattes pour former le treillis doit se faire sur une surface parfaitement plane. On commence par tracer à l'équerre la ligne de référence qui va servir de guide pour l'ensemble du processus.

3. Pour commencer, on intercale entre deux lattes une troisième latte d'espacement, pour créer entre elles un intervalle de 2 cm ($^{25}/_{32}$ po) et assurer leur parallélisme. On aligne soigneusement les extrémités de ces trois pièces et on les solidarise avec une presse. Ce premier ensemble sert de base à la fixation à angle droit des lattes superposées qui vont former le treillis.

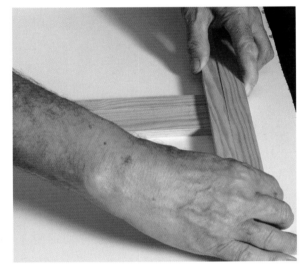

4. Sur les premières lattes bien alignées, on positionne une première latte à angle droit en prenant pour guide une latte d'espacement placée contre les bouts des lattes du dessous.

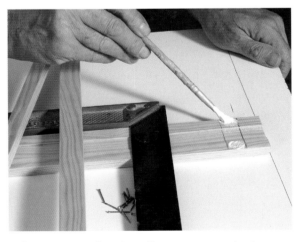

5. On vérifie et on ajuste ensuite à l'équerre le croisement à angle droit des lattes et on délimite la zone de contact à encoller en traçant, avec la latte d'espacement, une première ligne à 2 cm ($^{25}/_{32}$ po) du bout.

6. Pour compléter le tracé de cette première zone à encoller, on prend pour gabarit une latte de largeur normale, en vérifiant à chaque manipulation la position orthogonale de l'ensemble.

7. On applique alors la colle avec une petite brosse sur les zones délimitées sur les deux premières lattes, en prenant garde de ne pas toucher la latte d'espacement.

8. Après avoir encollé ces deux zones, on met en place la première latte supérieure en la calant contre la latte d'espacement. On enfonce une pointe tête homme de 8 mm (⁵⁄₁₆ po) de long au centre de chacune des zones de croisement, en vérifiant l'orthogonalité des pièces après avoir enfoncé chacune des pointes.

9. On positionne ensuite la latte d'espacement sous cette première latte fixée par collage et clouage, et on vérifie à nouveau la perpendicularité entre les lattes, car la moindre variation serait ensuite amplifiée au fur et à mesure de l'assemblage du treillis.

10. La fixation de la première latte confère une certaine rigidité à l'ensemble, et il n'est plus indispensable de vérifier aussi souvent à l'équerre l'orthogonalité des éléments. À partir de cette pièce de référence plus stable, on trace l'emplacement de la latte suivante en utilisant comme gabarit la latte d'espacement.

11. Comme précédemment, on utilise ensuite la latte à poser comme gabarit pour délimiter la zone d'encollage.

12. On encolle les zones correspondantes des lattes inférieures en veillant à appliquer suffisamment de colle pour assurer une bonne fixation, mais sans toucher la latte d'espacement.

13. Il convient alors de placer entre les lattes de recouvrement et la surface de travail une autre latte auxiliaire leur servant de support et évitant tout balancement lors de leur mise en place.

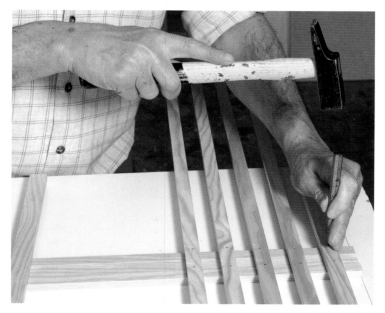

14. Après avoir cloué un certain nombre de lattes, on enfonce la tête des pointes au chasse-clou en donnant de légers coups de marteau. Mieux vaut procéder ainsi en série pour n'oublier aucun clou.

15. Après avoir fixé ainsi 5 ou 6 pièces, on retourne l'ensemble pour poursuivre du côté opposé.

16. On procède de la même manière pour fixer les lattes sur l'autre face du treillis, en prenant soin d'intercaler des lattes auxiliaires entre les lattes en cours de fixation et le plan de travail pour assurer leur stabilité.

17. L'emploi de l'équerre n'est plus indispensable dans le processus de traçage, car l'ensemble est alors assez rigide pour que les pièces restent bien perpendiculaires entre elles.

18. L'encollage doit toujours être effectué dans les limites tracées, de manière qu'aucun excédent de colle ne soit chassé sur les bords, ce qui impliquerait un travail supplémentaire de nettoyage.

19. Après avoir posé un certain nombre de lattes, on enfonce la tête des clous au chasse-clou.

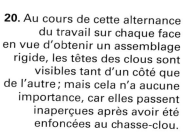

20. Au cours de cette alternance du travail sur chaque face en vue d'obtenir un assemblage rigide, les têtes des clous sont visibles tant d'un côté que de l'autre ; mais cela n'a aucune importance, car elles passent inaperçues après avoir été enfoncées au chasse-clou.

201

Coupe du treillis et définition des longueurs des montants du cadre

21. Pour orienter le treillis à 45° par rapport au cadre et pouvoir le marquer et le couper correctement, on se sert à nouveau de la ligne de référence tracée sur le plan de travail, qui a servi à l'assemblage des lattes, comme s'il s'agissait du futur cadre. Si l'on veut que l'ouvrage achevé fasse 130 x 60 cm (51 3/16 x 23 5/8 po), il faut délimiter sur le treillis un rectangle de 125 x 55 cm (49 3/16 x 21 5/8 po) et le couper.

22. Après avoir tracé le futur contour du treillis, de façon que les lattes ne soient plus orientées à 90° mais à 45° par rapport au cadre qui va leur servir de support, on le fixe au plan de travail à l'aide d'un serre-joint en laissant dépasser dans le vide la partie à retirer. On coupe alors les lattes à la scie à dos en suivant le tracé.

23. Le treillis coupé sert à son tour de référence pour délimiter les longueurs des montants du cadre. Il faut prévoir une marge supplémentaire de 10 cm (4 po) à chaque extrémité en vue de leur assemblage d'angle à 45°.

Exécution de la rainure dans les montants du cadre

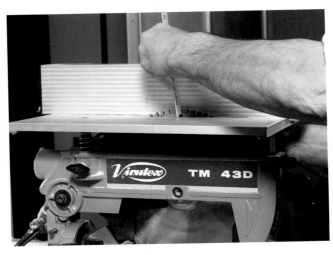

24. Pour exécuter la rainure sur le chant interne des montants du cadre, on utilise la scie radiale en position de scie circulaire de table en réglant la hauteur de la lame pour que la profondeur de coupe soit de 1 cm (3/8 po).

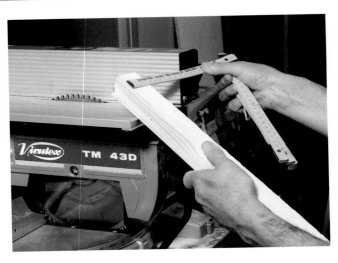

25. On définit la distance à laquelle il faut ajuster le guide latéral de coupe par rapport à la lame pour que les bords parallèles de la rainure soient bien centrés par rapport aux arêtes des montants, en sachant qu'elle doit faire 1 cm (3/8 po) de large.

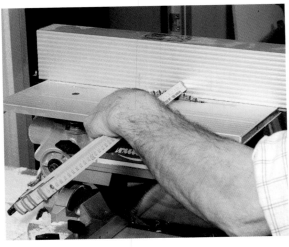

26. Après avoir vérifié cette mesure sur toutes les pièces avec le mètre de menuisier, on ajuste sur cette base l'écartement de la lame par rapport au guide latéral.

27. Mieux vaut tracer sur les bouts de chaque pièce le contour de cette rainure pour avoir une référence de coupe. Il suffit ensuite d'effectuer plusieurs passages en ajustant l'écartement de la lame jusqu'à l'obtention d'une rainure de la largeur requise.

28. Pour vérifier si les rainures sont de la bonne largeur et de la bonne profondeur, et parfaitement régulières sur toute leur longueur, on y emboîte provisoirement le treillis en s'assurant aussi qu'il y coulisse aisément dans le sens longitudinal.

Coupe d'onglet des montants et assemblage du cadre

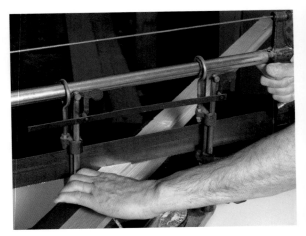

29. Pour définir la longueur à partir de laquelle doit être effectuée la coupe d'onglet, on insère le treillis dans la rainure en le centrant de façon que le montant dépasse de la même longueur de chaque côté. On trace ensuite un trait à l'équerre à chaque extrémité du montant, dans le prolongement du bord du treillis.

30. À partir de ce tracé, avec l'équerre d'onglet, on trace une diagonale à 45° à chaque extrémité du montant.

31. Pour effectuer la coupe à 45°, on utilise la scie à onglet manuelle.

32. Pour délimiter la longueur de l'autre montant vertical du cadre, on peut, pour aller plus vite, prendre pour référence le premier montant coupé, le crayon et l'équerre étant les seuls outils indispensables à ce travail.

33. On immobilise les extrémités des montants déjà coupées à l'aide d'une presse pour tracer sur les autres extrémités les lignes transversales à partir desquelles seront effectuées les coupes d'onglet.

34. Quand les deux montants verticaux sont coupés d'onglet à leurs deux extrémités, on emboîte le treillis bien au fond de leurs rainures pour vérifier et mesurer la largeur définitive de l'ouvrage.

35. On relève alors de façon précise la largeur externe du cadre d'un angle à l'autre.

36. Le processus de traçage et de coupe des deux autres montants s'effectue sur les deux pièces à la fois, pour qu'elles soient exactement de la même dimension.

37. En guise de vérification, on trace le prolongement de l'extrémité et de la base de la rainure coupée d'onglet sur les côtés, pour s'assurer que le treillis sera correctement positionné dans son cadre.

38. On insère le treillis dans chacun des montants pour vérifier qu'ils sont parfaitement perpendiculaires entre eux.

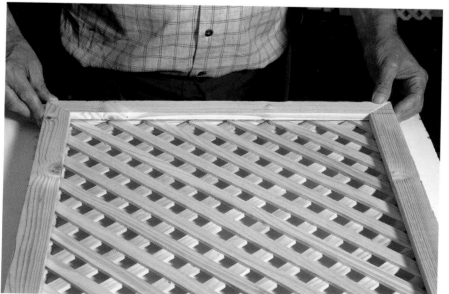

39. Avant d'assembler définitivement le cadre et le treillis, on procède à un montage à blanc pour contrôler leur bon ajustement.

Assemblage définitif de l'ensemble par collage et clouage

40. Voici l'ensemble des pièces qui doivent être assemblées par collage et clouage.

41. On encolle les bouts des montants à la colle à bois vinylique avec une petite brosse, en évitant de faire pénétrer la colle dans la rainure.

42. Pour consolider les deux premiers assemblages d'onglet après leur encollage, on les immobilise avec des presses d'angle.

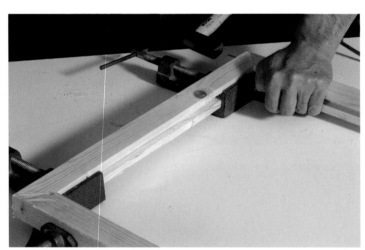

43. Quand la colle est sèche, avant de retirer les presses, on renforce les assemblages en y plantant des clous en biais.

44. Les trois premiers montants étant solidement collés et cloués, on y insère le treillis en le faisant coulisser, sans forcer, dans les rainures.

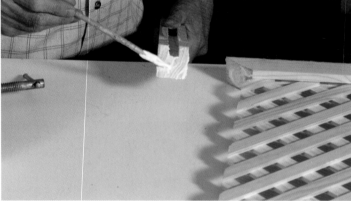

45. On complète alors le cadre en encollant les bouts coupés d'onglet des montants correspondants. Si toutes les mesures sont correctes, il n'est pas nécessaire d'encoller les extrémités des lattes s'insérant dans les rainures.

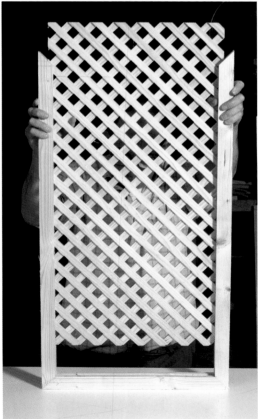

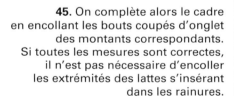

46. Pour procéder au clouage des deux derniers angles, il est recommandé de fixer l'ouvrage à l'établi avec un serre-joint ou une presse.

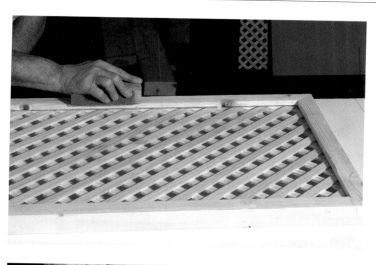

47. Le treillis étant définitivement assemblé, on affine les faces et les chants du cadre avec un papier abrasif de grain moyen monté sur cale.

48. On adoucit les arêtes avec un papier abrasif à grain fin pour pouvoir manipuler le treillis sans se blesser.

49. Après avoir soigneusement dépoussiéré l'ensemble, on le recouvre à la brosse de deux couches d'huile de lin qui protégeront le bois.

50. L'application de l'huile de lin sur le treillis s'effectue en tenant le pinceau presque à la verticale en mouvements ponctuels et rapides.

Aspect final du treillis.

205

Tréteau

Vous trouverez dans les pages suivantes tous les détails de la procédure à suivre pour fabriquer un tréteau de taille standard, accessoire en général très utile dans un atelier de menuiserie, où il est très souvent nécessaire de disposer d'une surface d'appui complémentaire d'une stabilité suffisante, et pouvant aider à l'exécution d'un grand nombre de travaux.

La réalisation de cet exercice permet de mettre en pratique diverses techniques, comme le traçage d'une même ligne sur plusieurs pièces identiques, leur immobilisation et leur assemblage, notamment l'assemblage à mi-bois de pièces à angle oblique, en utilisant la fausse équerre qui permet de vérifier d'autres angles que les angles à 90°; on y voit aussi comment couper des pièces en biais en les calant dans un guide de coupe et comment exécuter une entaille au ciseau ou affleurer les éléments en saillie.

FOURNITURES NÉCESSAIRES

- Pièces en pin des Landes 1er choix, équarries et rabotées
- Pour la traverse haute :
  1 tasseau de 75 x 6,5 x 4 cm (29 1/2 x 2 9/16 x 1 9/16 po)
- Pour les pieds :
  4 tasseaux de 85 x 3,5 x 3,5 cm (33 7/16 x 1 3/8 x 1 3/8 po)
- Pour les traverses basses :
  2 pièces de 45 x 4,5 x 1 cm (17 11/16 x 1 3/4 x 3/8 po)

- Colle à bois vinylique
- Pointes de 35 mm de long
- Papier abrasif
- Vernis
- Brosses pour la colle et le vernis

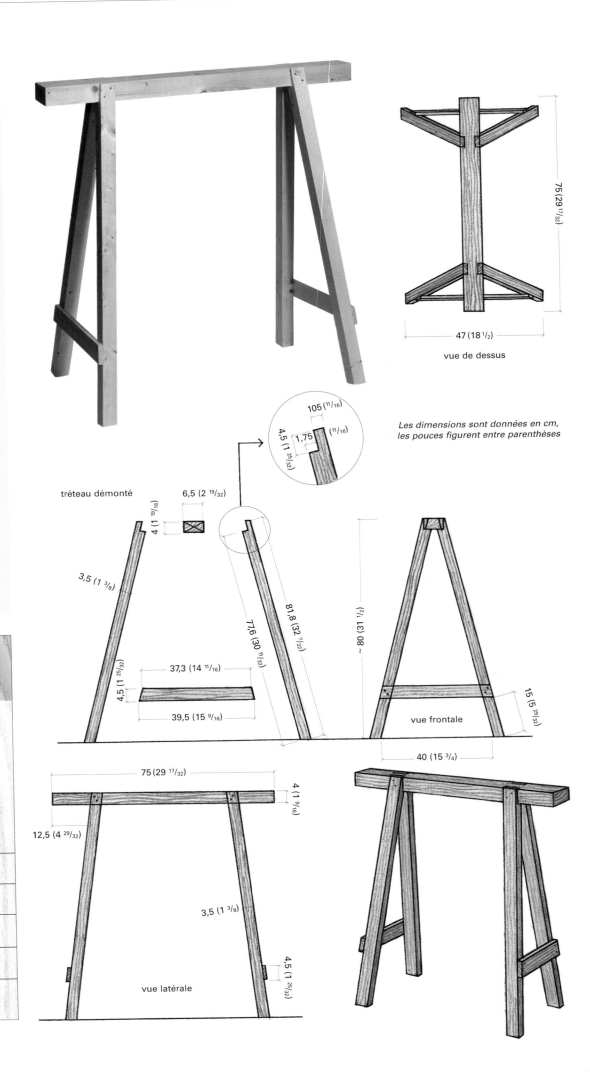

vue de dessus

Les dimensions sont données en cm, les pouces figurent entre parenthèses

tréteau démonté

vue frontale

vue latérale

Exercice pas à pas

Traçage de la coupe à mi-bois

1. Pièces et outils nécessaires à la confection du tréteau.

2. Pour tracer d'une manière rapide et exacte les contours des entailles à mi-bois sur les bouts des pieds, on se sert de l'équerre pour les aligner afin de pouvoir les marquer simultanément à partir d'une même position de référence.

3. Quand les quatre pieds sont alignés, on les immobilise ensemble avec un serre-joints de façon qu'ils ne forment qu'un seul bloc sur lequel on puisse définir la limite de profondeur des entailles à 3,5 cm (1 ³/₈ po) de l'arête.

4. Une fois le repère tracé au crayon, il ne reste plus qu'à utiliser l'équerre à épaulement pour effectuer le tracé en une seule fois sur tous les pieds. On dispose ainsi d'une ligne de référence similaire sur l'ensemble des pièces.

5. On travaille ensuite sur chaque pied séparément, en prolongeant à l'équerre la ligne précédente sur les trois autres faces.

6. Pour délimiter la hauteur des entailles à mi-bois, on trace au trusquin une parallèle à égale distance des deux arêtes (1,75 cm) (¹¹/₁₆ po), sur deux faces opposées, jusqu'à la limite de profondeur.

7. Afin de disposer d'une référence claire pour couper le bois, on repasse au crayon les marques exécutées au trusquin.

Exécution de l'entaille à mi-bois des pieds

8. Pour amorcer l'exécution des entailles à mi-bois à l'extrémité des pieds, on fixe chaque pied tour à tour à l'établi et l'on procède à une première coupe longitudinale à la scie à dos jusqu'à la limite de profondeur de l'entaille en suivant l'axe médian marqué au trusquin.

9. On pose les pièces à plat en les calant contre le guide de coupe pour les couper transversalement jusqu'à ce que le morceau de bois à retirer se détache.

10. Après avoir évidé l'entaille, on en régularise les faces avec un ciseau tenu bien plat jusqu'à ce qu'elles soient parfaitement lisses.

11. On trace à la fausse équerre une ligne en biais par rapport à l'arête supérieure du fond de l'entaille en partant d'un point situé à 5 mm (³/₁₆ po) de l'un des angles pour rejoindre l'angle opposé. Cette inclinaison du fond de l'entaille assure l'écartement des pieds nécessaire à la bonne assise du tréteau. Ces lignes doivent être tracées dans le même sens sur deux des pieds, et dans le sens inverse sur les deux autres pieds.

12. On utilise à nouveau le guide de coupe pour effectuer une coupe nette et précise à la scie à dos, qui doit être passée lentement mais avec une force contrôlée.

13. Pour égaliser la surface de coupe, on cale la pièce contre la butée et on en arase les irrégularités au ciseau en veillant à ne pas modifier l'angle d'inclinaison du fond de l'entaille.

14. On égalise ensuite les longueurs des pieds en traçant une ligne perpendiculaire aux arêtes à leur autre extrémité. Cette ligne permettra d'effectuer une première coupe, servant de référence à une seconde coupe en biais permettant aux pieds de reposer bien à plat sur le sol.

15. Avec une fausse équerre, on trace une ligne en biais, d'une inclinaison identique à celle du fond de l'entaille.

16. L'exécution d'une coupe biaise étant une tâche délicate, il est nécessaire de caler fermement la pièce contre le guide de coupe pour pouvoir effectuer une coupe précise à la scie à dos.

17. Après avoir coupé en biais les extrémités des quatre pieds, on élimine les aspérités de la surface de coupe et des arêtes à la râpe ou à la lime.

18. Puis on affine toutes les surfaces avec un papier abrasif de grain moyen monté sur une cale à poncer.

Exécution de l'entaille à mi-bois à fond incliné sur la traverse haute

19. Sur l'une des faces les plus larges de la pièce, on trace une ligne transversale à 12,5 cm (4 $^{29}/_{32}$ po) du bout, qui va servir de référence à l'ensemble du processus de traçage et d'évidement de cette entaille à mi-bois, qui assurera un point d'appui solide aux pieds du tréteau en leur donnant la pente nécessaire.

20. Sur l'une des arêtes, on trace une ligne oblique transversale au-delà de la limite de profondeur de l'entaille, partant d'un point situé à 5 mm ($^3/_{16}$ po) de l'extrémité de cette ligne afin de rejoindre en biais l'extrémité opposée.

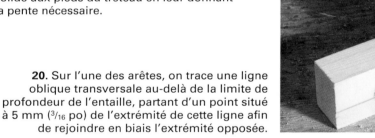

21. Puis on trace à la fausse équerre une parallèle à cette ligne de la largeur du pied, à 3,5 cm (1 $^3/_8$ po) de la première ligne.

22. On reporte ces mesures à l'aide d'une équerre sur les faces contiguës d'un autre pied.

23. Pour définir l'inclinaison transversale des pieds, on marque au trusquin, sur les faces supérieure et inférieure de la traverse haute, des distances différentes ; ici, on trace une parallèle à 5 mm ($^3/_{16}$ po) de l'arête de la face supérieure.

24. On marque au trusquin une parallèle à 15 mm (9/16 po) de l'arête correspondante de la face inférieure de la traverse.

25. Vue de la face inférieure de la traverse d'appui, avec les tracés définissant les contours des entailles à exécuter.

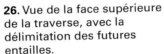

26. Vue de la face supérieure de la traverse, avec la délimitation des futures entailles.

27. En calant la pièce contre le guide de coupe, on procède tout d'abord aux coupes transversales à mi-bois à la scie à dos, en tenant la lame inclinée pour respecter les différences de profondeur de l'entaille entre un côté et l'autre.

Évidement des entailles à mi-bois dans la traverse haute

28. Pour creuser les entailles, on immobilise la pièce à l'établi afin de pouvoir orienter avec précision la lame du ciseau à bois selon l'inclinaison requise.

29. Il est recommandé de commencer par entailler le bois à partir de la face supérieure de la traverse, là où l'entaille est plus étroite ; ainsi, en coupant le bois à la verticale, on ne risque pas de dépasser les limites de l'entaille sur l'autre face.

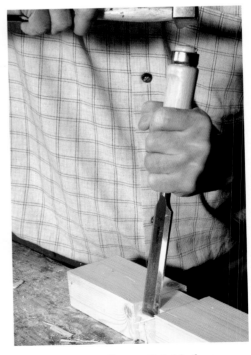

30. Une fois que l'on a atteint la face opposée, on retourne la pièce pour terminer l'évidement de l'entaille en tenant le ciseau incliné et en respectant les limites tracées.

31. Pour égaliser l'intérieur de l'entaille, on utilise le ciseau à plat, comme on l'a déjà vu, en lui imprimant des mouvements courts et répétés.

32. Le ciseau est l'outil idéal pour exécuter ce travail, à condition qu'il soit bien affûté. On ne peut obtenir un résultat d'une telle netteté si le fil du tranchant est émoussé.

33. Après avoir exécuté les quatre entailles d'assemblage de la traverse avec les pieds et en avoir soigneusement poncé l'intérieur, on adoucit les arêtes de la pièce avec une cale à poncer et un papier abrasif de grain moyen.

Encollage et clouage des pieds et pose des traverses basses

34. Avant d'encoller et de fixer les pieds par clouage dans les entailles à mi-bois de la traverse, on effectue un montage à blanc pour vérifier qu'ils s'ajustent bien dans les entailles et que leur inclinaison est bonne, tant dans le sens transversal que longitudinal.

35. Si le montage à blanc est satisfaisant, on enduit alors l'assemblage de colle à bois vinylique avec une brosse d'une taille suffisante pour en assurer une répartition uniforme.

36. Après avoir mis les pièces en contact, on en renforce l'assemblage à l'aide de pointes plantées en diagonale.

211

37. Pour travailler plus facilement, il est conseillé de fixer la traverse à l'établi à l'aide d'une presse en intercalant une cale entre la rotule de la presse et la pièce pour protéger le bois.

38. Après avoir fixé les deux premiers pieds d'un côté, on retourne l'ensemble pour encoller les entailles à mi-bois sur le chant opposé de la traverse. Il faut bien emboîter les pieds dans les entailles, sans se soucier de la saillie de leurs extrémités.

39. Au moment de clouer les pieds, il faut prendre soin de les maintenir dans la bonne position avec l'autre main, car leur inclinaison finale ne sera correcte que si toutes les surfaces de l'assemblage sont parfaitement en contact.

40. Quand les quatre pieds sont solidement fixés et que la colle est sèche, on met en place les traverses basses, dont la fonction est de maintenir l'écartement des pieds. On mesure 15 cm (5 $^{29}/_{32}$ po) à partir de la base de chaque pied pour délimiter la hauteur à laquelle seront posées ces pièces de renfort.

41. Sur les deux marques tracées, on met en place la traverse et on trace au crayon l'axe selon lequel il va falloir en couper les extrémités.

42. On se sert de la pièce pour délimiter les zones à encoller sur chaque pied.

43. On procède à la coupe en biais des extrémités de la première traverse à la scie à dos, en les calant dans le guide de coupe.

44. On se sert de la traverse déjà coupée pour marquer la seconde afin de la couper de façon rigoureusement identique.

45. On applique la colle à bois vinylique sur les zones préalablement délimitées.

46. On renforce ensuite les assemblages en y plantant deux clous en diagonale, après avoir pris soin d'intercaler une cale entre l'établi et le pied, pour protéger ce dernier.

47. Pour finir, on enfonce les têtes des pointes à l'aide d'un chasse-clou.

Finition

48. Pour aplanir les bouts des traverses (entretoises) et les affleurer par rapport aux pieds, on les ponce à la cale à poncer avec un papier abrasif de grain grossier.

49. On arase les extrémités supérieures des pieds sur la face supérieure de la traverse haute en procédant en trois étapes, la première consistant à les couper à la scie à dos.

50. On élimine ensuite les traces de la scie à la râpe ou à la lime, que l'on frotte énergiquement à plat sur la surface tout en veillant à ne pas creuser de sillons dans le bois.

51. Pour parfaire le polissage de la surface d'appui, on procède à un ponçage avec un papier abrasif de grain moyen monté sur une cale.

213

Vernissage

52. Il est conseillé de passer sur le tréteau une ou deux couches de vernis (ici incolore), qui le protégera de l'humidité et des variations de température. Le vernissage de la surface d'appui la protège aussi contre les frottements qui risquent d'en détacher des éclats.

Aspect final du tréteau, accessoire d'une incontestable utilité dans un atelier de menuiserie, où il peut remplir diverses fonctions.

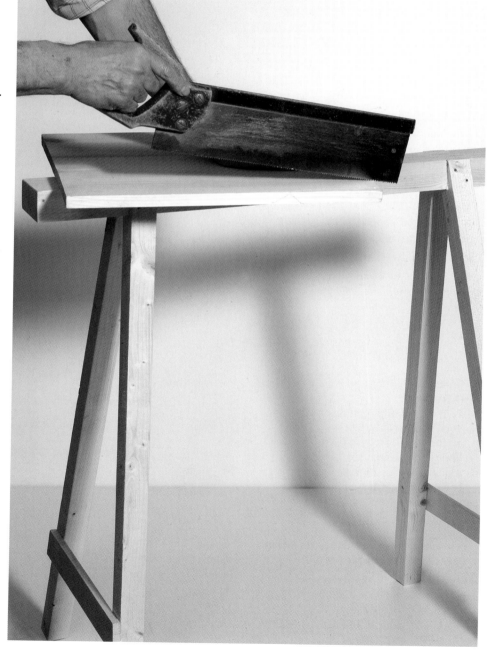

Casier à bouteilles

Vous trouverez exposé dans l'exercice suivant le détail de la procédure d'élaboration d'un casier à bouteilles de conception originale et facile à réaliser. Deux matériaux de base, le bois massif et un matériau dérivé du bois (panneau de médium), y sont associés de façon imaginative et composent une structure à la fois esthétique et fonctionnelle qui les rend tout à fait compatibles.

Pour construire ce meuble, vous serez amené à pratiquer des avant-trous à la perceuse pour effectuer les découpes internes des panneaux à la scie sauteuse, apprendrez à percer simultanément plusieurs pièces à la fois, à employer les presses d'angle pour percer avec précision les trous de fixation des éléments en médium à assembler à angle droit à l'aide de vis, ainsi qu'à mettre en place les tourillons devant servir de supports aux bouteilles, après les avoir enduits de cire pour faciliter leur coulissement dans les trous prévus à cet effet.

214

FOURNITURES NÉCESSAIRES

- **Panneau de médium en 2 cm ($^{25}/_{32}$ po) d'épaisseur**
  - Pour le bâti principal du meuble et sa cloison centrale :
    5 pièces de 30 x 54 x 2 cm (11 $^3/_{16}$ x 21 $^{21}/_{32}$ po)
  - Pour les pieds :
    4 pièces de 7 x 7 cm (2 $^3/_4$ po)
  - Pour les supports des bouteilles :
    10 tourillons de 54 cm (21 $^{21}/_{32}$ po) de long

- **Colle à bois vinylique**

- **Vis à aggloméré à empreinte creuse de 4,5 cm (1 $^3/_4$ po) de long**

- **Papier abrasif de grain moyen**

- **Vernis**

- **Pinceaux, pour la colle et le vernis**

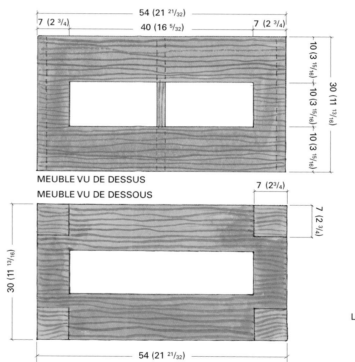

MEUBLE VU DE DESSUS

MEUBLE VU DE DESSOUS

VUE FRONTALE

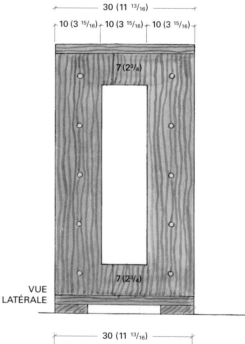

VUE LATÉRALE

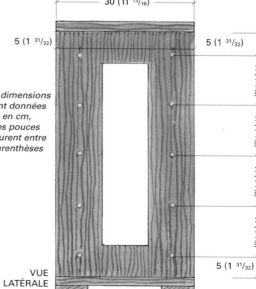

Les dimensions sont données en cm, les pouces figurent entre parenthèses

VUE LATÉRALE

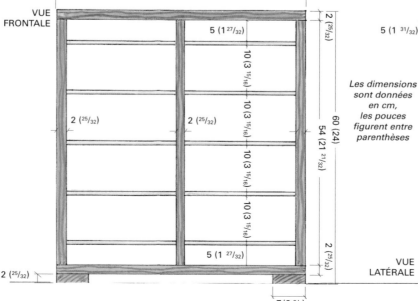

Exercice pas à pas

Traçage de la découpe interne des panneaux

1. Ensemble de pièces et outils nécessaires à l'élaboration d'un meuble pouvant contenir 24 bouteilles.

2. Sur les cinq morceaux de médium destinés à la structure du meuble, on définit les limites des petits côtés des futures découpes internes en traçant à l'équerre deux parallèles à 7 cm (2 ³/₄ po) des arêtes opposées.

3. On complète le tracé de la découpe rectangulaire de 10 x 40 cm (3 ¹⁵/₁₆ x 15 ¹¹/₁₆ po), en traçant deux parallèles à 10 cm (3 ¹⁵/₁₆ po) des arêtes des grands côtés du panneau.

4. Avec un réglet en bois, on repasse sur les tracés définissant le contour de la découpe.

5. On marque d'une croix la partie à évider pour éviter tout risque de confusion.

Perçage des avant-trous en vue de la découpe à la scie sauteuse

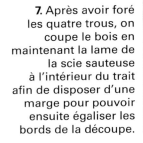

6. Pour pouvoir effectuer la découpe à la scie sauteuse, il est nécessaire de percer à l'intérieur de chaque angle du rectangle un trou dans lequel on puisse insérer la lame de la scie, en utilisant une mèche d'un diamètre adéquat.

7. Après avoir foré les quatre trous, on coupe le bois en maintenant la lame de la scie sauteuse à l'intérieur du trait afin de disposer d'une marge pour pouvoir ensuite égaliser les bords de la découpe.

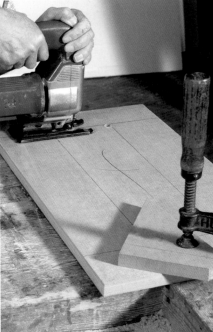

8. La découpe de la partie centrale du panneau est achevée. Les bords présentent des irrégularités qu'il va falloir éliminer pour leur donner un aspect plus net et plus soigné.

Finition des bords de la découpe

9. On rectifie les angles droits à la scie sauteuse jusqu'à la disparition complète des marques circulaires des avant-trous.

10. On régularise les chants à la lime ou à la râpe, en prenant soin de tenir l'outil bien à plat pour ne pas dépasser le tracé du contour de la découpe.

11. Enfin, on en affine la surface avec un papier abrasif de grain moyen monté sur une cale à poncer.

12. Quand les bords de la découpe sont parfaitement lisses et rectilignes, on utilise ce premier panneau découpé comme gabarit pour tracer le contour de la découpe sur les quatre autres panneaux.

Marquage des avant-trous pour l'assemblage des panneaux

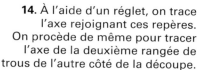

13. Pour définir l'axe longitudinal sur lequel seront percés les trous de passage des tourillons sur la hauteur du panneau, on marque au moins trois repères à 5 cm (1 $^{15}/_{16}$ po) de l'arête extérieure. Ce marquage doit s'effectuer seulement sur les deux panneaux latéraux et le panneau central.

14. À l'aide d'un réglet, on trace l'axe rejoignant ces repères. On procède de même pour tracer l'axe de la deuxième rangée de trous de l'autre côté de la découpe.

15. Sur cet axe de référence, on marque des repères de perçage des trous espacés comme suit de haut en bas : 5, 11, 11, 11, 11 et 5 cm (11 $^{5}/_{16}$, 4 $^{7}/_{16}$, 4 $^{7}/_{16}$, 4 $^{7}/_{16}$, 4 $^{7}/_{16}$ et 11 $^{5}/_{16}$ po).

16. Pour marquer l'emplacement des trous sur l'autre axe, on se sert d'une équerre, à condition bien sûr que les angles du panneau soient parfaitement droits.

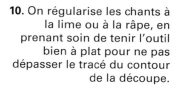

Perçage des trous de passage des tourillons

17. Les pièces marquées sont fixées sur le côté de l'établi, de manière à pouvoir réaliser le perçage avec une mèche de 10 mm (³/₈ po) de diamètre. Après avoir percé le trou, on y repasse la mèche à plusieurs reprises pour faciliter l'insertion ultérieure des tourillons.

18. Pour s'assurer que les trous se trouvent bien dans le même alignement, on empile les trois panneaux, puis on en marque les chants pour éviter de les inverser lors de l'assemblage définitif.

19. Après avoir vérifié que les pièces soient soigneusement empilées et les avoir immobilisées à l'aide d'une ou deux presses, on procède au forage des trous restants en se servant du panneau déjà percé comme guide de perçage.

217

Préparation des tourillons

20. Les tourillons que l'on achète sont d'une longueur standard et doivent être recoupés à la bonne dimension, soit à une longueur équivalente à celle des panneaux devant constituer le dessus et le dessous du meuble (54 cm) (21 ²¹/₃₂ po). Pour que cette opération soit plus rapide et plus exacte, on se sert de l'un des panneaux pour reporter cette mesure.

21. À partir des repères tracés, on coupe les tourillons à l'aide d'une scie à dos en les calant contre le guide de coupe, pour que la coupe soit la plus nette possible.

Marquage et montage de la structure principale

22. Après avoir fixé verticalement dans la presse d'établi l'un des panneaux latéraux, on y superpose le panneau supérieur. En prenant l'arête pour guide, on trace à main levée une parallèle à l'arête à une distance correspondant à l'épaisseur du chant du panneau latéral, soit 2 cm (²⁵/₃₂ po).

23. Entre l'arête et cette ligne, on trace un axe médian, à 1 cm (³/₈ po) du bord, servant d'axe de référence pour situer les emplacements des trois vis d'assemblage.

24. Sur cet axe, on marque les repères correspondants, sachant que deux vis seront situées respectivement à 4 cm (1 $^{9}/_{16}$ po) de chaque bord et la troisième au centre, soit à 15 cm (5 $^{29}/_{32}$ po) du bord, le panneau faisant 30 cm (11 $^{13}/_{16}$ po) de large.

25. Avant de percer les avant-trous à la perceuse, on immobile les deux pièces ensemble à l'aide d'une presse d'angle. Il est essentiel de tenir la perceuse en position bien verticale, dans l'axe du chant du panneau inférieur.

26. Après avoir percé les trois trous, on met en place les vis à empreinte creuse, avec une clé mâle, qui s'adapte parfaitement à l'empreinte hexagonale ou étoilée de ces vis.

27. Une fois les deux panneaux solidement assemblés, on met en place le second panneau latéral pour marquer l'emplacement des vis, en suivant la même procédure.

28. Avant de percer les avant-trous, on immobilise les pièces à assembler à l'aide d'une presse d'angle, afin que les vis puissent être insérées bien dans l'axe du chant du panneau inférieur.

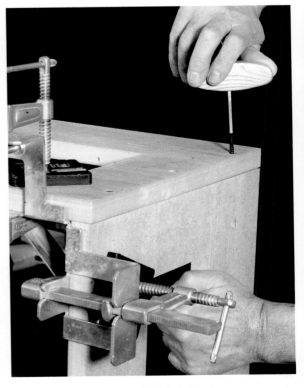

29. Bien que la surface de l'établi soit parfaitement stable, il est essentiel d'immobiliser les pièces avec une presse d'angle, car la pression exercée lors du vissage pourrait disjoindre les pièces si elles n'étaient pas solidement maintenues.

30. Pour mettre en place la cloison centrale, on pose les trois panneaux assemblés sur l'établi et on marque un repère au centre du panneau inférieur, soit à 27 cm (10 ⁵/₈ po) de l'angle externe.

31. À partir de ce repère, on trace une ligne sur le chant avec l'équerre et on retourne l'ensemble pour la prolonger sur la face, afin de déterminer avec précision l'axe sur lequel seront marqués les centres des trous où seront introduites les vis d'assemblage. On effectue le même tracé sur le panneau supérieur du meuble.

32. Il suffit de tracer sur le chant de la cloison centrale un repère que l'on puisse faire coïncider avec ceux que l'on a tracés sur les autres panneaux pour la positionner avec précision. Il n'est cependant pas superflu d'en vérifier la perpendicularité avec une équerre.

33. Quand les axes médians des panneaux inférieur et supérieur sont en coïncidence avec le milieu des chants verticaux de la cloison centrale, on mesure et on marque le centre des axes prolongés sur les faces externes des panneaux, à 5 cm (1 ¹⁵/₁₆ po) du bord.

34. Pour procéder au perçage des avant-trous, il n'est pas nécessaire d'immobiliser les panneaux avec la presse d'angle, car la structure assemblée est parfaitement stable.

35. Les vis utilisées pour fixer la cloison centrale sont identiques aux précédentes.

Insertion des tourillons

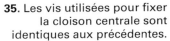

36. Avant de procéder à l'insertion des tourillons, on ponce les chants et les arêtes des panneaux avec un papier abrasif à grain moyen.

37. Après avoir coupé les dix tourillons à la bonne longueur, soit 54 cm (21 ²¹/₃₂ po), on les frotte avec un pain de cire vierge pour qu'ils coulissent plus facilement dans les trous.

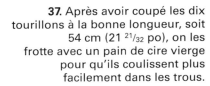

38. Après avoir assujetti la structure du meuble à l'établi, on insère les tourillons. Il faut procéder lentement, en protégeant d'une cale le bout du tourillon que l'on percute au marteau pour le faire coulisser successivement dans tous les trous jusqu'à ce qu'il affleure la face externe du panneau opposé.

39. Pour parfaire la fixation du tourillon, on en enduit les deux extrémités d'un peu de colle à bois vinylique, en veillant à retirer aussitôt l'excédent avec un chiffon humide.

Confection et mise en place des pieds

40. Sur une chute, on délimite une bande de 7 cm de large dans laquelle on puisse découper quatre carrés de 7 cm (2 3/4 po) de côté sur 2 cm (25/32 po) d'épaisseur.

41. Avec une équerre, on trace des perpendiculaires au premier tracé tous les 7 cm (2 3/4 po).

42. Après avoir coupé les quatre pieds, on les ponce au papier abrasif de grain moyen.

43. On retourne alors le casier à bouteilles, puis on encolle les pieds au pinceau.

44. On place les pieds dans les angles et on en renforce la fixation à l'aide de deux clous de 3 cm (1 1/8 po) de long plantés en diagonale.

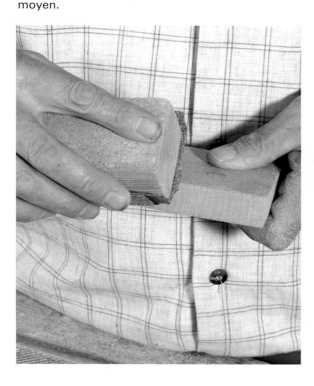

Finition

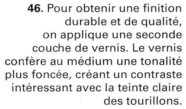

45. On applique une première couche de vernis incolore sur toute la surface du casier à bouteilles, y compris les tourillons (après les avoir décirés), afin de la protéger.

46. Pour obtenir une finition durable et de qualité, on applique une seconde couche de vernis. Le vernis confère au médium une tonalité plus foncée, créant un contraste intéressant avec la teinte claire des tourillons.

Aspect final du casier à bouteilles, de conception très simple, mais d'une grande utilité.
La forme des bouteilles s'y adapte parfaitement et elles y sont bien calées par leur propre poids.

Pose d'un parquet flottant

Le bois est employé depuis des siècles à la fabrication de planchers ou parquets, destinés à protéger du froid et, d'une façon générale, à améliorer le confort des habitations. Les techniques de fabrication et de pose ont connu diverses évolutions au fil du temps : de l'assemblage sommaire à plat joint de planches épaisses et grossières, en passant par celui de lames de planchers ou parquets clouées sur des solives, jusqu'à l'apparition récente des parquets de recouvrement, comme les parquets mosaïques, fixés par collage, ou les parquets flottants, dont la pose libre, sans fixation au sol, est à la portée de tout bricoleur amateur. Ces nouveaux produits, d'une grande souplesse d'emploi, se distinguent par leur structure multicouche qui leur assure une meilleure stabilité dimensionnelle, minimisant les retraits et dilatations dues aux variations d'humidité et de température, et leur conférant une bonne résistance aux contraintes liées à leur usage. Ils peuvent être en bois massif, ou en matériaux dérivés plaqués de bois massif ou d'un revêtement stratifié.

Parquets flottants plaqués de bois massif

Le parement de ce type de parquet est constitué d'une couche plus ou moins épaisse de bois massif, en général d'une essence assez dure et d'un bel aspect décoratif. Ce revêtement est collé sur une base qui peut être également en bois massif, mais d'une essence plus ordinaire ; il est essentiel que cette base soit composée d'au moins deux couches de bois, disposées à fils croisés, pour former un ensemble stable, qui résiste bien aux retraits et aux dilatations. Elle peut également être constituée de couches de contreplaqué ou d'aggloméré. Dans tous les cas, les bords opposés des lames sont pourvus respectivement d'une rainure et d'une languette permettant leur assemblage avec les lames voisines.

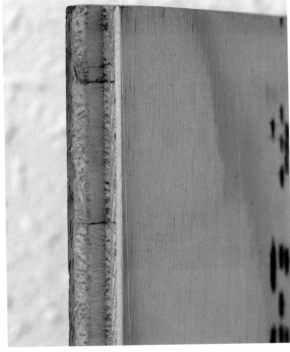

Chant d'une lame de parquet flottant, mettant en évidence la disposition à fils croisés des couches de base.

Deux types de parquets flottants à parement en bois massif de deux essences différentes.

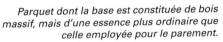

Parquet dont la base est constituée de bois massif, mais d'une essence plus ordinaire que celle employée pour le parement.

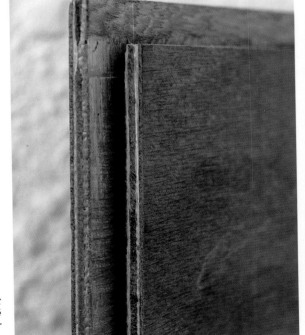

Chant de parquet dont la base est composée de panneaux de contreplaqué dont la face inférieure est traitée pour résister aux remontées d'humidité.

222

Parquets flottants à revêtement stratifié

Les parquets flottants à revêtement stratifié présentent l'avantage d'imiter une grande variété d'essences de bois et d'offrir un large éventail de coloris et de textures qui permettent de les intégrer à tous types de décors.

Légers et faciles à manipuler, ils se posent sans difficulté sur toute surface plane et lisse. Sur un ancien plancher, comme sur un carrelage ou une chape de ciment, le parquet a une meilleure tenue s'il est posé sur une sous-couche souple

et élastique, en mousse synthétique de haute densité, qui assure le rôle d'isolant phonique et thermique, tout en absorbant les chocs.

Le matériel nécessaire à la pose est limité : un mètre ruban, un crayon, une équerre, une scie sauteuse pour effectuer les coupes nécessaires, un marteau et une cale pour assembler les lames, et une colle synthétique pour solidariser rainure et languette.

Ces échantillons donnent un aperçu de la diversité des teintes et textures des parquets stratifiés.

Les distributeurs peuvent mettre à la disposition des installateurs ce type de présentoir portatif garni d'échantillons détachables, pour leur permettre de choisir sur place le produit qui s'harmonise le mieux au décor environnant.

223

Format et aspect des pièces à assembler

Les dimensions des éléments à assembler varient suivant les entreprises qui les commercialisent, mais celles-ci ont néanmoins adopté un format quasiment standard. Les pièces font environ 120 cm de long sur 20 cm

de large (8 x 48 po), et leur épaisseur moyenne varie entre 7 et 9 mm ($^{13}/_{16}$ po et $^{13}/_{32}$ po). Elles sont vendues emballées par paquets de huit à dix éléments, prêts à être posés.

La lame de parquet est constituée de lattes de même taille, pour obtenir un effet uniforme.

Emballage standard d'un ensemble de lames de parquet flottant vendues prêtes à poser. Les éléments ne présentent pas tous le même aspect, les lattes de parquet étant assemblées avec un décalage, ce qui permet, en les combinant avec soin, de donner au parquet un aspect naturel.

Les lames sont ici plus étroites, et les éléments assemblés composeront un parquet à l'aspect plus fragmenté.

Dans ce cas extrême, les modules de base présentent un motif d'aspect encore plus hétérogène, composé de lattes courtes et étroites, dans des tonalités très variées.

Plinthes et autres emplois des parquets

L'adaptabilité de ce type de parquet à tout type de décor est encore renforcée par la fourniture complémentaire de plinthes présentant des caractéristiques identiques à celles du parquet et disponibles dans différents formats.

Divers types de plinthes pour ce type de parquet.

Plinthe au dessin identique à celui du parquet, mais d'une tonalité différente.

Les propriétés de ce matériau, et notamment sa résistance à l'humidité et aux chocs, font qu'il convient également au revêtement de murs plans et lisses, sur lesquels il peut être posé directement par collage au mastic-colle à la silicone ou à l'aide de colles synthétiques.

Plinthe assortie au parquet.

Mur habillé d'éléments similaires à ceux composant le revêtement de sol, bien que le jeu chromatique entre les plans verticaux et horizontaux soit différent.

Pose du parquet

Avant d'entreprendre
la pose du parquet, il
convient de prendre les
précautions suivantes:
• s'assurer qu'il n'y ait pas
de remontées d'humidité;
• vérifier que le sol
à recouvrir est bien sec
et d'une parfaite planéité;
• recouvrir le sol d'une
sous-couche en mousse;
• poser un cordon
de silicone faisant joint
d'étanchéité sur le pourtour
de la pièce.

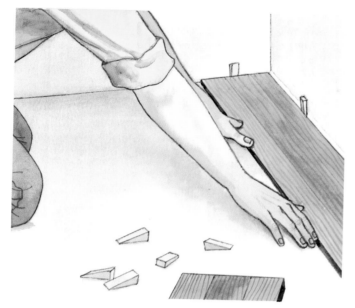

1. Après avoir préparé convenablement le support, on commence la pose du parquet dans un angle de la pièce, en orientant le chant rainuré de la première lame vers le mur. Il est nécessaire de prévoir un jeu de dilatation de 5 à 15 mm ($^3/_{16}$ à $^9/_{16}$ po) en périphérie, en insérant des cales de l'épaisseur requise entre les lames et le mur.

2. Pour mettre en place la lame dans l'angle opposé, on la superpose sur la précédente pour en délimiter la longueur à l'équerre. On en vérifie l'ajustement avant de procéder au collage des chants.

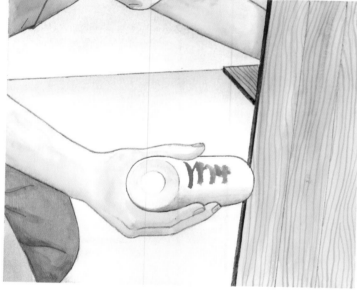

3. La vérification effectuée, on enduit la rainure d'une quantité suffisante de colle pour qu'elle recouvre également la languette correspondante lors de l'assemblage.

4. On utilise la chute de la première série de lames, si elle ne mesure pas moins de 50 cm (20 po) de long, pour commencer la pose de la deuxième série. Après avoir emboîté les lames à la main, on en ajuste l'assemblage avec un marteau et une cale.

5. Pour poser la dernière lame du parquet, on en délimite la longueur en la faisant chevaucher sur la lame précédente, sans oublier de ménager un jeu de 5 à 15 mm ($^3/_{16}$ à $^9/_{16}$ po) entre la lame et le mur.

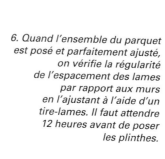

6. Quand l'ensemble du parquet est posé et parfaitement ajusté, on vérifie la régularité de l'espacement des lames par rapport aux murs en l'ajustant à l'aide d'un tire-lames. Il faut attendre 12 heures avant de poser les plinthes.

Procédé d'assemblage

Ce type de parquet est formé de couches compactes ayant subi une forte compression par pressage à chaud, ce qui explique qu'il soit dur et rigide en dépit de sa faible épaisseur, qui peut être de 6 mm ($7/32$ po) seulement.

L'assemblage des différents éléments repose sur l'emboîtement d'une languette, fine mais résistante, découpée sur l'un des chants, dans la rainure étroite prévue à cet effet sur le chant correspondant de la lame adjacente.

Pour emboîter les pièces les unes dans les autres, il faut faire coulisser la languette d'une pièce dans la rainure de l'autre, mais en aucun cas effectuer de mouvement de levier, qui pourrait casser

Il ne faut pas oublier que c'est la rainure, et non la languette, qui doit être enduite de colle.

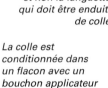

La colle est conditionnée dans un flacon avec un bouchon applicateur assez fin pour bien pénétrer dans la rainure.

La scie sauteuse doit être utilisée avec précaution pour sectionner les lames, car il faut veiller à ne pas casser les languettes ou en détacher des éclats en début ou en fin de coupe.

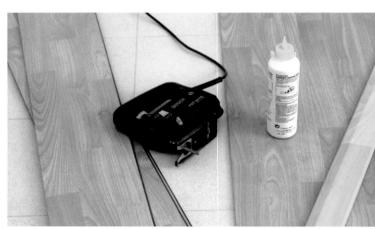

Autres conseils de pose

Quand on recouvre de grandes superficies – de plus de 100 m², ou de 12 m (40 pi) de long sur 8 m (26 pi) de large –, il est nécessaire de prévoir des joints de dilatation suffisamment larges. Pour bien mettre en valeur la veinure des lames, mieux vaut les disposer dans le sens de la longueur en direction des principales sources de lumière naturelle. Il est également recommandé de respecter un délai d'au moins 24 heures avant de mettre en place des meubles très lourds, pour permettre au parquet de se stabiliser.

On peut créer une mosaïque originale en combinant des parquets de différents motifs et tonalités.

Un parquet pour un local public doit être revêtu d'une couche de protection plus résistante qu'un parquet pour un logement, car il est destiné à un usage plus intensif.

Les sols des pièces humides peuvent aussi être recouverts de parquets adaptés.

Les lames de ce parquet ont été orientées dans le sens de la lumière naturelle.

Parquet installé dans une salle de sports, revêtu d'une triple couche de protection pour résister à un usage intensif, aux chocs et à une humidité relative élevée.

Un parquet recouvrant le sol d'un gymnase doit pouvoir résister au poids des appareils.

Dans une pièce ne disposant pas d'une source de lumière naturelle, la disposition des lames en diagonale peut créer un effet dynamique intéressant et engendrer une sensation d'espace.

Les sols stratifiés peuvent aussi être posés sur des loggias ou balcons protégés des intempéries.

Ici, l'espace est unifié par le parquet qui recouvre aussi la rampe reliant les deux niveaux.

Le poli et le lustre de ce parquet sont bien mis en valeur par le reflet d'une grande baie vitrée.

Meubles de cuisine et de salle de bains

Les meubles de cuisine et de salle de bains ont connu une rapide évolution, depuis l'apparition assez récente sur marché d'une vaste gamme d'éléments préfabriqués, et, parallèlement, de nouveaux accessoires d'assemblage.

Il n'est plus nécessaire aujourd'hui d'être un grand connaisseur des techniques de menuiserie traditionnelle pour monter soi-même ces nouveaux produits qui s'achètent en modules prédimensionnés, accompagnés d'un nécessaire de fixation et d'une notice de montage. Dans bien des cas, l'assemblage ne se fait plus à la colle à bois classique, mais au mastic-colle à la silicone. Il suffit même, très souvent, de visser simplement les pièces entre elles à l'aide de vis à empreinte creuse et d'une clé mâle, ce qui offre la possibilité de démonter aisément les meubles si nécessaire, ou de pouvoir procéder à des adaptations ultérieures.

Les meubles destinés à l'aménagement des cuisines ou salles de bains de modèles haut de gamme sont généralement équipés de portes en bois massif. En revanche, pour les modèles les plus courants, les surfaces visibles – portes, façades de tiroirs ou habillages latéraux – sont constituées de panneaux de particules à revêtement stratifié ou mélaminé dont certains imitent à la perfection diverses essences de bois. Si nous avons choisi de vous présenter dans ce chapitre la procédure à suivre pour monter soi-même un élément de cuisine, les techniques d'assemblage et d'ajustement restent les mêmes pour les meubles de salle de bains ; seuls les traitements de finition peuvent varier.

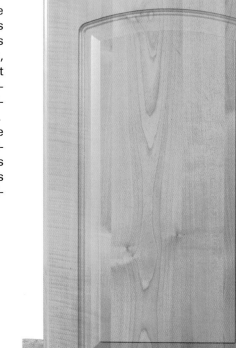

Exemples de portes en bois massif prêtes à être montées sur un caisson à l'aide de ferrures adaptées.

Exemple de porte préfabriquée en bois massif adaptable sur un meuble bas de cuisine.

Échantillonnage de revêtements mélaminés destinés à l'habillage des surfaces apparentes de meubles de cuisine.

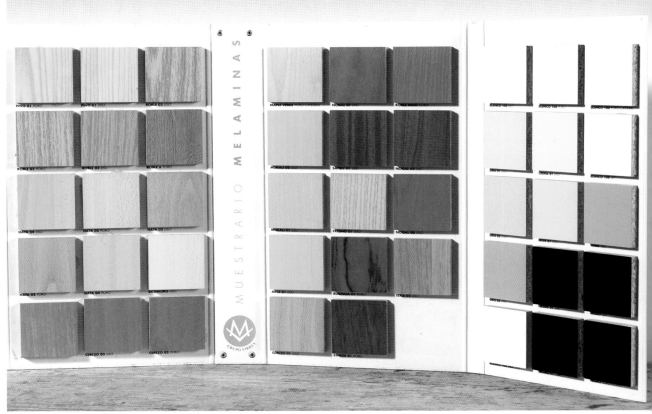

Accessoires de montage d'un élément de cuisine ou de salle de bains

Comme on l'a souligné précédemment, il existe sur le marché un tel éventail d'accessoires standards de fixation, d'articulation, de support, de préhension, etc., que le travail de l'installateur de meubles de cuisines ou de salles de bains en est grandement facilité. Il lui suffit de choisir la gamme d'éléments la mieux adaptée au type d'élément qu'il doit assembler et poser.

Charnières invisibles pour l'articulation des portes.

Embases de charnières invisibles à monter sur le bâti du meuble.

230

Ensemble d'éléments composant l'un des types de charnières les plus utilisées dans le montage des meubles de cuisine et de salle de bains.

Exemple de poignée pouvant s'adapter facilement aux portes ou tiroirs de ces éléments.

Pieds réglables que l'on fixe par vissage à la base des éléments déjà montés.

Glissières et rails destinés au montage des éléments coulissants.

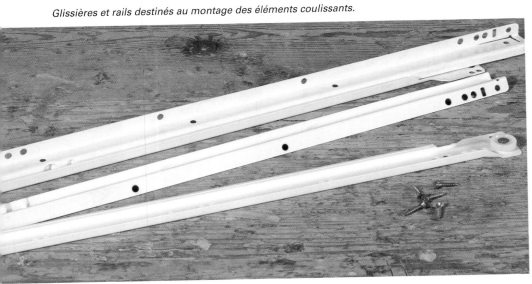

Pied en matière plastique préfabriqué, avec collier de fixation permettant d'y assujettir une plinthe.

On peut choisir une plinthe préfabriquée assortie au revêtement des meubles, ou créer un contraste en optant pour une plinthe d'une teinte différente.

Les moulures d'habillage du haut et du bas des éléments se font dans un large éventail de profils et de teintes.

Taquets de support d'étagères, qu'il suffit d'enfoncer dans les trous prévus à cet effet sur les faces internes des panneaux latéraux des meubles.

Ensemble d'accessoires de fixation servant à suspendre les éléments muraux d'une cuisine.

Procédure de montage d'un élément de cuisine

En guise d'exemple, nous avons choisi d'exposer ici dans le détail la procédure à suivre pour monter un meuble bas de cuisine de conception standard, depuis sa sortie de l'emballage jusqu'à ce qu'il soit entièrement assemblé, et prêt à recevoir un plan de travail, qui peut être en marbre, en bois massif, ou en panneau de particules à revêtement mélaminé.

Les éléments de cuisine se présentent emballés. Tous les panneaux, hauts et bas, sont présents.

Tout le matériel nécessaire au montage de cet élément bas de cuisine, en aggloméré, est fourni.

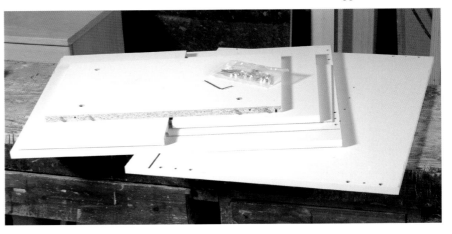

Pour commencer le montage, on assemble à angle droit l'un des petits panneaux sur l'un des panneaux latéraux. Ce panneau est pourvu de tourillons qui s'insèrent dans des trous prévus à cet effet sur le panneau latéral.

On procède de même pour mettre en place le second petit panneau. L'emboîtement se fait à la main, sans outil.

Ces trois pièces assemblées forment un U dont les faces internes comportent une rainure dans laquelle on insère une planche de contreplaqué très mince, destinée à servir de fond.

Pour terminer l'assemblage du caisson, on met en place le second panneau latéral. Il ne reste plus qu'à visser les éléments ensemble.

On insère les vis dans les orifices qui leur sont destinés et on les serre à l'aide d'une clé mâle adaptée.

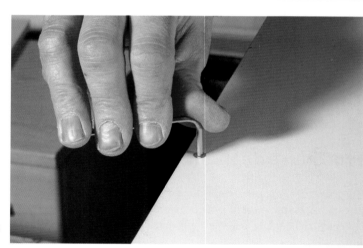

Détail du serrage d'une vis à la clé mâle.

Une fois le caisson entièrement assemblé et vissé, on fixe la base des pieds dans les trous correspondants.

On insère les pieds en les vissant dans la base, qui est pourvue d'un filetage. Le serrage s'effectue à la main, sans outil.

Une fois que le pied
est assemblé,
on marque
l'emplacement
des vis au poinçon.

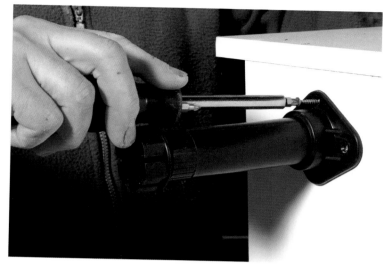

On met en place
les vis de fixation des pieds.

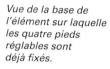

Vue de la base de
l'élément sur laquelle
les quatre pieds
réglables sont
déjà fixés.

233

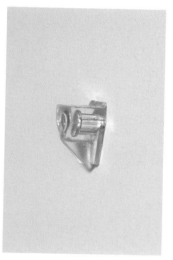

Support d'étagère déjà
mis en place.

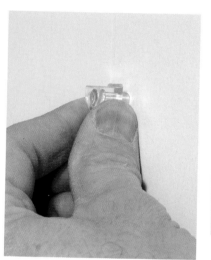

Les supports d'étagères s'emboîtent
dans les trous prévus à cet effet sur
les faces internes de l'élément.

Après avoir fixé
les quatre supports,
on met en place
l'étagère.

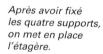

Ensemble d'éléments et d'outils nécessaires au montage d'une porte,
déjà munie de cuvettes pour les charnières.

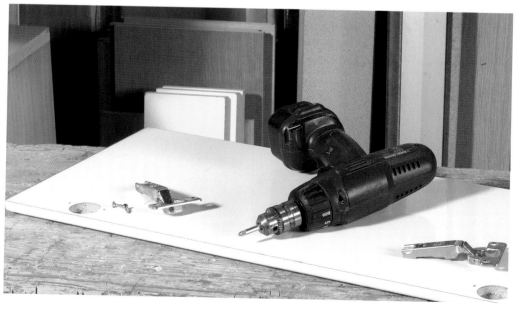

meubles de cuisine et de salle de bains

Une fois le corps
de la charnière encastré
dans la porte, on visse
les deux vis de fixation.

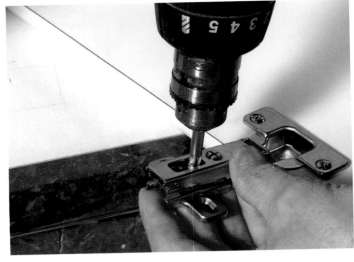

Avant de fixer la porte sur
le caisson, on insère
la partie de la charnière
à fixer sur le caisson sur
le bras articulé
de la charnière déjà
fixée, pour effectuer
le marquage des trous
de fixation.

En utilisant la charnière
elle-même comme
gabarit, on marque alors
au crayon l'emplacement
de ses trous de fixation
sur le panneau latéral
du caisson.

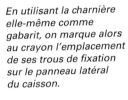

On marque ensuite
l'emplacement des trous
au poinçon, pour que
la porte ne soit pas
bancale et que son
ajustement soit parfait.

Au moment de visser la porte sur le caisson,
il faut la maintenir fermement en place
de la main libre.

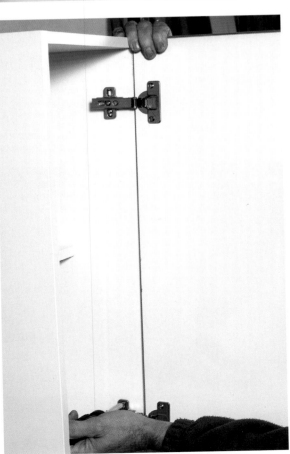

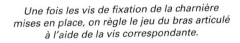

Une fois les vis de fixation de la charnière
mises en place, on règle le jeu du bras articulé
à l'aide de la vis correspondante.

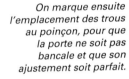

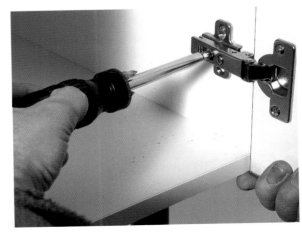

On ferme la porte pour vérifier, en passant les mains sur
les côtés, si ses bords sont bien dans l'alignement
des panneaux latéraux du caisson.

*Aspect final
de l'élément bas de cuisine
de 30 cm (12 po) de large
équipé de ses pieds.*

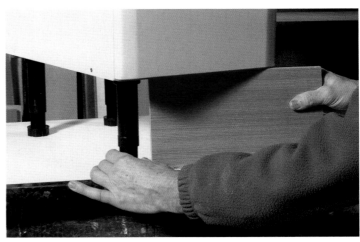

*En se servant d'une chute
de plinthe, on ajuste la hauteur
des pieds réglables de façon
à laisser un minimum de jeu
pour pouvoir mettre
la plinthe en place.*

*On vérifie avec un niveau que
le meuble est bien horizontal
en ajustant encore, si
nécessaire, la hauteur
des pieds.*

*Pour fixer la plinthe sur
les pieds, on y trace deux
repères correspondant aux
axes respectifs des pieds.*

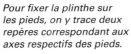

*On prolonge ces repères
à mi-hauteur de la plinthe,
où l'on fixera le support
pourvu d'un collier de fixation
ou clip qui permettra
d'assujettir la plinthe
aux pieds.*

*Vissage du premier collier
de fixation.*

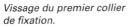

*Quand les deux pattes de fixation
sont en place, on les emboîte
sur les pieds.*

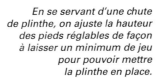

236

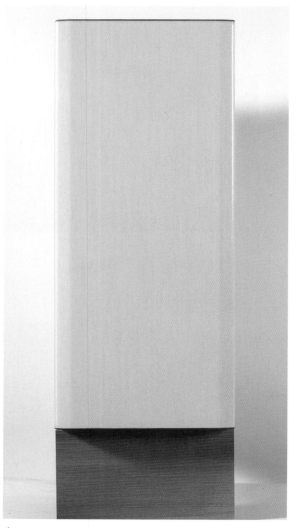

Élément bas de cuisine fermé, avec plinthe.

Meuble ouvert, équipé de son étagère.

Pour mettre en place la poignée dans l'angle supérieur gauche de la porte, on se sert d'un gabarit qui permet de situer l'emplacement exact des vis de fixation.

Une fois les repères tracés au crayon, on perce les trous en tenant la perceuse bien à l'horizontale.

On positionne alors la poignée sur la face avant de la porte et on insère les vis avec un tournevis sur la face interne.

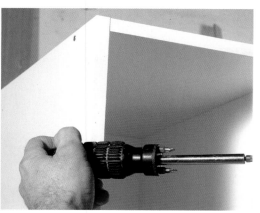

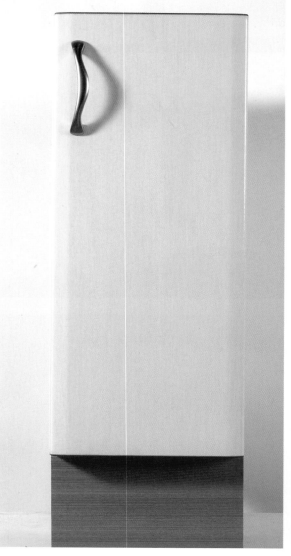

L'élément de cuisine est terminé, prêt à recevoir un plan de travail.

Un élément mural analogue au précédent peut être habillé d'une moulure ou corniche également préfabriquée.

Pour fixer la corniche, on utilise une cartouche de mastic-colle au silicone qui permet une application directe.

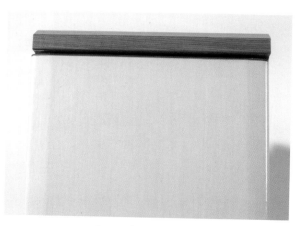

Aspect final de l'élément mural de cuisine agrémenté d'une corniche.

Exemples de cuisines ou de salles de bains aménagées à l'aide d'éléments préfabriqués

L'objectif de la précédente démonstration était de vous exposer un exemple type de procédure de montage applicable à la plupart des éléments destinés à l'aménagement de cuisines ou de salles de bains, même si les éléments qui les composent (façades de meubles, charnières, loquets, pieds, plinthes, etc.) peuvent être de nature ou d'aspect différents. Les produits disponibles sur le marché sont en effet d'une grande diversité, et le choix ne cesse de s'élargir, du fait de l'actualisation permanente des modèles, de la création de nouveautés, des exigences commerciales, ou de l'apparition constante de nouveaux besoins engendrés par la vie moderne. Les installations présentées ci-après ne sont qu'un aperçu succinct des diverses possibilités d'aménagement.

Non seulement, elles illustrent les variantes possibles de styles en fonction des éléments utilisés, mais elles montrent également qu'en suivant un processus de montage d'une grande simplicité, on peut créer à son goût un décor d'une grande élégance en harmonisant façades de meubles et accessoires.

Cuisine moderne, composée de meubles de rangement aux façades plaquées de revêtements de deux teintes différentes, s'harmonisant respectivement à la teinte du parquet et à celle des appareils ménagers, la plinthe cachant des pieds servant de trait d'union entre les deux.

Dans cette salle de bains, la teinte des meubles est en harmonie avec celle des portes et du parquet. Les façades de type persienne animent le décor et évitent la monotonie.

Cuisine rustique, dans laquelle le style des meubles s'intègre parfaitement au décor, que ce soit le revêtement de sol ou les poutres apparentes.

Quand on a une idée exacte de l'ambiance que l'on veut donner à une pièce, le bois, à l'exclusion de tout autre élément, peut suffire à composer un décor minimaliste d'une grande netteté.

Cette cuisine fournit un parfait exemple de combinaison moderne et séduisante de divers éléments préfabriqués.

Cuisine de style rustique, dans laquelle les façades des meubles bas sont mises en valeur par un motif ajouré souligné d'une moulure. Des meubles de caractère, vendus prêts à monter.

L'ÉBÉNISTERIE

Il serait difficile de trouver dans l'ensemble de la nature des éléments plus salutaires à l'être humain que les arbres. Quand ils sont vivants, non seulement ils purifient l'atmosphère et contribuent efficacement à améliorer la qualité de l'air, mais ils nous gratifient de leur beauté, de leurs couleurs, de leurs fruits et de leur ombre. Et quand ils sont morts, ils fournissent non seulement un excellent matériau de chauffage et de construction, mais aussi une matière première idéale pour l'élaboration d'objets utilitaires, comme les outils ou tous autres accessoires de la vie quotidienne destinés au rangement, au confort ou à la décoration.

Même si ce livre est centré sur l'exposition de diverses techniques et procédés, il ne faut pas oublier que les informations qui y sont fournies et les exercices qui y sont présentés doivent à tout moment être considérés au travers du regard de l'artisan, de la personne pour qui le bois qu'elle a entre les mains n'est pas un produit inerte, sans âme, mais un matériau chaleureux, noble et d'une singulière présence. Dans cette optique, la qualité du travail investi importe autant que l'aspect de l'ouvrage.

Les pages suivantes sont consacrées à la réalisation de meubles au sens large. Les exercices qui y sont proposés font référence à de multiples aspects du travail d'ébénisterie qu'il convient de garder en mémoire. La mise en pratique de techniques déterminées, la manipulation, le travail et l'association de différents bois ainsi que l'emploi des outils les plus appropriés doivent toujours converger vers un objectif clair : l'élaboration de pièces de belle facture, qui non seulement remplissent leur fonction de façon satisfaisante, mais sont séduisantes et ont du caractère. Telle est pour l'ébéniste la meilleure manière de rendre hommage au bois, qui est l'un de ses plus loyaux serviteurs.

Techniques de base

L'ébénisterie est un métier de tradition, qui exige une approche plus soignée que la menuiserie. Il est exercé par des artisans qui savent prendre le temps d'observer la manière dont a poussé l'arbre dont ils veulent utiliser le bois, de sélectionner les essences qui conviennent le mieux à la fabrication des divers éléments qui vont lui permettre de créer des meubles ou objets de qualité, dont le caractère décoratif est intimement lié à la fonction utilitaire.

Tout bon ébéniste doit être en mesure de pratiquer avec habileté le dessin à main levée de motifs géométriques ou plus élaborés, et savoir choisir à bon escient, et exécuter avec minutie, n'importe quel type d'assemblage, que ce soit pour unir des pièces en bois massif ou en matériaux dérivés du bois. Il lui faut également maîtriser l'art difficile du parfait accord entre fonctionnel et esthétique, que les ouvrages réalisés soient ou non ergonomiques, et faire preuve de suffisamment d'invention pour élaborer des pièces uniques, d'un caractère très personnel.

Les assemblages propres à l'ébénisterie présentés ci-après, que ce soit dans le cadre des exercices détaillés ou d'une façon plus générale, illustrent bien la manière dont l'ébéniste s'attache à tirer le meilleur parti du matériau qu'il travaille. D'un geste sûr et délicat, il sait manier les outils appropriés et métamorphoser le bois, en lui donnant des formes, une texture ou une teinte qui font de lui un véritable alchimiste.

Assemblages propres à l'ébénisterie

Comme en menuiserie, les assemblages peuvent être regroupés en grandes catégories : assemblages chant contre chant, d'angle, de rencontre ou en bout, suivant le sens dans lequel les pièces doivent être unies et la nature des efforts auxquels elles doivent résister. Toutefois, en ébénisterie, le facteur esthétique joue également un rôle essentiel dans le choix d'un assemblage. On peut choisir de mettre en valeur une liaison au point de la convertir en élément caractéristique d'un meuble, ou au contraire la rendre aussi discrète que possible dans un souci d'élégance et de sobriété.

Vous trouverez ci-après une présentation des assemblages employés traditionnellement en ébénisterie et la procédure d'exécution des plus classiques d'entre eux.

Assemblages d'angle de panneaux

L'emploi de panneaux dérivés du bois en ébénisterie s'est développé avec l'apparition du médium, panneau de fibres de texture dense et fine dont les chants, ou les bords des découpes internes, peuvent être moulurés. C'est un matériau qui, une fois assemblé à l'aide de vis autoforeuses, forme des structures parfaitement stables. Si les meubles qu'il permet de construire ne brillent pas par l'aspect de leur superficie, à moins d'être laqués, sa grande souplesse d'emploi offre, en revanche, à l'ébéniste l'occasion de donner libre cours à son imagination et d'innover en matière de création de mobilier.

Assemblage d'angle à rainures et fausses languettes de deux panneaux

Cet assemblage d'angle de deux panneaux fait intervenir une pièce rapportée permettant de les réunir de façon invisible à l'aide de rainures et de fausses languettes.

1. Matériaux et outils nécessaires à l'exécution de l'assemblage de deux panneaux de médium de 2 cm ($^{25}/_{32}$ po) d'épaisseur à angle droit avec une pièce rapportée en bois massif.

2. Sur deux faces contiguës du carrelet raboté et poncé de 4,5 x 4,5 cm (1 $^3/_4$ x 1 $^3/_4$ po), on trace l'axe médian qui va permettre de creuser les rainures de l'assemblage.

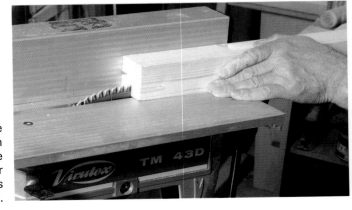

3. Avec la scie circulaire de table équipée d'une lame de 5 mm ($^3/_{16}$ po) d'épaisseur, on découpe une rainure d'une profondeur de 12 mm ($^7/_{16}$ po) sur les axes préalablement tracés.

4. On trace les axes médians sur les deux chants correspondants des panneaux de médium en vue d'y creuser également une rainure.

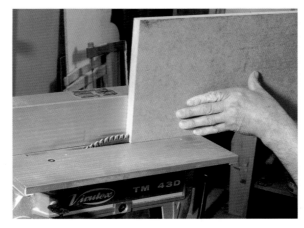

5. Comme on l'a fait précédemment, on rainure alors les chants des panneaux sur la scie circulaire de table en ajustant le guide de coupe en fonction de l'épaisseur des pièces.

6. On coupe ensuite à la longueur des rainures les bandes de contreplaqué de 5 mm (3/16 po) d'épaisseur qui constitueront les fausses languettes.

7. Avant de procéder à l'assemblage, on ponce soigneusement les faces et les arêtes du carrelet avec un papier abrasif de grain moyen monté sur cale.

8. Après avoir soigneusement dépoussiéré les pièces, on applique au pinceau une couche uniforme de colle à bois vinylique sur les rainures et les fausses languettes.

Aspect final de l'assemblage d'angle à rainures et fausses languettes.

AUTRES ASSEMBLAGES D'ANGLE

Assemblage d'angle à plat joint renforcé d'un tasseau

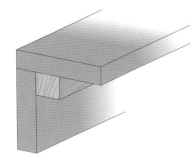

Ce type d'assemblage offre l'avantage de passer inaperçu, les surfaces visibles des panneaux conservant toute leur netteté. Le tasseau de renfort est simplement fixé à l'aide de vis ou de clous d'une longueur inférieure à l'épaisseur des panneaux.

Assemblage d'angle à feuillure

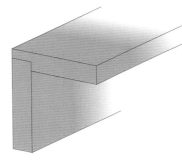

Comme dans le cas précédent, le but recherché est de préserver l'esthétique de l'ouvrage. L'emploi d'un renfort est ici superflu. Une feuillure est découpée à mi-bois dans le chant du panneau de recouvrement.

Assemblage d'angle à chant arrondi sur fausses languettes

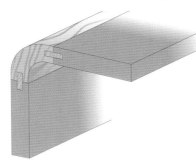

Cet assemblage à rainures et fausses languettes assure une parfaite continuité des surfaces, tant à l'extérieur qu'à l'intérieur, l'élément cintré servant de lien entre les panneaux étant de même épaisseur que ces derniers.

Assemblage d'angle à embrèvement dans quart de rond

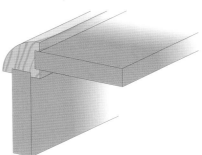

Contrairement à l'exemple précédent, on cherche ici à modifier et souligner l'articulation des pièces, en introduisant un contraste de formes et de matériaux.

Assemblages en bout ou entures

Ce type d'assemblage, qui consiste à unir deux pièces bout à bout, a en général pour finalité l'obtention d'une pièce plus longue. Si, en menuiserie, on recherche moins à soigner l'aspect esthétique des entures, en ébénisterie, elles sont en général discrètes et peuvent même jouer un rôle ornemental. On y a aussi souvent recours pour remplacer, dans un meuble, une partie d'un montant ou d'un pied défectueux.

Enture à tourillon simple

Enture employée pour dissimuler au maximum l'allongement d'une pièce de faible diamètre sur de faibles portées, car elle n'offre pas une grande résistance.
On s'en sert pour réunir des pièces droites ou cintrées.

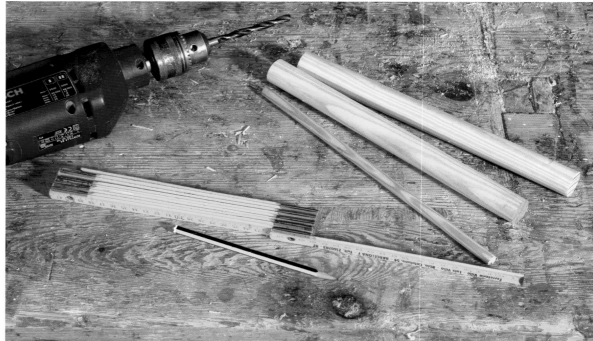

1. Matériaux et outils nécessaires à l'assemblage en bout de deux pièces cylindriques de 2,5 cm ($^{15}/_{16}$ po) de diamètre, à l'aide d'un tourillon de 1 cm ($^{3}/_{8}$ po) de diamètre.

2. Après avoir soigneusement poncé les pièces et s'être assuré que les bouts soient parfaitement droits, on en marque le centre au compas ; on peut utiliser un compas à pointes sèches.

3. On fixe chaque pièce tour à tour dans la presse d'établi en position bien verticale, pour y percer le futur logement du tourillon. Il est conseillé de marquer sur la mèche la profondeur à laquelle il faut percer (3 cm) (1 $^{1}/_{8}$ po).

4. On cale le tourillon de 1 cm ($^{3}/_{8}$ po) de diamètre dans le guide de coupe pour le couper à la scie à dos à une longueur de 6 cm (2 $^{3}/_{8}$ po).

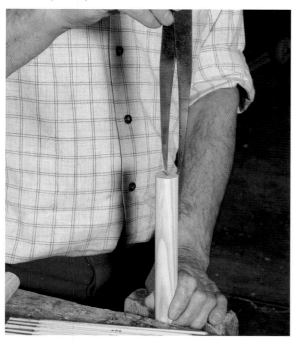

5. Avant d'insérer le tourillon dans son logement, on enduit généreusement de colle les surfaces de contact.

6. Pour bien faire pénétrer le tourillon jusqu'au fond, on l'insère au marteau en le protégeant avec une cale.

7. Une fois le tourillon mis en place, on encolle la seconde pièce pour achever l'assemblage.

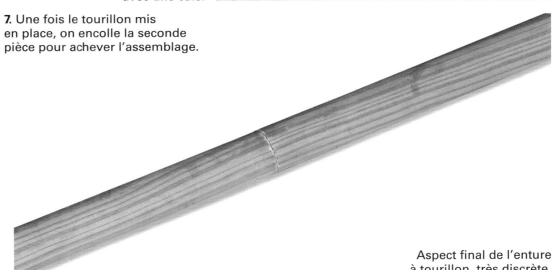

Aspect final de l'enture à tourillon, très discrète.

AUTRES TYPES D'ENTURES

Enture à trois tourillons pour pièces cintrées

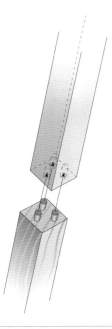

Ce type d'enture est employé pour assembler une pièce droite à une pièce cintrée de même section. Il est en général réservé à l'assemblage de pièces de petites ou moyennes dimensions d'usage restreint.

Enture à tenon rond

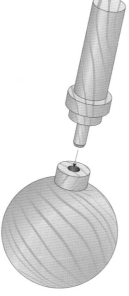

Le tenon est façonné au tour à l'extrémité de la première pièce ; la pièce correspondante est percée d'une mortaise de même diamètre et de même longueur que le tenon, pour que l'ensemble, une fois encollé, soit parfaitement solidaire. On emploie cette enture pour fixer les embouts ornementaux de certains meubles.

Enture à tenon rond fileté

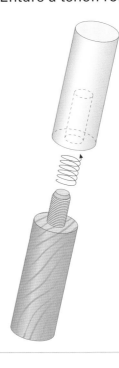

On a recours à ce système d'assemblage pour réunir des éléments qu'il faut pouvoir monter ou démonter rapidement, sans avoir à retirer clous ou vis, ou à décoller les assemblages, notamment pour de petits meubles, tables, rayonnages, etc.

Assemblages d'angle à queues d'aronde

Les liaisons d'angle à queues d'aronde multiples, d'une grande résistance aux efforts de traction, étant donné le nombre des tenons et leur forme trapézoïdale, s'emploient en général dans la fabrication des tiroirs et des coffres. Elles peuvent être découvertes (visibles des deux côtés), semi-recouvertes (visibles d'un seul côté) ou perdues (invisibles des deux côtés).

Assemblage à queues d'aronde semi-recouvertes

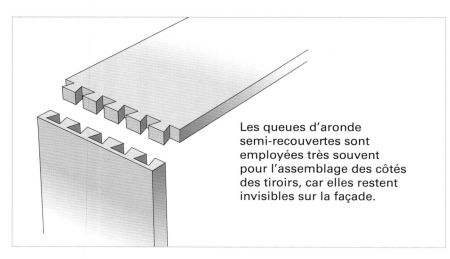

Les queues d'aronde semi-recouvertes sont employées très souvent pour l'assemblage des côtés des tiroirs, car elles restent invisibles sur la façade.

1. Après avoir dressé et poncé deux planches de dimensions identiques, on entreprend le processus d'élaboration de l'assemblage, en mesurant l'épaisseur au trusquin.

2. On reporte cette mesure sur la largeur de la planche sur laquelle on va creuser les évidements où viendront s'emboîter les queues d'aronde.

5. À partir de ces lignes, on trace sur le chant, à la fausse équerre, des lignes obliques délimitant les contre-queues, de telle sorte que le fond des évidements soit plus large de 25 mm (³/₃₂ po) de part et d'autre de l'axe médian.

3. Sur le bout de l'autre planche, on trace au trusquin une parallèle à 1 cm (³/₈ po) du bord sur toute la largeur.

6. Pour dégager les contre-queues, on commence par couper à l'oblique le bout de la planche à la scie à dos, en respectant les tracés.

4. Pour délimiter les tenons ou contre-queues, on trace un trait à 1 cm (³/₈ po) de chaque chant, puis le point médian, et des divisions de 3 cm (1 ¹/₈ po) (parties à évider) et 2 cm (²⁵/₃₂ po) (parties pleines).

7. On défonce les évidements au ciseau, en entaillant le bois verticalement, puis horizontalement.

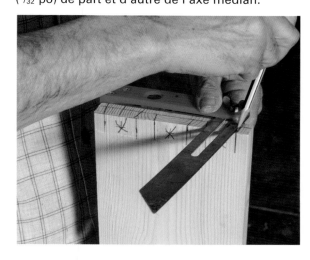

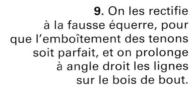

8. On utilise les évidements des contre-queues comme gabarit pour tracer les contours des queues d'aronde.

9. On les rectifie à la fausse équerre, pour que l'emboîtement des tenons soit parfait, et on prolonge à angle droit les lignes sur le bois de bout.

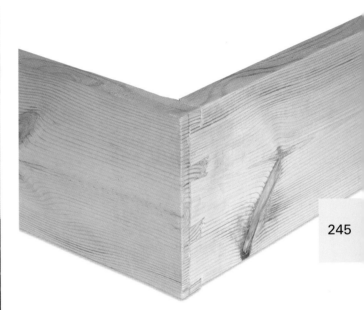

10. Pour dégager les queues d'aronde, on se sert d'un ciseau à lame plus étroite que le précédent.

11. Quand les deux bouts des pièces sont découpés, et leurs surfaces bien dressées pour être parfaitement complémentaires, on les enduit de colle et on les emboîte à l'aide d'un marteau en les protégeant avec une cale.

Aspect final de l'assemblage à queues d'aronde.

245

ASSEMBLAGES À QUEUES D'ARONDE PERDUES

Avec recouvrement partiel de bout

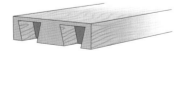

Le bout de la pièce frontale recouvre presque entièrement le bout de la pièce latérale, les queues d'aronde étant invisibles. L'effet peut être intéressant si les pièces sont de deux bois de teintes différentes.

Avec recouvrement total des bouts

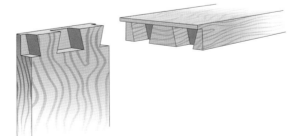

Le bout de la pièce frontale masque entièrement le bout de la pièce latérale. On utilise ce type d'assemblage pour la construction des tiroirs, quand on veut que l'assemblage soit totalement invisible en façade.

À recouvrement d'onglet

Assemblage d'exécution plus délicate, mais d'une grande netteté, car il permet de dissimuler entièrement les queues d'aronde, seul le joint d'assemblage à 45° restant visible sur les côtés.

Techniques liées à l'ébénisterie

Grâce à ses propriétés intrinsèques, la facilité avec laquelle on peut le travailler, sa souplesse, sa durabilité, son aspect agréable et chaud, le bois a été utilisé de multiples façons au fil des siècles, pour répondre à divers besoins, et notamment celui d'améliorer l'esthétique de certains objets ou meubles. Cette recherche d'un plus grand raffinement a donné lieu à l'apparition de différentes techniques associées à l'ébénisterie qui s'attachent essentiellement à parfaire la décoration des pièces, à en compléter l'élaboration dans le but d'en accroître l'élégance.

La marqueterie, qui trouve ses origines dans les anciennes civilisations d'Asie Mineure et d'Égypte, fait partie des procédés d'ornementation intimement liés à la pratique de l'ébénisterie. Elle consiste à recouvrir un support d'un assemblage de petits éléments en bois de placage de veinures et teintes variées, en vue d'élaborer des compositions plus ou moins complexes, d'inspiration picturale ou à motifs purement géométriques.

Le tournage est une autre technique associée à l'ébénisterie. Il consiste à façonner le bois au tour, à le sculpter à la gouge, au ciseau ou autres outils appropriés alors qu'il tourne sur un axe horizontal, de manière à lui donner des formes rondes déterminées – cônes, cylindres, sphères ou combinaisons de ces volumes géométriques permettant d'obtenir des profils plus sophistiqués.

L'autre technique ornementale à laquelle nous faisons référence dans ce chapitre est la sculpture, grâce à laquelle on donne au bois une forme déterminée en éliminant la matière superflue à l'aide d'outils spécifiques. On peut avoir recours à la sculpture tant pour façonner des objets décoratifs simples que pour agrémenter de motifs ornementaux des ouvrages d'ébénisterie.

Étant donné la taille de cet ouvrage et son objectif principal, nous n'avons pas cherché à y exposer de façon détaillée chacune de ces techniques, mais tenions simplement à leur consacrer quelques pages pour que le lecteur puisse avoir un aperçu des possibilités qu'elles offrent.

La marqueterie serait apparue au Moyen-Orient, puis introduite en Occident par les Romains. D'après Vasari, les couleurs y ont fait leur apparition à la fin du XVe siècle, avec Fra Giovanni da Verona, grâce à l'emploi de teintures à base de différents ingrédients et d'huiles cuites.

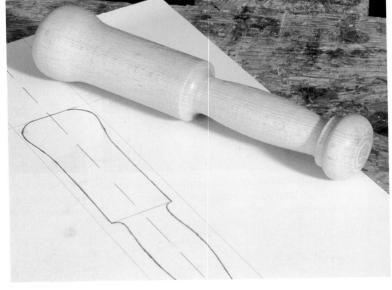

Bien que l'origine du tournage soit très ancienne, cette technique s'est fortement développée au XIXe siècle, avec l'apparition de machines très sophistiquées et d'accessoires et outils adaptés qui ont ouvert de nouveaux horizons.

La sculpture sur bois était déjà pratiquée sous l'Antiquité, notamment par les Égyptiens, bien que peu d'exemplaires en aient été conservés. En Occident, elle était très répandue à l'époque médiévale. Au XVe siècle, les motifs sculptés s'inspiraient surtout de thèmes végétaux (feuilles de vigne, grappes de raisin, etc.).

Marqueterie

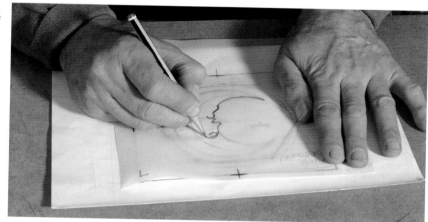

Confection du patron de découpe

1. On dessine tout d'abord le motif au crayon sur une feuille de papier, en indiquant la répartition des différences essences.

2. On décalque la partie du motif réalisée à main levée.

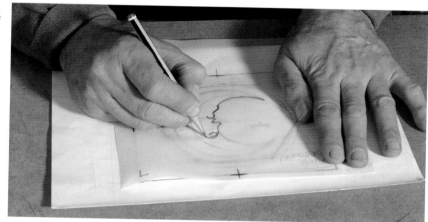

3. On la reporte ensuite sur le patron.

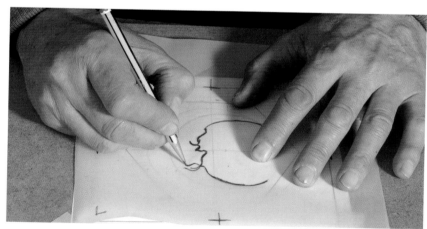

FOURNITURES NÉCESSAIRES

- Feuilles de placage de différents bois, de 25 x 18 cm (9 ¹³/₁₆ x 7 ¹/₁₆ po) :
  - Noyer
  - Citronnier
  - Érable
  - Pin d'Orégon
  - Deux feuilles d'autres essences, de la même dimension
- 1 morceau de contreplaqué de 25 x 18 cm (9 ¹³/₁₆ x 7 ¹/₁₆ po)
- Ruban de masquage
- Colle à bois vinylique
- Papier abrasif à grains moyen et fin
- Vernis
- Mèche de coton

Découpe et renforcement des feuilles de placage

4. Matériaux et outils nécessaires à l'exécution de cet exercice.

5. À l'aide d'un cutter, on découpe dans les feuilles un rectangle de 14 x 16 cm (5 ¹/₂ x 6 ¹/₄ po).

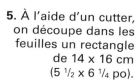

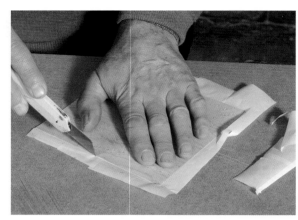

6. Après avoir coupé toutes les feuilles à la même dimension, on les renforce par une première couche de ruban adhésif.

7. Pour parfaire la consolidation de la feuille, on pose une seconde couche de ruban adhésif dans le sens opposé.

8. On retire l'excédent de ruban adhésif au cutter.

9. Avec la panne du marteau de menuisier, on lisse le ruban adhésif pour qu'il adhère bien au bois.

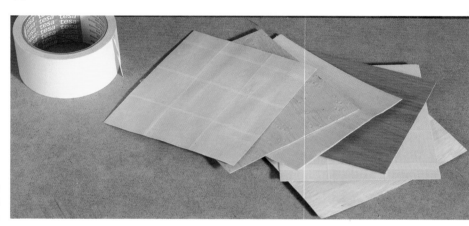

10. On consolide ainsi toutes les feuilles de placage.

11. On les empile au hasard pour former un paquet dont on place l'un des bords à cheval sur l'envers d'une bande de papier adhésif.

12. On rabat l'autre moitié de la bande sur le paquet. On procède de même pour solidariser les feuilles sur tout le périmètre.

Découpe des feuilles

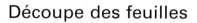

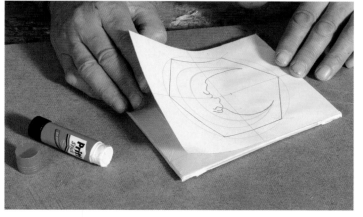

13. Avec de la colle en bâtonnet, on colle le patron de découpe sur le paquet.

14. Quand la colle est sèche, on perce deux avant-trous à la chignole qui vont permettre d'amorcer la découpe.

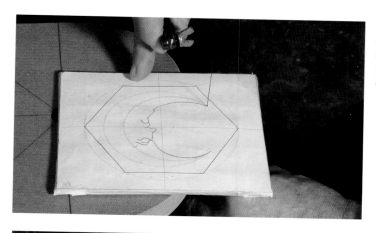

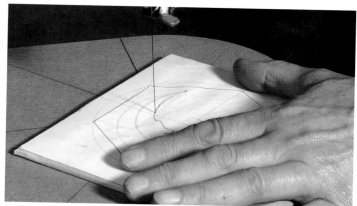

15. On introduit la lame de la scie dans l'un des trous préalablement percés avant de la fixer au cadre.

16. On découpe alors le motif en suivant le tracé du patron.

17. On aperçoit ici le paquet de feuilles entièrement découpé.

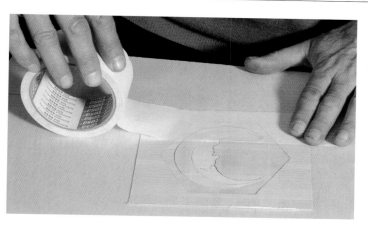

18. Il ne reste plus qu'à sélectionner les pièces qui vont servir à composer la marqueterie.

Assemblage et encollage des éléments

19. On assemble les éléments retenus dans leur position définitive et on les solidarise avec du ruban adhésif.

20. On applique une couche de colle sur l'envers.

21. Avant que la colle ne sèche, on applique le motif sur un morceau de contreplaqué.

22. On place la marqueterie entre deux panneaux de médium.

23. On met l'ensemble sous presse à l'aide de deux serre-joints.

Finition

24. Quand la colle est bien sèche, on démonte la presse et on retire le ruban adhésif.

25. Après avoir égalisé les bords de la marqueterie, on en ponce la surface avec un papier abrasif à grain fin.

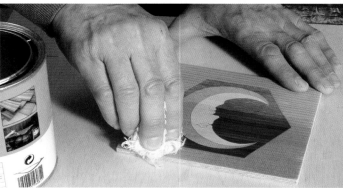

26. Après avoir soigneusement dépoussiéré la marqueterie, on la vernit avec un tampon de mèche de coton.

Aspect final de la marqueterie.

Tournage

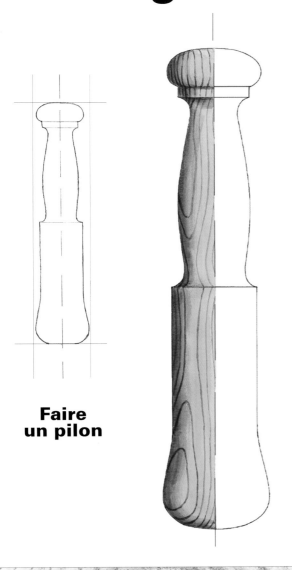

**Faire
un pilon**

FOURNITURES NÉCESSAIRES

- Pièce de bois de hêtre cylindrique de 40 cm (15 $^{11}/_{16}$ po) de long et de 8 cm (3 $^{1}/_{8}$ po) de diamètre.
- Papier abrasif à grains moyen et fin.

Opérations préalables au tournage

Confection du patron

1. Sur un morceau de cartoline, on dessine au crayon la moitié du contour du futur élément tourné, en prenant soin d'en indiquer préalablement la largeur et l'axe médian.

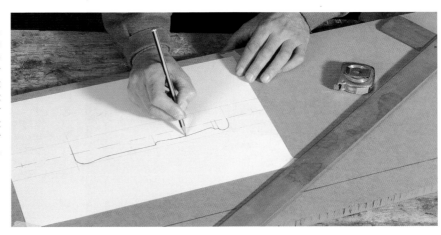

2. On décalque alors la moitié de la figure.

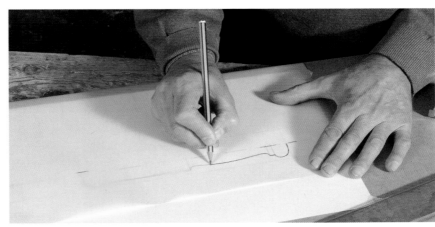

3. En se servant du calque, on reporte sur le patron l'autre moitié de la figure. Pour que les deux moitiés coïncident parfaitement, on solidarise le calque et la cartoline à l'aide de ruban adhésif.

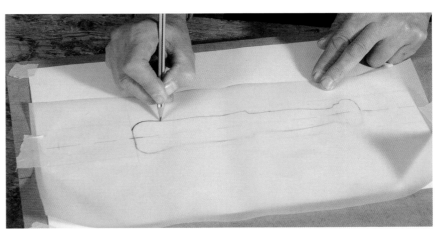

4. Quand le patron est terminé, on peut commencer à préparer la pièce de bois, ou ébauche, avec les outils appropriés : gouges, ciseaux, burins et compas.

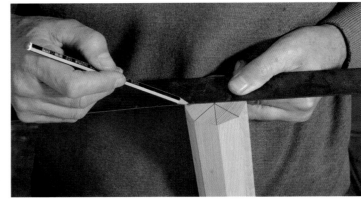

5. On marque le centre des deux bouts de la pièce.

Tournage

6. On fiche le bout de l'ébauche sur le mandrin à griffes de l'arbre d'entraînement du tour en donnant des coups secs à l'aide d'un maillet.

7. On fait coulisser la poupée mobile, portant l'arbre de la contre-pointe, près de l'autre extrémité. La contre-pointe est enfoncée dans l'ébauche avec le volant, de façon que la pièce soit bien maintenue, sans le moindre jeu, puis elle est bloquée en place.

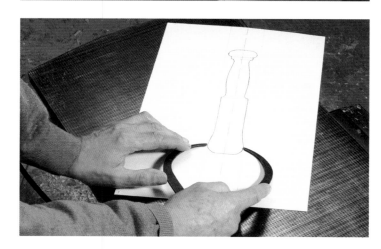

8. Il s'agit maintenant d'ajuster la position du porte-outil, qui doit être distant d'environ 5 mm ($^3/_{16}$ po) de la pièce de bois.

9. On met alors le tour en marche pour effectuer un premier dégrossissage à la gouge, afin de donner à la pièce une section cylindrique, nécessaire à la formation de la future poignée du pilon.

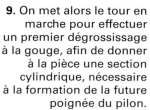

10. Avec un compas d'épaisseur, on relève la plus grande largeur de la pièce sur le patron.

11. Sans modifier l'écartement des branches, on reporte cette mesure sur la pièce.

12. On relève sur le patron les différentes mesures de l'objet.

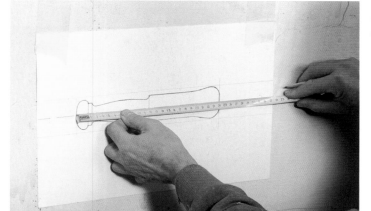

13. On reporte ces mesures au crayon sur la pièce.

14. Après avoir mis le tour en marche, on marque au ciseau les tracés effectués au crayon.

15. La pièce ayant été arrondie et marquée, on peut alors entreprendre son profilage avec les différents outils pour lui donner sa forme, définitive.

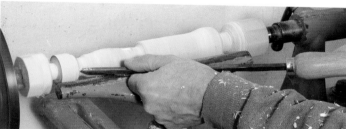

16. On forme la partie supérieure de la pièce, en commençant par l'extrémité et en terminant par la moulure.

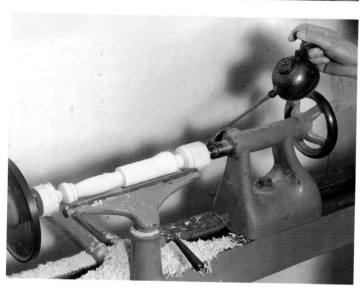

17. Il est nécessaire de graisser la contre-pointe de temps à autre, tour arrêté, à l'endroit où elle touche le bois. Cela afin d'éviter que l'échauffement produit par la rotation ne brûle le bois.

Polissage

18. Quand le tournage de la pièce est terminé, on la ponce au papier abrasif, en écartant suffisamment le porte-outil pour éviter de se blesser.

19. Il ne faut pas oublier de poncer très soigneusement les angles internes.

20. Le pilon étant destiné à entrer en contact avec les aliments, on ne peut le vernir. On le polit en le frottant avec l'envers du papier abrasif.

tournage

21. Avec un bédane à lame étroite, on détache l'extrémité de la pièce.

22. On scie l'autre extrémité de la pièce (que l'on pourrait également couper sur le tour) avec une scie à araser.

23. On frotte la poignée sur du papier abrasif pour éliminer les traces de la scie.

Aspect final du pilon prêt à servir.

Sculpture

FOURNITURES NÉCESSAIRES

- 1 pièce en noyer de 26 x 13 x 3 cm (10 $^3/_{16}$ x 5 $^1/_{16}$ x 1 $^1/_8$ po)
- Papier-calque
- Papier abrasif à grains moyen et fin
- Cire et brosse
- Mèche de coton

Préparation de la pièce

1. Pièce de bois et outils nécessaires à l'exécution de cet exercice : maillet, ciseaux, gouges et burins.

2. On reporte sur une feuille de papier le contour de la pièce de bois que l'on va sculpter.

3. On dessine le motif à main levée sur une feuille de papier.

4. On le reporte sur la pièce de bois en intercalant une feuille de papier carbone entre le support et le dessin.

5. On vérifie que le motif est entièrement reporté sur le bois. On repasse ensuite le dessin au crayon pour qu'il soit bien net.

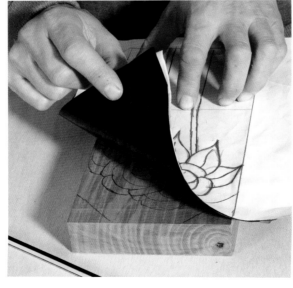

6. À la scie radiale, on coupe en biais les angles supérieurs de la pièce de bois.

Sculpture des motifs

7. Avec une gouge plate que l'on frappe avec un maillet, on entaille verticalement le contour interne des deux fleurs.

8. Au ciseau et au maillet, on évide l'intérieur des fleurs dans le sens du fil, en retaillant si nécessaire le contour au fur et à mesure du retrait des couches.

9. En utilisant le ciseau presque à plat, sans utiliser le maillet, on affine la surface du bois en éliminant tous les éclats résultant de l'évidement.

10. Toujours avec le même ciseau, on retire les fragments de bois sur les contours jusqu'à ce qu'ils soient bien nets.

11. On entaille le contour externe des fleurs avec la gouge à lame droite.

12. Avec un crayon, on marque la profondeur de l'évidement à creuser autour des fleurs sur le chant de la pièce.

13. On entaille alors obliquement le bois superflu au ciseau, en respectant les contours externes des fleurs préalablement délimités à la gouge.

14. Avec le même outil, on achève l'évidement en le tenant fermement à plat et en le frappant avec la paume de la main.

15. Avec une gouge méplate, à lame légèrement incurvée, on dégage le contour des pétales.

256

16. Avec une gouge demi-creuse, on évide l'intérieur des pétales pour leur donner une forme incurvée.

17. Avec un ciseau à lame étroite, on évide les espaces séparant les pétales.

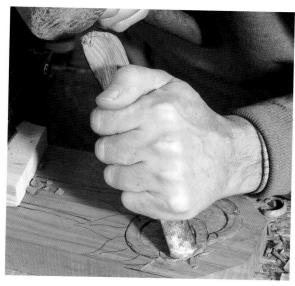

18. Pour donner plus de réalisme aux fleurs, on adoucit les arêtes vives des pétales à la gouge plate et on en dégage le contour.

19. Après avoir entaillé le contour des feuilles à la gouge plate, on les évide en périphérie des pétales.

20. On retrace au crayon les lignes du dessin qui ont disparu.

21. On élimine le bois autour des feuilles en traçant éventuellement au crayon le contour de l'évidement pour avoir un point de repère.

22. Avec un petit burin, on marque les nervures des feuilles.

23. Avec un burin de plus grande taille, on dégage le contour des tiges.

24. Avec le même outil, on affine l'évidement et on en adoucit l'arête.

Ponçage et définition des derniers détails

25. On ponce la sculpture au papier abrasif, en insistant sur les angles rentrants.

26. Avec une gouge à lame peu incurvée, on sculpte le motif spiralé au centre des fleurs.

Finition

27. On cire la sculpture avec un tampon de mèche de coton.

28. Avec une brosse, on étale la cire dans les moindres recoins et on lui donne du lustre.

Aspect final du motif floral sculpté.

Création de meubles et objets

Nous vous proposons dans les pages suivantes différents exercices qui vont vous permettre de réaliser vous-même divers meubles et objets à la fois utilitaires et décoratifs, en vous exposant dans le détail la marche à suivre pour les élaborer sans difficulté.

Il est évident que l'ébénisterie touche un vaste domaine et que l'on peut, quand on la maîtrise un tant soit peu, prendre plaisir à élaborer les éléments les plus divers. Toutefois, ce livre ayant été conçu dans l'esprit d'une initiation pratique aux différentes techniques du travail du bois, nous nous sommes attachés à sélectionner des ouvrages qui, pour une raison ou une autre, vous seront utiles ou agrémenteront votre décor.

Ces diverses réalisations ont également pour but de vous donner l'occasion de mettre en pratique les techniques et gestes du métier qui vous ont été présentés dans les chapitres précédents. Le choix est assez vaste pour que chacun puisse confectionner, selon ses besoins, ses envies, et son niveau de compétence, le meuble ou l'objet qui lui permettra de concrétiser les connaissances acquises dans les pages précédentes.

Nous aurions pu opter pour une présentation plus synthétique des exercices et en exposer plus succinctement la procédure d'exécution. Mais ce livre devant rester avant tout un guide pratique, nous avons tenu à en expliquer et illustrer clairement chaque étape pour que la succession des opérations reste parfaitement compréhensible de tous.

En guise de récapitulatif, nous présentons ci-dessous la plupart des objets et meubles dont l'exécution est exposée dans ce chapitre, en les regroupant en fonction des pièces respectives pour lesquelles ils ont été conçus, bien que certains d'entre eux puissent aussi trouver leur place dans différentes pièces. Ce que nous avons cherché avant tout, c'est de vous proposer une sélection d'éléments fonctionnels et décoratifs couvrant l'ensemble de la maison.

Bien que leur contenu soit différent, tous les exercices sont présentés selon le même schéma : indication des principales techniques abordées, liste des fournitures nécessaires, plan détaillé des différentes pièces composant l'ouvrage avec précision des cotes, puis explication détaillée du processus d'élaboration, avec mise en relief de ses principales étapes.

Pour la réalisation de ces démonstrations, il nous a fallu partir, et nous ne pouvions faire autrement, de matériaux et de dimensions déterminées ; mais il est évident que vous n'êtes nullement dans l'obligation de respecter à la lettre ces indications ; elles peuvent être modifiées à volonté en fonction des matériaux que vous pourrez trouver, de vos goûts et de vos besoins. L'élaboration de ces ouvrages exige du temps et de la minutie. Le bois est un matériau noble qui doit être travaillé avec le soin qu'il mérite. Il ne s'agit pas de travailler vite, mais bien ; le but n'est pas seulement d'achever une pièce, mais de lui donner du caractère, de l'attrait et, surtout, la qualité que seules peuvent lui apporter des mains qui ont su la façonner avec beaucoup d'égards.

Entrée

- Coffre
- Horloge
- Portemanteaux

Chambre

- Lit
- Table de nuit

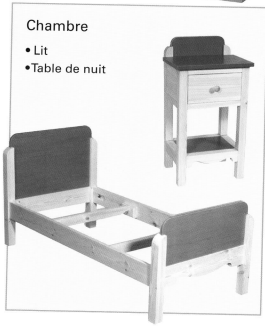

Séjour

- Table basse
- Cadre
- Lampe

Objets décoratifs

- Porte-pipes
- Lutrin
- Figurine : clown

Jeux et accessoires de rangement

- Étagère
- Coffre à jouets
- Échiquier
- Support pour CD
- Avion

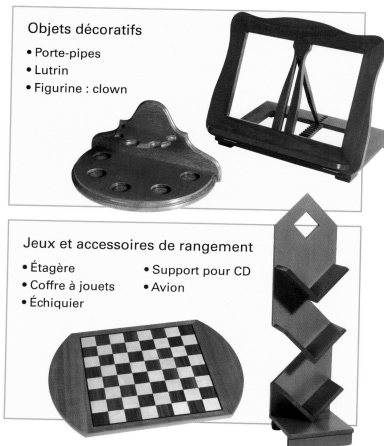

Coffre

La finalité essentielle de cet exercice est la réalisation d'un meuble décoratif d'apparence ancienne et rustique au travers de la mise en pratique de procédés simples et spécifiques. Le choix du coffre a été motivé par les multiples possibilités d'emplois de ce type de meuble, qui offre en outre l'avantage de pouvoir s'intégrer sans difficulté à n'importe quelle pièce ou décor.

Ce coffre est constitué de planches de pin de différentes épaisseurs. Il se compose d'un caisson, d'un couvercle, d'une plinthe, de pieds et de ferrures.

Les planches du fond, de la face avant, des côtés et du couvercle sont assemblées chant contre chant, à l'aide de rainures et fausses languettes, les liaisons d'angle du coffre étant à queues d'aronde découvertes.

Les techniques de vieillissement du bois consistent essentiellement à façonner l'ouvrage, une fois assemblé, à l'aide de rabots à main, d'une ponceuse à bande et de limes pour lui donner l'aspect d'un meuble ayant subi l'usure du temps.

Dans le même esprit, nous avons choisi, pour la finition, de ne pas utiliser de vernis, mais du bitume de Judée dilué à la térébenthine et de la cire. Enfin, pour donner un aspect ancien aux ferrures, nous avons employé un procédé particulier, exposé dans le cadre de cet exercice.

FOURNITURES NÉCESSAIRES

Pièces en pin :
- **Côtés :**
  - 6 pièces de 83 x 15 x 1,7 cm (32 $^5/_8$ x 5 $^{29}/_{32}$ x $^5/_8$ po)
  - 6 pièces de 43 x 15 x 1,7 cm (16 $^7/_8$ x 5 $^{29}/_{32}$ x $^5/_8$ po)
- **Couvercle**
  - 3 pièces de 92 x 16 x 2,5 cm (36 $^3/_{16}$ x 6 $^1/_4$ x $^{15}/_{16}$ po)
  - 2 pièces de 43 x 10 x 2,5 cm (16 $^7/_8$ x 3 $^{15}/_{16}$ x $^{15}/_{16}$ po)
- **Fond :**
  - 3 pièces de 83 x 15 x 1,7 cm (32 $^5/_8$ x 5 $^{29}/_{32}$ x $^5/_8$ po)
- **Plinthe frontale :**
  - 1 pièce de 86 x 12 x 2 cm (33 $^{13}/_{16}$ x 4 $^{11}/_{16}$ x $^{25}/_{32}$ po)
- **Plinthes latérales :**
  - 2 pièces de 45 x 12 x 2 cm (17 $^{11}/_{16}$ x 4 $^{11}/_{16}$ x $^{25}/_{32}$ po)

- **Plinthe arrière :**
  - 1 pièce de 83 x 12 x 2 cm (32 $^5/_8$ x 4 $^{11}/_{16}$ x $^{25}/_{32}$ po)
- **Pieds :**
  - 1 carrelet de 35 x 5 x 5 cm (13 $^3/_4$ x 1 $^{15}/_{16}$ x 1 $^{15}/_{16}$ po)
  - 8,60 m (28 $^1/_4$ pi) de lattes en 2 x 0,7 cm ($^{25}/_{32}$ x $^1/_4$ po)

- 2 charnières et vis
- Ferrure décorative et vis
- Pointes
- Colle à bois vinylique
- Papier abrasif, à grains moyen et fin
- Bitume de Judée et térébenthine
- Cire à bois
- Mèche de coton

Exercice pas à pas

1. Pièces de bois nécessaires à la construction du coffre et varlope employée pour en dresser les faces et les chants.

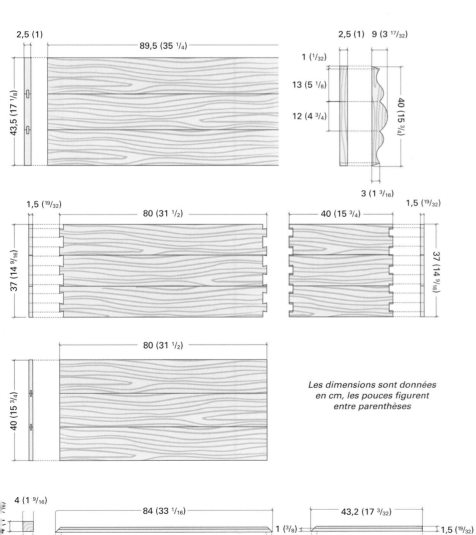

2,5 (1)

89,5 (35 ¼)

43,5 (17 ⅛)

2,5 (1)   9 (3 ¹⁷/₃₂)

1 (¹/₃₂)

13 (5 ⅛)

12 (4 ¾)

40 (15 ¾)

3 (1 ³/₁₆)

1,5 (¹⁹/₃₂)

80 (31 ½)

37 (14 ⁹/₁₆)

40 (15 ¾)

80 (31 ½)

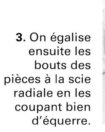

Les dimensions sont données en cm, les pouces figurent entre parenthèses

1,5 (¹⁹/₃₂)

40 (15 ¾)

37 (14 ⁹/₁₆)

1,5 (¹⁹/₃₂)

4 (1 ⁹/₁₆)

84 (33 ¹/₁₆)

1 (³/₈)

43,2 (17 ³/₃₂)

1,5 (¹⁹/₃₂)

1,5 (¹⁹/₃₂)

4 (1 ⁹/₁₆)

10 (3 ¹⁵/₁₆)

10 (4 ⅛)   7 (3 ¹⁷/₃₂)

Préparation des pièces

2. Après avoir sélectionné les faces et les chants présentant le moins de défauts, on y trace une ligne pour ne pas les intervertir ensuite. Les faces comportant le plus de nœuds doivent être réservées aux parties les moins visibles du coffre.

3. On égalise ensuite les bouts des pièces à la scie radiale en les coupant bien d'équerre.

261

4. Pour les couper à la bonne longueur, on ajuste la distance entre la lame de la scie et le bout recoupé de la pièce.

5. On peut alors effectuer la coupe transversale.

Assemblage des côtés et de la face frontale

6. On procède ensuite au rainurage des chants des planches en vue de leur assemblage, en effectuant deux passages sur la scie circulaire de table pour centrer l'évidement et lui donner la bonne largeur.

7. Avant de découper les fausses languettes, on mesure la profondeur de la rainure et on la multiplie par deux, moins 1 à 2 mm en prévision de l'encollage, pour régler l'écartement de la lame.

8. On débite alors dans un tasseau le nombre de fausses languettes nécessaires à l'assemblage des planches du coffre.

9. On immobilise les planches dans la presse d'établi pour en encoller les rainures.

10. On insère la fausse languette dans la rainure encollée, en la faisant coulisser dans un mouvement de va-et-vient pour bien répartir la colle.

11. On encolle la rainure de la pièce à emboîter sur la fausse languette, après l'avoir fixée à l'établi.

12. On emboîte ici la dernière des planches composant l'un des panneaux, en donnant de légers coups de marteau pour parfaire l'assemblage.

13. Toujours à l'aide du marteau, on ajuste les pièces latéralement, de façon que leurs bouts soient dans le même alignement.

14. On met l'ensemble sous presse durant le temps de prise de la colle. La dimension du panneau assemblé nécessite la mise en place de deux serre-joints.

Rabotage et ponçage des panneaux

15. À l'aide d'un mètre, on délimite la largeur finale que doivent avoir les panneaux.

16. On rabote alors les chants à la varlope jusqu'à la limite tracée.

17. On élimine au rabot les traces de colle au niveau des joints et on aplanit la surface en supprimant les différences de niveaux entre les pièces.

18. Pour finir d'affiner la surface, on effectue un premier passage à la ponceuse à bande en diagonale par rapport au fil du bois.

19. On ponce dans le sens du fil pour éliminer les marques produites par le précédent passage.

Préparation des assemblages à queues d'aronde

20. On règle le trusquin en fonction de l'épaisseur du panneau (1,5 cm) ($^9/_{16}$ po).

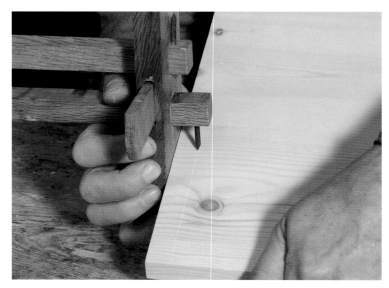

21. On reporte cette mesure sur les extrémités des faces des quatre panneaux.

22. Sur un liteau de la longueur et de l'épaisseur des panneaux, on trace un axe médian longitudinal.

23. Après avoir déterminé la répartition des queues d'aronde, on trace des repères tous les 35 mm (1 $^3/_8$ po).

24. Avec la fausse équerre, on trace des lignes inclinées alternativement dans un sens et dans l'autre à partir de chacun des repères. Mieux vaut ne pas donner une pente trop accentuée aux queues d'aronde, pour éviter que leurs extrémités pointues ne se brisent.

25. On marque d'une croix les parties à évider et on prolonge les tracés sur la face externe du tasseau pour pouvoir les reporter sur les panneaux.

26. On reporte les tracés sur l'extrémité du panneau.

27. On marque à nouveau les parties à évider sur le bout du panneau.

28. On commence alors par entailler le bois longitudinalement à la scie à dos en suivant les tracés obliques, jusqu'à la limite de profondeur.

29. On procède à la découpe transversale du fond de l'entaille à la scie sauteuse, dont on insère la lame dans le trait de scie sans aller jusqu'au bout pour effectuer une découpe arrondie dans le premier angle et en rectifier ensuite le contour.

30. Aspect des découpes réalisées à la scie sauteuse.

31. Après avoir terminé les premières découpes sur l'extrémité d'un panneau, on s'en sert comme gabarit pour tracer les côtés des évidements jusqu'à la limite de profondeur tracée au trusquin.

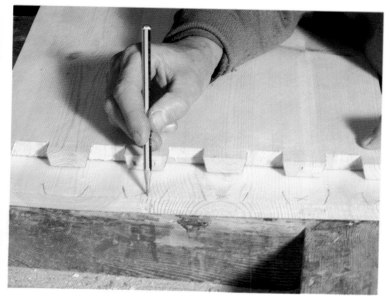

32. On marque d'une croix les parties à évider, en prenant pour référence les découpes déjà réalisées.

33. On prolonge les tracés à l'équerre sur le bout du panneau pour effectuer le sciage longitudinal.

Préparation des plinthes

34. On mesure les panneaux pour couper les plinthes (frontale et latérales) à la bonne dimension.

35. Après avoir reporté les longueurs respectives sur les plinthes et les avoir marquées au crayon, on prolonge le tracé sur les chants à l'aide d'une équerre d'onglet (à 45°).

36. On fixe tour à tour les plinthes à l'établi pour effectuer la coupe d'onglet en sciant d'abord la pièce à moitié, puis en la retournant pour achever la coupe.

37. On affine la coupe au rabot.

38. Avec un gabarit, on trace le profil sinueux des découpes à effectuer à chaque extrémité des plinthes, puis on les relie par une ligne droite.

39. Avant de procéder à la découpe du chant inférieur de la plinthe, on en profile le chant supérieur au rabot à moulurer.

40. On découpe alors le bas de la plinthe à la scie sauteuse en suivant le contour préalablement tracé.

Assemblage des pieds et des plinthes

41. Après avoir équarri le carrelet à 5 x 5 cm (1 $^{15}/_{16}$ x 1 $^{15}/_{16}$ po) et l'avoir coupé en quatre tronçons de 9,5 cm (3 $^{11}/_{16}$ po) pour former les pieds, on encolle le premier pied.

42. On met en place le pied au ras du bord inférieur de la plinthe et on assujettit les deux pièces jusqu'à ce que la colle ait séché.

43. Quand la colle est sèche, on effectue l'assemblage d'angle avec la plinthe adjacente après avoir encollé les surfaces de contact.

44. On met les pièces sous presse à l'aide d'un serre-joints et d'une cale.

45. Quand les trois parties visibles de la plinthe sont assemblées, on met en place la plinthe arrière. On reporte la longueur intérieure sur la plinthe pour la couper.

46. On fixe la plinthe par collage et clouage.

Assemblage du coffre

47. On emboîte les panneaux les uns dans les autres, après avoir encollé les assemblages.

48. Pour parfaire l'assemblage des pièces, on se sert d'un marteau, en protégeant le bois à l'aide d'une cale.

49. On assujettit les pièces ensemble à l'aide de quatre serre-joints durant le temps de prise de la colle.

50. Avec un ciseau, on nettoie l'excédent de colle dans les angles avant qu'elle ne soit sèche.

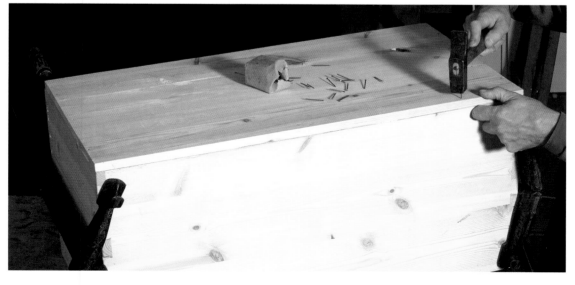

51. On met en place le fond du coffre, en le collant et en le clouant sur les chants arrière des panneaux. Les clous doivent être assez longs pour pénétrer suffisamment dans le chant des panneaux, et il faut les espacer de 10 cm (4 po).

Ponçage du coffre et des plinthes

52. On ponce les panneaux du coffre à la ponceuse à bande, en insistant sur les joints d'assemblage pour obtenir une surface parfaitement nivelée.

53. On rabat toutes les arêtes au rabot.

54. On les adoucit ensuite au papier abrasif.

55. On rabote les chants supérieurs des panneaux pour qu'ils soient tous au même niveau. On les ponce ensuite au papier abrasif.

56. Après avoir limé le contour de la découpe inférieure des plinthes, on le ponce au papier abrasif.

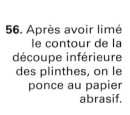

57. On assemble le coffre et son socle par collage, et en plantant un clou à chaque angle.

Préparation du couvercle

58. À l'aide d'un gabarit, on reporte sur les pièces de bois devant habiller les côtés du couvercle le profil sinueux selon lequel elles seront ensuite découpées.

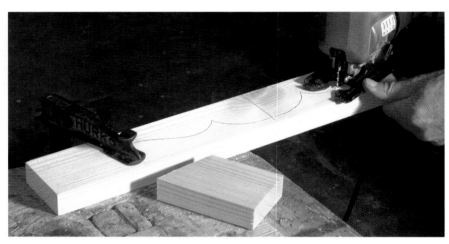

59. On procède à la découpe des pièces à la scie sauteuse en suivant ce tracé.

60. On définit ensuite l'emplacement de ces pièces sur la face intérieure du couvercle. Leur espacement doit être supérieur de 5 mm (1 $^{15}/_{16}$ po) à la longueur du coffre.

61. Après avoir laissé 2 cm ($^{25}/_{32}$ po) à l'arrière et 1 cm ($^3/_8$ po) à l'avant pour permettre l'ouverture du couvercle, on encolle les pièces et on plante un clou à chaque extrémité.

Finition du couvercle

62. On arrondit les angles du couvercle à la scie sauteuse pour leur donner un aspect usé.

63. On en rabat légèrement le pourtour et les arêtes au rabot.

64. On élimine les traces de la scie à la lime et on arrondit les arêtes.

65. Pour terminer, on affine la surface du couvercle à la ponceuse à bande.

Montage des charnières

66. Les charnières servant à l'articulation du couvercle doivent également être vieillies pour s'harmoniser à l'ensemble. On les martèle, en plaçant un objet métallique au-dessous.

67. On marque l'emplacement des charnières sur le chant du panneau arrière, à 6 cm (2 $^3/_8$ po) de l'angle externe.

68. On délimite la profondeur de l'entaille, qui doit être égale au diamètre du nœud de la charnière, ici 12 mm (7/16 po).

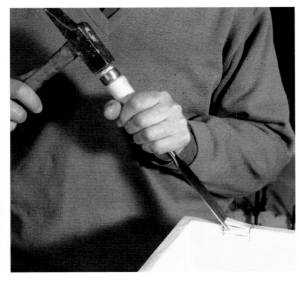

69. Après avoir exécuté les coupes verticales à la scie à dos, on évide l'entaille au ciseau.

70. On vérifie que la charnière s'ajuste bien à l'entaille.

71. Après avoir marqué les avant-trous à la vrille, on visse la première lame des charnières sur le panneau arrière du coffre.

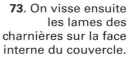

72. On reporte alors sur la face interne du couvercle la largeur des autres lames des charnières. Pour ce faire, on pose le couvercle à plat sur l'établi, à l'envers, et on retourne le coffre par-dessus.

73. On visse ensuite les lames des charnières sur la face interne du couvercle.

Traitement de finition

74. Pour donner au bois un aspect vieilli, on l'enduit de bitume de Judée dilué à l'essence de térébenthine. Il est conseillé d'effectuer des essais de teinte sur des chutes de bois avant de procéder à l'application définitive.

75. Après avoir passé le bois au bitume de Judée dilué, on l'enduit de cire avec un tampon de mèche de coton et on laisse sécher environ 12 heures.

76. On frotte alors la surface cirée à la brosse, pour la lustrer.

Mise en place de la ferrure décorative

77. On marque l'emplacement de la ferrure au centre du panneau frontal du coffre.

78. On marque l'emplacement des trous de fixation et on trace le contour de la pièce.

79. On perce ensuite deux trous pour l'entrée de clé.

80. Avec la scie sauteuse, on effectue une découpe à partir de ces deux trous.

81. Après avoir percé les avant-trous à la vrille, on visse en place l'entrée de serrure factice.

Le coffre achevé peut servir de meuble de rangement ou avoir une fonction purement ornementale.
On peut le placer en divers endroits de la maison et l'associer à divers éléments décoratifs.

Horloge

B ien que classée dans les meubles d'entrée, cette horloge peut très bien figurer dans un séjour. Parmi tous les exercices proposés dans ce livre, c'est celui dont le processus de réalisation est le plus long, car impliquant la succession de nombreuses opérations, très différentes les unes des autres, plus ou moins complexes. Il offre l'occasion à l'amateur de mettre en pratique en un seul exercice un grand nombre des techniques propres à l'ébénisterie présentées antérieurement et d'enrichir ainsi son expérience.

274

C ette horloge est construite en bois de châtaignier, à l'exception de quelques éléments invisibles, élaborés dans des essences plus ordinaires. C'est la facilité de travail de ce bois qui a déterminé notre choix.

La réalisation de cet exercice fait intervenir diverses techniques, comme le placage de l'entourage du cadran, l'exécution d'assemblages à tenon et mortaise, de moulures de divers profils, etc. Les montants et les traverses de la structure ont été assemblés à l'aide de tenons et mortaises et le dessus de l'horloge est fixé aux montants à l'aide de tourillons.

Pour le façonnage des différentes moulures, nous avons utilisé des outils manuels, qui offrent une plus grande souplesse d'emploi.

Une fois complété du mécanisme de l'horloge et des étagères en verre, ce meuble, d'une grande utilité, se distingue par sa forme originale et son élégante sobriété.

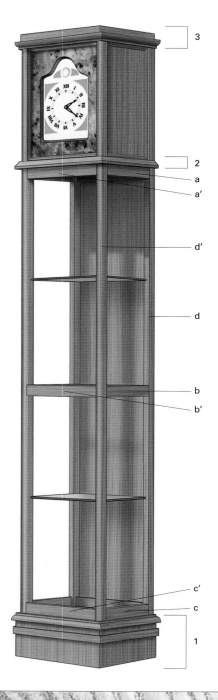

FOURNITURES NÉCESSAIRES

Toutes les pièces constituant cette horloge sont en bois de châtaignier, hormis l'entourage du cadran, qui est en médium, son placage en ronce de peuplier, le renfort de la base, qui est en pin, et les tourillons d'assemblage.

• Entourage du cadran
- Médium de 25 x 32 x 1 cm
  (9 ^{13}/$_{16}$ x 12 ^{9}/$_{16}$ x ^{3}/$_{8}$ po)
- Placage de 30 x 35 cm (11 ^{13}/$_{16}$ x 13 ^{3}/$_{4}$ po)
- Mécanisme d'horloge
- 4-5 m (13-16 pi) de carrelets en pin de 1 x 1 cm
  (^{3}/$_{8}$ x ^{3}/$_{8}$ po)

• Caisson du mécanisme
- 1 pièce de 29 x 18 x 2 cm
  (11 ^{3}/$_{8}$ x 7 ^{1}/$_{16}$ x ^{25}/$_{32}$ po)
- panneaux latéraux : 2 pièces de
  17 x 32 x 0,5 cm (6 ^{11}/$_{16}$ x 12 ^{9}/$_{16}$ x ^{3}/$_{16}$ po)
- 1 pièce de 75 x 4 x 2 cm (29 ^{1}/$_{2}$ x 1 ^{9}/$_{16}$ x ^{25}/$_{32}$ po)

- 1 pièce de 68 x 2 x 1 cm
- 1 pièce de 342 x 1 x 1 cm (135 x ^{3}/$_{8}$ x ^{3}/$_{8}$ po)

• Fond :
- 1 pièce de 140 x 27,5 x 0,5 cm
  (55 ^{1}/$_{16}$ x 10 ^{13}/$_{16}$ x ^{3}/$_{16}$ po)

• Corps central :
- Montants : 4 pièces de 165 x 3 x 2 cm
  (65 x 1 ^{1}/$_{8}$ x ^{25}/$_{32}$ po)
- Traverses : 4 pièces de 28 x 3 x 2 cm
  (11 x 1 ^{1}/$_{8}$ x ^{25}/$_{32}$ po)
  et 6 pièces de 16 x 3 x 2 cm
  (6 ^{1}/$_{4}$ x 1 ^{1}/$_{8}$ x ^{25}/$_{32}$ po)
- 2 tablettes de verre de 27,5 x 14,7 x 0,6 cm
  (10 ^{13}/$_{16}$ x 5 ^{3}/$_{4}$ x ^{5}/$_{32}$ po)
- 1 tablette de 24,7 x 12,1 x 0,6 cm
  (9 ^{11}/$_{16}$ x 4 ^{3}/$_{4}$ x ^{5}/$_{32}$ po)

• Socle :
- 1 pièce en pin de 60 x 10 x 2 cm
  (23 ^{5}/$_{8}$ x 3 ^{15}/$_{16}$ x ^{25}/$_{32}$ po)

- 1 pièce de 77 x 4,5 x 2 cm
  (30 ^{5}/$_{16}$ x 1 ^{3}/$_{4}$ x ^{25}/$_{32}$ po)
- 1 pièce de 32 x 12 x 2 cm
  (12 ^{9}/$_{16}$ x 4 ^{11}/$_{16}$ x ^{25}/$_{32}$ po)
- 2 pièces de 21 x 12 x 2 cm
  (8 ^{1}/$_{4}$ x 4 ^{11}/$_{16}$ x ^{25}/$_{32}$ po)
- 1 pièce de 75 x 1 x 2 cm (29 ^{1}/$_{2}$ x 1 ^{1}/$_{8}$ x ^{25}/$_{32}$ po)
- 1 pièce de 28 x 12 x 2 cm (11 x 4 ^{11}/$_{16}$ x ^{25}/$_{32}$ po)

• Finition :
- Mèche de coton
- Colle à bois vinylique
- Papier abrasif à grains moyen et fin
- Vernis
- Cire
- Laine d'acier
- Tourillons
- Supports de tablettes

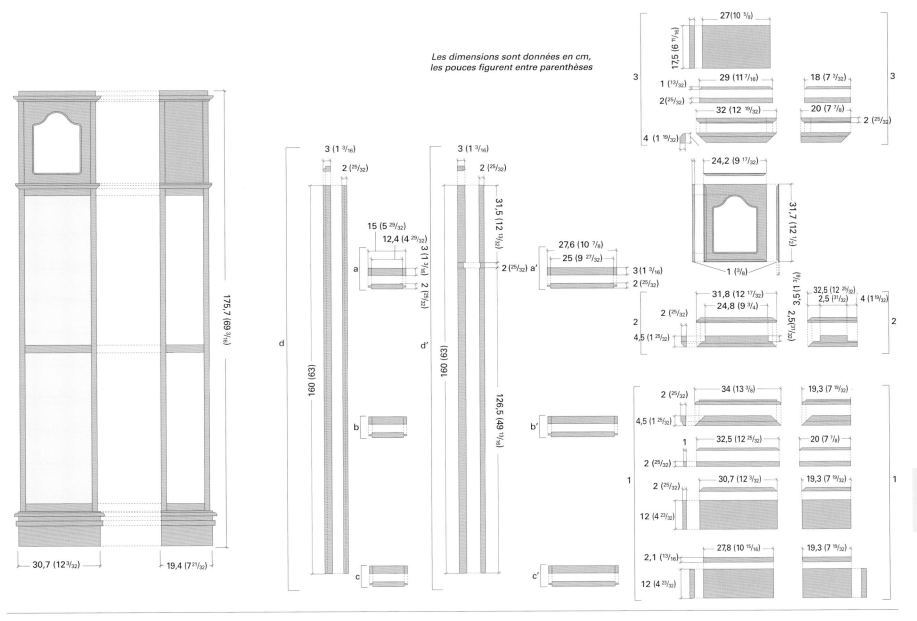

Les dimensions sont données en cm,
les pouces figurent entre parenthèses

Exercice pas à pas

Préparation de l'entourage du cadran

1. Si la structure de l'horloge est élaborée à partir de planches
de châtaignier bien équarries et aplanies, l'entourage du cadran
est réalisé à partir de médium et d'un placage en ronce de peuplier.

2. On enduit de colle
de contact, à la
raclette, l'envers
de la feuille
de placage
et le panneau
de médium.
On laisse sécher
jusqu'à ce que
la colle n'adhère
plus au doigt.

3. On centre alors le
placage de façon
qu'il déborde
de tous les côtés,
et on l'applique
progressivement en
le lissant fermement
à la main.

4. On lisse le placage au marteau à plaquer pour chasser les bulles d'air et le faire adhérer uniformément au support de médium.

5. Pour parfaire le pressage des deux matériaux, on fait glisser sur le placage une cale que l'on percute au marteau.

6. On retourne le panneau pour araser le placage au ciseau sur son pourtour.

7. On trace sur l'envers du médium les axes de référence permettant de centrer le cadran et d'en reporter le contour.

8. À l'aide d'un gabarit, on reporte sur le médium le profil courbe choisi pour la partie supérieure de la découpe de l'entourage.

9. On perce quatre trous dans les angles avec une mèche de gros diamètre pour pouvoir effectuer la découpe interne à la scie sauteuse.

10. Après avoir fixé le panneau à l'établi, on procède à la découpe du contour interne de l'entourage.

11. On rectifie la coupe à la lime.

12. Avec l'affleureuse, on profile la moulure en périphérie de la découpe interne.

13. On vérifie le bon ajustement du cadran et de son entourage.

Préparation du corps de l'horloge

14. On sélectionne, pour les deux montants verticaux frontaux et les deux traverses, les faces qui présentent le moins de défauts en les marquant d'une croix.

15. On trace sur les montants verticaux les limites des mortaises des assemblages.

16. Sur les traverses, on trace les limites des tenons devant s'insérer dans les mortaises. Le bord supérieur de la traverse est indiqué par la pointe du V. Le D indique qu'il s'agit du devant.

17. On trace à l'équerre, à chaque extrémité des traverses, un ligne qui va permettre de les couper à angle droit à la bonne longueur.

18. On retire les parties superflues à la scie à dos.

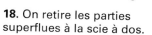

19. On finit de tracer au trusquin le contour des mortaises sur les montants.

20. Sans modifier le réglage du trusquin, on marque sur le bout des traverses le contour du tenon correspondant.

21. Avec la perceuse sur colonne, on procède à l'évidement des mortaises. On perce plusieurs trous borgnes dans le sens de la longueur, puis on termine en déplaçant la pièce sous la mèche.

22. Sans modifier le réglage de la mèche, on évide la mortaise sur la face adjacente.

278

23. Après avoir fixé les traverses à l'établi en position verticale, on découpe les joues des tenons à la scie à dos.

24. On procède à l'arasement des tenons en calant la traverse à plat contre la griffe de l'établi.

25. On rectifie les surfaces du tenon à la lime.

26. Avec la scie circulaire de table, on procède ensuite à la découpe de la feuillure de 1 x 1 cm ($^3/_8$ x $^3/_8$ po) sur l'arête correspondante des montants arrière pour l'assemblage du panneau de fond.

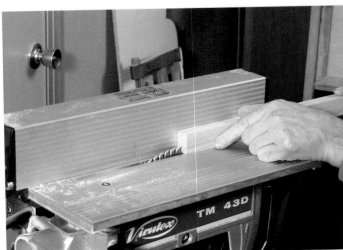

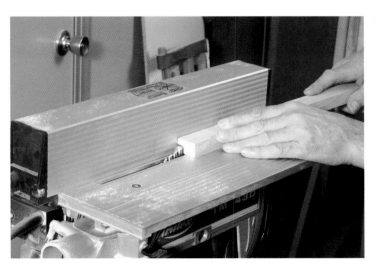

27. Après avoir effectué une première coupe longitudinale, on en effectue une seconde, perpendiculaire à la première, en tournant la pièce de bois d'un quart de tour.

28. Pour donner un profil arrondi aux montants frontaux, on commence par tracer au crayon la limite des chanfreins sur les deux arêtes.

29. On rabat les chanfreins au rabot sur les deux arêtes, à l'intérieur des limites tracées.

30. Avec le même rabot, on arrondit la pièce entre les deux chanfreins.

31. Avec un papier abrasif à grain grossier, on égalise la surface.

32. Avant le montage du corps de l'horloge, on affine au rabot les parties internes des montants et des traverses. Cette opération ne peut être effectuée après assemblage de la structure.

33. On polit ensuite les pièces au papier abrasif.

Assemblage du corps de l'horloge

34. On encolle les tenons et mortaises pour pouvoir les assembler.

35. On emboîte les montants et les traverses formant l'un des côtés de la structure.

36. Avant de poursuivre l'assemblage du corps, on vérifie l'orthogonalité des assemblages.

37. On poursuit alors le montage de la structure en emboîtant soigneusement les pièces à l'aide d'un marteau et d'une cale.

38. On vérifie que tous les assemblages sont bien d'équerre.

Réalisation et mise en place de la moulure intermédiaire

39. On trace sur la pièce correspondante les limites du chanfrein.

40. On fixe la pièce à l'établi pour rabattre le chanfrein au rabot.

41. Pour l'assemblage de la pièce, on en reporte l'épaisseur sur le montant, juste au-dessus de la traverse.

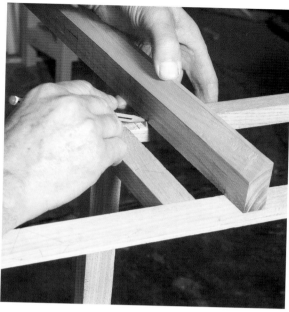

42. On délimite les entailles à la scie à dos, puis on les évide au ciseau.

43. On reporte sur le chant de la pièce l'écartement interne des montants.

44. Avec l'équerre d'onglet, on trace les futures coupes d'onglet (à 45°) des assemblages d'angle, puis on trace un rectangle de la largeur de la traverse et de la même hauteur moins 2 mm ($^5/_{64}$ po).

45. On marque la longueur de la face interne de la pièce moulurée.

46. On coupe les pièces avec la scie à dos, puis on ponce les coupes au papier abrasif.

47. On reporte l'espacement interne entre les montants sur les deux pièces latérales.

48. Avec l'équerre d'onglet, on trace les coupes d'onglet en vue de leur assemblage avec la pièce moulurée située sur la face avant.

49. On marque la profondeur à 12 mm ($^{15}/_{32}$ po) du début du biseau.

50. On effectue les coupes d'onglet à la scie à dos.

51. On vérifie ensuite le bon ajustement des pièces.

52. On encolle les faces internes.

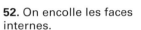

53. Après les avoir mises en place, on les assujettit à l'aide de serre-joints pendant le temps de séchage de la colle.

282

Préparation des carrelets pour l'assemblage des panneaux latéraux

54. On prépare tous les carrelets pour l'assemblage des panneaux latéraux, en en définissant tout d'abord la longueur.

55. On coupe les liteaux à la scie à dos.

56. Avant l'encollage, on enfonce partiellement deux clous dans les carrelets.

57. On encolle les carrelets et on les met en place sur les montants.

Préparation du socle

58. On découpe à la scie radiale les trois pièces en pin formant la structure de base du socle.

59. Après les avoir encollées, on les assemble à plat joint, en forme de U, à l'aide de pointes de 5 cm (2 po) de long.

60. On procède ensuite à la coupe d'onglet des pièces de châtaignier qui vont recouvrir la structure en pin.

61. On les encolle et on les cloue sur le support en pin. Les pointes sont plantées à 3 cm (1 1/8 po) du bord supérieur, pour être ensuite masquées par la moulure.

62. Après avoir mis la pièce sous presse à l'aide de serre-joints et d'une cale, on met en place les pièces latérales.

Préparation des moulures du socle et du sommet de l'horloge

63. Après avoir fixé la pièce, on en façonne les chants supérieur et inférieur avec un rabot à moulurer.

64. On effectue les coupes d'onglet (à 45°) à la scie radiale aux extrémités des trois pièces.

65. On trace au trusquin, sur la base de la moulure, la saillie de 1 cm (3/8 po). On encolle et on cloue la moulure sur le socle.

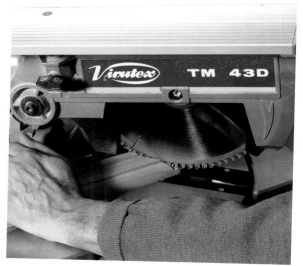

283

horloge

66. Il faut maintenir fermement en place les pièces au moment de les clouer, pour que les assemblages d'angle restent parfaitement ajustés.

67. À 6 cm (2 ³/₈ po) du bord inférieur du socle, on fixe un tasseau à l'aide de pointes tête homme qui pourront être dissimulées dans l'épaisseur du bois.

Assemblage du corps de l'horloge sur le socle

68. On trace le contour du corps de l'horloge sur la partie supérieure du socle pour bien le positionner.

69. On encolle les surfaces de contact et on assemble les deux éléments. On les assujettit avec deux serre-joints jusqu'à ce que la colle soit bien sèche.

Mise en place du dessus de l'horloge

70. On marque au trusquin sur la base des moulures couronnant l'horloge une parallèle à 2 cm (²⁵/₃₂ po) du bord frontal de la moulure correspondant à la largeur de la saillie de la pièce par rapport au corps de l'horloge.

71. On colle les moulures sur le dessus de l'horloge.

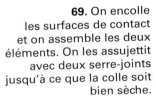

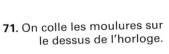

284

72. On perce quatre trous de 8 mm (⁵/₁₆ po) de diamètre et de 2,5 cm (¹⁵/₁₆ po) de profondeur à l'extrémité des montants.

73. On encolle les tourillons pour les mettre en place, et on scie la partie en saillie à une longueur de 1,5 cm (⁹/₁₆ po).

74. On se sert des tourillons pour marquer sur la base de la moulure l'emplacement des quatre trous correspondants.

75. On perce les trous en tenant la perceuse en position bien verticale.

76. On assemble alors le dessus de l'horloge aux montants, après avoir encollé les surfaces de contact.

Mise en place des panneaux latéraux et des moulures d'encadrement

77. Après avoir poncé la face externe des panneaux, on encolle les feuillures des montants pour les mettre en place.

78. Avec un rabot à moulurer approprié, on profile les baguettes d'encadrement des panneaux.

79. On coupe les baguettes moulurées à la scie circulaire de table.

80. On met provisoirement en place les moulures pour vérifier leur ajustement, puis on les fixe par collage.

Polissage de la surface

81. Toutes les pièces qui le permettent sont polies au racloir. Ici, on affine la surface du panneau de fond de l'horloge, après l'avoir coupé à la bonne dimension.

82. Toutes les pièces, celles qui ont été polies au racloir et les autres, sont ensuite poncées au papier abrasif à grain moyen, puis à grain fin.

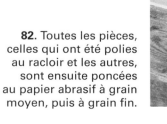

Finitions

83. On vernit l'ensemble de l'horloge avec un tampon de mèche de coton.

84. On procède ensuite à un ponçage au papier abrasif fin.

85. On affine les surfaces à la laine d'acier, en la passant bien partout.

86. On applique plusieurs couches de cire avec un tampon de mèche de coton jusqu'à l'obtention d'un résultat satisfaisant.

87. Pour finir, on lustre le meuble avec un tampon de mèche de coton.

Montage des derniers éléments

88. On recouvre le socle de l'horloge d'un panneau qui pourra servir d'étagère supplémentaire.

89. Après avoir encollé l'angle formé par la moulure et le socle, on met le panneau en place, puis on finit de l'emboîter en donnant de légers coups de marteau.

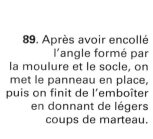

288

90. Pour mettre en place le fond de l'horloge, on y perce des trous régulièrement espacés sur tout le pourtour avec une mèche de 4 mm ($^5/_{32}$ po) de diamètre.

91. On le fixe à l'aide de vis en acier de 2 cm ($^{25}/_{32}$ po) de long, que l'on visse en position légèrement oblique, en veillant à ce que leurs têtes ne fassent pas saillie.

92. Pour maintenir l'entourage du cadran, on fixe les liteaux verticaux à l'aide de clous.

93. On met le liteau horizontal en place, après l'avoir encollé. On fixe le cadran à l'aide d'un autre liteau.

94. On fixe le second liteau à l'aide de clous.

95. Pour la répartition des tablettes de verre, on se sert d'une baguette avec un repère central sur lequel on enfonce une pointe à la profondeur nécessaire pour reporter la marque sur le montant.

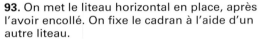

96. On fixe les quatre supports de tablettes en matière plastique sur les points marqués avec la pointe.

97. On met les tablettes en place. La tablette centrale est de plus petite dimension, car elle s'encastre entre les traverses de la structure.

Aspect final de l'horloge. Cet exercice a non seulement servi à mettre en pratique diverses techniques propres à l'ébénisterie, mais aussi à créer un meuble polyvalent : il indique l'heure, qui est sa fonction première, mais il assume également un rôle pleinement décoratif.

Portemanteau

Le portemanteau que nous vous proposons d'élaborer dans le cadre de cet exercice est constitué d'un axe central de section octogonale, couronné d'une pièce tournée. Il prend appui sur le sol au moyen de quatre pieds en lamellé-collé et est pourvu de quatre branches, également en lamellé-collé, terminées par des patères de forme semi-circulaire. Toutes les pièces sont assemblées à l'aide de tourillons.

Ce portemanteau présente deux caractéristiques qui ne sont pas appréciables à première vue, mais qui n'en sont pas moins d'un intérêt particulier pour celui qui se propose de l'élaborer : aucun élément métallique n'intervient dans son assemblage et toutes les pièces qui le composent sont en bois. Son processus d'assemblage donne ainsi l'occasion de mettre en pratique deux techniques différentes de serrage ou d'immobilisation : l'utilisation conjointe de plusieurs serre-joints et le système du garrot.
La forme courbe des pieds et des branches du portemanteau offre par ailleurs l'opportunité d'aborder une technique de cintrage d'éléments en lamellé-collé ; la méthode exposée est celle qui convient le mieux à l'obtention de la forme recherchée et au type de fonction que doivent remplir ces pièces, soumises à différents efforts de flexion. Le lamellé-collé est plus facile à cintrer que le bois massif, et sa structure multicouche améliore les caractéristiques mécaniques des pièces qui en sont constituées.

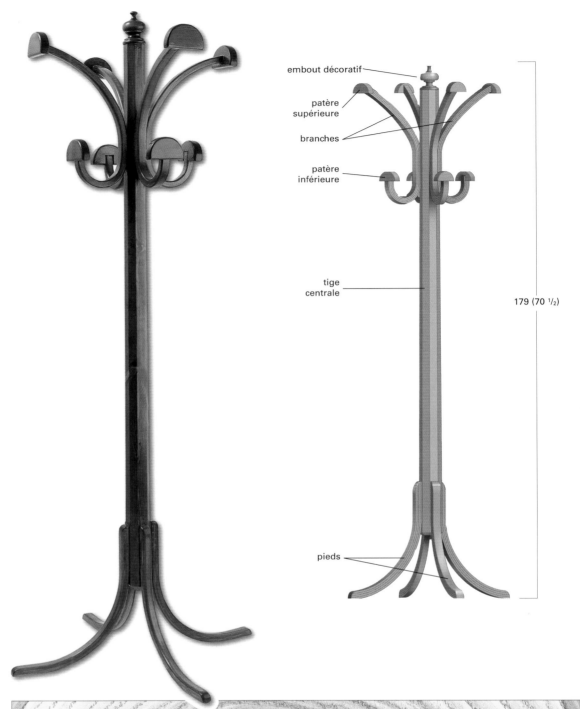

FOURNITURES NÉCESSAIRES

• Tige : carrelet en pin 1er choix, sans nœuds, de 153 x 7,5 x 7,5 cm (30 3/16 x 2 15/16 x 2 15/16 po)	• Pieds en lamellé-collé : 44 lamelles de bois de 78 x 3 x 0,2 cm (30 11/16 x 1 1/8 x 5/64 po)	• Patères : 8 pièces en pin 1er choix, sans nœuds, de 10 x 7 x 2,5 cm (3 15/16 x 2 3/4 x 15/16 po)	• Trois pièces de 62 x 8 x 3,5 cm (24 3/8 x 3 1/8 x 1 3/8 po) destinées à servir de supports pour biseauter la tige	• Ficelle pour garrot

• Colle à bois vinylique |
| • Embout décoratif de la tige : pièce en pin 1er choix de 15 x 7 x 7 cm (5 7/8 x 2 3/4 x 2 3/4 po) | • Branches en lamellé-collé : 48 lamelles de bois de 78 x 3 x 0,2 cm (30 11/16 x 1 1/8 x 5/64 po) | • Tourillon de 10 mm (3/8 po) de diamètre d'une longueur suffisante pour y découper 20 éléments | • Contreplaqué de 3 mm (1/8 po) d'épaisseur pour l'élaboration des gabarits | • Aniline et brou de noix en poudre à dissoudre dans de l'eau

• Vernis à bois |

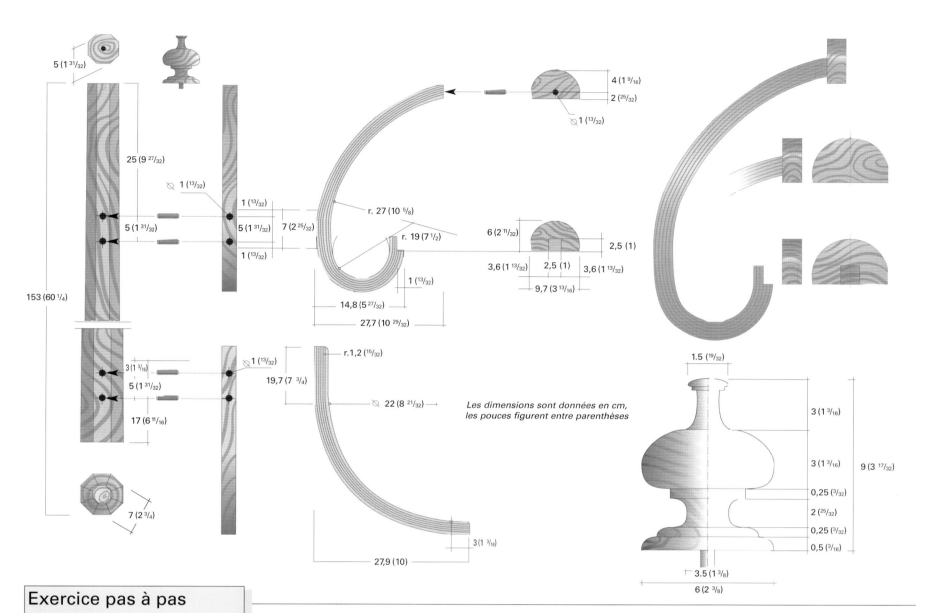

5 (1 ³¹/₃₂)

25 (9 ²⁷/₃₂)

⌀ 1 (¹³/₃₂)

1 (¹³/₃₂)

5 (1 ³¹/₃₂)

5 (1 ³¹/₃₂)

7 (2 ²⁵/₃₂)

1 (¹³/₃₂)

153 (60 ¹/₄)

3 (1 ³/₁₆)

⌀ 1 (¹³/₃₂)

5 (1 ³¹/₃₂)

17 (6 ¹¹/₁₆)

7 (2 ³/₄)

r. 27 (10 ⁵/₈)

r. 19 (7 ¹/₂)

4 (1 ⁹/₁₆)

2 (²⁵/₃₂)

⌀ 1 (¹³/₃₂)

6 (2 ¹¹/₃₂)

2,5 (1)

3,6 (1 ¹³/₃₂)   2,5 (1)   3,6 (1 ¹³/₃₂)

9,7 (3 ¹³/₁₆)

1 (¹³/₃₂)

14,8 (5 ²⁷/₃₂)

27,7 (10 ²⁹/₃₂)

r.1,2 (¹⁵/₃₂)

19,7 (7 ³/₄)

⌀ 22 (8 ²¹/₃₂)

Les dimensions sont données en cm, les pouces figurent entre parenthèses

3 (1 ³/₁₆)

27,9 (10)

1.5 (¹⁹/₃₂)

3 (1 ³/₁₆)

3 (1 ³/₁₆)

0,25 (³/₃₂)

2 (²⁵/₃₂)

0,25 (³/₃₂)

0,5 (³/₁₆)

9 (3 ¹⁷/₃₂)

3.5 (1 ³/₈)

6 (2 ³/₈)

Exercice pas à pas

Confection de la tige

1. La pièce servant à la confection de la tige du portemanteau est un carrelet de 7,5 x 7,5 cm (2 ¹⁵/₁₆ x 2 ¹⁵/₁₆ po) auquel on va donner une section octogonale.

2. On le dresse à la varlope afin de disposer de faces planes et d'équerre garantissant la précision du traçage et de la découpe.

3. Après avoir tracé au trusquin une parallèle à 5 mm (³/₁₆ po) des arêtes, on rabote le carrelet jusqu'à ce que sa section soit de 7 x 7 cm (2 ³/₄ x 2 ³/₄ po).

4. On tourne le carrelet pour le raboter sur chaque face. On vérifie que les faces sont bien d'équerre au fur et à mesure du dressage de la pièce.

5. On trace ensuite la ligne oblique qui va donner à la tige un profil effilé, sa section la plus étroite devant être, à l'autre extrémité, de 5 cm (1 $\frac{15}{16}$ po). On utilise un réglet assez long pour effectuer le traçage en une seule fois.

6. Pour donner au carrelet un profil effilé, on se sert de la varlope, en appuyant convenablement son axe central sur l'établi. L'intensité et la pression de la varlope sur les faces doit être proportionnelle à l'épaisseur de bois à retirer, qui, en ce cas, est décroissante.

292

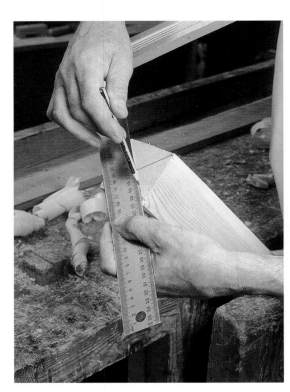

7. On fixe la pièce à l'établi pour définir la section octogonale à partir des superficies équarries de ses extrémités, en y traçant des diagonales à la règle et au crayon à mine tendre. Cette opération doit être effectuée sur les deux bouts.

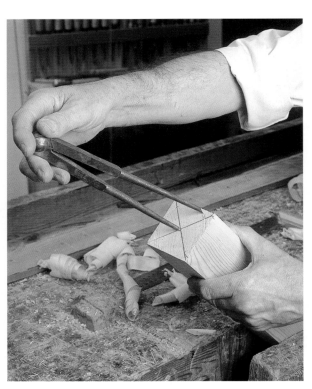

8. Le point d'intersection des diagonales sert de centre pour tracer, au compas à pointes sèches, un cercle qui doit s'inscrire entièrement dans la surface du bout et être tangent aux arêtes.

9. On trace à l'équerre à onglet, dans les quatre angles, quatre obliques tangentes au cercle et perpendiculaires aux diagonales.

10. Pour définir les contours du prisme effilé de la tige, on relie par des lignes droites les extrémités des lignes obliques tracées dans les angles des bouts de la pièce. Il est conseillé d'employer un réglet assez long pour effectuer le tracé en une seule fois.

11. On entaille en V les pièces qui vont servir de support à la tige dont on va rabattre les arêtes à la varlope. Pour tracer le contour des entailles, on se sert de l'équerre d'onglet, puis on retire le bois superflu à la scie après avoir fixé la pièce dans la presse d'établi.

12. Après avoir assujetti les supports à l'établi à l'aide de serre-joints, on y appuie la pièce à raboter. On cale l'extrémité de la pièce contre la griffe de l'établi, pour éviter qu'elle ne se déplace longitudinalement lors du passage de la varlope.

293

Préparation des branches et pieds en lamellé-collé

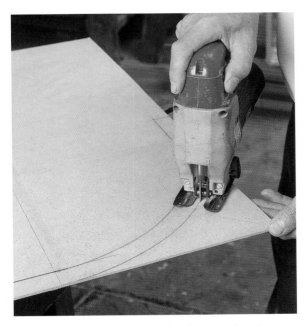

13. Le façonnage du profil octogonal s'effectue sur toutes les faces, en respectant les lignes de référence.

14. Pour fabriquer les branches, les pieds et les patères, il faut préparer des gabarits. On les confectionne à partir du dessin grandeur nature du contour de ces pièces. On se sert d'un grand compas pour tracer le profil des pièces sur un panneau de contreplaqué. Il faut également se munir d'une équerre et d'un mètre.

15. Quand le traçage des gabarits est achevé, on procède à leur découpe à la scie sauteuse, en faisant en sorte que le trait de scie soit extérieur au tracé, pour ne pas réduire les dimensions des pièces dont il faudra ensuite rectifier le contour à la lime.

16. Pour faciliter les ajustements ultérieurs, les gabarits doivent être d'une longueur légèrement supérieure à celle des pièces définitives.

17. Pour former les branches du portemanteau, on pose le gabarit au centre d'un panneau de médium de 3 cm (1 ¼ po) d'épaisseur pour en reporter le contour.

18. On découpe ce tracé à la scie sauteuse, en veillant à tenir la lame de la scie bien perpendiculaire à la surface du panneau.

19. La découpe est achevée. Elle a permis d'obtenir la forme et la contre-forme qui vont servir à donner aux branches du portemanteau le profil voulu. Le contour externe de l'ensemble est redécoupé en fonction de la répartition des serre-joints qui vont servir à les solidariser en fin de processus.

20. On commence par humidifier les lamelles de bois pour pouvoir les recourber plus facilement lors de leur mise en place dans la forme, puis on les sèche au séchoir électrique. Chaque lame est fixée par collage à la précédente.

21. Quand les lamelles encollées forment une pièce de 3 cm (1 ⅛ po) d'épaisseur, on met en place la contre-forme et on solidarise l'ensemble à l'aide de serre-joints. Il faut utiliser au moins quatre serre-joints et les disposer comme le montre la photo. On répète ensuite cette opération pour former les autres branches du portemanteau.

22. On suit un processus similaire pour la fabrication des pieds. Mais on emploie, dans ce cas, une forme et une contre-forme à dispositif de serrage coulissant.

23. Pour pouvoir utiliser les cales de forme à plusieurs reprises, il faut en enduire les surfaces internes d'une couche de cire avec un tampon de mèche de coton ou un chiffon propre, pour que la colle sèche n'y adhère pas.

24. Après avoir humidifié les bandes de bois et les avoir séchées, on les dispose côte à côte pour les enduire au pinceau d'une couche uniforme de colle.

25. Après les avoir disposées à l'intérieur de la forme jusqu'à l'obtention d'une pièce épaisse de 3 cm (1 $\frac{1}{8}$ po), on rapproche forme et contre-forme et on les assujettit à l'aide de serre-joints. La pression exercée chasse l'excédent de colle, qu'il faut nettoyer avec un chiffon humide avant qu'elle ne sèche.

26. Quand toutes les pièces en lamellé-collé ont été cintrées, on leur donne leur largeur définitive, soit 2,5 cm ($\frac{15}{16}$ po). On marque l'une des faces au trusquin, puis on élimine la matière superflue au rabot avant de marquer la face opposée.

27. Pour raboter le chant des pièces, on les cale contre la griffe de l'établi.

28. Pour arrondir les arêtes des pièces en lamellé-collé, on se sert d'une affleureuse que l'on fixe dans la presse d'établi.

29. On arrondit ensuite les arêtes des bouts des pieds qui seront en contact avec le sol, d'abord à la râpe, puis avec un papier abrasif à grain moyen.

Confection des patères

31. Après avoir découpé les patères, on se sert à nouveau de l'affleureuse pour en arrondir les arêtes.

30. Pour confectionner les patères, on applique le gabarit correspondant sur une pièce de bois rabotée et poncée de 2,5 cm ($^{15}/_{16}$ po) d'épaisseur pour en tracer le contour et les découper ensuite à la scie sauteuse. Le portemanteau comporte huit patères, une à chaque extrémité des branches.

32. La fixation des patères sur l'extrémi inférieure des branches s'effectue par une entu à mi-bois. Les entailles font 2,5 x 2,5 c ($^{15}/_{16}$ x $^{15}/_{16}$ po), sur une profondeur éga à la moitié de l'épaisseur de chaque pièc Pour exécuter les entailles sur les patère on se sert d'un ciseau dont la largeu de la lame est adaptée à celle des entaille

33. On fixe ensuite la branche du portemanteau dans la presse d'établi pour y découper à la scie à dos l'entaille à mi-bois correspondante.

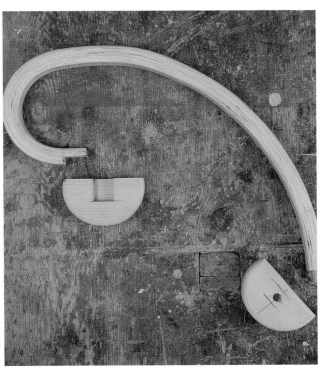

34. Les patères supérieures sont fixées au bout des branches au moyen d'un tourillon. On effectue un trou de 2 cm ($^{25}/_{32}$ po) de profondeur dans le bout de la branche avec une mèche de 1 cm ($^3/_8$ po) de diamètre.

35. On perce des trous de même diamètre et de même profondeur dans les patères. On aperçoit ici les deux types d'assemblage des patères inférieures et supérieures.

36. Pour la finition de la base de la tige, on effectue plusieurs coupes à 45°, afin d'obtenir une pyramide tronquée à huit faces.

Assemblage des pieds et des branches

37. Les pieds sont fixés à la tige à l'aide de tourillons de 1 cm ($^3/_8$ po) de diamètre sur quatre faces opposées de la section octogonale. Pour déterminer l'emplacement des trous, on marque à la fausse équerre une première ligne distante de 17 cm (6 $^{11}/_{16}$ po) de la base de la pyramide. On trace sur les quatre faces les axes médians, sur lesquels on situe un premier trou à 3 cm (1 $^1/_8$ po) de la première ligne et un second à 3 cm (1 $^1/_8$ po) de la base de la pyramide.

38. On procède de la même manière pour situer l'emplacement des trous correspondants sur les pieds, en veillant à ce que l'extrémité supérieure des pieds ne dépasse pas la limite de 17 cm (6 $^{11}/_{16}$ po). On fixe les pieds à l'établi pour y percer des trous de 1 cm ($^3/_8$ po) de profondeur, puis on fait de même avec la tige, dans laquelle on perce des trous de 2 cm ($^{25}/_{32}$ po) de profondeur.

39. Pour fixer les branches sur la tige, on en rabote la partie de l'arc externe où la courbe est la moins prononcée, pour former une zone de contact plane d'environ 7 cm (2 $^3/_4$ po) de long. On trace une ligne à 1 cm ($^3/_8$ po) de chaque extrémité de cette zone, dont l'espacement doit être de 5 cm (1 $^{15}/_{16}$ po).

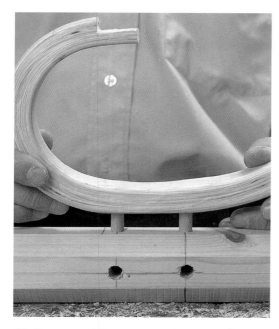

40. Sur ces points, on perce des trous de 1 cm ($^3/_8$ po) de diamètre sur une profondeur de 1 cm ($^3/_8$ po), les trous correspondants de la tige faisant 2 cm ($^{25}/_{32}$ po) de profondeur et étant distants de 25 cm (9 $^{27}/_{32}$ po) de l'extrémité supérieure de la tige.

41. On ponce les pièces avant de les assembler. Le ponçage de la tige peut s'effectuer avec une ponceuse à bande et un papier abrasif à grain moyen, puis à grain fin.

42. Pour pouvoir effectuer le ponçage correctement, il faut que la pièce soit bien stable. On peut la caler dans les supports à encoche en V déjà utilisés pour son rabotage initial.

43. On peut donner à l'embout décoratif de la tige la forme que l'on souhaite. On prépare le bout de la tige en perçant au centre un trou de 12 mm ($^{15}/_{32}$ po) de diamètre sur 2 cm ($^{25}/_{32}$ po) de profondeur.

44. L'embout décoratif peut être façonné au tour et au ciseau, au bédane et à la gouge. Ici, on utilise un bédane à lame très large pour creuser profondément le bois.

45. Pour creuser des rainures moins profondes ou plus fines, on utilise un bédane ou un ciseau à lame plus étroite.

46. Quand on a donné à la pièce tournée son contour définitif, on positionne le papier abrasif au-dessus des parties creuses, en le maintenant des deux mains, pour achever leur polissage.

47. On vérifie au compas d'épaisseur si les dimensions correspondent bien à celles du croquis qui a servi de modèle.

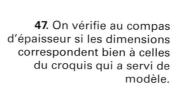

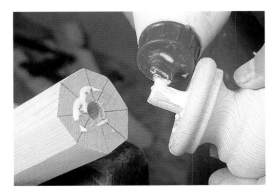

48. Le tenon tourné à la base de l'embout décoratif est enduit de colle avant d'être inséré dans la tige.

49. Après encollage des assemblages, les branches sont assujetties à la tige à l'aide du système du garrot, composé d'une corde torsadée à l'aide d'un tourillon, permettant de bien contrôler la pression exercée sur les pièces. Le garrot peut être retiré au bout d'une demi-heure.

Le portemanteau est terminé. Cet exercice a non seulement permis de réaliser un objet utile, mais de mettre en pratique diverses techniques d'ébénisterie.

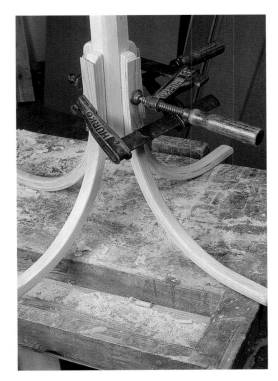

50. Pour fixer les pieds sur la tige après avoir encollé les assemblage, on utilise des serre-joints, placés de manière que la pression soit uniformément répartie.

Finitions

51. On applique une couche de teinture à la brosse plate, ici un mélange de brou de noix et d'aniline à l'eau.

52. Quand le mélange est sec, on applique une couche de vernis, toujours dans le sens du fil. On ponce au papier abrasif à grain fin (n° 220), avant de passer une seconde couche de vernis. Une couche de cire donnera finalement à l'ouvrage le lustre souhaité.

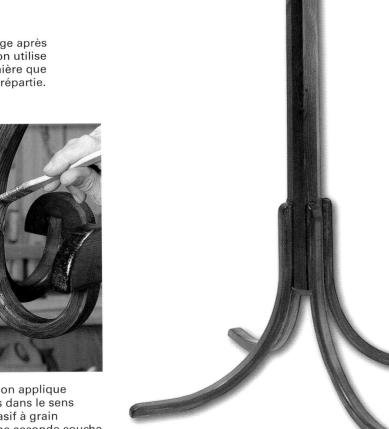

Lit

L'exercice présenté ci-après étape par étape va vous permettre de réaliser la structure d'un lit, prête à recevoir un sommier et un matelas adaptés. Il va de soi que les cotes mentionnées pour les différentes pièces le sont à titre purement indicatif et peuvent être adaptées en fonction de la taille que l'on souhaite donner au lit ou de toute autre modification que l'on veut y apporter. Ainsi, la longueur et la largeur de la structure peuvent être réduites ou augmentées d'environ 20 cm (8 po).

Le processus d'élaboration de ce lit donne l'occasion de tracer un gabarit à l'aide d'un compas, d'utiliser la scie sauteuse pour arrondir les angles des montants et découper dans du contreplaqué un gabarit à profil curviligne, d'employer ciseaux et gouges pour évider diverses entailles, de poser une bande couvre-chant sur un panneau de particules, et de mettre en place des vis de lit à tête romaine pour effectuer des assemblages invisibles.

Confection des gabarits

1. Ensemble de pièces et outils nécessaires à l'exécution de cet exercice.

2. Sur le contreplaqué de 5 mm ($^3/_{16}$ po) coupé d'équerre, on trace un rectangle de 4 x 26 cm (1 $^9/_{16}$ x 9 $^{13}/_{16}$ po), à l'intérieur duquel on dessine à main levée la moitié du profil curviligne de la traverse du pied de lit.

3. Après avoir fixé le contreplaqué à l'établi, on découpe ce gabarit à la scie sauteuse, en guidant la lame à l'extérieur du tracé.

FOURNITURES NÉCESSAIRES

- Planche en pin 1er choix, sans nœuds, de 3 cm (1 $^1/_8$ po) d'épaisseur
  - Pour les traverses longues : 2 pièces de 15 x 192 cm (5 $^7/_8$ x 75 $^9/_{16}$ po)
  - Pour les traverses courtes : 2 pièces de 15 x 80 cm (5 $^7/_8$ x 31 $^7/_{16}$ po)

- Planche en pin 1er choix, sans nœuds, de 3,5 x 7 cm (1 $^3/_8$ x 2 $^3/_4$ po) de section
  - Pour les supports du sommier : 2 pièces de 81 cm (31 $^7/_8$ po) de long

- Carrelets en pin 1er choix, sans nœuds, de 7 x 7 cm (2 $^3/_4$ x 2 $^3/_4$ po) de section
  - Pour les montants verticaux : 2 pièces de 62 cm (24 $^3/_8$ po) de long
  - 2 pièces de 85 cm (33 $^7/_{16}$ po) de long

- Tasseau en pin 1er choix, sans nœuds, de 3,5 x 10 cm (1 $^3/_8$ x 3 $^{15}/_{16}$ po) de section :
  - Pour fixer les supports de sommier sur les traverses longues : 4 pièces de 16 cm de long

- Panneau de particules à revêtement mélaminé de 19 mm ($^{11}/_{16}$ po) d'épaisseur :
  - Pour la tête et le pied de lit : 1 pièce de 34 x 80 cm (13 $^{13}/_{32}$ x 31 $^1/_2$ po) (22 $^{27}/_{32}$ x 31 $^1/_2$ po) 1 pièce de 58 x 80 cm

- 4 vis de lit à tête romaine avec écrou rectangulaire

- Vis à tête plate de 6 cm (2 $^3/_8$ po) de long

- Panneau de contreplaqué de 5 mm ($^3/_{16}$ po) d'épaisseur

- Bande couvre-chant mélaminé de 2,5 cm (1 po) de large

- Colle à bois vinylique

- Papier abrasif à grain moyen

- Vernis

- Pinceau pour colle

- Queue-de-morue pour vernis

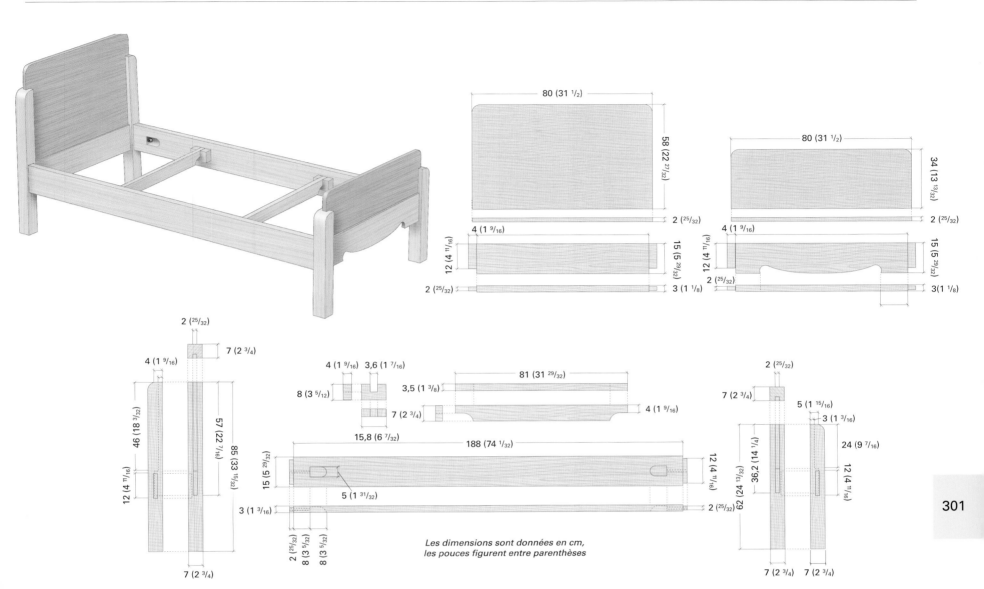

80 (31 ¹/₂)

58 (22 ²⁷/₃₂)

2 (²⁵/₃₂)

4 (1 ⁹/₁₆)

12 (4 ¹¹/₁₆)

15 (5 ²⁹/₃₂)

2 (²⁵/₃₂)

3 (1 ¹/₈)

80 (31 ¹/₂)

34 (13 ¹³/₃₂)

2 (²⁵/₃₂)

4 (1 ⁹/₁₆)

12 (4 ¹¹/₁₆)

15 (5 ²⁹/₃₂)

2 (²⁵/₃₂)

3 (1 ¹/₈)

2 (²⁵/₃₂)

7 (2 ³/₄)

4 (1 ⁹/₁₆)

46 (18 ³/₃₂)

57 (22 ⁷/₁₆)

85 (33 ¹⁵/₃₂)

12 (4 ¹¹/₁₆)

7 (2 ³/₄)

4 (1 ⁹/₁₆)   3,6 (1 ⁷/₁₆)

8 (3 ⁵/₁₂)

3,5 (1 ³/₈)

7 (2 ³/₄)

15,8 (6 ⁷/₃₂)

81 (31 ²⁹/₃₂)

4 (1 ⁹/₁₆)

188 (74 ¹/₃₂)

15 (5 ²⁹/₃₂)

12 (4 ¹¹/₁₆)

5 (1 ³¹/₃₂)

3 (1 ³/₁₆)

2 (²⁵/₃₂)

2 (²⁵/₃₂)   8 (3 ⁵/₃₂)   8 (3 ⁵/₃₂)

7 (2 ³/₄)

2 (²⁵/₃₂)

7 (2 ³/₄)

5 (1 ¹⁵/₁₆)

3 (1 ³/₁₆)

24 (9 ⁷/₁₆)

12 (4 ¹¹/₁₆)

62 (24 ¹³/₃₂)

36,2 (14 ¹/₄)

7 (2 ³/₄)   7 (2 ³/₄)

*Les dimensions sont données en cm,
les pouces figurent entre parenthèses*

301

4. Quand la découpe est terminée, on lisse les chants au papier abrasif, de façon que le tracé effectué avec le gabarit soit bien net.

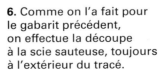

5. Pour confectionner les gabarits destinés à arrondir les angles supérieurs des montants verticaux, on trace un arc de cercle d'un rayon de 7 cm (2 ³/₄ po) à l'extrémité d'un rectangle de 7 x 20 cm (2 ³/₄ x 8 po).

6. Comme on l'a fait pour le gabarit précédent, on effectue la découpe à la scie sauteuse, toujours à l'extérieur du tracé.

7. Pour polir le chant du gabarit, on utilise un papier abrasif à grain moyen monté sur une cale à poncer.

Préparation des montants verticaux

8. Sur les carrelets de 7 x 7 cm (2 ³/₄ x 2 ³/₄ po) de section, on marque deux longueurs de 62 cm (24 ¹³/₃₂ po) et deux longueurs de 85 cm (33 ¹⁵/₃₂ po) en utilisant l'équerre pour que les découpes soient bien rectilignes.

9. Pour effectuer une découpe transversale parfaitement d'équerre, on utilise la scie radiale.

10. Quand les pièces sont coupées à la bonne longueur, on reporte au gabarit le profil courbe des extrémités supérieures. On prolonge ce tracé à l'équerre sur les autres faces.

11. Après avoir solidement fixé les montants à l'établi, on découpe à la scie sauteuse le profil arrondi.

12. La découpe laisse une surface assez grossière et irrégulière, qu'il est nécessaire d'égaliser à la lime ou à la râpe.

13. On affine l'arrondi au papier abrasif à grain moyen monté sur cale à poncer.

Exécution des rainures d'assemblage pour les panneaux

14. Pour assembler les panneaux formant la tête et le pied de lit, on exécute des rainures dans lesquelles ils s'emboîteront. Ces rainures partent de l'extrémité supérieure des montants et s'arrêtent à 26 cm (9 ¹³/₁₆ po) de leur base. Leur longueur diffère en fonction de celle des montants.

15. Pour marquer la largeur de la rainure (2 cm) (²⁵/₃₂ po), on trace l'axe médian des pièces, puis une parallèle à 1 cm (³/₈ po) de part et d'autre.

16. On règle la scie circulaire à une profondeur de coupe de 2 cm (²⁵/₃₂ po), puis on procède à la découpe de la rainure. Pour obtenir une rainure d'une largeur de 2 cm (²⁵/₃₂ po), on effectue plusieurs passages en ajustant l'écartement de la lame par rapport au guide de coupe.

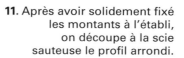

Réalisation des mortaises d'assemblage des montants verticaux

17. Pour définir les dimensions de la mortaise, on trace une parallèle à 26 cm (9 $^{13}/_{16}$ po) de la base des montants verticaux, puis une autre parallèle à 12,5 cm (4 $^{11}/_{16}$ po) de cette dernière. Ces deux parallèles, tracées sur les quatre montants, définissent la hauteur des mortaises dans lesquelles viendront s'emboîter les traverses longues.

18. Pour délimiter la largeur des mortaises, on trace une parallèle à 2 cm ($^{25}/_{32}$ po) du bord externe du montant (arrondi) et 3 cm (1 $^1/_4$ po) du bord interne, de façon à former une mortaise de 2 cm ($^{25}/_{32}$ po) de large, légèrement décalée vers l'intérieur de la structure.

19. Pour creuser les mortaises, on se sert d'un bédane de même largeur que l'on frappe avec un maillet, en entaillant profondément le bois, puis en faisant levier pour le dégager.

20. On achève l'évidemment de la mortaise avec le même bédane, en alternant les mêmes mouvements.

303

Réalisation des mortaises d'assemblage des montants verticaux courts

21. Pour exécuter les mortaises dans lesquelles s'emboîteront les traverses courtes, on délimite une zone égale à celle de la mortaise effectuée sur la face adjacente, mais centrée. On évide ensuite la mortaise au bédane jusqu'à une profondeur de 4 cm (1 $^9/_{16}$ po).

22. Pour égaliser les faces sur lesquelles ont été creusées les mortaises, on passe un papier abrasif à grain moyen monté sur une cale à poncer.

Réalisation des traverses courtes

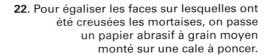

23. Sur les pièces de 15 x 3 cm (5 $^{29}/_{32}$ x 1 $^1/_8$ po) de section, on délimite à l'équerre une longueur de 84 cm (33 po).

24. Pour délimiter le contour des tenons d'assemblage des traverses dans les montants, on trace une première ligne parallèle à 4 cm (1 $^9/_{16}$ po) du bout.

25. Sur les bouts des traverses, on trace au trusquin deux lignes parallèles pour définir la largeur du tenon (2 cm) ($^{25}/_{32}$ po).

26. On fixe ensuite les pièces en position verticale à l'établi pour entailler le bois à la scie à dos.

27. On les immobilise à plat pour dégager les joues du tenon par une coupe transversale, en tenant la scie à dos comme le montre la photo.

28. On trace alors sur les joues du tenon deux parallèles à 15 mm ($^9/_{16}$ po) de chaque bord pour en délimiter la largeur définitive.

29. On fixe les pièces à l'horizontale pour procéder à une première coupe transversale.

30. On les fixe ensuite à la verticale pour achever l'arasement du tenon.

Découpe du profil curviligne sur la traverse du pied de lit

31. Cette opération peut aussi être effectuée avant l'arasement final des tenons. On trace un repère à 12 cm (4 $^{11}/_{16}$ po) de la base de chacun des tenons pour définir la limite à partir de laquelle le traçage du profil ornemental de la traverse sera effectué avec le gabarit.

32. On place la partie de la courbe la plus prononcée sur ce point de référence et on en reporte le contour sur la traverse.

33. On répète cette opération de traçage de façon symétrique sur l'autre extrémité de la traverse, puis on effectue la découpe à la scie sauteuse.

34. Quand on a achevé la découpe de la totalité du profil curviligne, on ponce le chant avec un papier abrasif à grain moyen.

304

Préparation des panneaux pour la tête et le pied de lit

35. Sur les panneaux de particules à revêtement mélaminé de 19 mm ($^3/_4$ po) d'épaisseur, préalablement coupés d'équerre aux dimensions requises, on applique le gabarit qui va permettre d'arrondir les angles supérieurs.

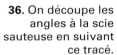

36. On découpe les angles à la scie sauteuse en suivant ce tracé.

37. Le panneau immobilisé en position verticale dans la presse d'établi, on en rectifie le contour à la râpe, en respectant le tracé de la courbe.

38. On affine le chant avec un papier abrasif à grain moyen monté sur une cale à poncer.

Pose de la bande couvre-chant

305

39. Pour poser le couvre-chant, on enduit de colle de contact le chant du panneau en utilisant un couteau à enduire pour répartir la colle uniformément.

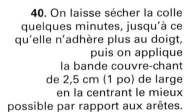

40. On laisse sécher la colle quelques minutes, jusqu'à ce qu'elle n'adhère plus au doigt, puis on applique la bande couvre-chant de 2,5 cm (1 po) de large en la centrant le mieux possible par rapport aux arêtes.

41. Pour chasser les bulles d'air et parfaire l'adhérence du couvre-chant, on le lisse au marteau à plaquer.

42. Quand le couvre-chant est solidement fixé au chant, on pose le panneau à l'horizontale pour l'araser en y passant le plat d'une lime.

43. Pour achever le placage du chant, on en adoucit les arêtes avec un papier abrasif à grain moyen pour qu'elles ne soient pas coupantes.

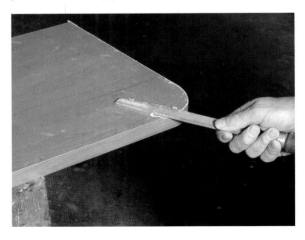

Préparation des traverses longues

44. On délimite la longueur des traverses (192 cm) (75 ⁵/₈ po). Ces pièces doivent être résistantes, et il est essentiel que le bois retenu pour les confectionner soit de premier choix, homogène et sans nœuds.

45. Sur la limite tracée à l'équerre, on coupe chaque extrémité à la scie radiale, en veillant à ce que l'autre extrémité de la pièce repose sur un support stable.

46. Les tenons des traverses auront une profondeur de 15 mm (⁹/₁₆ po). Pour plus de précision, on trace cette limite de profondeur sur les deux pièces à la fois.

47. On trace deux autres parallèles, l'une à 6,5 cm (2 ⁹/₁₆ po) de la première et la troisième à 10 cm (4 po) de la deuxième. Ces lignes serviront à délimiter le logement de la vis de lit à tête romaine.

48. On trace l'axe médian à partir duquel on définira la largeur du logement de la vis.

49. On trace alors deux parallèles de part et d'autre de cet axe, à une distance de 2,5 cm (¹⁵/₁₆ po), le logement de la vis devant mesurer 5 x 10 cm (2 x 4 po).

50. Les tenons des traverses longues s'exécutent de la même manière que ceux des traverses courtes.

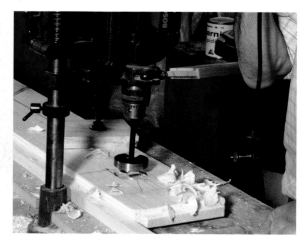

51. Quand les tenons ont été découpés à chaque extrémité, on utilise la perceuse sur colonne équipée d'une mèche à tête cylindrique de 5 cm (2 po) de diamètre pour creuser le logement de la vis jusqu'à une profondeur de 2 cm (²⁵/₃₂ po).

52. On complète l'évidement du logement avec un ciseau à lame assez large, en prenant soin de respecter le tracé du contour et de ne pas dépasser la profondeur de 2 cm (²⁵/₃₂ po) définie par la mèche.

53. On marque ensuite le point central de l'axe médian de l'embout du tenon sur lequel on va percer le trou de passage de la vis.

54. Pour effectuer le perçage, il faut tenir la mèche bien à l'horizontale et parfaitement dans l'axe de la traverse.

55. La vis traversante va servir à maintenir solidement l'assemblage d'angle. Pour pouvoir la visser aisément une fois en place, on creuse une gorge à la gouge dans l'axe longitudinal.

56. Aspect de l'une des extrémités des traverses avec la vis en place dans son logement.

Préparation des ancrages entre les montants verticaux et les traverses longues

57. Avant de réaliser les logements des écrous rectangulaires des vis à tête romaine dans les montants verticaux, on ponce bien les faces correspondantes pour que les opérations ultérieures puissent être effectuées sur des surfaces bien lisses.

58. Sur la face des montants creusée d'une mortaise correspondant aux tenons des traverses longues, on réalise un trou débouchant au centre de la mortaise avec une mèche d'un diamètre de 1 cm ($^3/_8$ po).

59. On positionne l'écrou sur la perforation produite par la mèche sur la face opposée, pour en tracer le contour et pouvoir évider le logement correspondant.

60. On creuse le logement de 1 x 1,5 cm ($^3/_8$ x $^9/_{16}$ po) sur environ 5 mm ($^3/_{16}$ po) de profondeur avec un ciseau à lame étroite.

61. On coupe un morceau de bois de 1 x 1,5 cm ($^3/_8$ x $^9/_{16}$ po) et de plus de 5 mm ($^3/_{16}$ po) d'épaisseur pour recouvrir l'écrou.

62. Après avoir mis en place ce morceau de bois qui fait légèrement saillie, on l'affleure au rabot.

Assemblage de la tête et du pied de lit

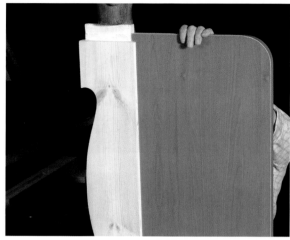

63. La tête et le pied de lit possèdent le même système d'assemblage, à l'exception de la traverse inférieure du pied de lit, à découpe curviligne. On voit ici comment, après avoir fixé par collage le panneau dans la rainure correspondante, on encolle les tenons qui vont servir à fixer la traverse sur les montants.

64. On emboîte bien les pièces formant la tête et le pied de lit à l'aide de légers coups de marteau, en intercalant une cale pour ne pas abîmer le bois.

Confection des supports du sommier

65. Sur l'une des deux pièces de 3,5 x 7 x 81 cm (1 $^3/_8$ x 2 $^3/_4$ x 31 $^7/_8$ po), on trace une parallèle à 12 cm (4 $^{11}/_{16}$ po) de chaque extrémité, à partir de laquelle on dessine à main levée une ligne courbe allant en s'aplanissant vers les bouts, jusqu'à atteindre 5 cm sur sa partie la plus étroite.

66. En prenant pour guide les tracés effectués, on effectue la découpe à la scie sauteuse.

67. On confectionne les pièces sur lesquelles vont s'emboîter les supports du sommier à partir des quatre morceaux de bois de 3,5 x 10 x 16 cm (1 $^3/_8$ x 3 $^{15}/_{16}$ x 6 $^1/_4$ po). On y délimite le contour de l'entaille de 3,5 cm (1 $^3/_4$ po) de large et de 4,5 cm (1 $^3/_8$ po) de profondeur, centrée sur l'axe de la pièce, comme le montre la photo.

68. Pour évider l'entaille dans laquelle viendra s'emboîter l'extrémité du support de sommier, on utilise la scie à dos, puis le ciseau.

69. On chanfreine ensuite au rabot toutes les arêtes qui seront apparentes.

70. Pour fixer ces pièces sur la face interne des traverses longues, on y perce trois trous avec une mèche de 5 mm ($^3/_{16}$ po) de diamètre, répartis comme on le voit ci-dessus. On évase ensuite les bords des trous au ciseau pour pouvoir y insérer les vis à tête fraisée.

71. On trace l'axe longitudinal de la traverse longue et on en marque le centre, en répartissant 3,5 cm (1 ³/₈ po) de part et d'autre. Cette ligne centrale correspondra au milieu de l'entaille.

72. Une fois les supports mis en place, on les fixe à l'aide de vis à tête fraisée de 6 cm (2 ³/₈ po) de long.

73. Avant de procéder à un montage à blanc de toutes les pièces constituant la structure du lit, on y applique une couche de bouche-pores à la mèche de coton.

74. Avant le montage définitif, on présente toutes les pièces préassemblées dans la disposition qu'elles auront.

75. Pour assembler la tête et le pied de lit avec les traverses longues, on commence par emboîter les tenons dans les mortaises correspondantes, puis on consolide l'assemblage en vissant la vis à tête romaine dans l'écrou préalablement mis en place.

309

Aspect final
du lit après son
assemblage définitif.

Table de nuit

Cette table de nuit a été conçue pour former un ensemble avec le lit dont le processus d'exécution est présenté dans les pages précédentes, tant au niveau du style que des matériaux qui le composent. L'intérêt de cet exercice réside dans l'élaboration et le montage d'un meuble composé d'un grand nombre de pièces, et la succession d'opérations très diverses.

Au cours du processus de réalisation de ce meuble, vous serez amené à mettre en pratique diverses techniques : le dessin à main levée de gabarits sur du contreplaqué et leur découpe à la scie sauteuse, la découpe arrondie des angles supérieurs de pièces en bois massif ou de panneaux de particules à revêtement mélaminé, et celle d'un profil curviligne, l'évidement au ciseau de mortaises de différentes tailles et profondeurs, le placage des chants de panneaux de particules à l'aide de bandes couvre-chants, l'exécution de rainures longitudinales en vue de l'assemblage des panneaux, la réalisation de tenons coupés en biseau à 45° à leur extrémité, la construction d'un tiroir et de ses glissières, sans compter l'ensemble du processus de traçage destiné à la réalisation des assemblages.

Préparation des montants verticaux arrière

1. Ensemble de matériaux et outils nécessaires à la réalisation de cet exercice.

2. Sur les tasseaux de 4 x 4 cm (1 $^9/_{16}$ x 1 $^9/_{16}$ po) équarris et poncés, on délimite la longueur de 67 cm (26 $^3/_8$ po) en traçant une ligne à l'équerre sur les quatre faces.

FOURNITURES NÉCESSAIRES

- Tasseau en pin 1er choix, sans nœuds, de 4 x 4 cm (1 $^9/_{16}$ x 1 $^9/_{16}$ po) de section :
- Pour les montants verticaux avant : 2 pièces de 60 cm (23 $^5/_8$ po) de long
- Pour les montants verticaux arrière : 2 pièces de 67 cm (26 $^3/_8$ po) de long
  - Pour les traverses :
  Traverse basse avant : 1 pièce de 32 cm (12 $^9/_{16}$ po) de long
  Traverse basse arrière : 1 pièce de 32 cm (12 $^9/_{16}$ po) de long
  Traverses latérales : 2 pièces de 25 cm (9 $^{13}/_{16}$ po) de long

- Tasseaux en pin 1er choix, sans nœuds, de 3 x 4 cm (1 $^1/_8$ x 1 $^9/_{16}$ po) de section :
- Pour les traverses :
  Traverses longues : 3 pièces de 32 cm (12 $^9/_{16}$ po) de long
  Traverses courtes : 4 pièces de 25 cm (9 $^{15}/_{16}$ po) de long

- Tasseau en pin 1er choix, sans nœuds, de 2 x 2 cm ($^{25}/_{32}$ x $^{25}/_{32}$ po) de section :
- Pour les supports des panneaux latéraux, etc. :
  4 pièces de 10 cm (3 $^{15}/_{16}$ po) de long
  10 pièces de 20 cm (7 $^{13}/_{16}$ po) de long
  2 pièces de 27 cm (10 $^5/_8$ po) de long

- Planche en pin 1er choix, sans nœuds, de 2 cm ($^{25}/_{32}$ po) d'épaisseur
  Pour les panneaux latéraux :
  2 pièces de 20 x 14 cm (7 $^{13}/_{16}$ x 5 $^1/_2$ po)

- Panneau de particules à revêtement mélaminé de 2 cm ($^{25}/_{32}$ po) d'épaisseur :
- Pour le panneau arrière vertical, la tablette haute et la tablette basse :
  1 pièce de 29 x 29,5 cm (11 $^3/_8$ x 11 $^9/_{16}$ po)
  1 pièce de 38 x 26,5 cm (14 $^{15}/_{16}$ x 10 $^3/_8$ po)
  1 pièce de 27 x 20 cm (10 $^5/_8$ x 7 $^{13}/_{16}$ po)

- Poignée-bouton en bois massif à fixer par collage

- Pointes tête homme de 4 cm (1 $^9/_{16}$ po) de long

- Pointes tête homme de 3 cm (1 $^1/_8$ po) de long

- Panneau de contreplaqué de 4 mm ($^5/_{32}$ po) d'épaisseur pour les gabarits

- Bande couvre-chant mélaminée de 2,5 cm (1 po) de large

- Colle à bois vinylique

- Colle de contact

- Papier abrasif à grain moyen

- Vernis

- Pinceaux pour la colle et le vernis

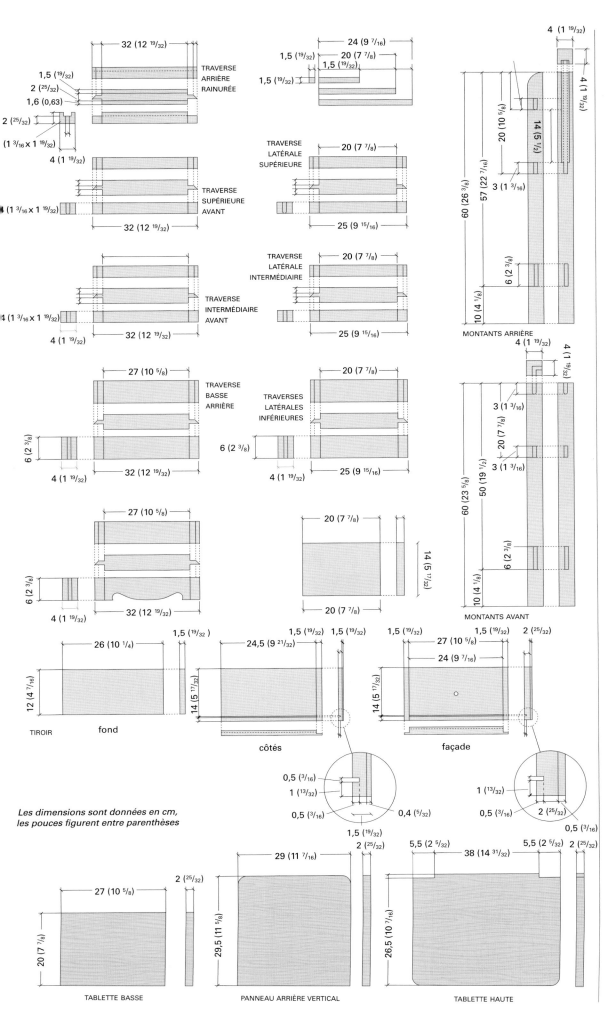

32 (12 ¹⁹/₃₂)

TRAVERSE ARRIÈRE RAINURÉE

1,5 (¹⁹/₃₂)
2 (²⁵/₃₂)
1,6 (0,63)

2 (²⁵/₃₂)

(1 ³/₁₆ x 1 ¹⁹/₃₂)

4 (1 ¹⁹/₃₂)

TRAVERSE SUPÉRIEURE AVANT

(1 ³/₁₆ x 1 ¹⁹/₃₂)

32 (12 ¹⁹/₃₂)

TRAVERSE INTERMÉDIAIRE AVANT

(1 ³/₁₆ x 1 ¹⁹/₃₂)

4 (1 ¹⁹/₃₂)
32 (12 ¹⁹/₃₂)
4 (1 ¹⁹/₃₂)

27 (10 ⁵/₈)

TRAVERSE BASSE ARRIÈRE

6 (2 ³/₈)

4 (1 ¹⁹/₃₂)
32 (12 ¹⁹/₃₂)

27 (10 ⁵/₈)

6 (2 ³/₈)

4 (1 ¹⁹/₃₂)
32 (12 ¹⁹/₃₂)

24 (9 ⁷/₁₆)
1,5 (¹⁹/₃₂)
20 (7 ⁷/₈)
1,5 (¹⁹/₃₂)
1,5 (¹⁹/₃₂)

TRAVERSE LATÉRALE SUPÉRIEURE
20 (7 ⁷/₈)

25 (9 ¹⁵/₁₆)

TRAVERSE LATÉRALE INTERMÉDIAIRE
20 (7 ⁷/₈)

25 (9 ¹⁵/₁₆)

TRAVERSES LATÉRALES INFÉRIEURES
20 (7 ⁷/₈)

6 (2 ³/₈)

4 (1 ¹⁹/₃₂)
25 (9 ¹⁵/₁₆)

20 (7 ⁷/₈)

14 (5 ¹⁷/₃₂)

20 (7 ⁷/₈)

TIROIR   fond

26 (10 ¹/₄)
1,5 (¹⁹/₃₂)
12 (4 ⁷/₁₆)

24,5 (9 ²¹/₃₂)
1,5 (¹⁹/₃₂)
1,5 (¹⁹/₃₂)
14 (5 ¹⁷/₃₂)

côtés

1,5 (¹⁹/₃₂)
27 (10 ⁵/₈)
1,5 (¹⁹/₃₂)
2 (²⁵/₃₂)
24 (9 ⁷/₁₆)
14 (5 ¹⁷/₃₂)

façade

0,5 (³/₁₆)
1 (¹³/₃₂)
0,5 (³/₁₆)
0,4 (⁵/₃₂)
1,5 (¹⁹/₃₂)

1 (¹³/₃₂)
0,5 (³/₁₆)
2 (²⁵/₃₂)
0,5 (³/₁₆)

Les dimensions sont données en cm, les pouces figurent entre parenthèses

27 (10 ⁵/₈)
2 (²⁵/₃₂)
20 (7 ⁷/₈)

TABLETTE BASSE

2 (²⁵/₃₂)
29 (11 ⁷/₁₆)
2 (²⁵/₃₂)
29,5 (11 ⁵/₈)

PANNEAU ARRIÈRE VERTICAL

5,5 (2 ⁵/₃₂)
38 (14 ³¹/₃₂)
5,5 (2 ⁵/₃₂)
2 (²⁵/₃₂)
26,5 (10 ⁷/₁₆)

TABLETTE HAUTE

4 (1 ¹⁹/₃₂)
4 (1 ¹⁹/₃₂)

20 (10 ⁵/₈)
14 (5 ¹/₂)
57 (22 ⁷/₁₆)
60 (26 ³/₈)
3 (1 ³/₁₆)

6 (2 ³/₈)

10 (4 ¹/₈)

MONTANTS ARRIÈRE

4 (1 ¹⁹/₃₂)
4 (1 ¹⁹/₃₂)

3 (1 ³/₁₆)
20 (7 ⁷/₈)
3 (1 ³/₁₆)
50 (19 ¹/₂)
60 (23 ⁵/₈)

6 (2 ³/₈)

10 (4 ¹/₈)

MONTANTS AVANT

3. On confectionne dans le contreplaqué un gabarit permettant d'arrondir l'angle supérieur externe du montant. Ce gabarit doit permettre de tracer un quart de cercle de 4 cm (1 ¹⁹/₁₆ po) de rayon.

4. On découpe le montant à la scie sauteuse en suivant ce tracé.

5. On rectifie la courbe à la râpe.

311

6. On affine la surface en la ponçant avec un papier abrasif à grain moyen, puis on trace une ligne transversale à 27 cm (10 ⁵/₈ po) du bord supérieur sur la face interne des pieds. On marque au trusquin deux parallèles à 1 cm du bord, pour délimiter la rainure d'assemblage avec le panneau.

7. Puis on trace une parallèle à 3 cm (1 ¹/₈ po) de la première ligne de référence, de la largeur de la rainure, pour délimiter une zone qu'il ne faudra pas évider lors de la découpe de la rainure à la scie circulaire de table.

8. Sur la même face, à l'extrémité inférieure des montants, on trace une marque transversale à 10 cm (3 ¹⁵/₁₆ po) du bout, puis une autre 6 cm (2 ³/₈ po) plus haut, pour délimiter une zone centrale de 1 cm (³/₈ po) de large, contour de la future mortaise où s'insérera la traverse basse arrière.

9. Avec un ciseau, on évide les deux zones préalablement marquées, de façon à obtenir deux mortaises de 2,5 cm (¹⁵/₁₆ po) de profondeur.

10. Sur la face adjacente, on trace le contour d'une troisième mortaise de 3 cm (1 ¹/₈ po) de long, à 14 cm (5 ¹/₂ po) de la mortaise intermédiaire.

11. Ces trois mortaises recevront les tenons des trois traverses arrière.

12. Pour exécuter la rainure de 2 cm (²⁵/₃₂ po) de large sur 1 cm (³/₈ po) de profondeur, on passe la pièce à plusieurs reprises sur la lame de la scie circulaire en jouant sur l'écartement entre le guide parallèle et la lame.

13. L'extrémité inférieure de la rainure débouche sur la mortaise exécutée au ciseau. Cette rencontre doit être rectifiée au ciseau jusqu'à ce que les contours soient bien nets.

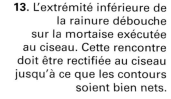

312

Préparation des montants verticaux avant

14. Il faut creuser sur les montants avant les trois mortaises correspondant à celles des montants arrière. On se sert donc des mortaises déjà creusées pour reporter les mesures d'un montant à l'autre.

15. Une fois reportées les limites supérieures et inférieures, on délimite la largeur des mortaises. La mortaise de l'extrémité supérieure du montant avant doit avoir une forme de L.

16. Comme dans le cas précédent, les tracés des mortaises sont reportés sur la face adjacente, de façon à former des mortaises qui débouchent l'une sur l'autre et où les traverses puissent entrer en contact.

17. On évide la mortaise en L au ciseau jusqu'à une profondeur de 3 cm (1 1/8 po).

18. Avant de réaliser les traverses qui relieront les montants entre eux, on en marque les faces avant et arrière à l'aide de signes (croix et lettres) qui permettront d'assembler correctement les extrémités des traverses.

Préparation de la traverse basse avant

19. Sur un tasseau de 6 x 4 cm (2 3/8 x 1 9/16 po), on délimite une longueur de 32 cm (12 5/8 po), puis on trace une parallèle à 2,5 cm (15/16 po) de cette ligne pour définir la profondeur du tenon.

20. Quand la pièce a été coupée à la bonne longueur, on délimite au trusquin la largeur du tenon, qui sera de 1 cm (3/8 po).

21. On procède alors à la découpe du tenon à la scie à dos sur la pièce fixée verticalement à l'établi.

22. À l'extrémité du tenon, on procède au traçage de la coupe d'onglet (à 45°) avec la fausse équerre.

23. Comme on l'a fait pour les faces antérieures des montants avant, on marque le contour de la mortaise correspondante, sachant que la coupe d'onglet du tenon sera orientée vers l'intérieur du meuble.

24. Pour donner un profil curviligne à la traverse inférieure, on confectionne un gabarit dans un morceau de contreplaqué de 6 x 14 cm, (2 ³/₈ x 5 ¹/₂ po), de façon que la courbe commence à 3 cm (1 ¹/₈ po) du bout de la traverse et que son sommet soit distant de 3 cm (1 ¹/₈ po) du bord supérieur.

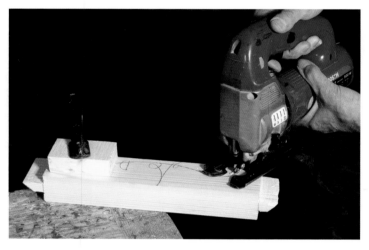

25. On fixe la pièce à plat sur l'établi, en la faisant dépasser pour effectuer la découpe à la scie sauteuse.

26. On égalise la surface de la coupe à la râpe, puis on la ponce avec un papier abrasif à grain moyen.

314

Préparation des autres traverses avant

27. Sur un tasseau de 3 x 4 cm (1 ¹/₈ x 1 ⁹/₁₆ po), on délimite une longueur de 32 cm (12 ⁵/₈ po), puis on trace une parallèle à cette ligne, à 2,5 cm (¹⁵/₁₆ po), pour définir la profondeur du tenon.

28. On procède comme on l'a fait précédemment pour délimiter et découper les tenons, dont les mesures seront proportionnelles à la nouvelle section.

29. Après avoir exécuté les tenons sur les trois traverses avant, on procède à un montage à blanc pour en vérifier l'ajustement.

Fixation des supports des tablettes et panneaux

30. Le support avant destiné à soutenir la tablette inférieure est constitué d'un tasseau de 2 x 2 cm (1 $^{15}/_{16}$ x 1 $^{15}/_{16}$ po) d'une longueur équivalente à l'écartement des montants, soit 32 cm (12 $^{5}/_8$ po).

31. Pour positionner ce support, on trace une parallèle à 2 cm ($^{25}/_{32}$ po) de l'arête supérieure de la traverse basse.

32. On encolle le support, avant de le clouer.

33. La fixation du support est assurée par trois pointes tête homme de 4 cm (1 $^1/_2$ po) de long.

34. Pour définir l'emplacement des supports des panneaux latéraux en bois massif, on trace sur les montants des parallèles à 1,5 cm ($^9/_{16}$ po) des traverses intermédiaire et supérieure.

35. On coupe des morceaux de 10 cm (3 $^{15}/_{16}$ po) de long dans les tasseaux de 2 x 2 cm (1 $^{15}/_{16}$ x 1 $^{15}/_{16}$ po), puis on les encolle et on les cloue comme on le voit ici.

Préparation des traverses arrière

36. Ces traverses sont similaires aux traverses avant, mais la traverse basse n'est pas découpée selon un profil curviligne, et la traverse haute doit comporter une rainure de 2 cm ($^{25}/_{32}$ po) de large sur sa face la plus large.

37. Après avoir tracé les limites de la rainure au trusquin, on creuse la rainure à la scie circulaire en lui donnant une profondeur de 2 cm ($^{25}/_{32}$ po).

38. Sur la face arrière de la traverse, on trace la marque correspondante.

Marquage des structures avant et arrière

39. Sur la traverse basse, on fixe un support destiné à servir d'appui à la tablette inférieure.

40. Les supports des panneaux latéraux en bois massif auront la même taille et le même emplacement que les supports fixés sur les traverses avant.

41. Sur les faces latérales des structures avant et arrière, on marque des lettres qui serviront de repères pour le positionnement des traverses latérales que l'on va exécuter.

Préparation des traverses latérales inférieures

42. Sur un tasseau de 4 x 6 cm (1 $^9/_{16}$ x 2 $^3/_8$ po) de section, équarri et raboté, on délimite une longueur de 25 cm (9 $^7/_8$ po), puis on trace une parallèle à 2,5 cm ($^{15}/_{16}$ po) de cette ligne, pour définir la profondeur des tenons.

43. Après avoir découpé les tenons comme précédemment, on trace des lignes pour que le support de la tablette inférieure, de 2 x 2 x 17 cm ($^9/_{16}$ x $^9/_{16}$ x 6 $^{11}/_{16}$ po), soit situé à 2 cm de l'une des faces les plus étroites de la traverse et à 1,5 cm ($^9/_{16}$ po) de chacune de ses extrémités.

44. On répète le processus sur un tasseau de même section, pour obtenir la seconde traverse latérale arrière. Pour ne pas les intervertir lors de l'assemblage, on marque une lettre et des chiffres sur chacun des tasseaux.

Préparation des traverses latérales intermédiaires

45. Sur une pièce de 3 x 4 cm(1 $^1/_8$ x 1 $^9/_{16}$ po) de section et de 25 cm(9 $^7/_8$ po) de long, on trace deuxparallèles à 2,5 cm ($^{15}/_{16}$ po) de chaque bout, pour délimiter la profondeur des tenons.

46. Une fois les tenons découpés, on met en place les supports du tiroir et des panneaux latéraux en bois massif, soit deux tasseaux de 2 x 2 cm ($^9/_{16}$ x $^9/_{16}$ po) de section sur 20 cm (7 $^7/_8$ po) de long, en les situant tous deux le long de l'arête correspondante, comme on le voit ici. Ces supports sont encollés, puis cloués à l'aide de pointes de 3 cm (1 $^1/_4$ po) de long. Ils doivent être égaux et symétriques.

Préparation des traverses latérales supérieures

47. Les traverses latérales supérieures sont identiques aux traverses inférieures, mais l'un des tenons n'est pas coupé d'onglet : son extrémité est parfaitement rectiligne, comme on peut le voir sur la photo.

48. Les traverses latérales : deux traverses inférieures, deux intermédiaires et deux supérieures, forment des paires égales et symétriques.

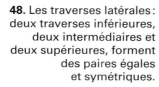

Encollage et assemblage des structures avant et arrière

49. On encolle et on assemble les structures sur l'établi, ici la structure arrière. L'emboîtement des pièces s'effectue au marteau, en protégeant le bois à l'aide d'une cale.

50. On encolle les tenons des traverses de la structure frontale pour les assembler aux montants. L'emboîtement des pièces s'effectue également à l'aide du marteau et d'une cale.

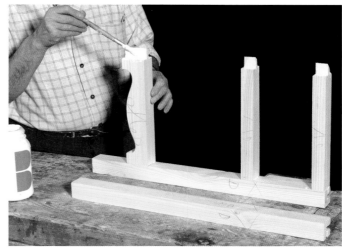

Encollage et assemblage des traverses latérales

51. Après avoir assemblé les structures avant et arrière, on met en place les traverses latérales, en se guidant, pour ne pas les intervertir, aux lettres et chiffres servant de repères.

52. Pour emboîter les tenons dans les mortaises, il ne faut pas trop forcer, au risque de provoquer la rupture des parties les plus faibles.

53. On encolle les supports et faces internes des montants et traverses pour mettre en place les panneaux latéraux, deux pièces de 14 x 20 cm (5 $\frac{1}{2}$ x 7 $\frac{7}{8}$ po) qui encadreront le tiroir.

Finition du bâti

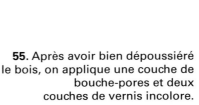

54. On ponce toutes les surfaces apparentes du bâti pour éliminer les marques, traces et signes laissés par les opérations précédentes.

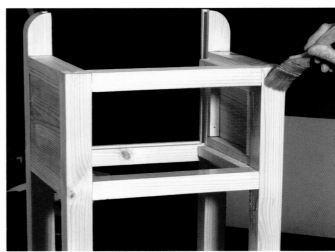

55. Après avoir bien dépoussiéré le bois, on applique une couche de bouche-pores et deux couches de vernis incolore.

Préparation et mise en place des panneaux à revêtement mélaminé

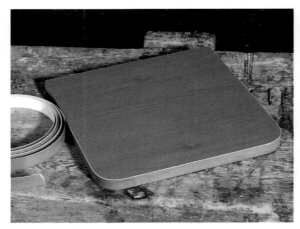

56. Sur un morceau d'aggloméré de 29 x 29,5 x 2 cm (11 $^7/_{16}$ x 11 $^5/_8$ x $^{25}/_{32}$ po), on trace l'arrondi des deux angles supérieurs avec le gabarit qui a déjà servi à découper les angles supérieurs des montants arrière.

57. Après avoir effectué les découpes, on plaque les chants avec la bande couvre-chant mélaminée d'une teinte identique à celle des revêtements des faces du panneau.

58. Sur un panneau similaire au précédent, on trace un rectangle de 38 x 26,5 cm (15 x 10 $^3/_8$ po) en délimitant des encoches droites de 5,5 x 1 cm (2 $^3/_{16}$ x $^3/_8$ po) sur les deux arêtes opposées.

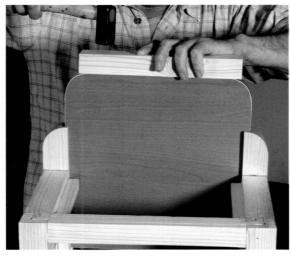

59. La tablette inférieure est fixée par collage entre les quatre traverses inférieures, bien emboîtée avec un marteau et une cale.

60. On insère alors le panneau arrière dans les rainures correspondantes des montants arrière.

61. On encolle les faces des traverses qui serviront de support à la tablette supérieure.

Préparation du tiroir

62. À partir des cotes indiquées sur le plan, on confectionne la façade du tiroir dans une planche en pin sans nœuds de 2 cm ($^{25}/_{32}$ po) d'épaisseur, en évidant sur les côtés la feuillure de l'assemblage à mi-bois.

63. Toujours en référence aux cotes spécifiées sur le plan, on prépare ensuite les côtés du tiroir dans une planche en pin de 1,5 cm ($^9/_{16}$ po) d'épaisseur.

64. Après avoir réalisé les deux feuillures, on assemble les pièces à l'aide de deux à trois pointes tête homme de 3 cm (1 $^1/_8$ po) de long par arête.

65. Le fond du tiroir est constitué d'un morceau de contreplaqué de 20 x 22,5 x 0,4 cm (7 $^7/_8$ x 8 $^7/_8$ x $^5/_{32}$ po).

66. Un fois le tiroir assemblé, on marque le centre de la façade à l'intersection des deux diagonales ; il indique l'emplacement du trou où sera introduit et fixé par collage le tenon de la poignée-bouton.

Aspect final de la table de nuit. Ce meuble sera placé au chevet du lit.

Table basse

Nous vous proposons ici de réaliser une table basse se composant d'un bâti en abebay et de deux plateaux de verre. Si sa structure peut paraître à première vue compliquée, sa construction ne pose aucune difficulté, toutes les opérations nécessaires à son élaboration étant d'une grande simplicité, voire répétitives pour certaines d'entre elles.

Cette table basse comprend deux plateaux constitués de plaques de verre de 8 mm d'épaisseur qui en assurent la stabilité et la résistance. Nous avons choisi ce matériau pour donner une apparence plus légère au meuble.
Les différents éléments en bois qui en forment la structure sont assemblés à tenon et mortaise.
Pour donner à l'ensemble une allure moins conventionnelle, nous avons choisi d'insérer entre les plateaux de verre des barres verticales qui introduisent un lien visuel entre les deux.
Le choix du verre pour le plateau inférieur nous a obligés à concevoir un cadre supérieur amovible qui permette de le changer aisément en cas de casse. Ce cadre a également été conçu de manière à pouvoir recevoir le panneau de verre supérieur.
Nous pouvons dire que nous avons réussi à atteindre l'objectif que nous nous étions fixé, à savoir la création d'un meuble à la fois utile et élégant.

320

Préparation des pieds

1. Pour la réalisation de la table basse, on utilise des pièces d'abebay équarries et rabotées.

2. On délimite la longueur requise sur l'une des quatre pièces qui vont former les pieds.

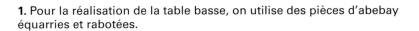

FOURNITURES NÉCESSAIRES

Tous les éléments de la structure de la table basse sont en abebay.

- **Montants des pieds :**
  4 pièces de 6,5 x 6,5 x 43 cm
  (2 5/16 x 2 5/16 x 16 7/8 po)

- **Traverses inférieures :**
  2 pièces de 7,5 x 3 x 108 cm
  (2 3/5 x 1 1/8 x 42 po)
  2 pièces de 7,5 x 3 x 58 cm
  (2 3/5 x 1 1/8 x 22 po)

- **Tasseaux décoratifs :**
  28 pièces de 26 x 3 x 2 cm
  (9 3/16 x 1 1/8 x 25/32 po)

- **Traverse supérieure :**
  2 pièces de 6,5 x 3 x 108 cm
  (2 9/16 x 1 1/8 x 42 po)
  2 pièces de 6,5 x 3 x 52,5 cm
  (2 9/16 x 1 1/8 x 20 5/8 po)

- **Cadre supérieur :**
  2 pièces de 10 x 4 x 113 cm
  (3 5/16 x 1 9/16 x 44 po)
  2 pièces de 10 x 4 x 63 cm
  (3 5/16 x 1 9/16 x 24 po)

- **Plateaux en verre :**
  1 plaque de verre de 93,5 x 43,5 x 0,8 cm
  (36 3/4 x 17 1/8 x 5/16 po)
  1 plaque de verre de 93,5 x 43,5 x 0,8 cm
  (36 3/4 x 17 1/8 x 5/16 po)

- **Finitions :**
  - Panneau de contreplaqué
  - Chiffons et mèche de coton
  - Colle à bois vinylique
  - Papier abrasif, à grains moyen et fin
  - Vernis à base de gomme-laque en paillettes
  - Alcool
  - Cire à bois
  - Laine d'acier
  - Vis à tête plate fraisée
  - Tourillons

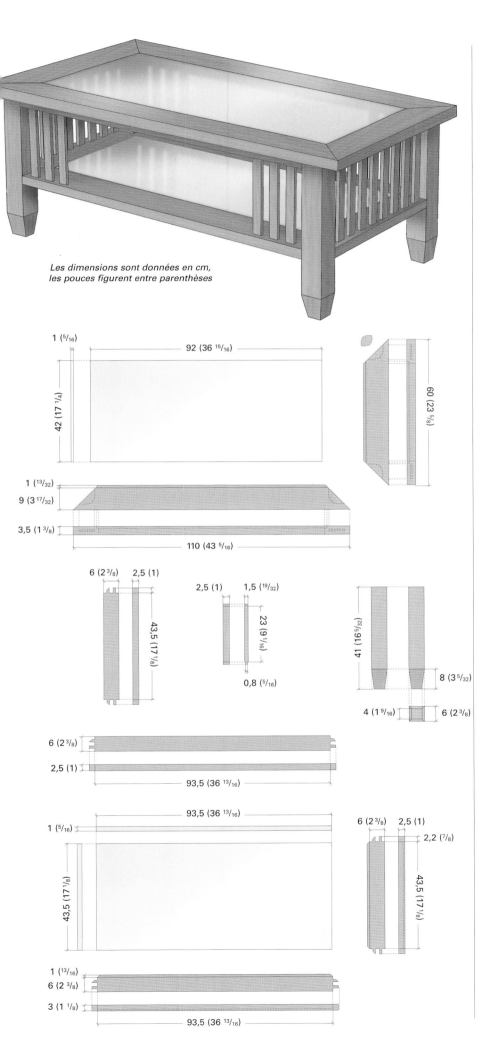

*Les dimensions sont données en cm,
les pouces figurent entre parenthèses*

1 (5/16)

92 (36 15/16)

42 (17 1/4)

60 (23 5/8)

1 (13/32)
9 (3 17/32)
3,5 (1 3/8)

110 (43 5/16)

6 (2 3/8)   2,5 (1)

2,5 (1)   1,5 (19/32)

23 (9 1/16)

43,5 (17 1/8)

0,8 (5/16)

41 (16 5/32)

8 (3 5/32)

4 (1 9/16)   6 (2 3/8)

6 (2 3/8)

2,5 (1)

93,5 (36 13/16)

93,5 (36 13/16)

1 (5/16)

6 (2 3/8)   2,5 (1)

2,2 (7/8)

43,5 (17 1/8)

43,5 (17 1/8)

1 (13/16)
6 (2 3/8)
3 (1 1/8)

93,5 (36 13/16)

3. Avec la scie radiale, on coupe le premier pied en suivant le tracé effectué.

4. On coupe les autres pieds en fonction de la mesure du précédent, en réglant la butée de la scie en conséquence.

321

5. On sélectionne les faces des pieds et on marque d'une croix celles qui seront apparentes.

6. Sur l'une des pièces, on marque l'épaisseur de la traverse supérieure qui sera assemblée aux pieds.

7. On marque l'espacement de 23 cm (9 po) entre les deux traverses horizontales.

8. On délimite ensuite sur le pied l'épaisseur de la traverse basse.

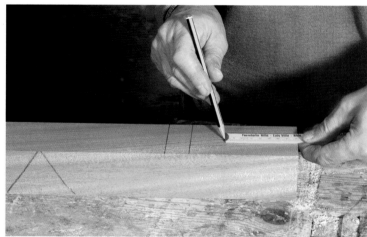

9. On marque la hauteur (8 cm) (3 $\frac{1}{8}$ po) de la coupe en biseau de la base du pied.

10. Après avoir procédé au traçage de toutes les mesures sur une pièce, on aligne les pièces pour y reporter les mesures à l'équerre.

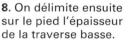

11. Les marques réalisées correspondent à l'une des faces internes des pièces. Il convient de les prolonger sur l'autre face interne. La limite du biseau doit être reportée sur les quatre faces.

12. On délimite au trusquin, sur les pièces qui formeront les pieds, le contour des mortaises d'assemblage avec les traverses.

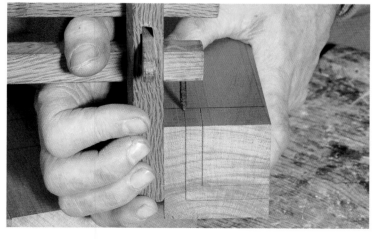

13. On délimite la longueur des huit traverses, soit 99,5 cm (39 $\frac{16}{8}$ po) pour les quatre traverses longues et 56 cm (21 po) pour les quatre traverses courtes.

Préparation des traverses

14. On délimite la longueur du tenon à partir du bout de la pièce.

15. On reporte la mesure de la profondeur maximale de la mortaise sur la traverse, puis sur les autres traverses.

16. On coupe les traverses à la bonne longueur avec la scie radiale.

17. On marque au trusquin la limite de profondeur des tenons, en prenant pour référence le tracé des mortaises sur les traverses supérieures.

18. On rectifie l'écart sur les traverses inférieures. Le tenon interne est marqué en fonction du pied.

19. Pièces déjà marquées.

20. On règle la butée de la perceuse sur colonne à la hauteur requise et on réalise les mortaises avec une mèche adaptée.

21. Aspect présenté par les mortaises en L sur l'un des pieds.

22. On fixe la pièce à l'établi pour découper les tenons à la scie à monture.

23. Avec un ciseau, on retire ensuite le bois superflu entre les tenons.

24. Pour finir de dégager les tenons, on effectue des coupes transversales à la scie à dos.

25. Avec la scie radiale, on coupe l'extrémité des tenons à 45°.

26. Comme les mortaises ont été exécutées à la perceuse, elles ont des angles arrondis. On arrondit donc aussi les arêtes des tenons.

Préparation de l'assemblage

27. On vérifie le bon ajustement de tous les assemblages.

28. On trace une ligne à 1 cm (3/8 po) du bord de l'extrémité de chaque pied, correspondant au bois à retirer.

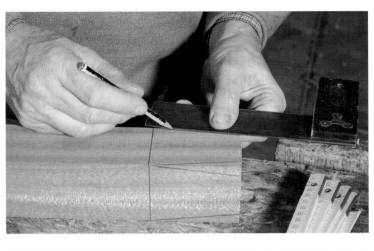

29. Avec l'équerre, on trace les lignes obliques délimitant les découpes en biseau.

30. On coupe les arêtes en biseau à la scie radiale. On place une cale sous la pièce pour pouvoir la tenir fermement.

31. Sur les quatre traverses inférieures de la table, on marque au trusquin les limites de la feuillure (8 x 8 mm) ($^5/_{16}$ x $^5/_{16}$ po) dans laquelle va venir s'emboîter le plateau de verre.

32. Avec le feuilleret, on creuse la feuillure sur les traverses.

Préparation des tasseaux décoratifs

33. On délimite la longueur des tasseaux en fonction des pieds. On ajoute 10 mm ($^3/_8$ po) à chaque extrémité pour l'emboîtement dans les traverses.

34. On coupe les pièces à la bonne longueur avec la scie radiale.

35. On place huit tasseaux côte à côte sur l'une des traverses courtes, pour en marquer la largeur totale.

36. La mesure obtenue est divisée par 9 (huit tasseaux + 1) ; le résultat sera l'intervalle entre les tasseaux. On reporte alternativement sur la traverse la largeur des tasseaux et celle des intervalles.

37. On marque la largeur du tasseau. Pour qu'il n'y ait pas de confusion, il est recommandé de marquer d'une croix les zones à évider pour l'emboîtement des tasseaux. Sur les traverses longues, on répartit seulement trois tasseaux à chaque extrémité.

38. On marque au centre la largeur du tasseau.

39. Comme on va utiliser une mèche de 6 mm ($^7/_{32}$ po) de diamètre, on marque 3 mm ($^1/_8$ po) de part et d'autre.

40. On termine le traçage du contour des évidements au trusquin.

41. Pour l'exécution du tenon, on trace une parallèle à 1 cm ($^3/_8$ po) du bout des tasseaux, regroupés chant contre chant.

42. On marque la largeur du tenon sur les côtés des tasseaux à partir du tracé effectué au trusquin sur la traverse.

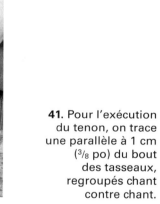

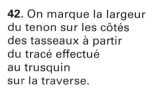

43. On reporte cette mesure au trusquin sur le bout des tasseaux.

44. On procède ensuite à la découpe des tenons avec la scie à dos, en entaillant d'abord le bois dans le sens longitudinal, puis en finissant par une coupe transversale.

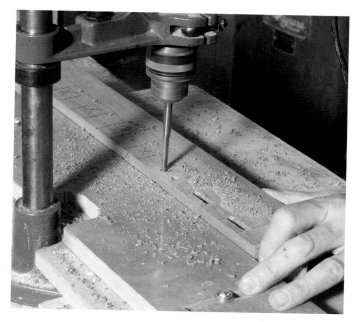

45. On réalise les mortaises avec la perceuse sur colonne, en réglant la butée de profondeur de perçage sur 1 cm (³/₈ po).

Ponçage et finitions

46. On ponce toutes les surfaces des pièces à la ponceuse à bande.

47. Pour poncer de petites surfaces, comme les coupes en biseau des pieds, on utilise la machine à l'envers, après l'avoir fixée à l'établi, en passant la pièce sur la bande abrasive.

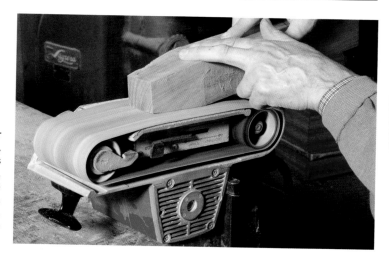

48. Pour l'application du vernis, on se sert d'un petit rouleau à laquer.

49. On ponce le vernis avec un papier abrasif à grain très fin.

50. On polit les surfaces à la laine d'acier. On ne cire pas tout de suite les pièces, car cela nuirait à la bonne tenue de la colle.

Assemblage

51. On encolle les extrémités des tasseaux à la colle à bois vinylique.

52. On les emboîte au marteau dans les mortaises correspondantes. On nettoie l'excédent de colle.

53. Après avoir mis en place l'autre traverse, on immobilise l'ensemble à l'aide de serre-joints.

54. On encolle les pieds.

55. On les assemble aux traverses en les emboîtant avec un marteau et une cale. On immobilise la structure à l'aide de serre-joints pendant le temps de séchage de la colle.

Préparation du cadre supérieur

56. On sélectionne les faces des pièces qui seront apparentes et on les marque d'une croix.

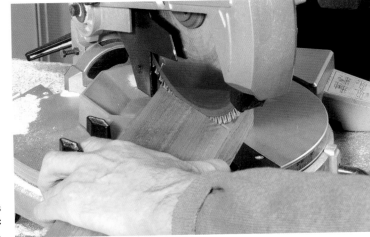

57. On coupe leurs extrémités à 45° avec la scie radiale.

58. On creuse sur l'arête interne des pièces la feuillure dans laquelle viendra s'emboîter le plateau de verre.

59. On marque à l'équerre l'axe central des bouts en prévision de l'exécution des rainures où se logeront les lamelles.

60. On exécute deux rainures sur chaque bout à l'aide d'une fraiseuse.

61. Aspect des extrémités des pièces une fois les rainures exécutées.

62. Avant d'encoller les lamelles et de les insérer dans les rainures, on passe la ponceuse à bande sur toutes les surfaces. La zone des rainures est poncée à la main.

63. On applique la colle à bois vinylique dans les rainures.

329

64. On met en place les lamelles en les emboîtant à l'aide de légers coups de marteau.

65. Quand la colle ayant servi à fixer les lamelles est sèche, on encolle le bout des pièces.

66. On immobilise l'ensemble à l'aide de la presse à cadre à feuillard pendant le temps de séchage de la colle.

Gabarits pour les plateaux de verre

67. Pour confectionner les gabarits en vue de la découpe des plateaux de verre, on relève les mesures internes des deux cadres.

68. Les gabarits sont réalisés dans du contreplaqué; on les découpe d'abord à la bonne largeur, puis on en marque la longueur en prenant le cadre pour référence. On prévoit un jeu de 1 mm ($^1/_{32}$ po) sur les bords.

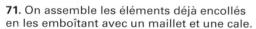

69. Si le gabarit s'emboîte mal dans le cadre, on en rabote les chants.

70. On vérifie alors son bon ajustement.

Assemblage final

71. On assemble les éléments déjà encollés en les emboîtant avec un maillet et une cale.

72. On immobilise l'ensemble à l'aide de serre-joints jusqu'à ce que la colle soit complètement sèche.

73. On perce ensuite un trou au centre de chaque traverse supérieure pour y assembler le cadre à l'aide de tourillons.

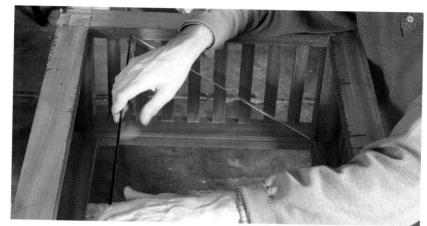

74. On introduit
un tourillon dans chaque
trou en le laissant
dépasser de 1 cm (3/8 po)
pour l'emboîter dans
le cadre.

75. On met en place
le panneau de verre dans
le cadre inférieur.

76. On fixe le cadre
supérieur à l'aide de vis,
comme le montre
la photo.

77. Une fois le cadre bien
fixé, on y pose le plateau
de verre.

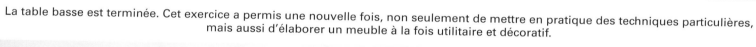

La table basse est terminée. Cet exercice a permis une nouvelle fois, non seulement de mettre en pratique des techniques particulières,
mais aussi d'élaborer un meuble à la fois utilitaire et décoratif.

Cadre décoratif

L e cadre présenté ci-contre, que nous vous proposons de réaliser, va vous donner l'occasion de mettre en pratique les techniques d'incrustation de filets et de sections transversales de baguette ronde en associant différentes essences de bois de teintes contrastées.

Ce cadre se compose de quatre montants en châtaignier, rehaussés d'une incrustation de filets en abebay.
Ses quatre angles sont soulignés d'un motif de couleur contrastée, composé d'une pièce carrée en abebay incrustée d'une rondelle en buis.
Cet exercice offre l'opportunité de mettre en pratique des techniques d'encadrement, peu pratiquées en général par les ébénistes, mais que nous avons jugé opportun d'exposer ici dans un but essentiellement didactique.
En dépit d'un jeu chromatique qui peut paraître austère, on ne peut qu'apprécier l'esthétique classique de ce cadre.

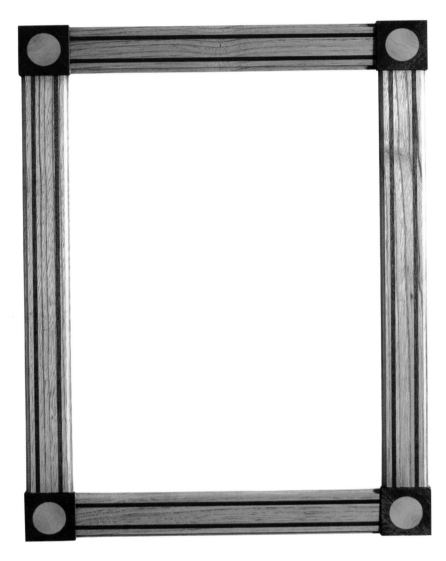

FOURNITURES NÉCESSAIRES

• Éléments en châtaignier : - 2 pièces de 45 x 5 x 1,5 cm (17 $^{11}/_{16}$ x 11 $^{5}/_{16}$ x $^{9}/_{16}$ po) - 2 pièces de 39 x 5 x 1,5 cm (15 $^{5}/_{16}$ x 11 $^{5}/_{16}$ x $^{9}/_{16}$ po)	• Contreplaqué en 0,4 cm d'épaisseur (pour le fond)
	• Tourillons, patte de fixation, vis, pointes
• Éléments en abebay : - 4 carrés de 5,5 x 5,5 x 2,2 cm (2 $^{1}/_{8}$ x 2 $^{1}/_{8}$ x $^{13}/_{16}$ po) - 4 filets de 45 x 0,4 x 0,4 cm (17 $^{11}/_{16}$ x $^{5}/_{32}$ x $^{5}/_{32}$ po) - 4 pièces de 39 x 0,4 x 0,4 cm (15 $^{5}/_{16}$ x $^{5}/_{32}$ x $^{5}/_{32}$ po)	• Cartoline (pour le passe-partout)
	• Colle à bois vinylique
	• Vernis
	• Cire
• Rondelles de buis : - 4 pièces de 3,5 cm de diamètre en 0,4 cm ($^{5}/_{32}$ po) d'épaisseur	• Mèche de coton
	• Laine d'acier
	• Papier abrasif à grains moyen, fin et très fin

Exercice pas à pas

1. Ensemble des pièces équarries et rabotées utilisées pour fabriquer ce cadre : cylindre de buis, planches de châtaignier et d'abebay.

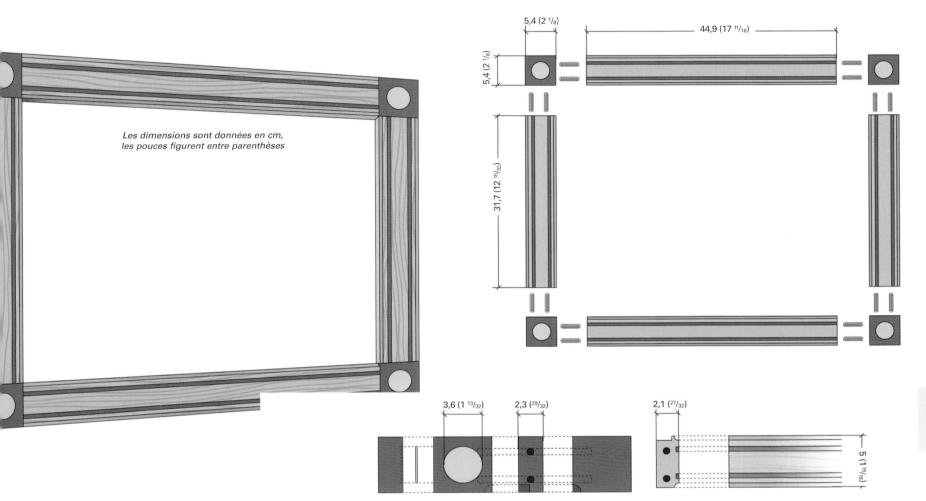

*Les dimensions sont données en cm,
les pouces figurent entre parenthèses*

5,4 (2 ¹/₈)

44,9 (17 ¹¹/₁₆)

5,4 (2 ¹/₈)

31,7 (12 ¹⁵/₃₂)

3,6 (1 ¹³/₃₂)   2,3 (²⁹/₃₂)

2,1 (²⁷/₃₂)

5 (1 ¹⁵/₁₆)

Préparation des montants du cadre

2. La première opération consiste à préparer les planches de châtaignier. On marque d'une croix les faces qui seront apparentes une fois le cadre terminé.

3. On délimite la longueur des pièces. On répartit la mesure en partant du centre, pour éviter les défauts assez fréquents à l'extrémité des pièces.

4. On coupe ensuite les pièces à la bonne longueur avec la scie radiale.

5. On utilise la scie radiale en position de scie circulaire de table pour creuser dans les montants les rainures destinées à l'incrustation des filets. On ajuste auparavant l'écartement de la lame par rapport au guide de coupe.

6. On procède alors à la découpe des deux rainures parallèles sur les quatre montants du cadre.

7. On en moulure les chants à l'affleureuse. Pour plus de précision et de commodité, on peut fixer la machine à l'établi et tenir fermement la pièce des deux mains en la passant d'un mouvement régulier contre la fraise. Toutefois, cette technique est dangereuse et il faut procéder, comme à l'étape suivante, en faisant très attention.

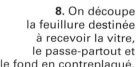

8. On découpe la feuillure destinée à recevoir la vitre, le passe-partout et le fond en contreplaqué.

9. On encolle les rainures pour y incruster les filets d'abebay.

10. On incruste aussitôt les filets d'abebay dans les rainures.

334

12. Pour bien emboîter les filets dans les rainures, on les lisse avec la panne d'un marteau en exerçant une pression suffisante, jusqu'à ce qu'il ne sorte plus de colle.

13. On enfonce bien les filets dans leur logement à l'aide de légers coups de marteau. Il est inutile de retirer les bavures de colle, car elles disparaîtront lors de l'affleurement des filets au rabot.

14. Après avoir laissé séché la colle durant au moins une demi-heure, on passe le rabot pour égaliser la surface.

Préparation des pièces d'angle

15. Le traçage des carrés qui décoreront les angles du cadre s'effectue à l'équerre d'onglet. Pour que la perte de matériau produite par la coupe des pièces n'en modifie pas les mesures, on les trace en diagonale.

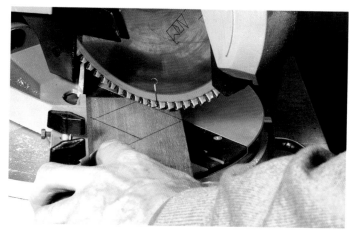

16. On procède ensuite à leur découpe à la scie radiale.

17. Pour creuser le logement où viendra s'insérer la pièce de buis, on trace les diagonales, puis on marque à l'aide d'un poinçon, à leur intersection, l'avant-trou qui servira de guide pour creuser le bois.

18. On assujettit la pièce de bois à l'établi pour creuser à la mèche à tête cylindrique un évidement de 5 mm (3/16 po) de profondeur.

Préparation de l'assemblage

19. On découpe les rondelles de buis, dont l'épaisseur ne doit pas excéder 5 mm (³/₁₆ po).

20. On fixe les rondelles en encollant seulement leur logement.

21. On trace au trusquin le contour des entailles qui serviront à emboîter les pièces sur les montants.

22. On amorce la découpe des entailles à la scie à dos.

23. On achève leur évidement au ciseau.

24. On marque au trusquin, sur le bout des montants, l'axe le long duquel seront placés les tourillons.

25. On effectue la même opération sur les pièces d'angle.

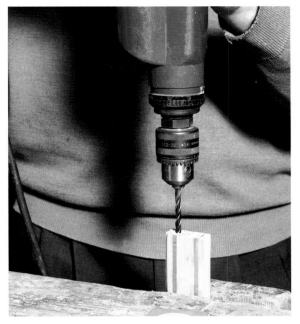

26. On fixe les montants en position verticale, pour y percer les logements des tourillons.

27. On encolle les trous réalisés. Il ne faut pas mettre trop de colle, pour ne pas gêner l'insertion des tourillons.

28. On enfonce ensuite les tourillons dans les trous à l'aide de légers coups de marteau.

Polissage des surfaces

29. Avant d'assembler les montants, on en affine les surfaces en passant tout d'abord le racloir. Les pièces sont calées contre la griffe d'établi.

30. On les ponce avec un papier abrasif monté sur cale, d'abord à grain moyen, puis à grain fin.

31. On ponce les rainures à la main, en passant bien partout.

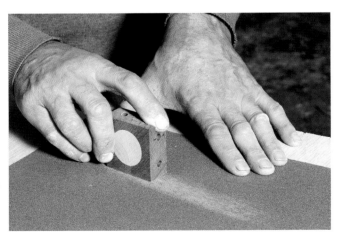

32. Pour poncer les pièces d'angle, on commence par en frotter les chants sur une feuille de papier abrasif posée à plat sur l'établi, en exerçant une pression suffisante pour obtenir le poli adéquat.

33. On procède de même pour poncer les faces des pièces, mais en veillant à les frotter dans le sens du fil, c'est-à-dire en diagonale.

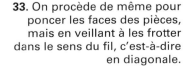

Assemblage

34. Après avoir soigneusement poncé toutes les pièces et les avoir bien dépoussiérées, on procède à leur assemblage définitif.

35. On assemble les montants du cadre sur les pièces d'angle.

36. La dernière pièce, avec laquelle s'achève l'assemblage du cadre, est la plus difficile à mettre en place, car il faut à la fois emboîter les tourillons et tenir les deux montants à la verticale.

37. On vérifie à l'équerre que les montants du cadre sont bien perpendiculaires entre eux.

Finitions

38. On commence par appliquer le vernis avec un tampon de mèche de coton, en veillant à bien imprégner les rainures et les angles rentrants.

39. Après avoir laissé sécher le vernis au moins une demi-heure, on ponce le cadre avec un papier abrasif au carbure de silicium à grain très fin, spécial pour le vernis.

40. Sans éliminer la poussière produite par le ponçage, on polit les surfaces à la laine d'acier.

41. On applique une couche de cire avec un tampon de mèche de coton et, après l'avoir laissé sécher quelques minutes, on la lustre.

Montage de la patte de fixation et du fond du cadre

42. On commence par poser la patte de fixation qui va permettre d'accrocher le cadre au mur. On marque avec le mètre le centre du montant supérieur et le contour de la patte de fixation. Comme toutes ces opérations s'effectuent sur l'envers du cadre, on intercale une couverture ou un feutre entre l'établi et la face avant pour la protéger.

43. On marque les limites de l'entaille avec la scie à dos.

44. Avec un ciseau de la taille adéquate, on retire l'épaisseur de bois nécessaire à l'encastrement de la patte de fixation en le frappant avec un marteau.

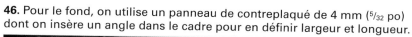

45. On marque les avant-trous à la vrille, avant de visser la plaque en place.

46. Pour le fond, on utilise un panneau de contreplaqué de 4 mm ($^5/_{32}$ po) dont on insère un angle dans le cadre pour en définir largeur et longueur.

47. On en trace ensuite le contour à l'équerre, pour pouvoir le couper à la bonne dimension.

48. On découpe alors le fond à la scie à dos, puis on en ponce le contour.

49. On pose la vitre sur l'envers du cadre pour en marquer la longueur et la largeur, en retirant 2 mm ($^5/_{64}$ po) dans chaque sens par rapport à la feuillure du cadre.

50. Avec une équerre et un coupe-vitre, on marque le trait de coupe en appuyant fermement.

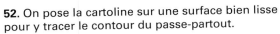

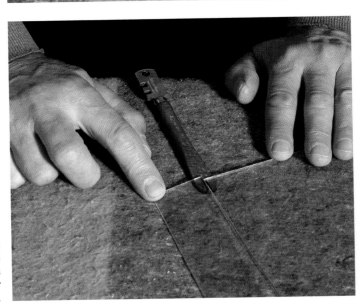

51. On place le manche de l'outil sous la vitre et on appuie des deux côtés du trait de coupe pour séparer les deux morceaux.

52. On pose la cartoline sur une surface bien lisse pour y tracer le contour du passe-partout.

53. On découpe le passe-partout au ciseau, en prenant appui contre l'équerre.

54. On fixe alors l'image retenue sur l'envers du passe-partout.

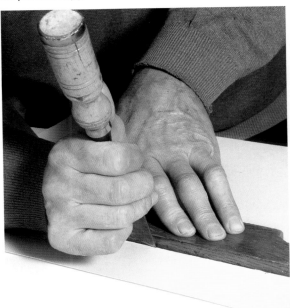

56. La pose d'un ruban adhésif sur le pourtour du contreplaqué n'est pas obligatoire, mais cela évitera que la poussière ne pénètre entre la vitre et l'image.

55. On met en place le fond et on le fixe à l'aide de pointes de vitrier. Pour ne pas endommager le contreplaqué, il faut tenir le marteau bien à plat.

Le cadre achevé met parfaitement en valeur cette représentation de l'un des édifices les plus emblématiques de Gaudí.

Lampe

La réalisation de cette lampe de table implique la succession d'un certain nombre d'opérations, que ce soit pour l'élaboration de l'abat-jour, dont les montants sont pourvus de rainures d'emboîtement destinées à recevoir des feuilles de placage en ronce de peuplier insérées entre deux plaques de verre, ou la découpe des pieds galbés et l'exécution de leurs moulures.

Le processus de réalisation de cette lampe est divisé en deux parties bien distinctes, la première concernant l'élaboration du pied et la seconde, celle de l'abat-jour. Le pied est constitué de quatre éléments en abebay assemblés sur un axe central par lequel passe le fil électrique de la lampe. Nous lui avons donné une forme qui est non seulement esthétique, mais permet d'assurer la stabilité de la lampe. L'élément le plus original et le plus curieux de cette lampe est l'abat-jour, formé de feuilles de placage peu translucides et diffusant une lumière atténuée, pour créer une ambiance intime et chaleureuse. La structure de l'abat-jour est également en abebay et formée de montants aux chants arrondis. Cet exercice donne l'occasion de créer un objet simple, mais doté d'un certain caractère, convenant à différents décors et pouvant être placé dans différentes pièces.

342

FOURNITURES NÉCESSAIRES

Toutes les pièces pour la lampe sont en abebay, à l'exception des tourillons et du contreplaqué pour les gabarits.

- **Pied de la lampe :**
  - Planche de 36 x 26 x 2 cm (14 3/16 x 10 1/4 x 25/32 po)
  - Pièce de 14 x 4 x 4 cm (5 1/2 x 1 9/16 x 1 9/16 po)
  - Pièce de 12 x 12 x 2 cm (4 11/16 x 4 11/16 x 15/32 po)
  - 1 m (40 po) de tourillon de 1 cm (3/8 po) de ø

- **Abat-jour :**
  - 8 plaques de verre de 40,5 cm (15 15/16 po) pour la grande base, 27,8 cm (10 15/16 po) pour la petite base, sur 32,5 cm (12 25/32 po) de hauteur (mesures exactes)
  - 4 feuilles de placage de 40,5 cm (15 15/16 po) pour la base la plus large et de 27,8 cm (10 15/16 po) pour la base la plus étroite sur 32,5 cm (12 25/32 po) de hauteur

- **Montants de l'abat-jour :**
  - 4 pièces de 43 x 2 x 2 cm (17 x 25/32 x 25/32 po)
  - 4 pièces de 31 x 2 x 2 cm (12 1/4 x 25/32 x 25/32 po)
  - 4 pièces de 35 x 2 x 2 cm (13 3/4 x 25/32 x 25/32 po)

- **Dessus de l'abat-jour :**
  - 1 pièce de 32 x 32 x 1 cm (12 5/8 x 12 5/8 x 3/8 po)
  - 4 lamellos de 7 cm (2 3/4 po) de long
  - 1 pièce de 25 x 2,8 x 0,4 cm (10 x 13/32 x 5/32 po)

- **Électricité :**
  - 1 câble électrique de 2 m (6 pi 6 po)
  - 1 fiche
  - 1 interrupteur
  - 1 douille

- **Finitions :**
  - Produit à vitres
  - Alcool à brûler
  - Mèche de coton
  - Papier journal
  - Papier abrasif, à grains moyen et fin
  - Éponge à poncer
  - Vernis
  - Cire à bois
  - Laine d'acier

Exercice pas à pas

1. Les principaux matériaux nécessaires à la réalisation de cet exercice sont des pièces en abebay équarries et rabotées pour le pied de la lampe et la structure de l'abat-jour, et des feuilles de placage en ronce de peuplier.

EXÉCUTION DES PIEDS

Gabarits

2. Pour confectionner le gabarit des pieds de la lampe dans le contreplaqué de 4 mm ($^5/_{32}$ po), on commence par tracer deux perpendiculaires avec l'équerre.

3. Avec la règle et le mètre, on marque la largeur de 3 cm (1 $^1/_8$ po) correspondant à la partie rectiligne du pied et on trace la ligne parallèle.

4. À main levée ou à l'aide d'un dessin effectué sur papier-calque, on trace le reste du profil.

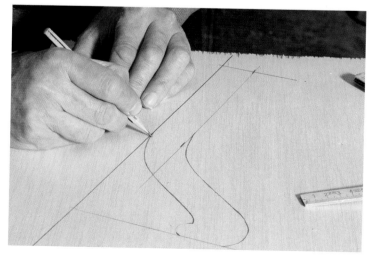

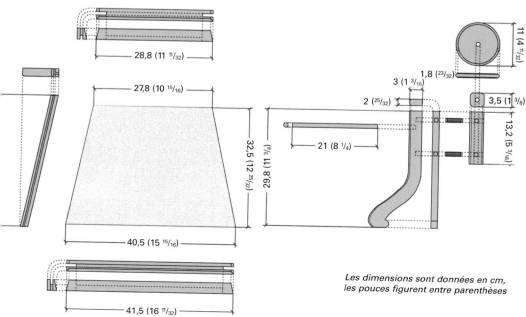

17 (6 $^{11}/_{16}$)

7 (2 $^3/_4$)

30,5 (12)

28,8 (11 $^{11}/_{32}$)

27,8 (10 $^{15}/_{16}$)

32,5 (12 $^{25}/_{32}$)

29,8 (11 $^{3}/_4$)

21 (8 $^1/_4$)

40,5 (15 $^{15}/_{16}$)

41,5 (16 $^{11}/_{32}$)

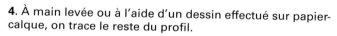

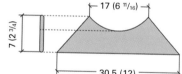

11 (4 $^{11}/_{32}$)

1,8 ($^{23}/_{32}$)

3 (1 $^3/_{16}$)

2 ($^{25}/_{32}$)

3,5 (1 $^3/_8$)

13,2 (5 $^3/_{16}$)

Les dimensions sont données en cm, les pouces figurent entre parenthèses

5. On découpe le gabarit à la scie sauteuse, en commençant par la partie rectiligne.

6. On fixe le gabarit à l'établi pour égaliser la surface des chants à la râpe ou à la lime.

7. Pour finir, on procède à un ponçage au papier abrasif à grain moyen.

Emploi des gabarits

8. On reporte quatre fois le contour du gabarit sur la planche d'abebay, pour y découper les quatre pieds, en inversant le sens du gabarit pour tirer parti au maximum du bois disponible.

9. On découpe les pieds à la scie sauteuse. Il est nécessaire d'éliminer régulièrement la sciure en soufflant sur le trait de coupe pour bien suivre le tracé.

10. Une accumulation de sciure comme ici empêche de suivre correctement le tracé.

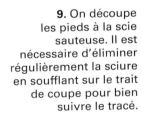

11. On fixe ensuite à l'établi les pieds découpés pour en égaliser les chants à la lime ou à la râpe.

12. La courbe concave est affinée avec la face bombée de la lame, pour éviter de creuser des rainures dans le bois.

13. On polit ensuite les chants au racloir, en prenant soin de ne pas modifier l'angle droit des arêtes.

14. Avec l'affleureuse fixée à l'établi, on profile la moulure de chacun des pieds. Il importe de procéder avec beaucoup de précaution, pour éviter de se blesser.

Préparation de l'axe central des pieds

15. Avec la scie circulaire de table, on coupe à 13 cm (5 $\frac{1}{16}$ po) de long la pièce devant former l'axe central des pieds.

16. On chanfreine à l'affleureuse les quatre arêtes de la pièce.

17. Après avoir marqué le centre des deux bouts, on y creuse à la perceuse des trous traversants de 1 cm ($\frac{3}{8}$ po) de diamètre.

18. Avec le trusquin, on marque l'axe médian longitudinal de la pièce sur ses quatre faces.

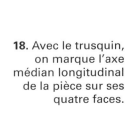

19. Toujours au trusquin, on marque les points d'intersection correspondant à l'emplacement des trous de fixation des pieds.

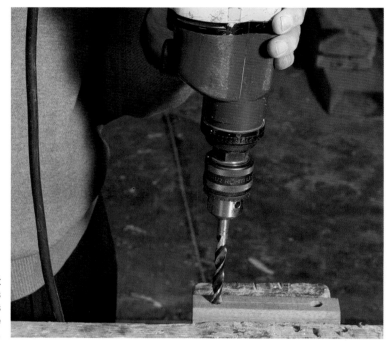

20. On approfondit les trous percés dans les quatre faces jusqu'à la moitié de l'épaisseur de la pièce.

21. En se servant de la pièce déjà percée, on reporte l'axe des trous sur les pieds.

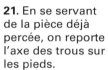

22. On y perce les trous traversants en deux temps, en perçant d'abord sur une face, puis dans le même axe sur la face opposée.

Ponçage

23. Avant d'assembler les pieds à l'axe central, il faut les poncer. Après avoir calé le pied contre la griffe de l'établi, on en ponce les faces les plus larges à la cale à poncer.

24. Pour les parties courbes et les moulures, on utilise directement la feuille de papier abrasif, en prenant soin de la passer dans les moindres recoins.

Assemblage des pieds

25. Après avoir coupé les tourillons à la bonne longueur, qui ne doit pas excéder la moitié de l'épaisseur de la pièce centrale moins la moitié du diamètre du trou central, pour ne pas gêner le passage du fil électrique, on les encolle et on les met en place.

26. On utilise le marteau pour les emboîter correctement dans les trous.

27. Après avoir mis en place les tourillons sur tous les pieds, on procède à leur assemblage après avoir encollé les trous correspondants de l'axe central.

28. On immobilise les pièces à l'aide de deux serre-joints pendant le temps de prise de la colle, c'est-à-dire au minimum une demi-heure.

347

RÉALISATION DE L'ABAT-JOUR

Confection des gabarits

29. Sur le contreplaqué de 4 mm (5/32 po) d'épaisseur, on trace le contour du trapèze figurant les côtés de l'abat-jour, qui doit avoir 30 cm (11 13/16 po) de hauteur, une grande base de 38 cm (15 po) et une petite base de 26 cm (10 1/4 po).

30. On découpe ce gabarit à la scie à dos et on en ponce les contours.

Emploi des gabarits

31. Sur le gabarit découpé, on relève, à la fausse équerre, la mesure de l'angle pour la reporter sur les pièces à découper.

32. On positionne la fausse équerre sur le plateau de la scie radiale pour orienter la lame selon cet angle.

33. Après avoir réglé la position de la lame, on coupe l'extrémité d'un des quatre montants verticaux de l'abat-jour correspondant à la partie inférieure de l'abat-jour.

34. Après cette découpe, on en reporte le tracé à la fausse équerre sur les autres montants pour les couper de façon identique.

35. On coupe à la scie à dos l'extrémité des montants en suivant ce tracé.

36. À la scie radiale, on effectue la seconde coupe en biseau en bout de pièce selon le même angle.

37. On obtient ainsi un bout formé de deux biseaux.

38. On délimite ensuite la longueur des traverses inférieures et supérieures de l'abat-jour en se référant au gabarit.

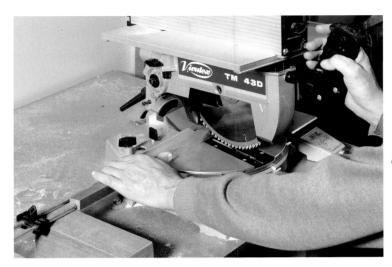

39. On procède alors à la coupe des extrémités des pièces avec la scie radiale selon un angle identique au précédent.

40. En utilisant la machine en position de scie de table, on creuse la rainure d'emboîtement du verre et du bois de placage à 5 mm (³/₁₆ po) des faces apparentes des pièces. Cette opération est répétée pour toutes les pièces formant la structure de l'abat-jour.

41. On vérifie ensuite l'ajustement du verre et du placage dans la rainure.

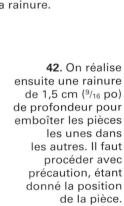

42. On réalise ensuite une rainure de 1,5 cm (⁹/₁₆ po) de profondeur pour emboîter les pièces les unes dans les autres. Il faut procéder avec précaution, étant donné la position de la pièce.

43. Avec un bédane que l'on frappe avec un marteau, on évide les entailles d'assemblage des montants jusqu'à une profondeur de 1,5 cm (⁹/₁₆ po).

44. Pour ne pas endommager la rainure inférieure de la pièce, on y insère une cale en bois.

45. On confectionne les faux tenons en les coupant à la même inclinaison que dans les opérations antérieures.

Assemblage de la structure de l'abat-jour

46. On insère les tenons dans les extrémités des traverses, après avoir encollé les surfaces de contact, en s'aidant du marteau pour bien les emboîter.

47. Quand la colle est bien sèche, on fixe les pièces à la verticale dans la presse d'établi, pour couper en biais le bout de chaque tenon.

48. On arrondit au rabot les chants des montants verticaux.

49. Pour l'assemblage de l'abat-jour sur le pied de la lampe, on perce au centre de chacune des traverses inférieures un trou qui servira de logement à un tourillon.

50. On retire le bois superflu au ciseau.

51. Avant de procéder à un montage à blanc de la structure de l'abat-jour, on en ponce les faces internes au papier abrasif, d'abord à grain moyen, puis à grain fin.

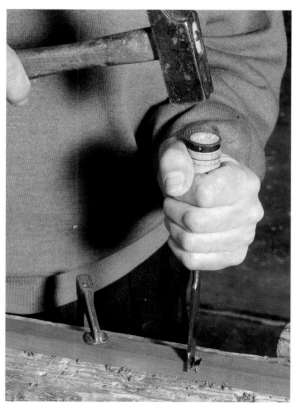

52. On assemble alors les pièces provisoirement, pour déterminer si les faux tenons doivent être ou non recoupés.

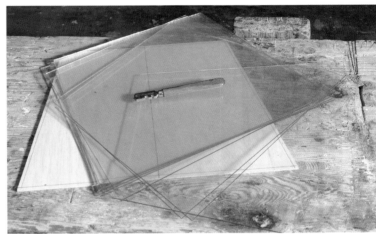

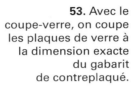

53. Avec le coupe-verre, on coupe les plaques de verre à la dimension exacte du gabarit de contreplaqué.

54. On assemble alors les traverses supérieures de l'abat-jour, après avoir encollé les faux tenons. Si l'on commençait par assembler les traverses inférieures, il serait alors impossible d'insérer le verre et le placage.

55. La structure de l'abat-jour est prête à recevoir les plaques de verre et les feuilles de placage.

56. Après avoir coupé le verre, il faut en poncer les arêtes pour en éliminer toutes les aspérités.

57. Avant de mettre en place les panneaux de verre, il est nécessaire de bien les nettoyer.

58. On reporte le contour du gabarit sur chaque feuille de placage.

59. On découpe les placages aux ciseaux en suivant ce tracé et on les humidifie à l'alcool.

60. On insère le placage entre les deux panneaux de verre qui formeront l'un des côtés de l'abat-jour. Il est préférable de réaliser cette opération alors que la feuille de placage est encore un peu humide.

61. On met alors en place chaque côté de l'abat-jour, en fixant au fur et à mesure, par collage, les traverses inférieures.

62. On encolle le dernier assemblage.

63. On frappe les traverses du poing pour finir de bien les emboîter.

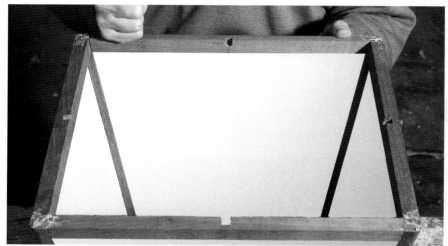

Ponçage et vernissage

64. Pour les travaux de finition, il est conseillé de protéger les panneaux de verre en les recouvrant de papier journal. Les feuilles de protection doivent avoir 5 mm (3/16 po) de moins sur tout le pourtour par rapport au gabarit.

65. On les fixe sur les panneaux de verre à l'aide de ruban de masquage, à l'intérieur comme à l'extérieur. Le ruban adhésif doit être positionné au ras du bois.

66. On ponce alors toutes les surfaces au papier abrasif, y compris celles que l'on a déjà poncées, d'abord à grain moyen, puis à grain fin.

67. Après avoir bien dépoussiéré la structure, on les enduit au pinceau de vernis dilué.

Réalisation du dessus de l'abat-jour

68. On relève les mesures du carré supérieur, en ajoutant 5 mm ($^3/_{16}$ po) sur tout le tour.

69. On confectionne un gabarit dans le contreplaqué. Après avoir tracé le périmètre du carré et ses diagonales, on se sert du compas à pointes sèches pour tracer un arc de cercle distant de 3 cm (1 $^1/_8$ po) de l'un des côtés du carré.

70. Après avoir découpé le gabarit, on en reporte le contour sur les quatre pièces.

71. On découpe la partie courbe à la scie sauteuse.

72. Après avoir ajusté la lame de la scie à 45°, on coupe les extrémités des pièces en suivant les diagonales.

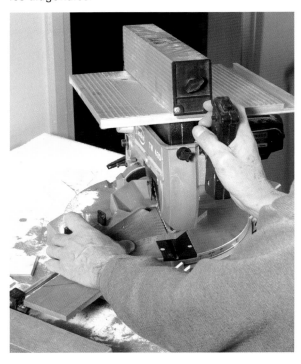

73. On creuse les rainures d'assemblage à la fraiseuse sur les extrémités coupées d'onglet.

74. On arrondit les chants extérieurs au rabot, en traçant auparavant une parallèle à 2 mm de chaque arête pour délimiter la largeur de l'arrondi.

75. On encolle ensuite les rainures où viendront se loger les lamelles.

76. On assemble alors les quatre pièces, en donnant de légers coups de marteau pour bien les emboîter.

Réalisation du support de la douille

77. Sur la pièce carrée de 12 x 12 cm (4 $^9/_{16}$ x 4 $^9/_{16}$ po), on trace un cercle de 11 cm (4 $^{11}/_{32}$ po) de diamètre au compas à pointes sèches.

78. On perce le trou de 1 cm (³/₈ po) de diamètre par lequel passera le fil électrique.

79. On découpe le cercle à la scie sauteuse.

80. Avec l'affleureuse, on moulure la pièce sur deux des faces. Il importe de procéder avec beaucoup de précaution, pour éviter de se blesser.

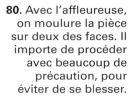

81. On coupe à la scie à dos les tourillons d'assemblage du pied à la structure de l'abat-jour.

82. On ponce les surfaces vernies avec une éponge à poncer à grain très fin.

83. L'éponge doit être assez souple pour bien s'adapter à tous les profils.

84. On polit ensuite le bois verni à la laine d'acier.

85. On applique une couche de cire à la mèche de coton et, après quelques minutes, on procède à son lustrage.

86. Après avoir achevé toutes les opérations de finition, on retire les feuilles de papier journal.

87. Pour fixer par collage le dessus de l'abat-jour, il est nécessaire de retirer le vernis au ciseau sur la surface de contact, soit environ 1 cm (³/₈ po) de large.

88. On applique la colle sur la zone où le vernis a été retiré.

89. Pour plus de commodité, il est conseillé d'appliquer l'abat-jour sur la pièce et non le contraire. L'assemblage effectué, il faut nettoyer aussitôt les bavures de colle, avant qu'elles ne sèchent.

Montage électrique

90. Avec un tournevis, on connecte le câble aux bornes de la douille.

91. On fait passer le câble à l'intérieur du pied.

92. On le connecte alors à la fiche.

93. Avant de mettre en place l'abat-jour, on vérifie le bon fonctionnement de l'installation électrique.

94. On insère alors dans le pied les tourillons qui doivent soutenir l'abat-jour.

La lampe est terminée. Elle n'est pas conçue pour éclairer vivement une pièce, mais pour dispenser une lumière douce et créer une ambiance chaude et accueillante.

Porte-pipes

L'élaboration de ce porte-pipes offre l'occasion d'aborder les techniques de percement de cavités circulaires dans le bois, de découpe de petites échancrures, etc., sur une pièce de format réduit. L'exercice inclut aussi le façonnage minutieux de moulures à profil composé, avec des angles rentrants.

Tous les éléments de ce porte-pipes sont en abebay, bois choisi pour sa facilité de travail, la finesse de son grain et la chaleur de sa teinte.

Cette pièce est constituée d'une base de forme elliptique, pourvue de cavités servant de supports aux fourneaux des pipes.

La tablette supérieure, munie d'échancrures destinées à retenir les tuyaux des pipes, épouse le contour de la base, de façon à former un ensemble aux formes douces et équilibrées.

Cet exercice, expliqué étape par étape, va vous permettre de confectionner un objet à la fois utile et décoratif.

FOURNITURES NÉCESSAIRES

- Planches en abebay :
  - Tablette inférieure : 30 x 18 x 2 cm (12 x 7 x $^{25}/_{32}$ po)
  - Panneau arrière : 30 x 15 x 1,2 cm (12 x 6 x $^{15}/_{32}$ po)
  - Tablette supérieure : 13 x 9 x 1,2 cm (5 $^1/_{16}$ x 6 x $^{15}/_{32}$ po)
  - 20 cm (8 po) de tourillon de 8 mm ($^3/_8$ po) de diamètre

- Gabarits :
  - 1 morceau de contreplaqué de 30 x 15 x 0,4 cm (12 x 6 x $^5/_{32}$ po)
  - 1 morceau de contreplaqué de 30 x 18 x 0,8 cm (12 x 7 x $^5/_{16}$ po)

- Colle à bois vinylique

- Bouche-pores

- Cire

- Mèche de coton

- Laine d'acier

- Papier abrasif

Exercice pas à pas

1. Matériaux nécessaires à la réalisation du porte-pipes : planches en abebay de 2 cm et 1,2 cm ($^{25}/_{32}$ et $^{15}/_{32}$ po) d'épaisseur et, pour les gabarits, contreplaqué de 0,4 et 0,8 cm ($^5/_{32}$ et $^5/_{16}$ po) d'épaisseur.

Confection des gabarits

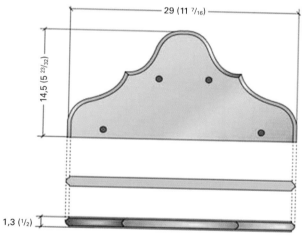

11,7 (4 ¹¹/₁₆)

8,5 (3 ¹¹/₃₂)

1,3 (¹/₂)

9 (3 ¹⁷/₃₂)

Les dimensions sont données en cm et les pouces figurent entre parenthèses

29 (11 ⁷/₁₆)

14,5 (5 ²³/₃₂)

1,3 (¹/₂)

2. La première étape de cet exercice consiste à tracer sur le contreplaqué de 0,8 cm (⁵/₁₆ po) d'épaisseur les axes et centres des ellipses en vue de la découpe des gabarits des deux tablettes.

3. Sur l'un des centres de l'ellipse, on plante un clou auquel on attache la première extrémité d'une ficelle.

359

4. On plante un clou sur l'autre centre, auquel on fixe l'autre extrémité de la ficelle.

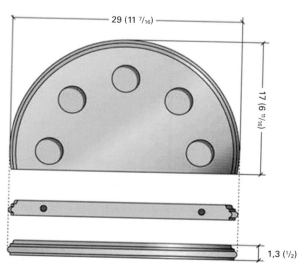

29 (11 ⁷/₁₆)

17 (6 ¹¹/₁₆)

1,3 (¹/₂)

5. Après avoir mesuré la distance à partir des deux centres et ajusté la longueur de la ficelle, on trace l'ellipse.

6. On découpe à la scie sauteuse les gabarits des deux ellipses que l'on vient de tracer.

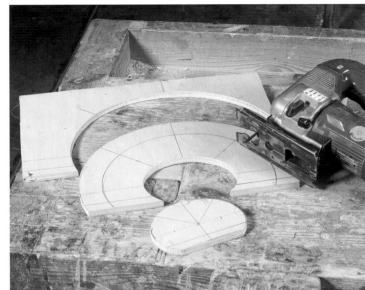

7. On obtient ainsi deux gabarits à partir du même morceau de contreplaqué.

8. Pour en reporter correctement le contour sur le bois, il est nécessaire d'en égaliser auparavant les chants à la râpe.

9. Comme les chants doivent être parfaitement lisses, on les ponce ensuite au papier abrasif à grain moyen.

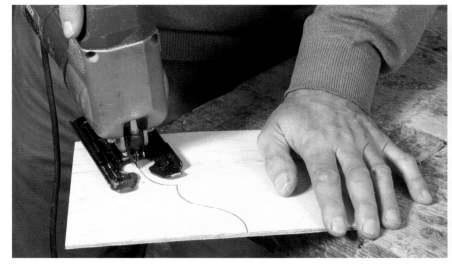

10. Sur le contreplaqué de 0,4 cm ($^5/_{32}$ po) d'épaisseur, dont on commence par marquer l'axe médian avec une équerre, on trace le profil du gabarit destiné à la découpe du panneau arrière du porte-pipes, servant de support aux deux tablettes. On peut tracer ce profil à main levée, ou le reporter à l'aide d'un papier-calque ou d'un papier carbone.

11. On découpe ensuite ce gabarit à la scie sauteuse, puis on en rectifie les chants à la râpe et on les ponce au papier abrasif, comme on l'a vu ci-dessus.

Emploi des gabarits

12. Après avoir découpé tous les gabarits, on commence par reporter au crayon le contour de la tablette inférieure sur l'abebay, en maintenant fermement le gabarit en place de l'autre main.

13. Avant de transposer le contour du panneau arrière, on trace à l'équerre un axe médian sur l'abebay permettant de tracer un profil parfaitement symétrique. Il est important de tirer le meilleur profit du bois et d'éviter ainsi de se retrouver avec de nombreuses chutes inutilisables.

14. Après avoir fixé la pièce d'abebay à l'établi, on la découpe à la scie sauteuse. Au fur et à mesure de l'avancée de la lame, il faut éliminer, en soufflant dessus, la sciure de bois qui masque le tracé.

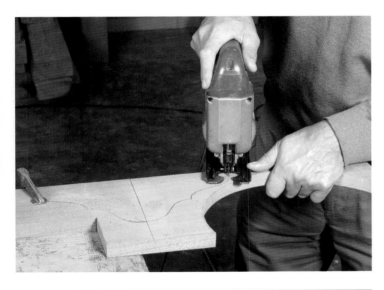

15. La découpe du profil curviligne du panneau arrière ne peut se faire en une seule fois, car il faut modifier la position de la lame à chaque changement d'orientation de la courbe.

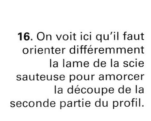

16. On voit ici qu'il faut orienter différemment la lame de la scie sauteuse pour amorcer la découpe de la seconde partie du profil.

17. On reporte ensuite sur l'abebay le contour du gabarit de la tablette supérieure.

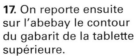

18. On marque les axes de l'ellipse en vue de la découpe à la scie sauteuse des échancrures devant servir de support aux tuyaux des pipes.

19. Aux points d'intersection entre les axes et l'ellipse, on marque l'emplacement des futurs trous au poinçon et au marteau. Ces avant-trous serviront de guide à la mèche de la perceuse.

20. Après avoir glissé un morceau de bois sous la pièce pour ne pas endommager l'établi, et avoir fixé l'ensemble à l'établi, on perce les trous sur les points d'intersection marqués au poinçon. On retire la mèche quand on voit sortir du trou de la sciure du bois provenant de la planche inférieure.

21. On découpe le contour de l'ellipse à la scie sauteuse.

22. On égalise ensuite les chants des pièces à la râpe ou à la lime. Sur la tablette inférieure, on passe l'outil dans l'axe du chant, en un mouvement de va-et-vient.

23. Pour égaliser le contour du panneau arrière, au profil plus difficile, on passe l'outil dans le sens transversal.

24. Pour finir, on ponce les chants au papier abrasif à grain moyen.

Exécution des moulures et des assemblages

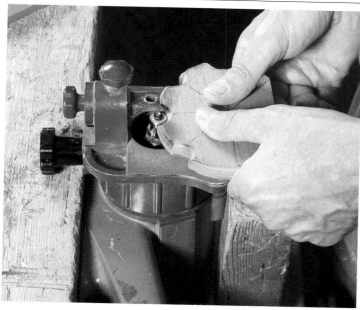

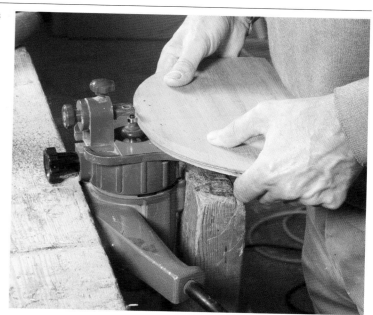

25. On creuse les moulures sur les chants des différentes pièces à l'affleureuse. Pour plus de commodité, on peut fixer la machine à l'établi et faire coulisser le chant des pièces des deux mains contre la fraise, en les tenant fermement. Attention : cette technique est dangereuse et, pour ne pas risquer de se blesser, il faut procéder avec une extrême vigilance.

26. Pour la tablette inférieure, à la moulure différente, on utilise une autre fraise.

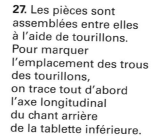

27. Les pièces sont assemblées entre elles à l'aide de tourillons. Pour marquer l'emplacement des trous des tourillons, on trace tout d'abord l'axe longitudinal du chant arrière de la tablette inférieure.

28. On marque sur cet axe, à 10 cm (4 po) du bord externe de la pièce, l'emplacement du premier trou. On répète l'opération à l'autre extrémité, puis on marque l'emplacement du troisième trou au centre.

29. Pour effectuer le perçage, on fixe la pièce à l'établi, en vérifiant l'horizontalité de son chant, et on tient la perceuse en position bien verticale.

30. On coupe ensuite les tourillons, à la scie à dos, d'une longueur équivalant à la somme des profondeurs des trous qu'ils vont réunir, moins 1 à 2 mm de jeu pour la colle.

31. Pour creuser les cavités circulaires destinées à retenir les fourneaux des pipes, on se sert de la perceuse sur colonne équipée d'une mèche à tête cylindrique.

32. Les pièces sont prêtes à recevoir un traitement de finition.

Opérations de finition

33. On ponce tout d'abord les moulures avec un papier abrasif à grain fin.

34. Afin d'éliminer les marques tracées au crayon sur les surfaces visibles, on y passe le racloir. Pour éviter de perdre les tourillons, on les insère dans les trous correspondants.

35. On ponce les pièces au papier abrasif à grain fin.

36. On dépoussière bien les pièces, puis on masque à la cire à reboucher les trous produits dans les évidements circulaires par la pointe de centrage de la mèche. On applique ensuite le bouche-pores avec un tampon de mèche de coton.

37. Une demi-heure au moins après avoir appliqué le bouche-pores, qui doit être suffisamment sec, on effectue un ponçage avec un papier au carbure de silicium à grain très fin.

38. Sans éliminer la poussière produite par le ponçage, on polit ensuite les pièces à la laine d'acier.

39. Sur les chants, il faut s'efforcer de bien passer la laine d'acier sur tous les reliefs de la moulure.

40. On cire les pièces avec un tampon de mèche de coton. Il est inutile de les dépoussiérer auparavant : lorsqu'on applique la cire, cela suffit à éliminer la poussière.

41. Pour finir, on lustre la cire avec une mèche de coton propre.

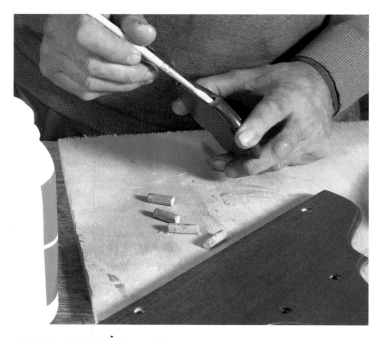

42. On enduit de colle à bois vinylique les trous des tourillons. Il ne faut pas trop mettre de colle, pour ne pas gêner leur mise en place.

43. On emboîte les tourillons dans les trous en les percutant légèrement au marteau.

44. On vérifie la saillie des tourillons et, s'il sont trop longs, on en rectifie la longueur.

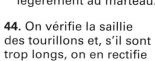

45. Pour raccourcir les tourillons, on utilise une scie à dos.

46. On encolle ensuite les trous du panneau arrière.

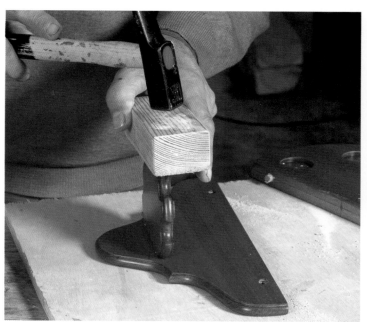

47. On emboîte la tablette supérieure au marteau, en protégeant le chant d'une cale doublée de liège, pour éviter d'endommager la moulure.

48. On élimine aussitôt l'excédent de colle avec un tampon de mèche de coton.

49. Quand toutes les pièces sont assemblées, on les assujettit à l'aide d'un serre-joint pendant le temps de prise de la colle, en ayant soin de protéger la moulure.

Le porte-pipes est terminé et peut assurer sa fonction à la fois utilitaire et décorative.

Lutrin

Nous vous proposons dans cet exercice de réaliser un lutrin, qui peut remplir de multiples fonctions : servir de support à un livre ou à une partition de musique, ou mettre en valeur un tableau, sans compter d'autres possibilités d'emploi, tant fonctionnelles que décoratives.

La confection de ce lutrin implique l'exécution de diverses opérations, comme la découpe de courbes de différents rayons et, surtout, la réalisation d'une crémaillère à crans taillés en oblique, qui permet, associée à un bras articulé, d'incliner la face avant du lutrin. Le bois employé pour réaliser cette pièce est du hêtre séché en étuve, dont la teinte initiale a été modifiée par l'application d'une teinture.

Le lutrin est composé de deux éléments essentiels : un socle, qui est surélevé à l'aide de quatre pieds de forme carrée, et qui est assemblé, à l'aide de charnières, au cadre portant une réglette pouvant servir d'appui à un livre ou à un autre objet.

Le montant vertical central du cadre est pourvu d'un bras articulé qui permet, suivant sa position dans la crémaillère, d'en modifier l'inclinaison.

Exercice pas à pas

Dressage des pièces de bois

1. Les pièces de hêtre présentent des surfaces brutes et doivent être dressées – équarries et aplanies – avant de pouvoir être utilisées. Pour effectuer cette opération, on se sert du rabot électrique en position de dégauchissage, sachant que l'épaisseur finale des planches doit être de 15 mm.

FOURNITURES NÉCESSAIRES

- Hêtre séché en étuve :
- Pour le socle :
  - 2 pièces de 40 x 5 x 1,4 cm (16 x 2 x 9/16 po)
  - 2 pièces de 25 x 5 x 1,4 cm (10 x 2 x 9/16 po)
  - 1 pièce de 18 x 2,5 x 1,4 cm (7 x 1 x 9/16 po)
  - 4 pièces de 4 x 4 x 1,4 cm (1 9/16 x 1 9/16 x 9/16 po)
- Pour la face avant :
  - 2 pièces de 45 x 6 x 1,4 cm (18 x 2 3/8 x 9/16 po)
  - 2 pièces de 35 x 6 x 1,4 cm (14 x 2 3/8 x 9/16 po)
  - 1 pièce de 26 x 6 x 1,4 cm (10 1/4 x 2 3/8 x 9/16 po)
  - 1 pièce de 25 x 1,4 x 1,4 cm (10 x 9/16 x 9/16 po)
  - 1 pièce de 40 x 4,5 x 1,4 cm (16 x 1 3/4 x 9/16 po)

- Gabarits : Contreplaqué de 4 mm (5/32 po) d'épaisseur.
- Deux charnières en laiton de 4 x 4 cm (1 9/16 x 1 9/16 po) et vis
- Pointes en acier
- Teinture
- Colle à bois vinylique
- Cire
- Mèche de coton (pour le vernissage et le cirage)
- Laine d'acier (pour le polissage)
- Papier abrasif

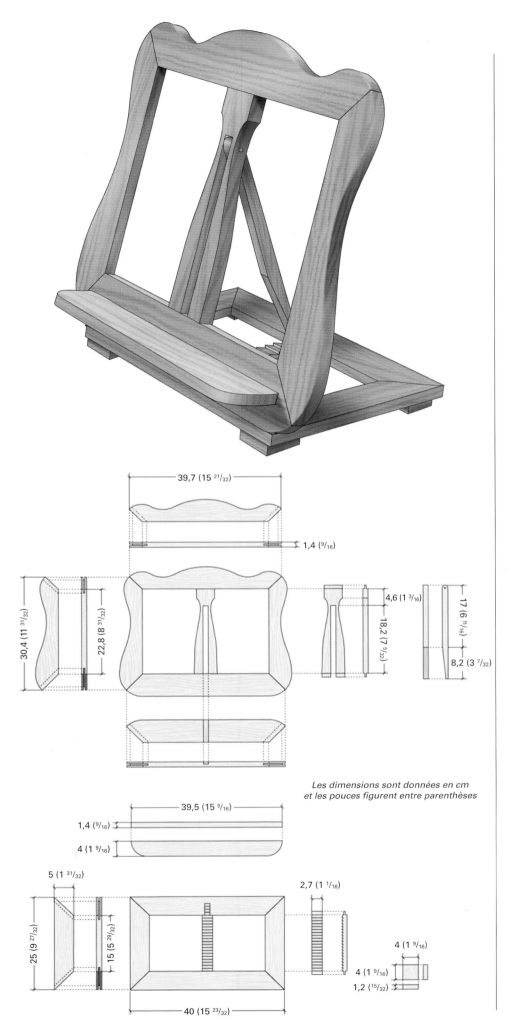

39,7 (15 $^{21}/_{32}$)

1,4 ($^9/_{16}$)

30,4 (11 $^{31}/_{32}$)

22,8 (8 $^{31}/_{32}$)

4,6 (1 $^3/_{16}$)

18,2 (7 $^5/_{32}$)

17 (6 $^{11}/_{16}$)

8,2 (3 $^7/_{32}$)

*Les dimensions sont données en cm
et les pouces figurent entre parenthèses*

39,5 (15 $^9/_{16}$)

1,4 ($^9/_{16}$)

4 (1 $^9/_{16}$)

5 (1 $^{31}/_{32}$)

2,7 (1 $^1/_{16}$)

25 (9 $^{27}/_{32}$)

15 (5 $^{29}/_{32}$)

4 (1 $^9/_{16}$)

4 (1 $^9/_{16}$)

1,2 ($^{15}/_{32}$)

40 (15 $^{23}/_{32}$)

2. On dresse ensuite les chants.

3. On reporte au trusquin la largeur requise
sur les faces des différentes pièces.

4. On découpe alors les pièces à la bonne largeur
sur la scie circulaire de table.

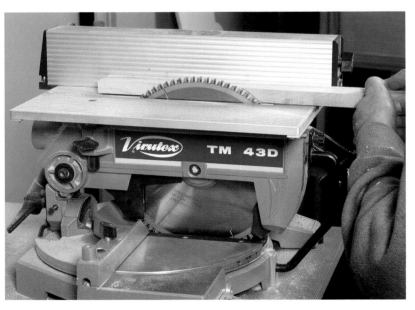

5. Ensemble des pièces obtenues à la fin de ce travail de préparation, prêtes à être travaillées.

6. Les pièces servant à la confection de la face avant du lutrin sont coupées d'onglet à leurs extrémités avec la scie radiale.

7. Après avoir coupé la première pièce, on s'en sert pour régler la butée de la scie et couper ainsi les autres pièces à la même longueur.

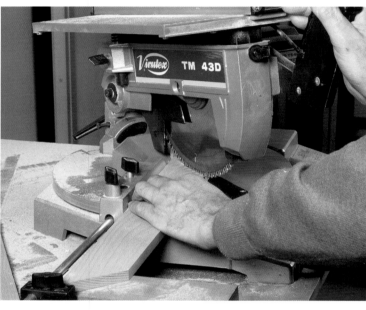

8. On sélectionne les faces des pièces qui seront apparentes une fois le lutrin terminé et on les marque d'un signe pour éviter ensuite toute confusion.

9. On creuse la rainure d'assemblage en passant les extrémités coupées d'onglet sur la lame de la scie circulaire de table.

10. On délimite ensuite la longueur des fausses languettes devant s'insérer dans ces rainures, en comptant 2 cm ($^{25}/_{32}$ po) de plus pour pouvoir les couper d'onglet.

11. On coupe alors les quatre fausses languettes à 45° à la scie radiale.

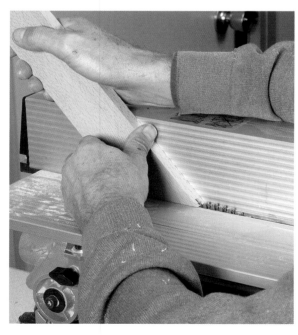

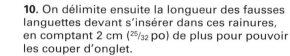

Confection du gabarit du montant central de la face avant

12. Pour découper le profil curviligne du montant central vertical de la face avant, on confectionne un gabarit dans le contreplaqué. Le tracé peut s'effectuer à main levée ou être reporté à l'aide de papier-calque ou de papier carbone.

13. Après avoir dessiné la moitié du contour, on trace l'axe de symétrie.

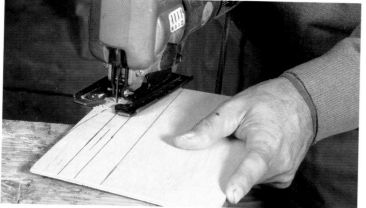

14. On découpe le gabarit à la scie sauteuse.

15. On égalise ensuite, à la lime ou à la râpe, les chants du gabarit.

Découpe de la pièce avec le gabarit

16. Avant d'utiliser le gabarit pour découper la pièce, on marque l'emplacement des mortaises d'assemblage du montant vertical dans les traverses supérieure et inférieure du cadre.

17. Après avoir tracé l'axe médian des pièces, on se sert du gabarit pour marquer le contour des mortaises sur chacune d'elles.

18. En utilisant l'un des montants latéraux, on délimite ensuite la longueur de la pièce qui formera le montant vertical de la face avant, en ajoutant 1,5 cm ($^9/_{16}$ po) à chaque extrémité pour les assemblages.

19. On trace ces limites à l'équerre.

20. On reporte alors le contour du gabarit sur la pièce, d'abord la première moitié, puis l'autre, parfaitement symétrique.

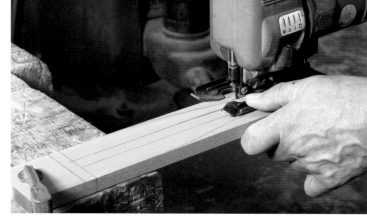

21. On fixe la pièce à l'établi pour en découper le contour externe.

22. Pour effectuer la découpe interne, on commence par scier l'un des côtés, en terminant par une courbe. On répète l'opération pour scier le côté opposé.

23. Pour rectifier la coupe aux extrémités, on se sert d'une râpe ou d'une lime de la taille adéquate.

24. Après avoir affiné le contour de la découpe interne, on fixe la pièce dans la presse d'établi pour en égaliser les chants.

Assemblage de la face avant

25. On marque au trusquin, sur les deux traverses, la longueur des mortaises d'assemblage du montant central.

26. On marque d'une croix les parties à évider, dont on trace la largeur à l'équerre.

27. On fixe ensuite les traverses, tour à tour, à l'établi pour y creuser les évidements au ciseau.

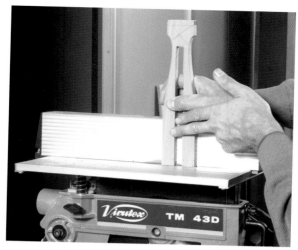

28. On effectue à la scie circulaire une première découpe longitudinale, pour dégager les tenons du montant vertical ajouré.

29. En calant la pièce contre la griffe d'établi, on effectue une seconde coupe transversale pour retirer le bois superflu.

30. On encolle ensuite à la colle à bois vinylique les tenons que l'on vient de découper pour les emboîter dans les deux traverses.

31. L'assemblage de la face avant se termine par l'encollage et la mise en place des montants latéraux.

32. On reporte alors avec le gabarit correspondant le profil curviligne selon lequel la pièce doit être découpée sur son pourtour.

33. On procède ensuite à la découpe à la scie sauteuse.

34. On délimite à la scie à dos l'évidement dans lequel va venir s'emboîter le bras articulé.

35. On retire ensuite le bois superflu au ciseau, en procédant en deux temps : on évide une première moitié, puis on attaque le bois dans le sens opposé pour évider la seconde moitié.

36. On trace alors un arrondi sur l'une des extrémités de la pièce destinée à l'élaboration du bras articulé.

37. On découpe l'extrémité de la pièce à la scie à dos en suivant ce tracé, en intercalant un morceau de bois pour ne pas endommager l'établi.

38. On fixe ensuite la pièce verticalement pour en régulariser le contour à la râpe ou à la lime.

39. On trace ensuite sur l'autre extrémité de la pièce la découpe en biseau qui va lui permettre de s'emboîter dans la traverse supérieure.

40. On effectue cette découpe en biseau à la scie sauteuse en suivant ce tracé.

41. On vérifie que la pièce s'ajuste bien dans l'évidement.

Polissage

42. Avant d'y fixer le bras articulé, on polit au racloir les faces du cadre articulé du lutrin, en le calant contre la griffe d'établi.

43. On les ponce avec un papier abrasif monté sur cale, d'abord à grain moyen, puis à grain fin.

44. On passe ensuite le racloir sur les chants du cadre.

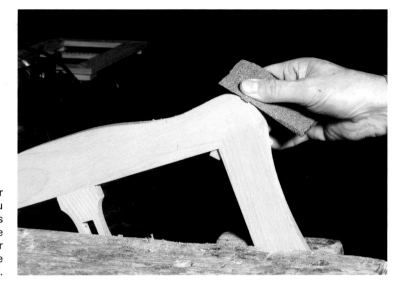

45. On termine par un ponçage au papier abrasif sans utiliser de cale à poncer, pour bien épouser le profil courbe.

Assemblage du bras articulé sur le cadre

46. Après avoir inséré le bras articulé dans son logement, on marque à la vrille l'avant-trou destiné à la mise en place de la vis de fixation.

47. On visse le bras articulé dans le montant central à l'aide d'un tournevis à manche court.

48. À la scie à dos, on arase les parties superflues des fausses languettes insérées dans les angles. On ponce avec un papier abrasif.

49. Pour confectionner la réglette qui servira de support au livre ou à la partition, on commence par la couper à la bonne longueur, puis on trace un arrondi au compas sur deux des angles opposés.

50. On découpe ces arrondis à la scie sauteuse.

51. On égalise la coupe à la râpe ou à la lime, puis on la ponce au papier abrasif.

52. On se sert ensuite de la pièce pour en reporter le contour sur la traverse inférieure du cadre.

53. On repasse ce tracé au crayon ou au trusquin pour qu'il soit bien net.

54. On assujettit la réglette et le cadre à l'aide d'un serre-joint.

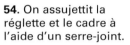

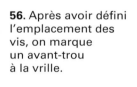

55. On retourne l'ensemble pour tracer l'axe longitudinal de la réglette sur le dos du cadre.

56. Après avoir défini l'emplacement des vis, on marque un avant-trou à la vrille.

57. On procède au vissage.

Confection du socle

58. À la scie radiale, on procède aux coupes d'onglet des extrémités des pièces devant former le socle, puis à celle du montant central. Il est important de tracer des repères sur les pièces pour ne pas les intervertir.

59. Pour confectionner la crémaillère sur laquelle pendra appui le bras articulé, on trace sur le montant central des repères espacés de 1 cm (³/₈ po).

376

60. On trace à l'équerre, à partir de ces repères, une série de parallèles.

61. À main levée, on trace sur les chants une parallèle à 4 mm (⁵/₃₂ po) de chaque arête, définissant la limite de profondeur des entailles. Cette opération peut aussi se faire au trusquin.

62. On effectue ensuite à la scie à dos les coupes transversales correspondantes, en veillant à ne pas dépasser la limite de profondeur de 4 mm (⁵/₃₂ po) marquée sur les chants.

63. Pour donner sa forme à la crémaillère, on découpe ensuite le bois obliquement au ciseau entre ces entailles.

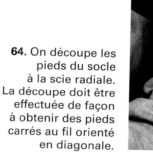

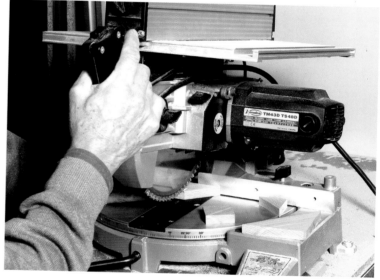

64. On découpe les pieds du socle à la scie radiale. La découpe doit être effectuée de façon à obtenir des pieds carrés au fil orienté en diagonale.

377

65. On enfonce partiellement dans ces pieds deux clous disposés en diagonale qui serviront à les fixer sur l'envers du socle.

66. On marque l'emplacement des pieds en laissant une marge de 5 mm (³/₁₆ po) par rapport aux arêtes du socle.

67. Après avoir encollé la pièce, on la cloue en place, en veillant à ce qu'elle ne se déplace pas durant cette opération.

68. On voit ici un pied collé et cloué en place sur l'un des angles du socle.

69. Après avoir procédé à l'assemblage à tenon et mortaise de toutes les pièces constituant le socle, on poursuit l'exécution de la crémaillère sur la partie correspondante de la traverse arrière, en évidant les entailles avec un ciseau que l'on percute au marteau.

378

70. On ponce ensuite toutes les pièces avec un papier abrasif à grain fin, en attachant un soin particulier au ponçage des crans de la crémaillère.

71. On pose les charnières assurant l'articulation du cadre sur le socle.

72. Le lutrin est entièrement assemblé et prêt à recevoir les traitements de finition appropriés.

Finitions

73. On commence par passer une couche de teinture à base d'un mélange de brou de noix et d'aniline en poudre solubles dans l'eau, de façon à obtenir un brun orangé.

74. Quand la teinture est sèche, on applique une couche de cire avec un tampon de mèche de coton, qui permet de l'étaler uniformément.

Aspect final du lutrin.

75. Au bout de quelques minutes, on lustre la cire à la brosse. Pour obtenir un fini parfait, on répète trois fois ce processus de cirage et lustrage.

379

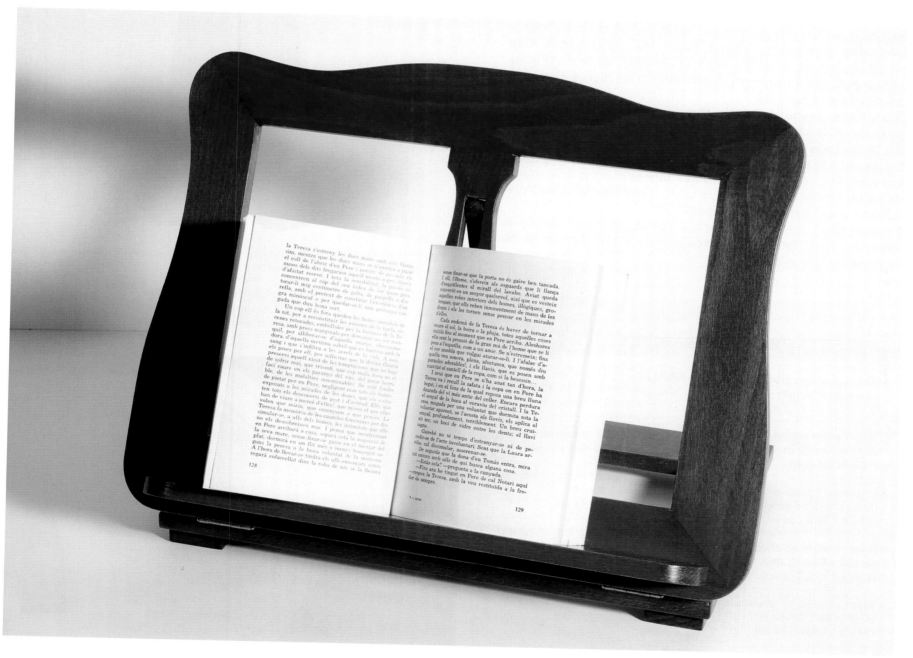

Figurine décorative : clown

En observant la figurine du clown de profil, on peut en apprécier les rondeurs qui en expriment avec humour toute la rusticité. Le façonnage de ces formes est le fruit d'un travail minutieux et du maniement habile de divers types de râpes pour transformer des blocs de bois aux contours rectilignes en volumes harmonieux. Cet exercice offre l'opportunité d'exécuter un ouvrage peu classique, en faisant plus appel à des techniques artistiques qu'à des techniques purement profession-nelles.

Divers bois ont été employés pour réaliser cette figurine : abebay pour la robe, acajou pour les cheveux, les chaus-settes et le nez, arbousier pour la tête et les bras, ovengkol pour les pantalons, ébène pour les chaussures. Ces essences ont été choisies pour la diversité de leurs teintes et leur aptitude à rendre de façon réaliste les divers éléments composant la figurine.

Il convient de souligner que chacun de ces bois se travaille plus ou moins facilement, et qu'il faut en tenir compte lors du façonnage des diverses pièces.

Le travail à la râpe occupe une place assez importante dans cet exercice ; cela sous-entend que tant le choix que la mani-pulation de ces outils joueront un rôle primordial dans l'ob-tention d'un résultat satisfaisant.

L'élaboration de cette figurine fait également appel à diverses techniques de ponçage suivant la forme et la dimension des pièces.

Exercice pas à pas

1. Pour la réalisation de cet exercice, on part de pièces de différents bois déjà équarries et rabotées, de dimensions adaptées à la confection des divers éléments composant la figurine.

FOURNITURES NÉCESSAIRES

• Tête : 1 pièce en arbousier de 9 x 45 x 58 mm (3 1/2 x 1 3/4 x 2 1/4 po)	• Pantalons : 2 pièces en ovengkol de 40 x 30 x 40 mm (1 9/16 x 1 1/8 x 1 9/16 po)
• Nez : 1 pièce en acajou de 10 x 10 x 10 mm (3/8 x 3/8 x 3/8 po)	• Chaussettes : 2 pièces en acajou de 30 x 25 x 25 mm (1 1/8 po)
• Cheveux : 1 pièce en acajou de 80 x 28 x 50 mm (3 1/8 x 1 1/8 x 2 po)	• Chaussures : 2 pièces en ébène de 70 x 40 x 45 mm (2 3/4 x 1 9/16 x 1 3/4 po)
• Robe : 1 pièce en abebay de 160 x 67 x 85 mm (6 1/4 x 2 5/8 x 3 3/8 po)	• Papier abrasif à grains moyen et fin • Colle à deux composants
• Bras : 2 pièces en arbousier de 80 x 40 x 30 mm (3 1/8 x 1 9/16 x 1 1/8 po)	• Pointes en acier de différentes tailles • Vernis

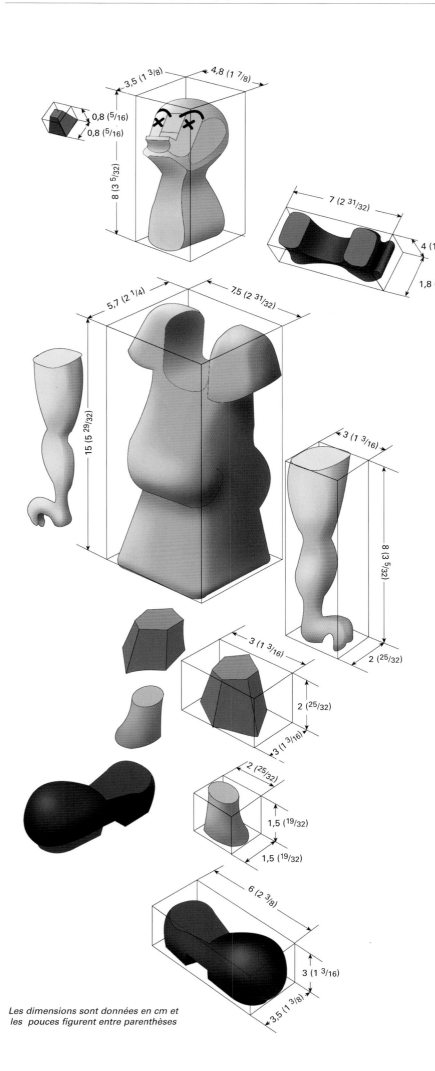

Confection des gabarits

2. Sur du papier ou de la cartoline, on exécute le dessin grandeur nature de la figurine, vue de face et de profil, pour la découpe des gabarits.

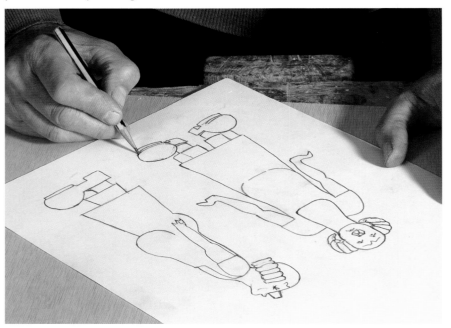

Les dimensions sont données en cm et les pouces figurent entre parenthèses

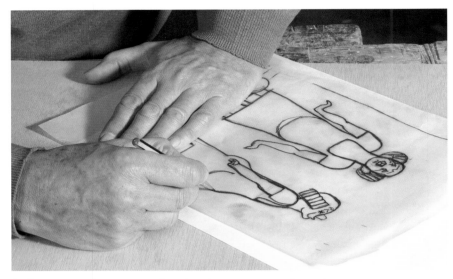

3. On reporte le contour des dessins sur un papier-calque, en utilisant un crayon à mine tendre pour que le tracé soit bien marqué.

4. On retourne ensuite la feuille de papier-calque et on repasse sur le tracé pour transférer séparément les divers éléments de la figurine sur le contreplaqué.

5. Aspect du contreplaqué après transfert des différentes parties de la figurine.

6. Avant de découper le contour de chaque élément, on divise le contreplaqué en plusieurs morceaux pour faciliter le travail.

8. Quand tous les gabarits ont été découpés, on en régularise le contour à la râpe. On peut aussi utiliser des gabarits en papier, comme on le voit ici pour les bras de la figurine.

7. On procède alors à la découpe de chaque élément à la scie à ruban.

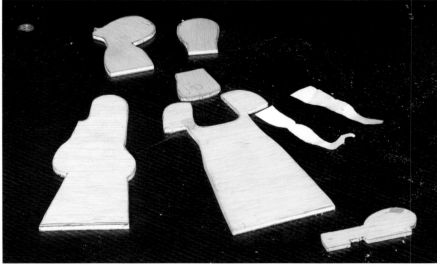

Emploi des gabarits

9. Sur l'une des faces de la pièce en abebay, qui constitue le volume le plus important de la figurine, on reporte le contour de la robe vue de face.

10. Sur l'un des chants, on trace le contour de la robe vue de profil.

11. À la scie à ruban, on découpe la partie inférieure de la pièce.

12. On procède à la découpe du contour de la figurine en prenant pour référence le dessin de la vue frontale.

13. Voici à quoi ressemble la pièce une fois la découpe terminée.

14. Avant de commencer le sciage de la silhouette vue de profil, on attache l'ensemble avec du ruban adhésif.

15. On redessine ensuite les lignes de la silhouette masquées par le ruban adhésif.

16. On procède alors à la découpe du profil.

figurine décorative : clown

17. Voici les différentes pièces obtenues après le sciage frontal et latéral du bloc.

18. On trace au crayon la forme que doit avoir le ventre du clown.

19. On fixe alors la pièce avec le valet d'établi, pour retirer le bois superflu au ciseau et au marteau, en suivant le tracé au crayon.

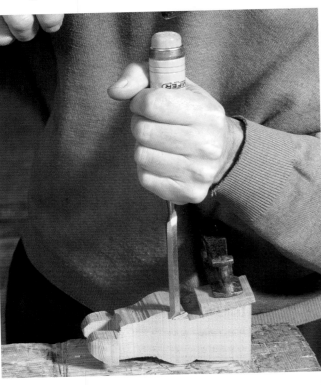

20. Détail du dégagement de la forme au ciseau, la pièce étant fixée à l'horizontale.

21. Avec une râpe à piqûre moyenne, on arrondit le bas du ventre d'un côté, en calant la pièce contre la griffe de l'établi.

22. Avec la même râpe, on arrondit le bas du ventre du côté opposé.

23. Pour les courbes plus serrées, on utilise une râpe à lame ronde ou queue-de-rat.

24. En employant alternativement différentes râpes à piqûre fine, on achève le façonnage des volumes de la robe.

Réalisation de la tête

25. À l'aide du gabarit correspondant, on reporte sur le bloc d'arbousier la vue de face de la tête.

26. On scie la pièce suivant ce tracé. Les dimensions réduites du bloc exigent de travailler avec beaucoup de précaution.

27. On découpe sur le chant le profil de la tête. La simplicité de la découpe rend inutile l'emploi de ruban adhésif.

28. On affine ensuite les formes en travaillant avec diverses râpes : ici, on se sert du plat de la râpe à piqûre moyenne pour modeler les joues.

29. Il est très important de bien choisir, pour chaque zone, la râpe la plus adaptée, notamment pour les courbes les plus prononcées.

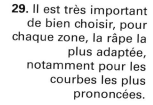

30. L'affinage des formes s'effectue toujours avec des râpes à piqûre fine.

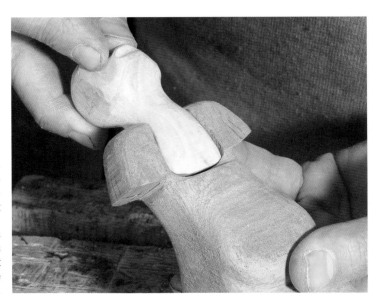

31. On vérifie ensuite que la tête s'ajuste bien dans l'échancrure de la robe. Si ce n'est pas le cas, il faut en corriger les contours jusqu'à ce que les formes s'emboîtent parfaitement l'une dans l'autre.

Réalisation des cheveux

32. Sur la pièce en acajou, on trace le contour du gabarit des cheveux.

33. Avec une râpe adéquate, qui s'adapte à l'arrondi, on façonne la pièce pour qu'elle s'ajuste bien à la tête. Il faut prêter une attention particulière aux courbures des chants.

34. On fixe ensuite la pièce dans la presse d'établi et, avec une queue-de-rat, on creuse les rainures qui donneront à la coiffure de la figurine son aspect caractéristique.

35. On vérifie que la pièce correspondant aux cheveux s'ajuste bien sur la tête. Dans le cas contraire, il faut rectifier les formes jusqu'à l'obtention du résultat souhaité.

Façonnage des chaussures

36. Pour réaliser les chaussures, on procède comme on l'a fait précédemment. On trace le contour du gabarit correspondant sur la pièce en ébène, puis on la découpe suivant le tracé.

37. On utilise ensuite différentes râpes pour arrondir les chants et modeler chaque chaussure.

38. Avec une queue-de-rat de plus petit diamètre, on façonne la rainure qui forme la semelle de la chaussure.

Façonnage des bras

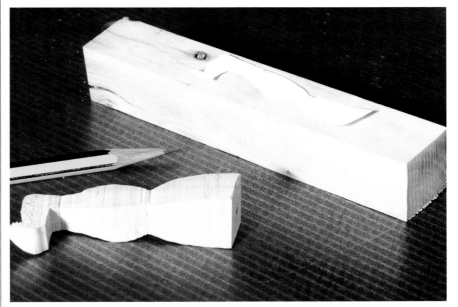

39. Étant donné la complexité de leur forme, on a choisi d'utiliser un gabarit en papier pour en reporter le contour sur les pièces en arbousier. Le sciage doit être très précis, car les pièces sont très petites.

40. On arrondit ensuite les chants à la râpe, jusqu'à l'obtention des volumes recherchés.

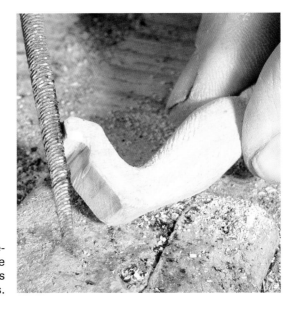

41. Avec une queue-de-rat de plus petite taille, on façonne les reliefs plus délicats.

Élaboration des jambes de pantalon

42. On trace sur les pièces en ovengkol les marques nécessaires à l'élaboration du pantalon.

43. Avec la scie à dos, on n'effectue que la découpe longitudinale, car si on effectuait aussi la découpe transversale, la pièce serait trop petite et on ne pourrait pas la manipuler.

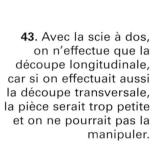

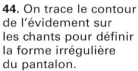

44. On trace le contour de l'évidement sur les chants pour définir la forme irrégulière du pantalon.

45. Toujours à la scie à dos, on coupe la pièce suivant les précédents tracés.

46. On coupe alors le pantalon à la bonne longueur.

47. On égalise au ciseau les surfaces brutes de sciage.

Élaboration des chaussettes

48. En prenant la chaussure pour référence, on marque sur la pièce en acajou la largeur de la base de la chaussette, puis on en dessine le contour. Une fois effectué ce premier tracé, on dessine de façon symétrique la seconde chaussette.

49. Pour creuser l'évidement concave, on utilise la face courbe de la râpe.

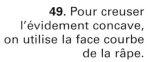

50. Avec la même râpe, on arrondit les arêtes de la zone évidée.

51. Pour arrondir les arêtes arrière, on utilise le rabot.

52. Pour finir, on détache les pièces à la scie à dos.

Façonnage du nez

53. Étant donné la simplicité de sa forme, on ne procède à aucun traçage. On taille directement l'extrémité de la pièce de bois au ciseau en lui donnant une forme pyramidale.

54. Avec la scie à dos, on coupe la pièce à la longueur voulue.

Ponçage

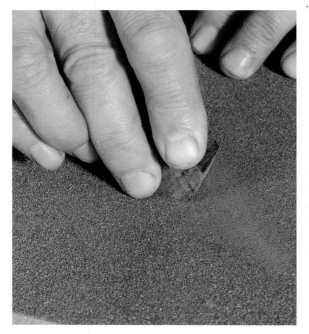

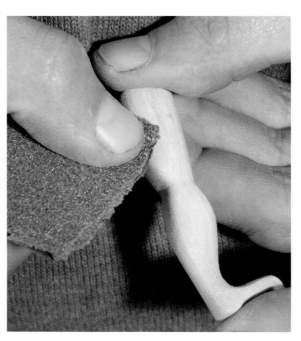

55. Quand toutes les pièces sont achevées, on procède à leur ponçage. Pour poncer les pièces de petites dimensions, on les frotte sur une feuille de papier abrasif que l'on aura posée sur l'établi.

56. On tient les pièces de petite taille mais de forme irrégulière d'une main, tandis qu'on les ponce de l'autre, pour pouvoir les manipuler plus facilement.

57. On ponce la robe de la figurine avec un papier abrasif à grain moyen, puis à grain fin.

390

Préparation de l'assemblage

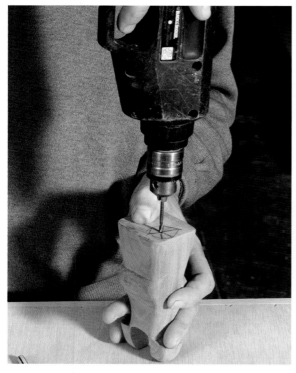

58. On se sert de la perceuse équipée de la mèche adéquate pour percer les trous devant recevoir les pointes en acier destinées à assembler les pièces. Avant de percer les trous dans la base de la robe, on y trace le contour et le centre des jambes de pantalon.

59. Avec la même mèche, on perce les trous dans les jambes de pantalon, dans les chaussettes et les chaussures, qui seront toutes assemblées par une même pointe. Avec une mèche de plus petit diamètre, on perce les trous d'assemblage des bras et du nez.

60. Avec les pinces coupantes, on sectionne la tête des pointes.

61. Avant le montage à blanc, on façonne au burin les yeux de la figurine, en entaillant légèrement le bois d'un coup sec et contrôlé.

62. On vérifie l'ajustement des pièces, pour pouvoir les rectifier, si nécessaire, avant l'assemblage définitif.

Finitions

63. La première étape consiste, ici, à colmater une fente dans le bois. On prépare une pâte à reboucher à deux composants (pâte + durcisseur) d'une teinte similaire à celle du bois à réparer.

64. Avec le couteau à enduire qui a servi au mélange, on applique la pâte dans la fente. Quand la pâte est sèche, on la ponce pour dissimuler la réparation.

65. On vernit ensuite toutes les pièces au pinceau.

66. Pour appliquer le vernis plus commodément, on s'aide des pointes pour manipuler les pièces.

67. Avant de vernir la tête, on dessine les sourcils et les yeux.

68. On vernit ensuite la tête. Il faut veiller à ce que les pièces entrent le moins possible en contact avec la surface du plan de travail pour ne pas altérer le vernis.

Assemblage final

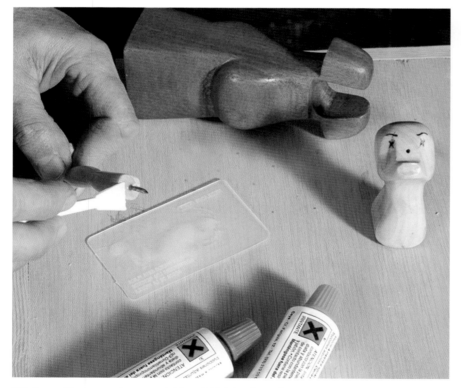

69. Les pièces sont assemblées à l'aide de pointes d'acier et de colle à deux composants.

70. L'encollage doit être aussi rapide que possible, car la prise de ce type de colle est quasi instantanée.

71. Il faut éliminer aussitôt les traces de colle avec un tampon de mèche de coton.

72. La dernière pièce à mettre en place est la chevelure ; il faut la maintenir en contact avec la tête pendant quelques secondes, le temps de prise de la colle, en exerçant une légère pression.

La figurine est terminée. Ce clown montre à quel point l'ébénisterie touche à un vaste domaine, puisqu'il peut inclure la confection d'ouvrages qui, à première vue, semblent en dépasser le cadre.

Bibliothèque

Cet exercice couvre le processus de réalisation d'une étagère aux lignes originales et facile à construire. Elle est uniquement composée de médium, matériau que nous avons retenu pour ses caractéristiques générales et sa grande souplesse d'emploi. Le résultat final prouve de façon évidente que l'on peut arriver à créer un objet séduisant et aux emplois multiples à partir d'éléments d'une grande sobriété.

En dépit de sa simplicité, cet exercice est l'occasion idéale de mettre en pratique deux techniques de base, comme l'emploi de la scie sauteuse et du ciseau, indispensables à l'exécution des découpes servant aux assemblages de croisement. Bien que la réalisation des différentes opérations n'offre aucune difficulté, il faut cependant veiller à respecter l'exactitude des mesures, car non seulement le parfait emboîtement des éléments, mais aussi la rigidité et la stabilité du meuble en dépendent.

394

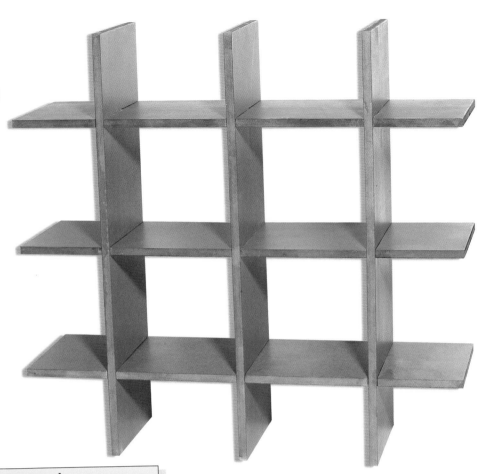

FOURNITURES NÉCESSAIRES

- Planches de médium de 19 mm
  (³/₄ po) d'épaisseur
- Pour la structure :
  6 pièces de 100 x 30 cm (39 ³/₈ x 11 ¹³/₁₆ po)

- Colle à bois vinylique

- Papier abrasif à grains moyen et fin

- Bouche-pores

- Vernis

- Rouleau

- Brosse plate

Exercice pas à pas

Traçage des planches de médium

1. Ensemble de matériaux et outils nécessaires à la réalisation de cet exercice.

2. Sur l'une des six pièces de médium, correctement coupées à l'équerre, on trace un repère à 15 cm (5 ²⁹/₃₂ po) des bords.

3. Avec un réglet de menuisier, on trace l'axe longitudinal, de bout en bout.

*Les dimensions sont données en centimètres
et les pouces figurent entre parenthèses*

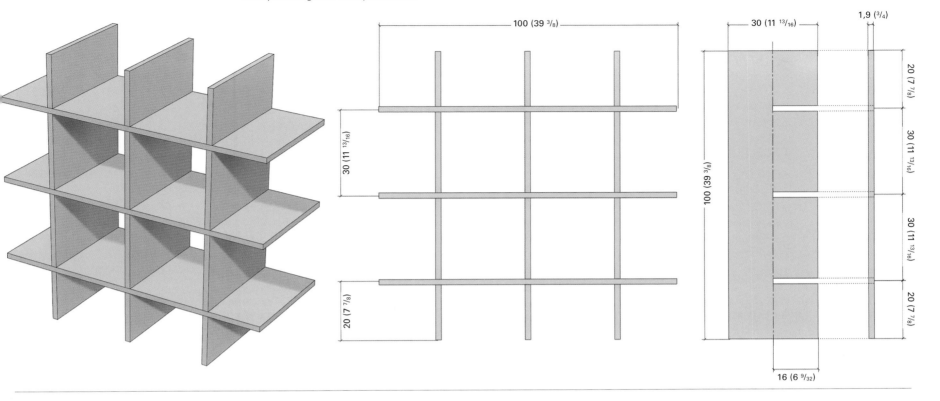

4. Sur cet axe longitudinal, on marque un repère à 20 cm (7 $^7/_8$ po) de l'un des bouts.

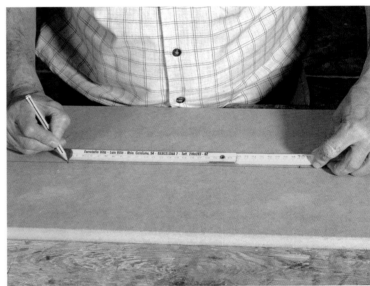

5. À partir de la marque exécutée antérieurement, on trace un autre repère 30 cm (11 $^{13}/_{16}$ po) plus loin.

6. On complète alors le marquage des segments en traçant un dernier repère à 20 cm (7 $^7/_8$ po) de l'autre extrémité de la planche.

7. À l'aide d'une équerre, on trace des perpendiculaires sur chacun de ces repères, de l'un des chants jusqu'à l'axe longitudinal.

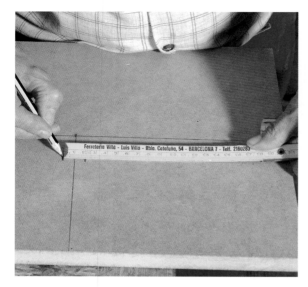

8. On marque deux repères à 1 cm (³/₈ po) de part et d'autre de cette perpendiculaire.

9. On trace ensuite à l'équerre, sur ces repères, les deux perpendiculaires délimitant la largeur de la future découpe.

10. Ces zones doivent être marquées comme étant à évider.

Exécution des découpes

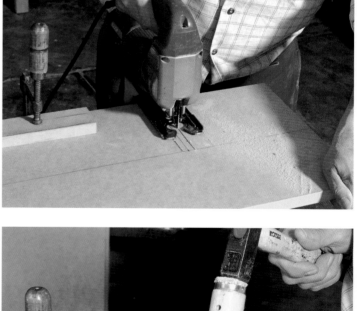

11. La pièce étant fixée à l'établi à l'aide de presses, et protégée par des cales, on exécute les découpes à la scie sauteuse.

12. Il faut prendre soin de faire passer la lame de la scie à l'intérieur du tracé, afin de disposer d'une marge suffisante pour poncer ensuite les surfaces de coupe.

13. Pour retirer le bois superflu, on commence par entailler au ciseau l'extrémité de la découpe, en tenant la lame bien à la verticale.

14. En inclinant le ciseau, on entaille le bois obliquement, en faisant levier, pour détacher le morceau de bois.

Ponçage des surfaces de coupe

15. Avec le même ciseau, on égalise le fond de l'entaille.

16. On en égalise les bords en donnant de petits coups de ciseau, courts et superficiels.

17. On utilise ensuite la râpe, que l'on passe en diagonale, pour finir d'aplanir les faces de l'entaille.

18. Pour les affiner, on les ponce au papier abrasif à grain moyen, directement à la main.

Ponçage des faces et chants des planches

19. On pose les planches à plat sur l'établi pour en poncer les chants à la ponceuse vibrante.

20. On les fixe verticalement dans la presse d'établi pour en poncer et aplanir les chants, en effectuant un mouvement de va-et-vient.

21. On en adoucit ensuite les arêtes avec un papier abrasif à grain moyen monté sur cale.

Montage à blanc de la bibliothèque

22. Avant de procéder au vernissage, il est important de vérifier que tous les assemblages s'emboîtent parfaitement. On effectue ce montage à blanc sur l'établi, en s'assurant que tous les chants soient au même niveau.

23. Si ce n'est pas le cas, une fois le montage terminé, on aplanit les zones irrégulières avec un papier abrasif monté sur cale.

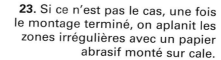

Application du bouche-pores et du vernis

24. On applique au rouleau une couche de bouche-pores, puis une ou deux couches de vernis incolore sur l'une des faces, comme on le voit ici.

25. Le rouleau sert aussi à appliquer le bouche-pores et le vernis sur les chants des pièces placées à la verticale.

26. Quand le bouche-pores et le vernis sont pratiquement secs, on retourne la planche pour répéter ces opérations sur l'autre face, en la surélevant sur des cales.

Encollage et assemblage définitif

27. Avec une brosse plate, on enduit ensuite uniformément de colle les chants des entailles.

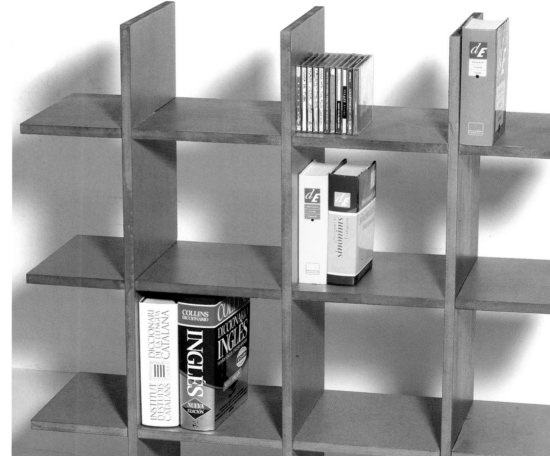

La bibliothèque est achevée et garnie de livres.

Coffre à jouets

Nous vous exposons ici le processus d'élaboration, étape par étape, d'un petit coffre à jouets, de conception simple, mais très utile au stockage des multiples objets ludiques dont dispose tout enfant. Pour être plus commode d'emploi, ce meuble a été pourvu de roulettes qui en facilitent le déplacement d'un endroit à l'autre de la maison.

Cet exercice fait appel à des techniques d'assemblage d'angle de panneaux d'aggloméré à revêtement mélaminé par emboîtement dans des rainures exécutées dans des montants d'angle en bois massif, d'exécution d'un chanfrein au rabot sur les arêtes d'angle des montants, et de placage des chants des panneaux.

FOURNITURES NÉCESSAIRES

- Panneau d'aggloméré à revêtement mélaminé de 2 cm ($^{25}/_{32}$ po) d'épaisseur

- Pour les côtés et le fond :
  4 pièces de 60 x 60 cm (23 $^5/_8$ x 23 $^5/_8$ po) (côtés)
  1 pièce de 69 x 69 cm (27 $^3/_{16}$ po) (base/fond)

- Carrelet en pin 1er choix de 6 x 6 cm
  (2 $^3/_8$ x 2 $^3/_8$ po)

- Pour les montants d'angle :
  4 pièces de 65 cm (25 $^5/_8$ po) de long

- Papier abrasif à grain moyen

- Quatre roulettes multidirectionnelles

- Colle à bois vinylique

- Bouche-pores

- Vernis

- Rouleau

- Pinceau

- Vis d'assemblage de 5 cm (2 po) de long

- Bande couvre-chant

Exercice pas à pas

Préparation des carrelets

1. Ensemble de matériaux, outils et fournitures nécessaires à la réalisation du coffre à jouets.

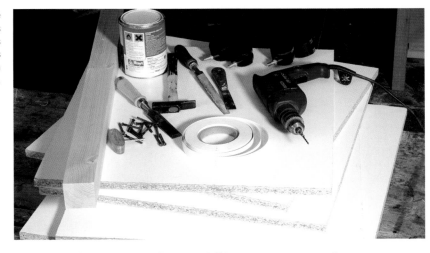

2. Sur le carrelet équarri, raboté et poncé, on marque la longueur de chacun des montants d'angle du coffre à jouets.

3. On trace à l'équerre, sur ces repères, les perpendiculaires définissant la longueur de chaque montant.

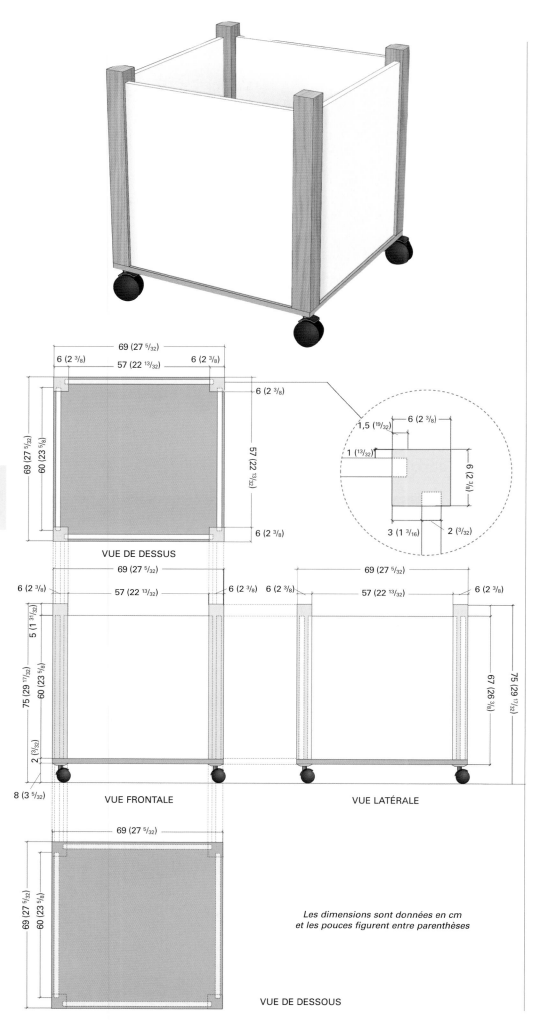

69 (27 5/32)

6 (2 3/8)   57 (22 13/32)   6 (2 3/8)

6 (2 3/8)

1,5 (19/32)   6 (2 3/8)

1 (13/32)   6 (2 3/8)

3 (1 3/16)   2 (3/32)

69 (27 5/32)   60 (23 5/8)   57 (22 13/32)   6 (2 3/8)

VUE DE DESSUS

69 (27 5/32)   69 (27 5/32)

6 (2 3/8)   57 (22 13/32)   6 (2 3/8)   6 (2 3/8)   57 (22 13/32)   6 (2 3/8)

5 (1 31/32)

75 (29 17/32)   60 (23 5/8)   67 (26 3/8)   75 (29 17/32)

2 (3/32)

8 (3 5/32)

VUE FRONTALE   **VUE LATÉRALE**

69 (27 5/32)

69 (27 5/32)   60 (23 5/8)

*Les dimensions sont données en cm
et les pouces figurent entre parenthèses*

VUE DE DESSOUS

4. On coupe les montants à la longueur requise
à la scie radiale.

5. On marque un repère à 1 cm (3/8 po) de l'une des arêtes, pour
définir la limite externe de la rainure d'emboîtement des panneaux.

6. On trace ensuite au trusquin une parallèle à 1 cm (3/8 po)
de l'arête.

7. À partir de cette ligne, on marque la largeur de la rainure, soit
2 cm (25/32 po).

400

8. On trace à nouveau au trusquin, sur toute la longueur de la pièce, la limite interne de la rainure.

9. Ces opérations s'effectuent sur deux faces contiguës des montants qui formeront les angles du coffre à jouets.

10. Après avoir reporté les limites latérales des rainures sur le bout du carrelet, on trace au crayon la limite de profondeur et la partie à évider.

Creusement de la rainure et ponçage des montants

11. Pour creuser les rainures, on utilise la scie circulaire de table, comme on le voit sur la photo.

12. Quand toutes les rainures ont été découpées et poncées, on chanfreine au rabot l'arête externe des montants située entre les rainures. Le chanfrein doit avoir une largeur de 1 cm ($^3/_8$ po).

13. On ponce ce chanfrein avec un papier abrasif à grain moyen.

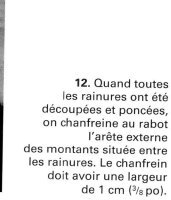

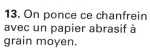

14. On ponce ensuite les bouts des montants, en soignant ceux qui seront apparents.

Placage des chants des panneaux

15. On place les panneaux en position verticale pour en enduire de colle de contact le chant supérieur, qui sera apparent.

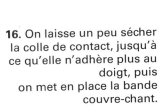

16. On laisse un peu sécher la colle de contact, jusqu'à ce qu'elle n'adhère plus au doigt, puis on met en place la bande couvre-chant.

17. Quand la colle est bien sèche, on pose le panneau à plat pour araser la bande couvre-chant à la râpe le long des arêtes.

18. On adoucit les arêtes à la cale à poncer, pour qu'elles ne soient pas coupantes.

19. Avec un tampon de mèche de coton imbibé d'un solvant universel, on élimine les traces de colle.

Encollage et assemblage

20. On enduit ensuite de colle les rainures des montants d'angle avec un pinceau d'une taille adaptée.

21. On commence l'assemblage en emboîtant l'un des panneaux dans deux des montants et en les ajustant à l'aide d'un marteau et d'une cale.

22. On poursuit l'assemblage jusqu'à ce que tous les panneaux latéraux soient mis en place, comme on le voit ici.

Fixation des roulettes

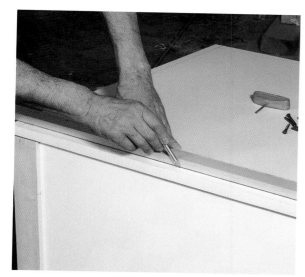

23. Après avoir installé le fond, on trace des parallèles à 2 cm ($^{25}/_{32}$ po) des arêtes sur tout le pourtour, avec un réglet de menuisier.

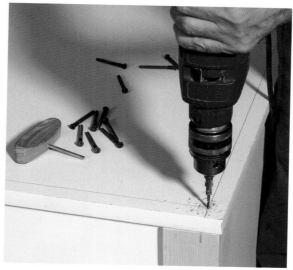

24. À l'intersection de ces lignes dans les angles, on perce des trous avec une mèche conique pour mettre en place les vis d'assemblage de 5 cm (2 po) de long qui serviront à fixer le fond aux montants.

25. On délimite ensuite le contour des extrémités inférieures des montants sur l'envers du fond, puis on marque sur la diagonale, à 2 cm ($^{25}/_{32}$ po) de l'axe de la vis, le point d'ancrage de la tige filetée des roulettes.

26. Pour percer le trou dans lequel sera insérée la tige des roulettes, on utilise une mèche de 8 mm ($^5/_{16}$ po) de diamètre. Les roulettes sont vissées avec une clé plate jusqu'à ce que leur base affleure la surface.

28. Le coffre à jouets est terminé. Pour le rendre plus attrayant, on en a décoré les côtés de motifs autocollants qui seront sans aucun doute au goût des futurs utilisateurs.

27. Les faces visibles des montants d'angles sont enduites de bouche-pores, puis vernies.

Échiquier

Cet exercice vous explique la marche à suivre pour confectionner l'échiquier présenté ci-contre. Il se compose d'un support en médium d'une seule pièce, sur lequel sont effectuées diverses opérations de placage à l'aide de plusieurs essences de bois aux teintes contrastées qui composent un ensemble sobre mais esthétique.

L'élaboration de cet échiquier fait appel à la technique du placage. Cette phase du processus doit être considérée comme essentielle, car c'est celle qui requiert le plus d'habileté de la part de l'ébéniste.

Le choix du médium comme matériau de support est particulièrement important. Il possède des caractéristiques particulières qui le rendent très facile à travailler ; non seulement il se prête très bien à l'exécution de rainures, moulures, etc., mais sa densité lui confère une grande stabilité dans le temps. De texture fine, il constitue en outre un support parfaitement lisse, idéal pour le placage des pièces de diverses essences de bois qui composent ce plateau.

Nous avons choisi de lui donner une forme simple, mais plus originale que celle de l'échiquier classique, en arrondissant en demi-cercle les parties latérales du cadre. On dispose ainsi d'un espace assez large pour y poser les pièces éliminées au cours de la partie.

Le plateau est agrémenté d'une moulure discrète sur tout son pourtour.

La finition au bouche-pores et à la cire donne à cette pièce un aspect chaud et agréable.

404

FOURNITURES NÉCESSAIRES

- Panneau de médium de 65 x 45 cm (25 ⁵/₈ x 17 ³/₄) de 19 mm d'épaisseur (³/₄ po)
- Feuille de placage en cerisier de 45 x 45 cm (15 ³/₄ x 15 ³/₄ po)
- Feuille de placage en noyer de 40 x 20 cm (15 ³/₄ x 7 ⁵/₈ po)
- Feuille de placage en sycomore de 40 x 20 cm (15 ³/₄ x 7 ⁵/₈ po)
- Filet de placage en ébène de 4 x 40 cm (1 ⁹/₁₆ x 15 ³/₄ po)
- Colle de contact
- Papier abrasif à grains moyen et fin
- Bouche-pores
- Cire
- Mèche de coton
- Laine d'acier

Exercice pas à pas

1. Les matériaux nécessaires à la réalisation de cet échiquier, sont un support en médium en 19 mm (³/₄ po) d'épaisseur et quatre essences de bois de placage. Les cases claires du plateau de jeu sont en sycomore, les cases foncées en noyer. Le filet d'encadrement est en ébène et le reste du plateau est plaqué de cerisier.

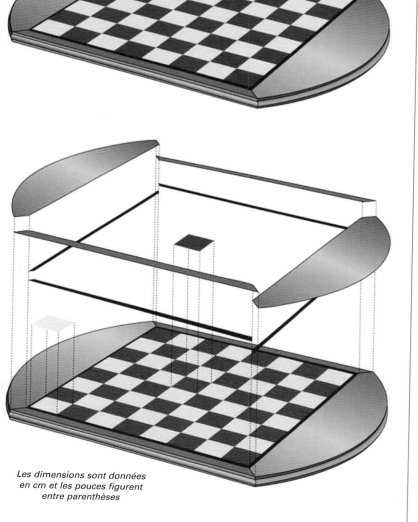

*Les dimensions sont données
en cm et les pouces figurent
entre parenthèses*

Confection du damier

2. On trace les axes
médians du panneau
de médium pour
en marquer le centre
et déterminer ainsi
sa dimension finale.

3. Pour que
le traçage des axes
soit précis, il est
utile de s'aider
d'une équerre.

4. On trace alors
des cases
de 45 x 45 mm
(1 3/4 x 1 3/4 po),
réparties
régulièrement
de part et d'autre
de ces axes.

5. On termine
le traçage
du damier,
qui compte
64 cases (8 x 8).

6. Afin de ne pas confondre les cases claires et les cases foncées, on marque ces dernières d'une croix.

7. Pour découper des bandes de 4,5 cm (1 ³/₄ po) de large dans les deux types de bois, on prépare un tasseau de la même largeur, qui servira de gabarit. On fixe le tasseau à l'établi avec la feuille de placage, puis on découpe les bandes au ciseau.

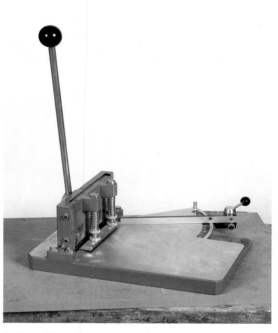

8. On utilise une machine à découper pour sectionner les bandes en carrés.

9. Avant de couper transversalement les bandes de placage, on ajuste la profondeur de coupe à l'aide d'un mètre, puis on met en place un carré de la dimension voulue, qui servira de butée.

10. La première coupe sert à couper d'équerre la bande.

11. Lors de la découpe des bandes, il faut veiller à ne pas déplacer l'ensemble.

12. On découpe ainsi les 64 pièces nécessaires, 32 dans le bois clair et 32 dans le bois foncé.

Préparation du support et mise en place des carrés

13. Avec un grand compas, on procède au traçage de deux arcs de cercle sur les côtés opposés du plateau.

14. Après avoir fixé le plateau à l'établi à l'aide de deux presses, pour éviter les vibrations et tout déplacement, on le découpe à la scie sauteuse en suivant ce tracé.

15. On compose alors le damier avec les carrés de couleurs contrastées en suivant le tracé effectué sur le panneau de médium. On fixe les pièces au fur et à mesure avec du ruban de masquage.

16. On prend soin de disposer les pièces avec précision. En outre, pour que l'ensemble soit harmonieux, il faut alterner le sens des veinures des deux bois, de façon qu'elles soient perpendiculaires.

17. Mise en place de la dernière pièce du damier.

18. Avant d'ajouter le filet d'ébène et le placage de cerisier sur le pourtour, on pose une bande de ruban adhésif sur tout le périmètre du damier.

19. On se sert du damier pour définir la longueur des filets, en comptant 4 mm (⁵/₃₂ po) de plus de chaque côté pour les coupes d'onglet.

20. On coupe les filets à la bonne longueur avec la trancheuse, la coupe devant être à 45°.

21. On met en place le filet, en positionnant avec précision la coupe d'onglet.

22. On définit par des repères la longueur du placage de cerisier.

23. On effectue ensuite une coupe d'onglet à partir de ces repères.

24. On met en place sur le plateau le placage coupé d'onglet. On répète cette opération sur le côté opposé.

25. Pour achever la mise en place de tous les placages, on fixe les bandes supérieure et inférieure, en commençant toujours par la coupe d'onglet.

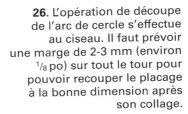

26. L'opération de découpe de l'arc de cercle s'effectue au ciseau. Il faut prévoir une marge de 2-3 mm (environ ¹/₈ po) sur tout le tour pour pouvoir recouper le placage à la bonne dimension après son collage.

27. Ensemble des feuilles de placage maintenues par le ruban adhésif. Cette face sera la face apparente, qui sera enduite de bouche-pores et cirée.

28. Face envers du placage composé (face inférieure, qui ne sera pas visible), qui sera collée sur le support.

29. Pour coller le placage sur le support, on utilise de la colle de contact, que l'on étale à la raclette métallique de la manière la plus uniforme possible. Ce type de colle a l'avantage de ne pas humidifier le bois et de ne pas lui faire subir de retrait qui en modifierait les mesures.

30. Il faut répartir la colle du centre vers les bords, afin d'éviter toute accumulation qu'il serait difficile d'éliminer.

31. En suivant le même procédé, on encolle aussitôt le panneau, car le degré de séchage de la colle sur les deux parties à assembler doit être similaire. L'assemblage des deux surfaces encollées peut se faire quand la colle n'adhère plus au doigt et conserve juste assez de mordant.

32. Pour bien faire correspondre les deux surfaces, on peut placer des baguettes entre le panneau de médium et le placage. On peut ainsi positionner avec précision le placage par rapport au support avant de mettre les deux surfaces en contact.

33. Quand toutes les baguettes de séparation ont été mises en place, on pose dessus le placage de l'échiquier pour bien en ajuster la position.

34. On retire les baguettes une à une.

35. Au fur et à mesure du retrait des baguettes, on applique le placage sur le support.

36. Quand le placage est entièrement collé sur le support, on le lisse pour le faire bien adhérer et éliminer les défauts qui ont pu se produire au moment de l'assemblage des deux pièces.

37. Pour parfaire l'union du placage au support, on donne de légers coups de marteau sur une cale doublée de liège que l'on fait glisser à la surface.

38. On retire alors le ruban adhésif qui a servi jusqu'ici à maintenir l'ensemble des pièces.

39. Avec le marteau à plaquer, on effectue un dernier lissage pour chasser les bulles d'air et bien solidariser le placage à son support.

Exécution de la moulure périphérique et affinage de la surface

40. On arase le placage en périphérie à l'aide d'un ciseau.

41. On régularise les chants du plateau à la râpe, pour éliminer les éclats produits par la découpe au ciseau.

42. On ponce ensuite les chants au papier abrasif monté sur cale.

43. Après avoir fixé le plateau à l'établi, on profile la moulure à l'affleureuse sur son chant.

44. On répète l'opération en posant le plateau à l'envers.

45. On affine les moulures au papier abrasif, d'abord à grain moyen, puis à grain fin.

46. Pour poncer les arêtes de la moulure, on utilise du papier abrasif, mais en le tenant horizontalement.

47. On affine ensuite la surface de l'échiquier au racloir, en éliminant les différences d'épaisseur entre les éléments plaqués. Il ne faut néanmoins pas trop insister, car les feuilles de placage sont minces.

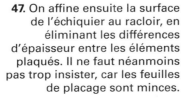

Finitions

48. Avant de passer le bouche-pores, on ponce la surface de l'échiquier, d'abord avec un papier abrasif à grain moyen, puis à grain fin. Peu importe le sens du ponçage, puisque les fils des bois sont orientés différemment.

49. Après avoir éliminé la poussière produite par le ponçage, on applique le bouche-pores avec un tampon de mèche de coton.

50. Une demi-heure environ après avoir appliqué le bouche-pores, on ponce la surface à l'aide d'un papier au carbure de silicium à grain très fin monté sur une cale à poncer.

51. On ponce aussi les chants, mais sans utiliser la cale à poncer, pour pouvoir adapter la forme du papier abrasif au profil de la moulure et exercer la pression adéquate.

52. Sans qu'il soit nécessaire d'éliminer la poussière produite par ce ponçage, on polit la surface à la laine d'acier.

53. On applique la cire avec un tampon de mèche de coton, qui permet de la répartir uniformément. Il n'est pas nécessaire de retirer la poussière auparavant, car le passage de la cire suffit à l'éliminer.

54. Pour finir, on lustre la cire à la mèche de coton propre jusqu'à ce qu'elle prenne un bel aspect satiné.

L'échiquier est terminé, et les pièces réparties à sa surface.

Meuble pour CD

L a but de cet exercice est l'obtention d'un meuble de rangement pour CD différent de ceux existant sur le marché qui, en dépit de sa ligne actuelle et originale, reste fonctionnel et peut recevoir un grand nombre de disques. Le choix du médium n'est pas fortuit : outre sa facilité de mise en œuvre, sa texture et la teinte de ce matériau confèrent au meuble un aspect moderne et décoratif.

Le meuble se compose essentiellement d'une pièce verticale servant de support à des étagères. Sa réalisation fait intervenir des techniques de découpe en vue de l'obtention de pièces d'un format et d'un style déterminés, et d'assemblage, à l'aide de vis à empreinte creuse.
Pour une plus grande commodité d'emploi et mobilité du meuble, on lui a incorporé des roulettes qui facilitent son déplacement.
Quant à la finition, on a opté pour l'application d'un vernis puis d'une cire incolores, qui conservent au médium sa teinte initiale.

414

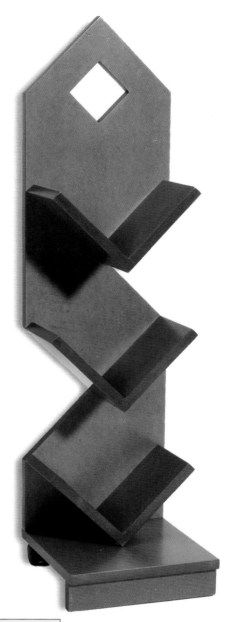

Exercice pas à pas

1. Pièces en médium, roulettes, vis de fixation des roulettes et vis d'assemblage du meuble.

FOURNITURES NÉCESSAIRES

• Planches de médium de 19 mm (³/₄ po) d'épaisseur : - Pièce verticale : 1 pièce de 100 x 30 cm (39 ³/₈ x 12 po) - Étagères : 1 pièce de 120 x 15 cm (48 x 5 ²⁹/₃₂ po) - Base : 1 pièce de 30 x 30 cm (12 x 12 po) - Pied : 1 pièce de 7 x 30 cm (2 ³/₄ x 12 po)	• Colle à bois vinylique
	• Vernis à deux composants (avec catalyseur)
	• Rouleau en velours ras
	• Cire
	• Mèche de coton
	• Papier abrasif à grains moyen, fin et très fin
• 2 roulettes de 5 cm (2 po) de diamètre et 4 vis	• Éponge à poncer à grain très fin
• 14 vis d'assemblage	

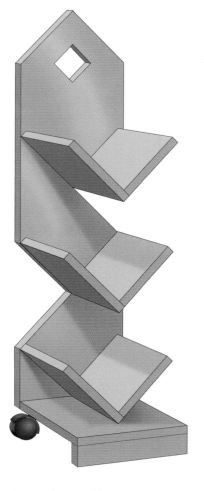

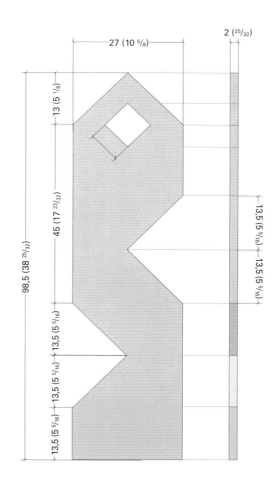

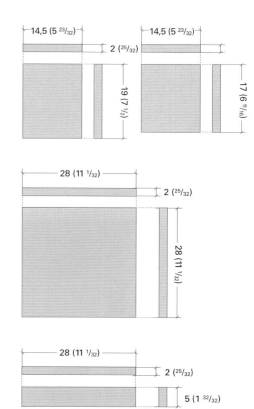

Les dimensions sont données en cm et les pouces figurent entre parenthèses

415

Préparation des pièces

2. On marque la largeur du montant vertical (28 cm) (11 po) en deux points pour pouvoir tracer la ligne suivant laquelle on va la scier.

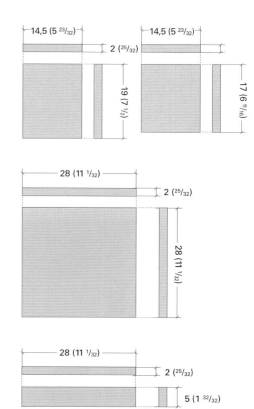

3. La pièce est placée à cheval sur deux tréteaux pour être découpée commodément à la scie égoïne. Étant donné la finition imparfaite produite par le sciage, le trait de scie doit être au moins à 2 mm ($^1/_{16}$ po) du tracé, pour que le chant puisse ensuite être poncé.

4. On fixe la pièce à l'établi et on en aplanit le chant à la varlope jusqu'à la ligne tracée.

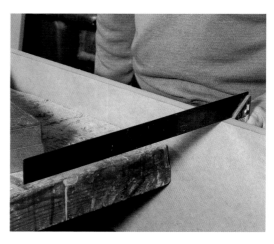

5. On vérifie à l'équerre que le rabotage à la varlope n'a pas modifié les angles droits.

6. On marque la longueur de la pièce (98,5 cm) (38 ³/₄ po) en traçant des repères au centre pour pouvoir ensuite en rectifier les contours si elle n'est pas parfaitement d'équerre. On trace à l'équerre la ligne de coupe transversale.

7. On marque ensuite l'axe longitudinal de la pièce.

8. À 13 cm (5 ¹/₈ po) de la première ligne, on trace une seconde ligne transversale à l'équerre.

9. Le point d'intersection de l'axe médian et de cette nouvelle ligne sera le centre de la découpe carrée qui servira à saisir plus facilement le meuble pour le déplacer. Avec la fausse équerre, on trace les deux lignes entre la partie supérieure de l'axe et les deux extrêmes.

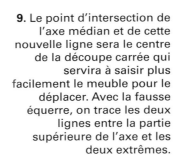

10. Après avoir réglé la position de la fausse équerre suivant l'angle d'inclinaison antérieur, on marque depuis le centre une ligne de 8 cm (3 ¹/₈ po) qui formera l'un des côtés du carré à évider.

11. Avec la même fausse équerre, on complète le périmètre du carré.

12. Sans modifier la position de la fausse équerre, on marque la position de l'étagère inférieure du meuble, à un angle d'inclinaison de 45°.

13. En se servant d'une autre pièce de médium comme gabarit, on marque l'épaisseur de l'étagère.

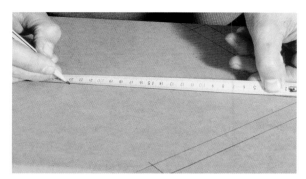

14. Sur l'axe et à 23 cm (9 po), on indique par un repère la partie supérieure de l'étagère suivante.

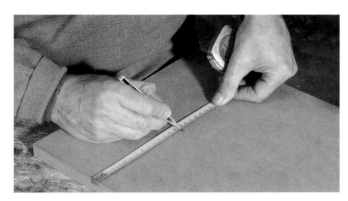

15. On marque l'emplacement des trous de fixation du montant vertical, avec les étagères à 10 cm (3 $^{15}/_{16}$ po) de la base de chacune d'elles.

16. Avec un chasse-clou, on marque l'emplacement des futurs trous, pour guider la mèche de la perceuse.

17. On perce alors les trous, qui doivent être débouchants, puisque le vissage sera effectué sur l'envers du panneau.

Préparation des étagères et de la base

18. On marque la largeur des pièces qui vont former les étagères. On répète l'opération pour la pièce de base.

19. Avec la scie égoïne, on procède à la découpe en veillant à conserver une marge de 2 mm ($^1/_{16}$ po) à l'extérieur du tracé.

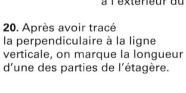

20. Après avoir tracé la perpendiculaire à la ligne verticale, on marque la longueur d'une des parties de l'étagère.

21. Suivant le même processus, on marque l'autre partie plus courte de l'étagère.

22. Avec la scie radiale, on scie toutes les pièces qui serviront d'étagères.

23. On marque au trusquin les axes des trous à réaliser dans les pièces longues pour les assembler aux pièces courtes. Les deux trous sont marqués à 3,5 cm (1 $^3/_8$ po) des côtés et à 9,5 mm ($^3/_8$ po) du bout.

417

24. Avec une presse d'angle, on assujettit les pièces qui formeront l'étagère. On les fixe à l'établi et, avec un chasse-clou, on marque l'emplacement des trous à percer.

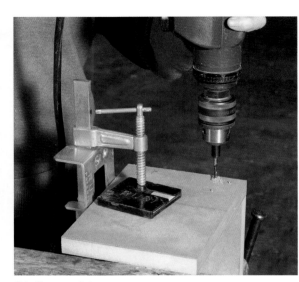

25. On procède au perçage.

26. Résultat final de l'opération et type de mèche utilisée pour percer les trous destinés aux vis à empreinte creuse (ici, vis Allen).

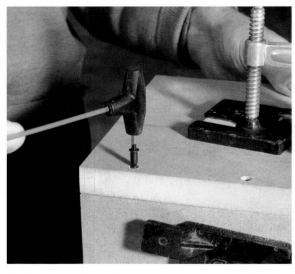

27. Avec une clé spéciale pour ce genre de vis, on assemble les pièces qui formeront l'étagère.

28. On ponce au papier abrasif à grain moyen, puis à grain fin, les chants découpés à la scie.

29. On positionne l'étagère assemblée sur le support vertical.

Sciage et ponçage du support vertical

30. On marque à la fausse équerre le contour triangulaire du sommet du support vertical.

31. On marque d'une croix les deux parties à éliminer, pour ne pas commettre d'erreur au moment de la découpe.

32. Pour la découpe centrale, on commence par percer deux trous à la perceuse dans des angles opposés.

33. On insère la lame de la scie sauteuse dans l'un des trous pour effectuer la découpe du carré.

34. On procède ensuite à la découpe en pointe du sommet du support.

35. On fixe alors la pièce à l'établi pour en raboter les chants.

36. On rectifie à la râpe les chants qu'il est impossible d'égaliser au rabot.

37. On élimine au solvant les marques de crayon qui restent apparentes.

Assemblage provisoire

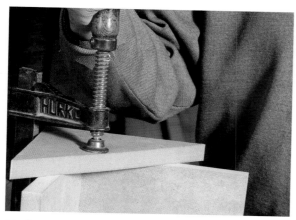

38. On met en place la première étagère, que l'on va fixer à l'aide de vis.

39. Après avoir retourné l'ensemble, on régularise sur l'envers du montant vertical les trous débouchants déjà effectués. On perce les trous correspondants sur chaque étagère et sur la base.

41. On fixe ensuite les roulettes sur la base, en veillant à ce qu'elles n'en dépassent pas trop en pivotant.

40. On met en place les vis d'assemblage avec une clé spéciale.

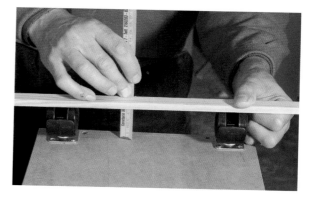

42. On mesure la hauteur des roulettes pour préparer la pièce de médium qui constituera le pied avant.

meuble pour CD

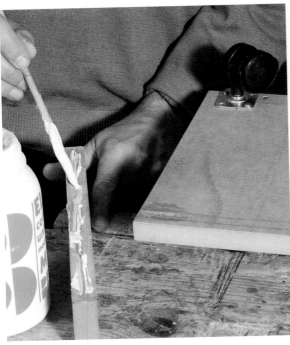

45. Aspect du meuble après son assemblage provisoire.

43. Après avoir coupé le pied à la bonne dimension, on le fixe par collage à la base, en retrait de 1 cm (³/₈ po) par rapport au chant avant.

44. On assujettit les deux pièces avec deux presses pendant environ une demi-heure, c'est-à-dire le temps de prise de la colle.

Finitions

420

46. On prépare le vernis, à deux composants. Il faut suivre les indications du fabricant pour bien doser le catalyseur.

47. On applique le vernis, avec un rouleau en velours ras sur les surfaces planes et au pinceau dans les zones inaccessibles au rouleau.

48. Quand le vernis est sec, on ponce les surfaces avec un papier abrasif à grain très fin.

49. Pour parfaire l'opération de ponçage, on passe ensuite une éponge à poncer à grain très fin.

50. On polit les surfaces en les frottant à la laine d'acier.

51. On applique la cire avec un tampon de mèche de coton.

52. Après l'avoir laissée sécher un peu, on lustre la cire à la mèche de coton.

Assemblage définitif

53. On assemble la base en suivant le même processus que pour le montage à blanc. On utilise une presse d'angle pour assujettir les deux pièces ensemble.

54. On assemble les étagères de la même manière.

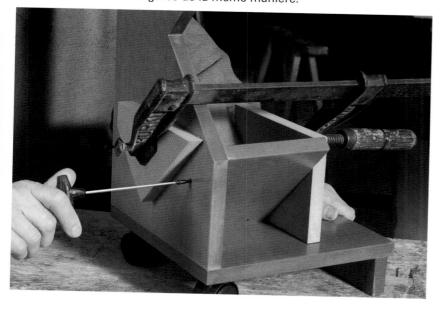

Le meuble pour CD est terminé. Comme on peut le constater, quand il est placé contre un mur, les roulettes ne sont pas visibles : elles sont cachées par le pied, qui fait office de plinthe.

Avion miniature

Le processus de réalisation de l'avion présenté ci-contre ne comporte en principe aucune difficulté ; il se résume à une simple application des connaissances acquises dans les exercices précédents. C'est le genre d'objet qui peut avoir diverses fonctions : on peut le concevoir comme un simple élément décoratif, ou comme jouet destiné au divertissement des enfants.

Nous avons sélectionné diverses essences de bois (ébène, abebay et hêtre) en raison de leurs teintes contrastées, et parce qu'elles dispensent de l'application de peintures ou teintures.

La caractéristique la plus remarquable de cet objet est la taille extrêmement réduite de certaines de ses pièces, dont l'exécution requiert une certaine habileté.

Il convient d'apporter un soin particulier, dans cet exercice, à la confection des gabarits, puisqu'ils déterminent l'aspect final de l'avion.

Les différentes découpes à la scie sauteuse, à la scie à monture ou à la scie à dos doivent être également très précises, toujours en raison du petit format des pièces.

Il est très important d'utiliser un vernis non toxique, si l'on souhaite que cet objet soit utilisé comme un jouet ; quoi qu'il en soit, étant donné la petite taille de certains de ses éléments, il ne doit pas être utilisé par des enfants de moins de quatre ans.

FOURNITURES NÉCESSAIRES

- Fuselage en abebay :
  - 1 pièce de 27 x 5 x 5 cm (10 ⁵/₈ x 1¹⁵/₁₆ x 1¹⁵/₁₆ po)

- Ailes et queue en abebay :
  - 3 pièces de 31 x 7,5 x 0,5 cm (12 ¹/₄ x 3 x ³/₁₆ po)

- Montants des ailes en hêtre :
  - 2 tourillons de 40 cm (16 po) de long de 5 mm (³/₁₆ po) de diamètre

- Moteur en hêtre :
  - 1 pièce de 7,5 cm (3 po) de long de 4,2 cm (1 ⁵/₈ po) de diamètre

- Hélice et roues en ébène :
  - 1 pièce de 30 x 5 x 0,5 cm (12 x 2 x ³/₁₆ po) et un petit morceau de 2 mm d'épaisseur

- Supports de roues en hêtre :
  - 1 pièce de 29 x 5 x 0,5 cm (11¹/₂ x 2 x ³/₁₆ po)

- 2 semences de tapissier en laiton
- 2 pointes en acier
- Colle à bois vinylique
- Papier abrasif à grains moyen et fin
- Vernis
- Cire
- Mèche de coton
- Laine d'acier

Exercice pas à pas

Préparation des pièces

1. Ensemble des pièces de différents bois qui vont servir à confectionner l'avion.

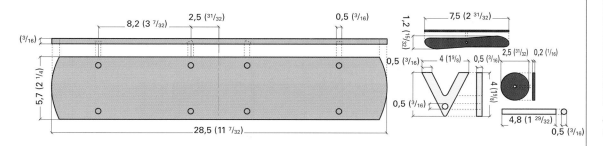

Les dimensions sont données en cm et les pouces figurent entre parenthèses

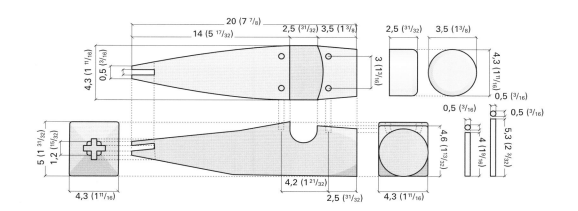

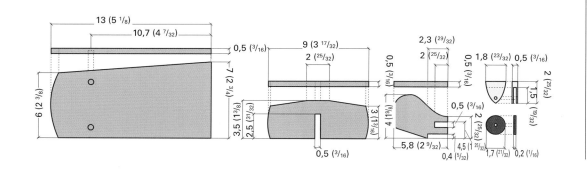

Confection des gabarits

2. Le processus de réalisation commence par le traçage et la découpe à la scie sauteuse des gabarits nécessaires dans un morceau de contreplaqué.

3. Quand tous les gabarits sont découpés, on en ponce les contours au papier abrasif pour en éliminer toutes les aspérités.

Fuselage : emploi des gabarits

4. On trace sur les deux faces opposées de la pièce d'abebay le contour du gabarit de la face latérale de l'avion.

5. On y trace, sur la face supérieure, le contour du gabarit du dessus de l'avion.

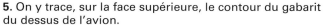

Découpe du fuselage

6. Avec la scie à dos, on retire les parties superflues à chaque bout de la pièce d'abebay.

7. Après avoir fixé la pièce à l'établi en position verticale, on la découpe à la scie à monture en suivant le tracé.

8. On scie la pièce sur la face opposée. Cette opération peut aussi s'effectuer avec une scie sauteuse.

9. Aspect des pièces et des chutes une fois la découpe terminée.

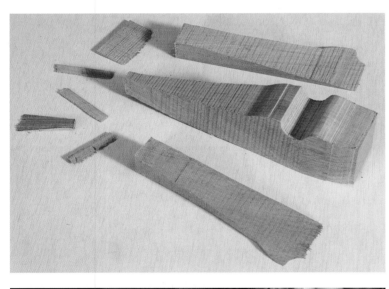

10. Avec le gabarit, on trace, sur les quatre faces, le contour de l'entaille d'assemblage de la queue de l'avion.

11. On procède ensuite à la découpe à la scie à dos en suivant le tracé. Étant donné la taille réduite de l'entaille, cette opération doit être effectuée avec beaucoup de soin.

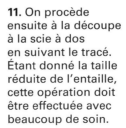

12. Pour procéder à l'élimination du bois superflu, on incline la scie à dos, en procédant toujours avec beaucoup de précaution.

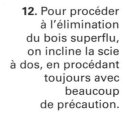

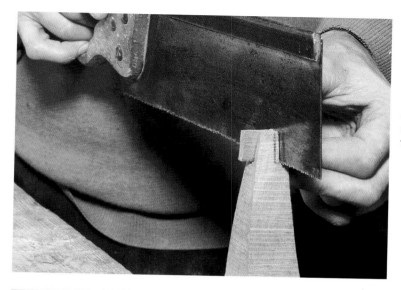

13. On coupe ensuite le bois perpendiculairement à la première entaille, en la consolidant auparavant à l'aide d'un petit morceau de bois, pour éviter toute rupture.

14. On trace ensuite l'axe médian longitudinal de la base du fuselage.

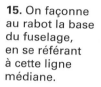

15. On façonne au rabot la base du fuselage, en se référant à cette ligne médiane.

16. On arrondit ensuite, à la lime ou à la râpe, les arêtes supérieures de la pièce.

Réalisation du moteur

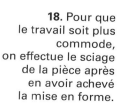

17. Après avoir marqué la longueur de la pièce au crayon, on arrondit l'une des extrémités à la lime ou à la râpe, puis on en affine la surface en la ponçant au papier abrasif.

18. Pour que le travail soit plus commode, on effectue le sciage de la pièce après en avoir achevé la mise en forme.

Confection des ailes

19. On reporte le contour des gabarits sur les pièces destinées à la confection des ailes.

20. On découpe à la scie sauteuse toutes les pièces qui composent les ailes.

21. On régularise ensuite au rabot les chants droits des pièces coupées à la scie sauteuse.

22. On rectifie les chants courbes à la râpe ou à la lime.

23. On procède au sciage transversal avec la scie radiale, car la coupe doit être effectuée avec un léger angle d'inclinaison, de façon que les ailes s'adaptent à la forme de l'avion.

24. La découpe des ailerons s'effectue également à la scie sauteuse. Pour éviter que la pièce ne casse lors de sa découpe, on commence par scier la partie la plus délicate, puis on termine par le contour.

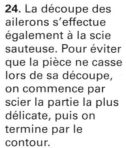

25. La découpe des pièces composant l'avion est terminée.

Préparation de l'assemblage

26. Les trous destinés aux supports des ailes sont espacés de 18 cm (7 po). On enfile sur la mèche une pièce de bois qui sert de butée de profondeur.

27. Après avoir marqué les emplacements, on procède au perçage des trous d'assemblage des ailes, en leur donnant une légère inclinaison.

28. On coupe à la scie à dos les tourillons qui vont servir à soutenir les ailes. La coupe doit être effectuée légèrement en biais.

29. On trace ensuite, avec le gabarit correspondant, le contour des pièces de support des roues.

30. On les découpe à la scie sauteuse. La dimension des pièces semble être excessive, mais il n'en est rien. Il serait difficile de scier une pièce de plus petit format.

31. Une fois les pièces découpées, on en rectifie les chants à la lime ou à la râpe, surtout les parties internes.

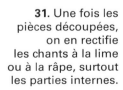

32. On affine les chants en les ponçant.

33. Pour la fixation des roues, on perce un trou de 5 mm ($^3/_{16}$ po) de diamètre. Les pièces étant de très petites dimensions, il convient, pour cette opération, de les fixer à l'établi avec un serre-joint.

34. On scie les supports du train d'atterrissage à une longueur de 4,7 cm (1 $^7/_8$ po).

35. On trace le contour des roues au compas sur la pièce en ébène.

36. Après avoir fixé la pièce à l'établi, on la découpe à la scie sauteuse.

37. Avec la perceuse équipée d'une mèche de 1,5 cm ($^1/_{16}$ po) de diamètre, on perce le trou central des roues.

38. Avec le gabarit, on trace le contour du support de la roue arrière.

39. On effectue ensuite la découpe à la scie sauteuse suivant ce tracé.

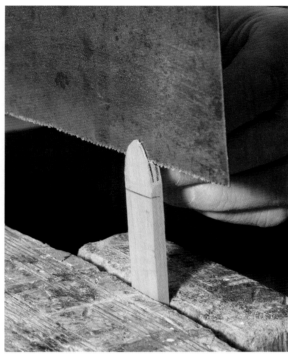

40. On trace alors les limites de l'entaille dans laquelle viendra s'emboîter la roue, qui doit avoir une largeur de 2,4 cm ($^3/_{32}$ po).

41. Avec la scie à dos, on effectue une première découpe.

42. On scie la pièce en suivant le tracé parallèle, en faisant pression avec le pouce pour éviter une rupture de la pièce.

45. Le processus à suivre pour la réalisation de l'hélice est similaire : traçage de la forme et découpe à la scie sauteuse. Quand ces opérations sont terminées, on arrondit un peu les bords des deux pales de l'hélice, pour leur donner plus de véracité.

43. On se sert d'une pièce de monnaie pour tracer le contour de la roue arrière, qui fait 1,8 cm ($^{11}/_{16}$ po) de diamètre.

44. Après avoir découpé la roue à la scie sauteuse, on l'emboîte dans son support pour percer le trou de fixation dans les deux pièces à la fois.

Ponçage et assemblage

46. Avant de procéder à l'assemblage des pièces, on les ponce toutes, d'abord avec un papier abrasif à grain moyen, puis à grain fin.

47. Après avoir enfoncé une pointe dans le moteur pour en renforcer la fixation, on l'enduit de colle.

48. On encolle les ailes inférieures et l'on maintient l'ensemble à l'aide de deux propres-à-rien.

49. Pour finir, on encolle les ailerons arrière.

Finitions

50. Quand la colle est sèche, on retire les propres-à-rien et on applique une couche de vernis sur l'avion.

51. On fixe l'hélice avec la semence de tapissier, que l'on enfonce à l'aide de légers coups de marteau.

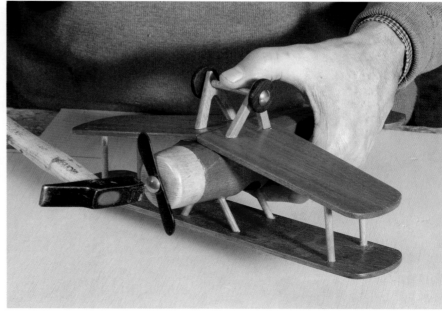

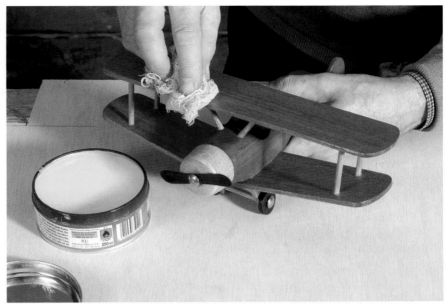

52. On ponce l'avion avec un papier abrasif à grain très fin, puis on en polit les surfaces au tampon de laine d'acier.

53. On passe ensuite une couche de cire sur tout l'avion, en insistant sur les chants pour bien en boucher les pores.

L'avion est achevé. Il peut servir aussi bien de jouet que d'objet décoratif, posé sur une table, ou sur une étagère, par exemple.

Restauration d'une chaise

Le métier de restaurateur de meubles est apparu avec le succès croissant qu'ont connu, au fil des années, les meubles anciens. Sa finalité est de restituer aux meubles un état de conservation qui leur permettent d'être à nouveau utilisés dans des conditions normales et de leur rendre l'attrait et l'intérêt décoratif qu'ils possédaient à l'origine. Les meubles les plus divers peuvent faire l'objet d'une restauration, mais le plus souvent, elle concerne ceux d'usage courant, comme les tables, sièges, commodes, etc.

La pratique de cette activité exige une bonne connaissance des différentes techniques d'ébénisterie, étant donné que, pour restaurer parfaitement un meuble, il faut être en mesure d'analyser quelles ont été les différentes étapes de son processus de réalisation, et de quels éléments et matériaux il est constitué.

On présente dans cet exercice la restauration d'une chaise espagnole de style isabellin. L'âge et le fait qu'elle n'ait cessé d'être utilisée durant de nombreuses années lui ont fait subir une véritable détérioration, qui se concrétise de différentes manières : décollement de placages, action destructrice de la vrillette, cassures, disparition de fragments de pièces, etc. Une particularité de cette chaise est qu'elle a déjà été soumise à une restauration, lors de laquelle on lui a incorporé des renforts métalliques pour réparer les cassures du dossier. Le processus de restauration doit commencer par une évaluation précise des dégâts.

L'objectif recherché est de rendre à cette chaise la dignité et la noblesse qui lui reviennent sans que les travaux réalisés ne laissent de traces perceptibles, critère de réussite essentiel d'une restauration.

Évaluation des dommages

L'examen attentif de la pièce en vue de déterminer la nature du ou des bois dont elle est constituée, les types d'assemblages employés, de formes, de moulures, etc., constitue la première étape du processus de restauration. L'évaluation des dommages par un examen visuel minutieux et général en constitue la seconde étape, particulièrement importante ; il ne s'agit pas seulement de recenser tous les défauts visibles, mais aussi de faire une révision des assemblages pour savoir si l'on doit procéder ou non au démontage total du meuble, ce qui s'avère souvent indispensable, si l'on veut que le travail soit bien fait.

1. État général de la chaise qui doit faire l'objet de la restauration. Il convient tout d'abord de procéder à un examen visuel détaillé pour évaluer son degré de détérioration et planifier les étapes de sa remise en état.

2. On vérifie la nature du bois employé à l'origine en éliminant avec précaution, au racloir, le vernis existant. On découvre ici que les pièces apparentes sont en acajou et que les pièces qui en forment l'ossature, non visibles, sont en pin.

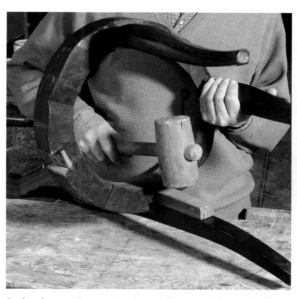

3. Après avoir constaté que l'assemblage de l'un des pieds avec cette ossature est très fragile, on procède à son démontage. Cette opération est nécessaire pour assurer la solidité du nouvel assemblage par un nouvel encollage des pièces.

4. On vérifie ensuite la qualité de l'assemblage des autres pieds sur l'ossature. On en conclut qu'il n'est pas utile de procéder à leur démontage.

5. On démonte le dossier de la chaise, après avoir constaté qu'il avait du jeu.

6. Type d'assemblage unissant des pièces en acajou à la structure en pin qui, après examen, est jugé satisfaisant.

7. Vue détaillée de la cassure du dossier de la chaise, décelée par la présence de pièces de renfort métalliques mises en place lors d'une restauration antérieure. Il est important de disposer des fragments de bois cassés, bien que certains aient disparu.

8. On constate que l'ossature en pin est recouverte d'un placage d'acajou dont des éclats se sont détachés à certains endroits, et qu'il va falloir remplacer.

9. Détail de traces d'attaques de vrillette dans l'ossature en pin.

Nettoyage et traitement

L'assainissement d'un meuble consiste essentiellement en un profond nettoyage tant extérieur qu'intérieur du bois qui le compose.

Ici, pour le nettoyage externe, on utilise de l'eau chaude avec un peu de solvant. Le nettoyage interne consiste à traiter le bois contre l'action

des insectes xylophages, par injection et pulvérisation d'un insecticide adéquat.

10. On nettoie superficiellement toutes les pièces de la chaise à l'eau chaude additionnée de 10 % de solvant (toluène, xylène, acétone, etc.). Cette opération est très efficace, mais doit être réalisée avec précaution, étant donné la toxicité des solvants.

11. Après avoir nettoyé le reste de la chaise, on constate des différences de teintes entre le bois massif et le placage. Il faudra en tenir compte dans les opérations de finition.

12. On procède de la même manière pour éliminer les restes de colle sur les assemblages.

13. Après avoir étendu la solution sur le bois, on le frotte à la mèche de coton pour en éliminer la saleté.

14. Dans tous les trous de vrillette, on injecte un insecticide pour éliminer les parasites qui peuvent être encore présents.

15. On pulvérise un insecticide à titre préventif sur toutes les pièces susceptibles d'être attaquées par les insectes xylophages.

16. Pour que l'insecticide agisse efficacement, on introduit les pièces dans un sac en matière plastique que l'on laisse hermétiquement fermé pendant 24 heures.

Repose et remplacement de pièces et assemblage provisoire

Le remplacement correct de certaines pièces n'est possible que si l'on connaît le meuble à fond, le bois utilisé, le type d'assemblages, etc.

17. Pour remplacer les morceaux de placage manquants, il faut commencer par introduire de la colle chaude dans les interstices entre le placage et le support.

18. Les fragments détachés sont remplacés par de nouveaux morceaux, également fixés à la colle chaude. On parfait l'adhérence du placage en le lissant au marteau à plaquer.

19. Avant de remplacer les pièces manquantes du dossier, on procède à son assemblage. On encolle la traverse qui unit les deux montants formant le dossier avec de la colle animale chauffée au bain-marie.

20. On encolle les tenons de la traverse du dossier.

21. On assemble les trois pièces. Cette opération doit être effectuée rapidement, car la colle sèche vite.

22. Avec une ficelle, on réalise un garrot pour immobiliser les pièces durant le temps de séchage de la colle.

23. Avec de la mèche de coton, on nettoie l'excédent de colle. Si elle a déjà pris, on imbibe la mèche de coton d'eau chaude.

24. On encolle ensuite la pièce supérieure du dossier. On réutilise les pièces de renfort métalliques employées lors de la restauration antérieure.

25. Dans l'opération d'encollage, il faut appliquer la colle sur les deux pièces à assembler.

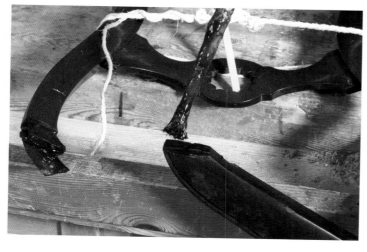

26. On immobilise les pièces encollées à l'aide d'une presse.

27. On remplace et on encolle les morceaux de bois. On se sert d'un marteau pour bien encastrer les pièces dans les vides correspondants.

28. Aspect du dossier une fois l'assemblage terminé, après remise en place et consolidation des pièces cassées et remplacement des pièces manquantes.

29. Résultat de l'assemblage de la pièce supérieure du dossier après encollage. Comme l'une des pièces manque, il va falloir la reconstituer.

30. La nouvelle pièce est fabriquée à partir d'un morceau du même bois d'origine, en ce cas de l'acajou. On en délimite la largeur en se référant aux dimensions du trou à combler.

31. Avec la scie à dos, on coupe le morceau d'acajou nécessaire, en prévoyant une petite marge supplémentaire pour pouvoir en égaliser ensuite les contours.

32. On mesure la longueur de la pièce à remplacer avec une grande précision.

33. Avec un ciseau, on retire les restes de colle, et on égalise le trou.

34. Après avoir scié la pièce, on vérifie qu'elle comble bien le trou.

35. On encolle le trou et la pièce reconstituée.

36. On met la pièce en place en l'emboîtant avec de légers coups de marteau.

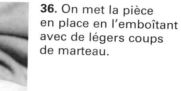

37. On procède de la même manière pour remplacer toutes les pièces manquantes.

38. On serre les pièces à l'aide de propres-à-rien durant le séchage de la colle.

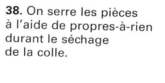

39. Quand la colle est sèche, on perce des trous à la perceuse pour ajouter les vis de fixation des pièces métalliques.

437

Ponçage et assemblage définitif

La restauration n'a pas seulement pour finalité de permettre à un meuble de remplir à nouveau sa fonction, mais de lui rendre son aspect initial et toute sa noblesse. Comme pour tout autre travail d'ébénisterie, le résultat doit être agréable à la vue et conférer à la pièce réalisée un aspect soigné et attrayant. Après avoir éliminé les défauts de la pièce et l'avoir traitée contre les attaques de parasites, il faut attacher un soin particulier aux opérations de ponçage et d'assemblage.

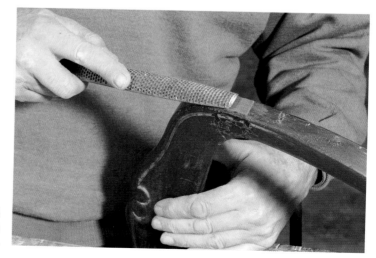

40. Après avoir arasé l'excédent de bois, on affleure la pièce à la râpe.

41. On procède de même pour la pièce remplacée dans la partie courbe du dossier, en utilisant une râpe dont la lame s'adapte à la courbure.

42. Avec une scie à guichet, on élimine ce qu'il reste des tenons de l'assemblage d'origine.

43. On retire au ciseau les vieilles traces de colle qui nuiraient à la bonne tenue de la nouvelle couche de colle.

44. On encolle les deux pièces à assembler.

45. On immobilise les assemblages à l'aide de serre-joints.

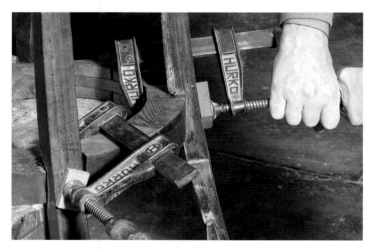

46. Dans la zone d'assemblage entre le dossier et l'assise, on met en place une pièce qui fait office de coin.

47. Pour renforcer l'assemblage entre le dossier et la structure de l'assise, on perce des trous pour insérer des vis.

48. On introduit dans ces trous les vis tire-fonds à tête hexagonale ou six pans, deux par assemblage, en les serrant à la clé plate.

Finitions

Cette étape constitue le point culminant de toutes les opérations effectuées jusqu'ici. Il ne faut pas oublier que la finition d'une pièce d'ébénisterie doit conserver un rapport étroit avec celle d'une œuvre d'art. Le soin et l'attention que l'on va apporter à ces derniers travaux influeront grandement sur la qualité du résultat obtenu.

49. Fournitures nécessaires aux opérations de finition : gomme-laque en paillettes, alcool pour la diluer, chiffon et mèche de coton pour l'application.

50. Après avoir imbibé la mèche de coton de gomme-laque diluée dans de l'alcool (175 g de gomme-laque pour un peu moins de 1 l d'alcool) et l'avoir enveloppée du chiffon, on procède au vernissage au tampon de la chaise.

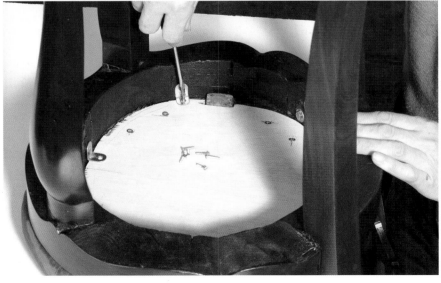

51. On assujettit l'assise à la structure à l'aide d'éléments métalliques que l'on visse dans le contreplaqué qui en double l'envers.

Aspect final de la chaise. On a profité de cette restauration pour changer le tissu de l'assise.